FOLGE IHM !

Hans-Georg Beck
Das byzantinische Jahrtausend

HANS-GEORG BECK

Das byzantinische Jahrtausend

VERLAG C. H. BECK MÜNCHEN

Mit 8 Abbildungen auf Tafeln

CIP-Kurztitelaufnahme der Deutschen Bibliothek

Beck, Hans-Georg
Das byzantinische Jahrtausend. – 1. Aufl. –
München: Beck, 1978.
ISBN 3 406 05997 X

ISBN 3 406 05997 X

Umschlagentwurf: Bruno Schachtner, Dachau
© C. H. Beck'sche Verlagsbuchhandlung (Oscar Beck) München 1978
Satz und Druck: Druckerei Georg Appl, Wemding
Printed in Germany

Für Erni Hamann

Was Tarquinius Superbus in seinem Garten mit den Mohnköpfen sprach, verstand der Sohn, aber nicht der Bote.

J. G. Hamann

Vorwort

Mit diesem Buch ist weder eine systematische Einführung in die Byzantinistik beabsichtigt, noch eine Gesamtdarstellung des Phänomens Byzanz. Vollständigkeit habe ich keinen Augenblick angestrebt. Die Auswahl des Gebotenen – ein Quodlibetum, wenn man so will – entspricht sehr persönlichen Vorlieben, aber auch ein wenig jenem Nachholbedarf der Byzantinistik, den ich für gegeben erachte, auch auf die Gefahr hin, in den Verdacht der Arroganz zu geraten. Aber vielleicht kann so das Buch jenen einige Anregungen vermitteln, die, ohne Byzantinisten vom Fach zu sein, doch an Byzanz genug interessiert sind, um sich auf die Dauer nicht mit Darstellungen zufrieden zu geben, die sich in der Pracht des höfischen Zeremoniells, in den farbigen Riten der Liturgie, in einem „johanneischen Christentum" oder im Salto mortale einer politischen „Metaphysik" erschöpfen. Der Byzantiner durchschnittlichen spezifischen Gewichts lebte wohl kaum jahraus jahrein so hochgestimmt, wie man es ihm gern unterstellt; vielleicht war er auch – dies Frucht jahrelanger Beschäftigung mit dem Gegenstand – wesentlich „weltlicher", als angenommen wird. Er war Politiker genug, um auch ohne Metaphysik taktieren zu können; er liebte Urbanität, Witz und literarisches Spiel zu sehr, um ständig an Weltflucht und Jenseits zu denken, und er war nicht selten so religiös, daß er da und dort auch der Mechanismen der Orthodoxie entraten konnte. Die Existenz der Prachtausgabe des Byzantiners läßt sich nicht leugnen, aber nicht „de luxe", sondern die einfache Broschur dürfte das alltägliche gewesen sein.

Auf dem Boden solcher Überlegungen entsteht natürlich kein Buch für den verwöhnten Gourmet, und dem bösen Vorwurf der Entmythologisierung sind Tür und Tor geöffnet. Doch was tuts? Ich schrieb das Buch in Erinnerung – und in einer Art „Anakephalaiose" – an zahlreiche Übungen und Vorlesungen vor jungen Leuten, die ich davor warnen wollte, ausgetretene Pfade noch breiter zu treten. Wenn ihnen die repetita lectio Spaß macht, hat es einen Zweck erfüllt.

Das Buch bringt sehr viele Namen, die wohl nicht jeder sofort kennt und lokalisieren kann. Um lästige Wiederholungen in den Anmerkungen und ein kompliziertes Verweissystem zu vermeiden, habe ich versucht, in einem etwas breiter angelegten Register alle nötigen Angaben zusammenzufassen.

Literaturhinweise am Schluß des Buches habe ich nur in strenger Auswahl gebracht – und darüber wohl manches einfach vergessen. Wenn mein eigener Name darin öfter auftaucht, dann nur deshalb, weil ich in verschiedenen Aufsätzen und Abhandlungen schon manches ausführlich vorwegge-

nommen habe, was ich hier nur kurz zur Darstellung bringen kann. Schließlich habe ich einen Anhang mit byzantinischen Texten in deutscher Übersetzung angefügt, die wohl auch im Original nur selten gelesen werden. Sie
können manches, was im Hauptteil des Buches gesagt ist, rascher erläutern
als ein langer Kommentar.

München, den 1. Dezember 1977   Hans-Georg Beck

Inhaltsverzeichnis

I. Einführung

1. Das hellenistische Erbe

Ein entscheidender Schritt zum Verständnis des byzantinischen Reiches und all seiner Lebensäußerungen besteht darin, sich über die Tatsache klar zu werden, daß Byzanz keine Vor- oder Frühgeschichte kennt in dem Sinn, in dem dieses Begriffspaar für das westliche, vor allem das germanische Mittelalter Verwendung findet. Wie immer Vor- und Frühgeschichte im einzelnen aussehen und wie weit der Streit über den Inhalt der Begriffe gehen mag, jedenfalls entbehrt Byzanz jener Geschichtsperiode, die keine schriftlichen Denkmäler kennt, die sich ihre Vorkommnisse und Strukturen aus dem Bereich der Sage und des Mythos holen muß, wo Nebel, Zauber, Götter und Heroen das Feld beherrschen und nicht immer leicht deutbare Gräberfelder und sonstige archäologische Spuren die einzige greifbare Hilfe darstellen. Eine solche Lage ist von bestürzender Vieldeutigkeit, hat aber auch etwas Verführerisches an sich, den Reiz des Unberührten, die Ferne von ausgefahrenen Wegen und die Unbrauchbarkeit von Klischeevorstellungen. Aus dieser Urschicht erheben sich langsam Stämme und Völker, zunächst ohne erkennbares Selbstbewußtsein. Erst allmählich beginnen sie sich zu umreißen und Gestalt anzunehmen, und nur spät werden gesellschaftliche Formen erkennbar, eine Gliederung der Bevölkerung, Herrschaftsbildung, Rudimente eines Staates.

Alles dies fehlt in Byzanz. Es tritt in die Geschichte, fast unmerklich, als Spätstadium eines Griechentums und seiner Randvölker, das sich den Formen römischer Herrschaft unterworfen hat. Byzanz – dies bedeutet eine Geschichtsepoche, die gerade da anhebt, wo der Historiker der vorausgegangenen Zeit geneigt ist, als letzten Ausdruck seines Erstaunens und seiner Enttäuschung den Begriff Dekadenz von der Leine zu lassen.

Dekadenz ist für den Historiker nicht selten etwas wie ein dialektischer Gegenpol zu Vor- und Frühgeschichte. Diese verspricht, jene versagt. Für das Verständnis von Byzanz wurde der Begriff Dekadenz für lange Generationen das Schlüsselwort. Der Gelehrte, der im Zusammenhang mit Byzanz für die Lebensdauer des Begriffes gewöhnlich verantwortlich gemacht wird – obwohl er nicht allein steht –, ist Edward Gibbon. Vor seiner Zeit, d. h. vor der europäischen Aufklärung, wurde das Problem, das jeder „Nachfolgestaat" und jede „Nachfolgekultur" gegenüber dem klassischen Vorgänger darstellt, kaum gesehen. Byzanz als lebendige Potenz blieb noch lange nach seinem Fall für sich allein von Gültigkeit und Bedeutung. Das Auge war noch nicht geschult genug, um auf dem Bereich von Sprache und Literatur zwischen Klassisch, Spätantik und Byzantinisch zu unterscheiden, der Streit um das politische Erbe des Staatswesens bestimmte noch immer einen Teil der europäischen Politik. Das Studium der byzantinischen Welt war oft nichts anderes als Zufallsergebnis, die Frucht eines Handschriftenfundes oder des Kontakts mit griechischen Emigranten; und über sie allein gab es einen Weg zurück zur Antike. Die Beschäftigung mit der orthodoxen Theologie aber stand zumeist im Dienst von Reformation und Gegenreformation, diejenige mit der Geschichte versuchte nicht selten die geistige Absicherung gegenüber der Türkengefahr. Die erste große Epoche der Byzantinistik, grundgelegt durch ein halbes Dutzend deutscher Humanisten und hochgeführt in Frankreich, war an Geschichte nur mäßig interessiert. Sie widmete sich den Texteditionen und vor allem den sogenannten Hilfswissenschaften, denen eine sehr starke technische Bezogenheit eignet. Das Nachdenken über Geschichte als solche setzt spät ein, merkwürdigerweise gerade in der Aufklärungszeit, die im allgemeinen, wie Christopher Dawson einmal in einem Vortrag über Gibbon ausgeführt hat, kaum als „historically minded age" bezeichnet werden kann, vielmehr durch eine „anti-historical quality" charakterisiert wird. Wo immer diese Zeit aber dann doch Geschichte betrieb – Voltaire ist das sprechende Beispiel – ging es ihr nicht mehr um „Archivalien", sondern um eine Entwicklungsgeschichte der Menschheit. Details sind für sie der „Wurm, der die Geschichte zerstört". Insofern ist Gibbon eine Ausnahmeerscheinung in seiner Zeit, weil er neben aller philosophischen Ausrichtung ein großer Historiker alten Stils war, der mit seiner Faszination durch die Größe Roms den frühen italienischen Historikern der Renaissancezeit näher steht als seinen aufgeklärten Zeitgenossen. Diese Begeisterung für die römische Größe aber verbaute ihm die Sicht für alles, was christlich, was mittelalterlich und was byzantinisch war. Hier konnte nur noch der Begriff „decline" Verwendung finden. Noch unsere eigene Byzantinistik zieht sich immer wieder in eine Defensivstellung zurück und formuliert Apologien, die im Grunde gegen Gibbon gerichtet sind.

Doch der Begriff Dekadenz wird in Verbindung mit Byzanz unausrottbar bleiben, und wir sollten uns damit abfinden, denn es eignet ihm eine Willkür, gegen die mit Logik nicht anzukommen ist. Er paßt ja für jede Zeit und jede Lage. Jede ältere Generation findet die nachfolgende meist dekadent, und wer immer sich eine „klassische Epoche" zurechtstilisiert hat, wird der darauffolgenden wenig abzugewinnen wissen. Der Humanist alter Schule findet die Latinität eines Gregor von Tours „erschröcklich", und es ist ihm von keiner Muse gegeben, sie als außerordentlich lebendiges Zwischenglied auf dem Wege zu Racine und Bossuet zu erkennen; dabei könnte sich ja Dekadenz als die notwendige Vorstufe zu neuer Klassik entpuppen und damit an Bedeutung gewinnen. Gefährlich wird es auch, wenn von Dekadenz unbesehen nur deshalb gesprochen wird, weil man von einer nachfolgenden

Katastrophe weiß; da 476 das Römische Reich angeblich ein für alle Male zusammengebrochen ist, subsumiert man alles Vorausgehende als glatten Abstieg in Richtung auf dieses fatale Datum. Die Katastrophe muß zur Rechtfertigung dieser Verallgemeinerung herhalten. Dies zum nicht weniger fatalen Datum 1453! Die Verwendung des Begriffes Dekadenz hängt also nicht selten von einer sehr unreflektierten, gelegentlich emotionalen, auf vorgefaßten Entwicklungsschemata beruhenden Einstellung ab, einer Meinung, die noch dazu sich dauernd mit der Theorie eines kontinuierlichen Fortschritts herumschlagen muß. Und oft ist der Dekadenzbegriff nichts anderes als das Alibi für die Trägheit des Historikers, der sich ganz einfach mit Justinian nicht mehr befassen will, weil ihm Caesar genügt, und der Prokop nicht mehr liest, weil ihm Thukydides besser gefällt – eine Trägheit, die sich nicht einmal Gedanken darüber macht, wie eine Dekadenz beschaffen sein muß, die tausend Jahre und mehr vorhält.

Das sieht nun ebenfalls nach defensiver Byzantinistik aus. Doch das wäre ein Mißverständnis. Ich denke nicht daran, die dekadenten Züge im Bild von Byzanz zu leugnen. Ja, ich glaube, daß gerade sie es sind, die dazu einladen, Byzantinistik zu treiben. Dekadenz – endlich die contreverité! – ist außerordentlich ansprechend und besitzt einen hilflosen Charme. Gerade weil sie hilflos ist, sollten sich die Historiker ihrer annehmen. Caesar braucht sie nicht und Innozenz III. erst recht nicht. Dekadenz versteht sich kaum aufs Überleben, und man sollte ihr dabei helfen. Man muß ihr helfen um der Nichtdekadenten willen, der Schöpferischen, deren Kreativität ohne den Nährboden der Dekadenz verkümmern würde, weil auch Kreativität gedüngt sein will. Ohne dekadentes Byzanz wäre die italienische Renaissance auf halbem Wege stecken geblieben. Und ohne Kenntnis der Strukturen und Kategorien, die sich beim Studium der Dekadenz ergeben, bleibt der Historiker hilflos, wenn er den strukturellen Verlauf seiner heroischen Epochen bestimmen will, – sie enden ja doch in der Dekadenz!

Aber bleiben wir bei Byzanz, das, dekadent, wie es ist, nicht einmal eine Vor- und Frühgeschichte hat. Dies ist nun keine contreverité mehr. Was vorangeht, ist der Hellenismus und seine Fortsetzung in der griechisch-römischen Spätantike der ersten christlichen Jahrhunderte. Byzanz muß gesehen werden als fast bruchlose Fortsetzung dieser Welt. Gustav Droysen, der für den deutschen Sprachraum – der angelsächsische kennt eine andere Terminologie – den Begriff Hellenismus geprägt hat, verstand darunter den Zeitraum, der aus dem klassischen Griechentum zum Christentum hinübergeführt, den Zeitraum der „Ineinsbildung" des östlichen Volkstums mit dem abendländischen unter der Potenz der hellenischen Bildung. Dieser Zeitraum, die letzten drei Jahrhunderte vor Christus, wird ohne allzu großen Bruch von der römischen Kaiserzeit weitergeführt, – eine Epoche, die vielleicht als Späthellenismus bezeichnet werden darf.

Was charakterisiert den Hellenismus in seiner Ausgangslage? Die unge-

heure Ausweitung der Welt seit den Eroberungszügen Alexanders des Großen, welche die Griechen zwischen fremde Völker und Kulturen warfen,
konnte nur deshalb zu einer hellenistischen, d. h. im Grunde eben doch griechisch bestimmten Welt werden, weil der Grieche trotz dieses Aufeinander-
pralls das Gefühl für seine Einmaligkeit nicht verlor und nicht aufgab. Er
vergaß nie die Verpflichtung, das Bild des griechischen Menschen und seiner ἀρετή d. h. seiner moralischen Qualität, das vor ihm stand, zu erfüllen.
Gewiß verlor die Scheidung zwischen Griechen und Barbaren an Schärfe; es
bildete sich eine Art Kosmopolitismus heraus, aber das Bewußtsein des
Griechen blieb lebendig, „als Grieche mehr zu sein" (C. Schneider) und eine
besondere Berufung zu haben. Dieses Mehr-sein und Mehr-sein-wollen
hatte auch eine politische Komponente, aber hier fehlte die Begabung und
das Glück war nicht hold. Um so stärker warf sich dieser Trieb zur Selbster-
haltung in einer größeren Welt auf Kultur und Bildung. Der Panhellenismus
bleibt kaum eine politische Triebkraft, wohl aber eine kulturelle. Und wie
pessimistisch es auch gemeint war, es galt doch: „Das einzige, was in Hellas
erwähnenswert ist, ist Bildung und die Kunst der Rede". Der Grieche
schlechthin ist jetzt der gebildete Grieche und griechisches Selbstbewußtsein
in dieser Zeit ist mit Vorzug Bildungsbewußtsein. Der politische Rahmen
wird fast immer von außen aufgezwungen.
    Meines Erachtens bleibt dies ein bestimmendes Element für die gesamte
byzantinische Epoche. Die wirkliche Permanenz der antiken Welt im byzantinischen Mittelalter ist die Permanenz des Bildungsanspruches. Andere Ansprüche können sich immer nur zeitweise geltend machen. Es ist hier natürlich nicht der Ort, die Frage zu behandeln, warum der hellenistische
Mensch, soweit er sich in den Quellen artikuliert, so war und nicht anders.
Was hier zählt, ist nur die Kontinuität. Sie erklärt sich nicht zuletzt aus der
Tatsache, daß der Grieche im byzantinischen Reichsverband ebenso wenig
einen rein griechisch bestimmten politischen Rahmen seines Handelns hatte
wie in der Zeit des Hellenismus selbst. Das byzantinische Reich umfaßte
weite Gebiete, die nicht griechisch waren, wo zum Teil auch gar nicht griechisch gesprochen wurde. Das große „Nationalitätenproblem" des Reiches
nötigte die Griechen genau wie Jahrhunderte vorher zur Aufrechterhaltung
dieses Selbstbewußtseins, als Griechen, kraft ihrer Kultur und kraft ihrer
Bildung mehr zu sein.
    Doch die Unterschiede sind nicht zu verkennen. Einer der bedeutendsten
liegt meines Erachtens in dem Umstand, daß Byzanz die große wissenschaftliche Neugierde der hohen hellenistischen Zeit nicht mehr teilte, jene Lust
an der kritischen Beobachtung von Natur und Mensch, der Gesetze der
Erde und des Himmels, die das alexandrinische Zeitalter auszeichnet. Ganz
gewiß kennt auch die byzantinische Geschichte nicht wenige technische Er-
findungen, die nur auf geduldiger Neugierde beruhen können – Architektur,
Schiffsbau, griechisches Feuer usw. Doch diese Fortschritte vollziehen sich,

wenn man so sagen darf, abseits vom Bildungsbetrieb; sie werden in den Kontobüchern byzantinischer Wissenschaft nicht als Aktivposten aufgeführt und sie bleiben anonym. Und die hellenistische Kritik, die sich ebenso oft an Sachen wie an Personen entzündete, beschränkt sich in Byzanz oft auf die Personen, auf die „Konkurrenz". Hellenistisch bleibt dabei die enge Bindung an das Wort, nicht nur insofern es den Begriff formuliert, sondern ebenso stark an das Wort als künstlerisches Ausdrucksmittel: Wort als Bestandteil der Rede und Rede als in sich geschlossenes Kunstwerk. Und je mehr der wissenschaftliche und der sach-kritische Geist versiegt, desto mehr verselbständigen sich Wort und Rede als solche, ja desto stärker wird der Kampf mit dem Wort, die λογομαχία, und der Kampf mit den Kniffen der Rede.

Der Werdegang hat wohl recht verschiedene Ursachen. Eine davon dürfte folgende sein: Die materiellen Grundlagen der geistigen Kultur werden dünner. Die Expansion des Griechentums im Osten, in den Provinzen, die einen hohen Produktionsstand aufweisen, kommt zum Stillstand. Die dort bisher kulturell überrollten Völker und Sprachen besinnen sich allmählich auf ihre eigene Kraft. Die frühbyzantinische Zeit erlebt die Entstehung einer eigenen syrischen Literatur und auch die Anfänge einer koptischen. Armenisch und Iberisch fangen an, sich sprachlich und kulturell zu artikulieren. Selbst in Rom verliert Griechisch als Dominante in der Bildungsschicht der Kaiserstadt im Lauf des 3. Jahrhunderts rasch an Bedeutung. Mit der Verlagerung der Reichszentrale nach dem neugegründeten Konstantinopel beginnt Latein als Verwaltungssprache sogar seinen Druck auf das Griechische im eigenen Raum auszuüben und zu verstärken, so wie der römische Verwaltungsdienst die jungen Leute aus der Selbstzufriedenheit der hellenistischen Polis lockt. Die politischen Schwierigkeiten mit dem neu konsolidierten Perserreich erzwingen weite Umwege für den Handel aus dem Osten und damit Verteuerung und ein Absinken des Wohlstandes jener Kreise, die als Mäzene für das Wohlergehen von Bildung und Wissenschaft gesorgt hatten. Germanische Stämme haben längst vor dem Ende der Antike nicht nur die nördlichen Ränder des Imperiums, sondern selbst Griechenland überschwemmt und geplündert. Auf dem Balkan kann die Donaugrenze nur mit äußerster Anstrengung gehalten werden, und Italien ist seit dem 5. Jahrhundert ein Spielball der Barbaren. Die Welt, in der sich der Hellenismus frei entfalten konnte, wird kleiner und kleiner, die Austauschmöglichkeiten, von denen geistiges Leben zehrt, immer beschränkter, die materielle Basis, auf die der Gebildete der Spätantike schon auf Grund seines Urkonzepts von musischer Beschaulichkeit notwendig angewiesen war, bricht zusammen, und die vitalen Interessen des Überlebens werden bald wichtiger als die Pflege der Bildungsgüter. Die Schicht der Gebildeten schrumpft und die Resignation, der Urfeind der intellektuellen Neugierde, macht sich breit.

Paul Verlaine hat diese Stimmung auf kongeniale Weise eingefangen:

„Ich bin das Reich am Ende des Verfalls.
Ich sehe, wie die blonden Barbaren vorüberziehen,
während ich Akrosticha dichte, ohne Bezug
in einem Stil von Gold, über dem die müde Sonne tanzt.

Alles ist ausgetrunken, alles ist gegessen,
nichts bleibt zu sagen, es sei denn ein Gedicht,
etwas einfältige Verse, die man ins Feuer wirft.

Da ist noch ein Sklave, ein Streuner,
der sich schon nicht mehr um uns kümmert,
und da ist die Langeweile – ich weiß nicht woher –
die uns bedrückt".

Und da sind jene noch tiefer schürfenden Verse von Konstantinos Kavaphis,
wo die Griechen auf der Agora die Ankunft der Barbaren erwarten, die
dann noch vorüberziehen:

„Καὶ τώρα τὶ θὰ γένουμε χωρὶς βαρβάρους;
Οἱ ἄνθρωποι αὐτοὶ ἦσαν μιὰ κάποια λύσις.

Was wird nun aus uns ohne die Barbaren?
Diese Menschen hätten eine Lösung abgeben können!"

Um eine lange Entwicklung so kurz wie möglich zu fassen: Bildungsbewußtsein verbindet sich in einer solchen Lage notwendig mit einem Exklusi-
vitätsbewußtsein, zunächst nach außen, gegenüber der „barbarischen"
neuen Umwelt; aber mit Notwendigkeit auch bald nach Innen, gegenüber
denen, die der Meinung waren, auch ohne klassische Bildung überleben zu
können. Und nun vergeudet man über Jahrhunderte ein gerüttelt Maß von
Polemik in der Urteilsfindung darüber, wer „richtig" gebildet ist, wer dazu
gehört und wer nicht. Ein weites Feld byzantinischer „Literatur" wird zum
Gebiet der Polemik. Der Humor bleibt dabei auf der Strecke, Ironie und
Spott und nicht selten ein grotesker Grobianismus ersetzen die Argumente.
Viele zehren nicht mehr vom alten Hellenismus, sie zerren nur noch daran.

Man wird unschwer feststellen, daß diese besondere Art, sich mit einer
Tradition auseinanderzusetzen, sich in ihr überhaupt noch zurechtzufinden,
auch auf eine neue Art sich literarisch zu betätigen, übergriff: auf die christliche Theologie. Als Erlösungslehre war das Christentum gewiß keine Religion, die sich mit Vorzug an die Gebildeten gewendet hätte. Je mehr es aber
seit Konstantin dem Großen zum guten Ton gehört, Christ zu sein, desto
mehr rückte auch die christliche Lehre in den Gesichtskreis der Literaten,
die sich nun ihrer auf ererbte Weise annahmen. Ein Exklusivitätsanspruch
des Gebildeten auf die Grundlehren des Christentums war unmöglich. Dafür entstand Theologie. Aber nicht um ihre Entstehung, nicht um die not-

wendige Ergänzung einer Glaubenslehre durch eine wissenschaftliche Theologie geht es hier, sondern um die Art und Weise, wie sie konzipiert wurde, wie die Gebildeten der alten Schule auch hier ihren Modus procedendi zur Geltung brachten – auf die Attitüde also. Und diese blieb in vielen Fällen rein hellenistisch, so wie der frühe Byzantiner Hellenismus noch bewältigen konnte.

Damit ist nun allerdings eine einzige Linie bis zu jenem Punkt ausgezogen, wo das Negative allein den Ton anzugeben scheint. Man sollte die positiven Folgen des Erbes nicht außeracht lassen. Dazu ein Wort zu den Repräsentanten der späthellenistischen Bildung, den Rhetoren und Sophisten. Der Sophist ist der unsterbliche Hellenist, der ungehindert und unangreifbar durch das byzantinische Millennium geht. Er ist es, der den Hellenismus in seiner Substanz nach Byzanz hinübergerettet hat und der ihn dort repräsentiert. In ihm konkretisiert sich das Bildungsbewußtsein, in dem sich der Byzantiner als Byzantiner fühlt, sich eben mehr dünkt als andere Menschen. Die Abfälligkeit, mit der man über den Sophisten den Stab bricht, spricht für ihn, zumindest für die Kompliziertheit der Erscheinungswelt, die er verkörpert. Er hat eine lange Geschichte und eine lange Reihe von Gegnern, die ihm zur Ehre gereichen, hinter sich. Sophist ist zunächst der Mann, der über ungewohntes Wissen und Können verfügt – und sich damit verdächtig macht. Erst die alte Komödie macht aus ihm eine Witzfigur und ein Objekt ihrer Beschimpfung – herrlicher Weise mit Sokrates als dem Repräsentanten dieser verächtlichen Gattung! In der Zeit Platons ist es dann schon wie z. T. noch in Byzanz so, daß die gebildeten Polemiker sich gegenseitig Sophisten schelten. Man versteht eben jetzt darunter Leute, die statt der Wahrheit den Erfolg und das Honorar suchen, die sich selbst anpreisen, unechtes Interesse an ihren lebensphilosophischen Themen vortäuschen und sich in Geschwätzigkeit erschöpfen. Dies ist die eine Seite. Das bedeutet zunächst nur, daß die Gelehrtenpolemik bereits voll erblüht ist und wuchert. Wollen wir zur Sache kommen, dann kann man wohl sagen, daß es für Byzanz Isokrates gewesen ist, der das gültige Bild von dem, was Sophistik sein kann, geschaffen hat. Das alltägliche Leben, in dem der Mensch der Spätantike, der Mensch der Polis, steht und in dem er sich bewegt, kann nach Isokrates nicht durchwegs bestimmt und gemeistert werden durch die hohe Philosophie und ihren ebenso absoluten wie irrealen Wahrheitsanspruch. Die unumstößlichen Wahrheiten mögen Sache der Philosophie sein und können es bleiben. Doch im täglichen Leben müssen Entscheidungen fallen, die nicht auf die Wahrheitsfindung der Philosophen warten können. Fragen, die der Alltag stellt, müssen bewältigt werden mit fundierten, auf der Konvergenz von Wahrscheinlichkeiten gründenden Meinungen und Überzeugungen. Diese Erfahrungen zu sammeln, und zwar so viele wie nur möglich, ihre Verknüpfung sichtbar zu machen und ihre Konvergenz darzustellen, ist Aufgabe einer Technik, die sich unter dem Gesichtspunkt der

Ausbildung als rednerische Technik versteht, aber im Grunde sehr viel mehr ist. Auf die Gefahr hin, einer unerlaubten Modernisierung gezogen zu werden, wage ich die Behauptung, daß es sich hier um die „Kommunikationswissenschaft" der Spätantike handelt, und daß diese hier eine ihrer unsterblichen Eigenleistungen aufzuweisen hat, von der das halbe Mittelalter und noch große Perioden der neueren Zeit zehrten. Man wird zu dieser Bewertung legitimerweise nur Stellung nehmen können, wenn man sich der Mühe unterzogen hat, sich einmal durch die „Technik" durchzuarbeiten, weil man erst dann ermessen kann, wie viel an Psychologie, auch an Sozialpsychologie in diesen Lehrsätzen steckt, wie viel Menschenkenntnis hier verarbeitet ist und wieviele Zugänge zum „Du" hier erschlossen werden. Diese Technik stellt die Verbindung her zwischen den hohen Zielen der Theorie, gegen die sie nicht polemisiert und von der sie manches bezieht, zu den praktischen Bedürfnissen menschlichen Zusammenlebens, dem, was man in Byzanz gemeinhin die πράγματα, „die Geschäfte", nennt. Freilich hat dieses isokratische Ideal seit dem Verlust der politischen Freiheiten auch die politische Dimension im engeren Sinne des Wortes verloren. Dieser Freiheitsverlust hatte aber auch zur Folge, daß sich die Mehrzahl der Gebildeten darauf kaprizierte, in den reinen Sphären der „Theoria" zu verweilen, sich der Öffentlichkeit wo nur möglich zu versagen und in dieser Abstinenz eine conditio sine qua non für das geistige Leben zu erblicken. Der Alltag war ohne Interesse, so wie sich ja auch die Moraltheologie kaum für ihn erwärmen konnte. Dann aber kann auf jene, eben auf die Sophisten-Rhetoren, die sich gerade dem Alltag nicht versagen wollen, aber auch auf den Politiker, der sich seiner Aufgabe verpflichtet fühlt, nur noch Verachtung träufeln. Sie träufelte um so reichlicher, als die Zahl derjenigen, die mit der isokratischen Zielsetzung Unfug trieben, allerdings nicht gerade gering gewesen zu sein scheint.

Noch einmal sei es unterstrichen: auch hier handelt es sich um ein echt hellenistisches und späthellenistisches Erbe, das in Byzanz weiterlebte. Was immer aber mit den Sophisten an Mängeln und Gefahren verbunden geblieben sein mag, sie habe doch der byzantinischen Kultur mit ihren Stempel aufgedrückt. Man spricht z.B. gern von der Vermönchung der byzantinischen Kultur; manche wollen sie schon im 6. Jahrhundert wahrhaben. Wie viel oder wie wenig es damit auf sich hat, wird noch zur Sprache kommen. Doch um es vorwegzunehmen: Die Gefahr der Vermönchung, auch die einer Theokratisierung – wenn dieser Begriff überhaupt etwas besagt – und Klerikalisierung hat ihr stärkstes Gegengewicht eben in dieser Schicht von Literaten, die so stark sophistisch wirken. Sie kennen ja nicht nur eine Technik, sondern auch Inhalte. Und mit diesen Inhalten säkularer und hellenistischer Bildung halten sie die Standards einer Lebensführung aufrecht, die von Anachorese und Askese in Frage gestellt werden. Und sie haben damit Erfolg. Sie haben es sogar verstanden, ihre Ideale Männern der Kirche und gelegentlich sogar Mönchen schmackhaft zu machen. Die Bildung, die sie vermitteln, qualifiziert durchaus für einen Bischofsstuhl, besser noch als theologisches Wissen, und selbst vom heiligsten Mönch vermerkt der Biograph mit Genugtuung das Vorhandensein dieser Bildung – wenn sie vorhanden war. Es ist in Byzanz nie gelungen, diese „humanistischen Studien" in die Rolle einer bloßen Propädeutik zu einem systematischen Studium der Theologie zu zwängen oder sie gar durch eine wissenschaftliche Theologie aus dem Feld zu schlagen. „Amour des lettres et désir de Dieu" – das ist für den Durchschnittsbyzantiner – abgesehen vom Anachoreten – keine Alternative. Dem Urbanen bleibt ein fast unangreifbarer Freiraum zugestanden. Wenn er gefährdet ist, dann nur in Fällen, wo er sich allzu unbekümmert vom Bereich des Kirchlich-Geistlichen zu entfernen versucht.

Damit ist nun längst der Schritt getan von rhetorisch-sophistischer Technik zum Inhalt. Spielt der Inhalt neben dem von der Technik geförderten Formgefühl überhaupt noch eine Rolle? Formales vom Inhaltlichen zu trennen ist in einer Spätkultur meist schwieriger als in Frühformen, in Byzanz erst recht, weil der Klassizismus, der als solcher immer stark formal bestimmt ist, in Byzanz ein lebensmächtiges Kontinuum seiner Geschichte darstellt. Aber auch dieses Problem ist vorbyzantinisch, es reicht in die Kaiserzeit zurück und in den Anfängen sogar bis in das hellenistische Alexandreia. Unter Klassizismus sei hier zunächst einmal verstanden eine besonders intensive Art konservierender Pflege klassischer Bildungsgüter und die damit verbundene fast schulmäßige Nachahmung ihrer Muster, wobei zwar die eigentliche Klassik als höchste Norm gilt, tatsächlich jedoch in teilweise vereinfachter und mundgerecht gemachter Fassung. Der Klassizismus der frühen hellenistischen Philologen betätigte sich zunächst einmal limitierend in der Auswahl des Lesenswerten, dessen was eine bestimmte Periode als für sie klassisch ansah. So entsteht schon sehr früh der Kanon der Tragiker, derjenige der klassischen Epik und eine Liste der lyrischen Dichter. Die philologische Arbeit beschränkt sich bald ausschließlich auf sie, und alle möglichen Kostbarkeiten, die außerhalb des Kanons liegen, gehen allmählich verloren. Diese Philologen treffen eine Auswahl für fast zwei Jahrtausende, und ihr Geschmack ist unbestreitbar. Byzanz ist an der Auswahl nicht mehr beteiligt, und noch nicht beteiligt an der Öffnung zu neuen Ufern. Mit der Auswahl entsteht der Begriff des Klassikers, und mit ihm die Tatsache des Klassizismus, wenn auch zunächst zögernd. Das Bestreben macht sich jedenfalls bemerkbar, es im eigenen Schaffen den großen Mustern gleichzutun. Das bedeutet zunächst nicht etwa sklavische Nachahmung und Verzicht auf eigene Schöpfungen. Aber die neue Literatur entsteht in einer Diaspora. Trotz ihres diskreten Charmes fehlt ihr der natürliche Boden, die heimische Polis und die ἀγορά, der Marktplatz, mit ihren Festen, ihren Mythen und ihrer Geschichte, die es zu zelebrieren oder in Frage zu stellen und die es politisch zu deuten gilt. Man orientiert sich an den großen Vorbildern der Heimat, die schon der Geschichte angehören. Diese Vorbilder muß man zunächst studieren und erst in einem zweiten Arbeitsgang kann man aus ihrem Geist und ihrer Sprache heraus Eigenes schaffen, das den Stempel der Sehnsucht nach einer fast mythisch verklärten Vergangenheit trägt, obwohl das mythische „Ist" kaum noch realisierbar ist. Daß der Prozeß im Laufe der Jahrhunderte schwieriger wurde, ist verständlich. Die zeitliche Entfernung und damit die Verständnisschwierigkeit, auch sprachlich, stieg, und immer nachdrücklicher schiebt sich zwischen Vorbild und eigenes Schaffen die Philologie als unabdingbare Voraussetzung, denn sie allein ist in der Lage, den Zugang zum klassischen Original und Modell offen zu halten. Wiederum, um zusammenzufassen, steht der Hellenismus bei einem anscheinend spezifisch byzantinischen Problem Pate. Das gilt für die Philologie, insofern sie sich an als klassisch anerkannten Modellen orientiert und sie zu interpretieren sucht, aber auch insofern das Problem der Sprache impliziert ist, die unter dieselbe Rubrik des Klassischen subsumiert wird, wie die eigentliche Literatur. Die Ursprünge des Diglossie-Problems sind ebenfalls vorbyzantinisch.

Das Bildungsbewußtsein, mit dem sich der Grieche in einer neuen Welt behauptete und durchsetzte, ist gewiß nicht das einzige Erbe, das Byzanz aus dem Hellenismus übernommen hat. Wie schon erwähnt, waren die Griechen kaum fähig, ihre Einmaligkeit auch politisch zu konkretisieren, das heißt sich selbst auch gegenüber den großen nicht-griechischen Mächten politisch in Selbständigkeit zu behaupten. Das politische Ideal des Panhellenismus wurde zwar immer wieder beschworen, aber nie verwirklicht, jedenfalls nicht im Sinne jenes demokratischen Gedankens, der im Hintergrund der panhellenischen Idee stand. Was von den politischen Ideen des Hellenismus nach Byzanz gelangte und dort zum Teil realisiert wurde, ist ein sehr schwieriger, oft beschworener und ebenso oft formelhaft wiederholter Begriff von städtischer Freiheit, insofern als für die ganze frühbyzantinische Zeit die Polis neben der Reichsadministration ein Eigenleben zu führen vorgibt. Das Reich selbst, das auf Byzanz überging, ist nicht griechischen Ursprungs. Freilich, die politischen Ideen, von denen es zum Teil getragen wurde, woher immer sie letztlich gekommen sein mögen, gingen zunächst durch den Schmelztiegel griechischen Denkens, bevor sie realisiert wurden. Kaiseridee und Reichsidee entstammen selbst zwar nicht in letzter Folge, aber doch zunächst einem griechischen Philosophieren, das geboren ist aus der Verzweiflung an der Lebensfähigkeit der Demokratie der klassischen Zeit. Die Ingredienzien und die Denkanstöße mögen zum Teil aus dem Orient stammen, aber die Ideen sind damit nicht einfach als orientalisch zu bezeichnen; ganz abgesehen davon, daß auch der Aufstieg Roms an der Entwicklung des Ideenfeldes entscheidend mitgewirkt hat. Der klassische Grieche hatte durchaus ein Verhältnis zum monarchischen Gedanken. Der

Leser Homers, – und welcher Gebildete war es nicht? – kannte sein „εἷς κοίρανος ἔστω", „nur ein einziger soll Herrscher sein", er kannte die Könige Agamemnon und Menelaos. Pindar feiert die olympischen Siege sizilianischer Tyrannen und Aischylos preist Xerxes als den Genossen der Götter – Kontrastbilder, die zunächst die politische Meinungsbildung nicht ernsthaft beeinflussen konnten. Aber bald erlebte gerade die athenische Demokratie ihre ernsteste Krise, und diese endet mit der Herrschaft von dreißig Tyrannen. Gedanken über eine neue Staatsform konnten nicht mehr blasse Theorie bleiben. Plato vor allem hat wie in einem Brennspiegel die divergierenden Reformideen zusammengefaßt. Was sich schließlich herauskristallisiert, ist die Vorstellung von einem göttlichen Mann (θεῖος ἀνήρ), einem königlichen Herrscher, der das Gesetz des ethischen und damit politischen Handelns in sich trägt, weil die Götter ihn für seine Aufgabe begnadet haben. Aus der Frage nach der Verfassung wird die Frage nach einem Mann, einer Persönlichkeit. Und die Erfahrungen mit dem Weltreich Alexanders liefern dazu ein Raumdenken, daß in den Begriffen οἰκουμένη und Orbis sich niederschlägt. Zum Mann gehört nicht die Polis sondern das Reich. Es handelt sich dabei – und dies verdient betont zu werden, um dem hellenistischen Denken über Staat nicht Unrecht zu tun – nur um einen Strang des Philosophierens neben anderen. Polybios z. B. schlägt eine gemischte Verfassung vor und Cicero folgt ihm auf diesem Wege. Aber die Zukunft gehörte der monarchischen Idee, nicht weil sie besser fundiert gewesen wäre, sondern weil Rom den Mann hervorbrachte, der sich ihrer folgenschwer zu bedienen verstand. Und von Rom übernahm Byzanz diese Monarchie. Der Hellenismus findet seinen Weg nach Byzanz auch über den Umweg römischer Politik.

Dem Hellenismus, wie ihn Gustav Droysen definiert hat, ist das Christentum noch unbekannt. Aber dem Späthellenismus, wie er hier verstanden wird, d. h. der Kaiserzeit, ist diese Religion nicht mehr fremd, und schon im 2. aber erst recht im 3. Jahrhundert handelt es sich beim Christentum nicht mehr um kleine Sekte im Untergrund, die in der zeitgenössischen Gesellschaft keine Spuren zu hinterlassen vermag. Die Emanzipation ist nicht erst unter Galerius und Konstantin zu datieren. Sie hat eine lange Vorgeschichte, welche durch die Verfolgungen nur jeweils auf Zeit unterbrochen wurde. Gewiß kann man nicht einfach formulieren, das Christentum, wie es in Byzanz verstanden und gepflegt wurde, sei Erbe dieses Späthellenismus, aber sicher ist, daß diese Epoche der jungen Religion bereits Züge aufgedrückt hat, die in Byzanz nur noch der weiteren Entwicklung bedurften, um voll zur Geltung zu kommen.

Geistesgeschichtlich entscheidend scheint es mir zu sein, daß bereits zu dieser Zeit ein geschichtsphilosophischer Zusammenhang zwischen Christentum und Geschichte des Imperiums hergestellt wurde, ausgehend von der Evangelienstelle: „Exiit edictum a Caesare Augusto ut describeretur universus orbis". Diese „Volkszählung" ist nur möglich in der Pax Augusta, in der die Völker unter einem einzigen Kaiser leben. Daß es gelang, der Vielherrschaft ein Ende zu machen, dies ist die Tat des Augustus. Ihren eigentlichen Sinn aber hat nach Origenes dieser Erfolg darin, daß damit die Verkündigung der evangelischen Botschaft an alle Völker, wie Christus sie befiehlt, überhaupt erst möglich wurde. Gott hat dazu Augustus auserwählt und ihm sein Einigungswerk ermöglicht. Und so war es Ausdruck göttlicher Vorsehung, daß Christus unter Augustus geboren wurde. Meliton von Sardeis wird diesen Gedanken, wenn auch in allgemeinerer Form, aufnehmen: er macht Glück und Gedeihen des Imperiums abhängig von der Synchronisation mit der Ausbreitung des Christentums, die unter Augustus grundgelegt wurde. Die Kontinuität in Richtung auf Byzanz wird dann Eusebios von Kaisareia herstellen, indem er die Aufhebung der Nationes innerhalb des Imperiums, die Tat des Augustus, in providentieller Weise mit der Aufhebung der Vielgötterei durch das Christentum in Verbindung bringt, die irdische Monarchie an die göttliche knüpft, und in Konstantin den Vollender dessen sieht, was Augustus begonnen – und im Grunde auch dessen, was mit Christi Geburt anhob. Diese Gedankengänge stehen durchaus nicht isoliert in einer dünnen theologisch-christlichen Luft, sondern sind die griechisch-christliche Variante eines Nachdenkens über die Monarchie, das dem zeitgenössischen heidnischen Denken ebenfalls am Herzen lag. Es handelt sich um eine christliche Annäherung an das so oft verschrieene Reich, die ihre Parallelen auch im täglichen Leben der Christen hat, diese Parallelen begleitet und ideologisch überwölbt. Dem geistesgeschichtlichen Nexus entsprechen handfeste Tatsachen. Man kann sie charakterisieren als das Eindringen des Christentums in die führenden Schichten der Gesellschaft, dies aber nicht ohne Berücksichtigung der christlichen Expansion in den niederen Schichten. Die Verfolgungen konnten den Fortschritt auf die Dauer nicht aufhalten. Was an „lapsi", an „Gefallenen", während der Verfolgungen verlorenging, wurde durch den Andrang der Massen nach Beendigung des Ausnahmezustandes wieder wettgemacht. Und immer mehr waren es nicht nur Sklaven und kleine Leute, Menschen aus den östlichen Provinzen, die sich beim reichen Angebot an Erlösungslehren für das Christentum entschieden. Senatoren, Offiziere, höhere Beamte und vor allem Personal des Kaiserhofes bekennen sich mehr und mehr zur neuen Religion. Dies führte dazu, daß die christlichen Vorsteher manches von ihrer bisherigen ablehnenden Haltung gegenüber dem Imperium aufgaben. So geriet das Verbot, den Soldatenberuf zu ergreifen, in Vergessenheit, ebenso aber das Verbot, ein staatliches Amt zu bekleiden, insofern dies mit Opferverpflichtungen und dem „Gebrauch des Schwertes" verbunden war.

Die Betonung der Loyalität gegenüber dem Kaiser, des christlichen Gebets für die salus publica werden häufiger und dringlicher. Der Staat aber muß mit einer Massenbewegung fertig werden, die nach oben ausgreift. Er zeigt sich entgegenkommend: man hat jedenfalls in nicht wenigen Fällen christliche Staatsbeamte von der Opferpflicht ausgenommen und auch den Offizieren nichts mehr in den Weg gelegt, wenn sie sich zum Christentum bekannten, – eine Toleranz, die der einfache Rekrut wohl nicht genoß. Es ist schließlich auch bezeichnend, daß selbst der heidnische Philosoph Kelsos die Christen auffordert, sich am staatlichen Leben zu beteiligen und obrigkeitliche Funktionen auszuüben. Die Symbiose zwischen Christentum und Reich wird enger. Das führt schließlich dazu, daß geraume Zeit vor Galerius und Konstantin der Kaiser Gallienus um 261 ein Toleranzedikt erläßt, das den Christen die freie Verfügung über ihre Kultgebäude und Friedhöfe einräumt und es verbietet, sie zu „belästigen". 10 Jahre später, im Jahre 272, appelliert bereits die Kirche von Antiocheia in einem Streit um die Besetzung ihres Bischofsstuhls an Kaiser Aurelian mit der Bitte um sein Eingreifen. Der Kaiser verschließt sich diesem Appell nicht, ja er entscheidet auf eine Weise, die eine gültige Organisation der Gesamtkirche voraussetzt. Das Auftreten der Bischöfe verrät der Öffentlichkeit, daß eine neue herrschende Klasse im Kommen ist. Paul von Samosata, der Bischof, um den es in Antiocheia 272 ging, trägt die Allüren eines römischen Prokonsul, und Cyprian von Karthago bemerkt einmal, Kaiser Decius habe die Nachricht von der Insurrektion eines Usurpators gelassener hingenommen als die Wahl eines neuen Bischofs von Rom. Wenn Hippolyt von Rom nach wie vor im Teufel die tragende Kraft des Reiches sieht und Rom mit der Hure Babylon gleichsetzt, so werden er und seinesgleichen doch allmählich in die Isolation gedrängt. Überall entstehen neue Kirchen, um die Mengen aufnehmen zu können; eine Kaiserin beruft den großen Theologen Origenes an ihren Hof, Diokletians Frau Prisca ist Christin, ebenso seine Tochter Valeria. Diokletian selbst kämpft auf verlorenem Posten; denn das Christentum hat schon gewonnen – nicht zuletzt um den Preis einer Annäherung und Anpassung an die „Welt", die offensichtlich in den höheren Schichten um nichts geringer war als in den kirchlichen Niederungen. Schon vor der Verfolgung Diokletians steht „byzantinisches Christentum" ante portas.

Neben der Anpassung an die sozialen und politischen Gegebenheiten im Reich steht eine innere organisatorische Entwicklung, auf der Byzanz weiter bauen wird. Was 325 in Nikaia festgeschrieben wurde, der Vorrang einzelner Bischofsstädte über ganze Provinzen und Provinzkomplexe, eben der nucleus der späteren Patriarchate ist schon vorher fait accompli. Die Ähnlichkeiten mit der Provinzeinteilung und den Diözesen des Reiches lassen sich nicht leugnen. Die angenommene „Apostolizität" dieser Stühle mag eine Rolle gespielt haben, ebenso die städtische Bedeutung, aber von einer aus praktischen Gründen sich aufdrängenden Anpassung an die zivilen Verwaltungseinheiten wird man kaum absehen können, auch wenn die Gewichtigkeit und das Zusammenspiel der Gründe im einzelnen verschieden gewesen sein wird.

Ebenso ist auch Theologie längst im Werden und zwar auch mit jenen Charakteristika, die später in das byzantinische Orthodoxie-Konzept münden. Freilich hat die vorbyzantinische Zeit noch sehr viel mehr Denkansätze gelten lassen, als es spätere Zeiten tun werden. Insofern besitzt die Theologie etwa des 2. und 3. Jahrhunderts eine Spannweite und damit eine Lebendigkeit, die später nicht wieder erreicht werden.

So beginnt die byzantinische Geschichte, fast möchte man sagen, vorprogrammiert, umgeben von einem Angebot festgefahrener Formen und Formeln, verankerter Anschauungen und aufrechterhaltener alter Ansprüche, herausgefordert allerdings auch durch neue Entwicklungen politischer und religiöser Art, die eine Synthese mit dem Überkommenen verlangten, die dann spezifisch byzantinisch ausfallen mußte.

Der Auseinandersetzung mit diesen Anregungen sind die folgenden Kapitel gewidmet. Doch bevor mit ihnen begonnen wird, sei wenigstens an einem Beispiel, das gewiß nicht willkürlich gewählt ist, sondern teilweise den Kern selbst trifft, der Prozeß der Auseinandersetzung und der Weg zu einer neuen Synthese dargelegt. Es geht um die Frage, wie sich das griechische Selbstbewußtsein in Bildung und Kultur mit dem Einbruch des römischen Elements, das durch die Gründung Konstantinopels verkörpert wird, zu einem neuen Dritten zusammenfindet. Die Problematik wird sichtbar an den beiden Hellenisten des 4. Jahrhunderts, Themistios und Libanios. Themistios, um 317 geboren, stammt aus Paphlagonien, ist Sohn eines Landedelmanns mit literarischen Interessen, der seinen Sohn zunächst zuhause und dann im jungen Konstantinopel ausbilden läßt. Hier eröffnet Themistios um 345 eine philosophische Schule, an der er besonders Aristoteles erklärt. Er wendet sich dann aber auch der Redekunst zu und gewinnt darüber Kontakt mit dem Hof. Im Jahre 355 ernennt ihn Kaiser Konstantios zum Senator; er vertritt Hof und Senat auf Gesandtschaftsreisen, hält öffentliche Reden auf die Kaiser, begrüßt, wie jeder Heide, den Regierungsantritt Julians, wird aber durch dessen frühen Tod nicht aus der Bahn geworfen. Noch der allerchristlichste Kaiser Theodosios macht ihn zum Prinzenerzieher und ernennt ihn sogar zum praefectus urbi von Konstantinopel.

Daneben nun Libanios. Rhetorik ist es, worin er erzogen wird und Rhetorik bleibt zeit seines Lebens sein Beruf und seine Lieblingsbeschäftigung. 336 bis 340 studiert er in Athen, reist dann durch Griechenland und nach Konstantinopel, wo auch er eine kurze Lehrtätigkeit ausübt. Angeblich von Neidern angeekelt begibt er sich mit seiner Schule nach Nikomedia und bald in seine Heimatstadt Antiocheia, wo er als gefeierter Lehrer und Berater der Gemeinde bis zu seinem Tod bleibt.

Die beiden Männer lernen sich kennen und nennen sich Freunde. Aber sie sehen sich selten. Beide haben einen ähnlichen Ausgangspunkt, besuchen mehr oder weniger dieselben Schulen, sie gehören zum gleichen späthellenistischen Kulturkreis mit seinen besonderen Interessen und Ansprüchen, aber trotz der sogenannten Freundschaft bahnt sich bald Verstimmung und schließlich Bitterkeit an. Es ist nicht untypisch, daß die ersten Differenzen, mit denen sich Themistios auseinanderzusetzen hat, sich um das Verhältnis zwischen Philosophie, Rhetorik und Sophistik bewegen. In seinen frühen Reden bekämpft Themistios nicht nur Sophisterei, also das rednerische Kunststück und rednerische Künstelei, sondern auch jene Art des Philosophierens, die, wie weiter oben geschildert, sich in ihr Schneckenhaus zurückzieht und der Welt und der Politik eine radikale Absage erteilt. „Man darf", so lautet sein Programm, „den Philosophen nicht erlauben, sich da zu verstecken, wo sie gerade wollen. Unser Unterricht muß öffentlich sein; er muß sich daran gewöhnen, mit der Menge des Volkes aber auch mit dem Tumult des Volkes sich konfrontieren zu lassen." Das Programm konnte als Teil der innerhellenistischen Auseinandersetzung verstanden werden. Aber die Debatte wurde säuerlich, als Themistios Senator wurde und Zugang zu Hof bekam. Die Öffentlichkeit, die er für seine Philosophie beansprucht, wird damit zur staatlich-römischen Öffentlichkeit, die nicht identisch ist mit der Öffentlichkeit der griechischen Polis, dem verzweifelt festgehaltenen Ideal aller Hellenisten. So wirft man ihm jetzt selbst Sophisterei vor, Ausflüchte eines Mannes, der sich der römischen Administration verschrieben und damit den Hellenismus verraten habe. Hier liegt der Kern der Debatte! Die Übertragung des Sitzes der kaiserlichen Administration nach Konstantinopel hat den Hellenisten den römischen Verwaltungsapparat derart auf den Leib gerückt, daß es ihnen unheimlich wurde. Es ist Libanios, der die Tragweite dieser Translatio klar erkannt hat: Konstantin der Große ist der Feind der hellenistischen Polis, und gerade durch die Gründung Konstantinopels hat er der Polis den Todesstoß versetzt. Auch Libanios gehört gelegentlich zu den Lobrednern Konstantinopels, vielleicht eine Pflichtleistung; aber es scheint, als sei er der Faszination dieser Neugründung gegenüber nicht ganz unempfindlich geblieben: Antiocheia sei eben doch ein bescheidener Hafen, von dem es auszufahren gelte, um größere Landemöglichkeiten anzusteuern. Wo er aber keine enkomiastischen Verpflichtungen spürt, da wird der Vergleich zwischen Antiocheia und Konstantinopel zu einer bitteren Statistik des Verlorenen und des unerwünschten Gewinns; es geht um die Opposition gegen die Arroganz einer Metropole, die noch dazu ganz neue, unhellenische Bildungsziele anstrebt und über eine Anziehungskraft verfügt, die nur die Verarmung der hellenistischen Polis zur Folge haben kann.

Themistios aber tritt in den Dienst dieses kaiserlichen Konstantinopel und behauptet dabei, er bleibe ein Vertreter des Hellenismus. Aber dies gerade glaubt man ihm nicht. Er wird als Mietling angegriffen, der bereit ist, überhaupt keiner Polis mehr anzugehören. Seine Selbstverteidigung ist ein eindrucksvoller Anachronismus. Er sei doch auch Angehöriger einer Po-

lis, denn er sei Bürger von Konstantinopel, das ebenfalls eine Polis sei; wenn
er reise, vertrete er die Stadtkultur von Konstantinopel, er beziehe die „panes publici" wie jeder andere Konstantinopolitaner auch. Er gehöre auch
nicht zur römischen Militia (στρατεύεσθαι), was hier die römische Beam-
tenlaufbahn bedeutet, denn er stehe nicht in der Karriere, er sei einfacher
Polites. Mit der Übernahme der Stadtpräfektur von Konstantinopel aber
helfen all diese Argumente, wenn sie überhaupt jemand beeindruckt haben,
nichts mehr. Jetzt ist er auch für Libanios endgültig aus der Welt des Hellenismus ausgeschieden. Aber immer noch sucht sich Themistios zu rechtfertigen. Mit der Präfektur, mit der der Vorsitz im Senat verbunden war, sei er
nun eben der erste Bürger der Polis Konstantinopel geworden, und dies sei
durchaus mit den Traditionen der hellenistischen Stadt vereinbar. In der
Begriffssprache seiner Zeit ausgedrückt: seine Funktion sei immer noch ein
πολιτεύεσθαι, ein sich um die Polis kümmern, und nicht ῥωμαϊκὴ ἀρχή,
eine römische Magistratur. Es ist kaum anzunehmen, daß Themistios all
dies besten Gewissens schreiben konnte, denn der Senat von Konstantinopel
war längst keine städtische curia mehr, sondern eine Reichskörperschaft
und die Präfektur war eine typisch römische höchste Verwaltungsstelle.
Aber er stand in der Defensive, wagte es offenbar nicht, frei und frank für
die neue Situation einzutreten und versuchte, die Gegner mit einem verzweifelten quid pro quo zu besänftigen.

    Freilich, seine Gegner konnten sich sogar auf einen römischen Kaiser be-
rufen, auf Julian, bei dem Themistios nicht auf Gegenliebe gestoßen war.
Julian war hellenistisch gebildet wie nur einer, der Hellenismus war sein
Ehrgeiz. Aber wenn man ihn den Philosphen auf dem Tron genannt hat,
dann mag dies für seine Person zutreffen, es bedeutete jedoch nicht, daß er
die Philosophen in staatlichen Stellungen haben wollte. Im Gegenteil: er riet
Themistios, sich in seine Schule zurückzuziehen und dort mit seinen Schü-
lern für die Aufrechterhaltung der hellenistischen Tradition zu sorgen. Mit
der politischen Aufgabe des Philosophen wollte er offensichtlich ohne Themistios oder einen Hellenisten zurecht kommen. Er stellt sich an die Spitze
der Philosophen, denkt aber nicht daran, die Philosophen an die Spitze des
Staates zu setzen. Was im übrigen Libanios zu bemängeln hatte, war vermutlich gar nicht so sehr die römische Herrschaft als vielmehr das Darum
und Daran, besonders die Bürokratisierung des Ostens und die Abwerbung
der jungen Kräfte der Polis. Er klagt immer wieder über die technische Ausbildung von Tachygraphen und Legisten, die hellenischer παιδεία (Bildung)
völlig fremd sei, denn hinter dem, was hier gelehrt würde, stünde keine
literarische Autorität, kein Homer und kein Platon, und es eröffne keine
hellenische Perspektive; es entziehe sich der Diskussion – dem hellenistischen Spiel mit dem Wort. Aus den derart technisch Gebildeten aber rekru-
tiere sich nun die Verwaltung, und die jungen Leute kännten keinen besseren Ehrgeiz, als sich danach zu drängen, zum Nachteil einer fundierten hel-

lenischen Bildung. Der wahre Grieche reise nicht alle Augenblicke nach Rom, um dort den letzten Schliff in Jus und Verwaltungslehre zu erhalten, wie es die jungen Leute jetzt täten. Er, Libanios, rühmt sich, eben nicht die Sprache der Römer zu sprechen, er versage sich dem Idiom der Macht. Andererseits aber war die Stellung Kaiser Julians nicht die aller Kaiser. Gerade von seinem Onkel Konstantios kennen wir einen Brief, mit dem er den neuen Senator Themistios in den Senat einführt. Er qualifiziert ihn gerade als hellenistischen Weisen und zwar im spezifischen Konzept des Themistios als den Mann, der sein Wissen auch der Öffentlichkeit mitzuteilen bereit sei. Er ehre Themistios mit einer römischen Würde (ἀξίωμα ῥωμαϊκόν), obwohl er Grieche sei, der Senat aber eine römische Institution. Er ehre aber zugleich den Senat, indem er in diese Körperschaft mit Themistios hellenische Weisheit einbringe. Das ist ein Programm. Und trotz Julian gehört ihm und nicht Libanios und seinesgleichen die Zukunft.

Die Zukunft ließ noch ein paar Generationen auf sich warten; denn die Widerstände waren nicht gering, Libanios ist nur *ein* Exponent. Das Reich ist zwar längst Tatsache, aber sich damit abzufinden, daß es nicht mehr genügte, über es zu philosophieren und seine Vor- und Nachteile aus der Distanz zu erörtern, brauchte Zeit. Für den Hellenisten bedeutete ja das Reich als Realität zunächst nicht viel mehr als einen Verband zahlreicher mehr oder weniger autonomer, jedenfalls in ihrer angeblichen Freiheit sich sonnender Städte. Die Einheit war nicht durch eine Zentrale gegeben, sondern sozusagen nur durch eine gemeinsame Grenze den Barbaren gegenüber und durch den lockeren Konsens der Städte, diese Verteidigung einem Imperator zu überlassen. Dieser konnte und sollte Römer sein, denn als solcher verstand er sich ja auf das verachtete Waffenhandwerk!

Wenn sich die Symbiose von Reich und Hellenismus schließlich trotzdem durchsetzte, so sind dafür sehr unterschiedliche Faktoren verantwortlich zu machen. Ich glaube, daß zunächst mit Nachdruck das Christentum und die Kirche genannt werden müssen. Es ist ein christlicher Bischof, Gregor von Nazianz, der als erster die Neugründung Konstantinopels als neues und zweites Rom emphatisch begrüßt, eben weil es ein anderes Rom ist, unbelastet vom Makel der Gewaltherrschaft, der Tyrannei über Freie und des Heidentums und seiner Greuel. In diesem Konstantinopel residiert ein christlicher römischer Kaiser, Nachfolger jenes „Römers" Konstantin, der der Kirche die Freiheit geschenkt hat. Es ist interessant festzustellen, daß es derselbe Gregor von Nazianz ist, der dem Hellenismusbegriff Kaiser Julians mit aller Schärfe entgegentritt. Hellene ist für Gregor kein religiöser Begriff, wie Julian impliziert, und ἑλληνίζειν bedeutet eben nicht „Heide sein", sondern „griechisch sprechen", mit der griechischen Sprache, der Muttersprache umgehen. Gregor lehnt damit die Unterstellung aller Feinde des Themistios ab, die Sprache und Weltanschauung nicht glauben trennen zu können. Die Entwicklung des Begriffs Hellene konnte Gregor freilich nicht aufhalten, aber in der Sache behielt er Recht. Die Bischöfe des 4. Jahrhunderts waren zumeist keine armen Fischer mehr, wie die Apostel, sondern hochgebildete Männer ihrer Zeit, dem Besitzstand nach nicht selten zu den großen Familien des Reichs gehörig. Ihre Bildung haben sie sich dort erworben, wo sie auch Libanios und Themistios erworben hatten, aber sie sahen keinen Grund mehr, die pagane Basis von den stilistischen und ästhetischen Qualitäten der klassischen Literatur nicht zu trennen. Diese Bischöfe orientieren sich mit Leidenschaft an Konstantinopel, nicht durchaus in dem Sinne, daß sie hier ihr innerkirchliches Zentrum sehen möchten, wohl aber, weil dort der christliche Kaiser residiert, dem sie ihre Freiheit und Freizügigkeit verdanken, der ihnen die Reichspost zur Verfügung stellt und der in der Lage ist, ihrem jeweiligen Verständnis von Orthodoxie ein politisches Exequatur zu erteilen. Aus diesem Grunde, und weil die konservativen Hellenisten libanischer Prägung sich an den Polis-Gedanken klammern, hat eben dieser Gedanke bei ihnen bald keinen starken Rückhalt mehr. Sie leben in einer größeren Welt, in der man mit den eigenen Organisationsformen sich mehr und mehr an die des Reichsregiments anschließt. Sie reisen sehr häufig kreuz und quer durch die Provinzen, tagen hier und debattieren dort. Die Bischofsstadt kann ihren Gesichtskreis nicht mehr bestimmen. Die Polis aber gibt ihnen nach, sie orientiert sich mehr an ihnen als an den städtischen Kurien, sie muß es tun. Denn je ärmer sie wird, je mehr sie auf finanzielles Entgegenkommen seitens der Provinzgouverneure und der Reichszentrale angewiesen ist, desto wichtiger werden die Bischöfe; kraft ihrer Sonderstellung in der Gesellschaft und nicht zuletzt kraft ihrer steigenden wirtschaftlichen Bedeutung rückten sie bald in die Stellung ernannter oder auch geborener Defensores civitatum auf, die mit den Gouverneuren wie mit ihresgleichen verkehren, ja vor denen die Gouverneure sich allmählich in acht nehmen müssen, weil sich etwas anbahnt, was unter Justinian kodifiziert wird, nämlich ein diskretionäres Aufsichtsrecht der Bischöfe über die Provinz- und Stadtverwaltung. Was hat daneben eine noch so feierliche Rede des Libanios zu bedeuten, vorausgesetzt daß sie nicht überhaupt hinter den Ereignissen als eine Art akademischer Sublimierung nachhinkt? Die Bevölkerung der Städte zieht es vor, sich auf die Bischöfe auszurichten, und mittelbar hat davon der Reichsgedanke seine Vorteile.

Ein weiterer Faktor: Wie immer es mit dem Zuzug aus Italien bei Gründung Konstantinopels bestellt gewesen sein mag, die großen Massen der Bevölkerung, die sich hier am Bosporus ansammelten, kamen in erster Linie aus dem Osten; Konstantinopel wurde sehr rasch eine griechische Stadt, in der von Anfang an das lateinische Element aller Wahrscheinlichkeit nach auf Hof und Bürokratie beschränkt blieb. Und diese Stadt trat um die Mitte des 5. Jahrhunderts das Erbe Altroms noch nachdrücklicher an, weil Rom am Tiber eine Beute der Goten und Vandalen geworden war. Man hat neuerdings die Reaktion des Ostens auf diese Ereignisse säuberlich gesammelt.

Als Eindruck bleibt, daß man hier, im Gegensatz zum Westen, kein apoka-
lyptisches Ereignis konstatieren zu müssen glaubte. Bedauern war vorhanden, aber fast möchte man glauben, daß die Erleichterung größer war.
Mahnungen, Warnungen und Spott der reaktionär-heidnischen Kreise gegenüber dem „unrömischen" „Neu-Rom" blieben fortan aus, Konstantinopel wurde seiner selbst sicherer.

Auch die Hauptbeschwerde der Hellenisten, die römische Bürokratie und
das römische Recht, beide in lateinischem Gewande, beide den Nachwuchs
der hellenistischen Städte abwerbend, verlor allmählich an Boden. Die sogenannte „Universität" Theodosios' II. hatte immer noch zwei Lehrstühle für
römisches Recht und die Unterrichtssprache war sicher Lateinisch. Außerdem gab es zehn Lehrstellen für lateinische Grammatik. Doch daneben stehen zehn andere für griechische Grammatik, offensichtlich eine „apertura"
in Richtung auf griechische Kultur an einer Schule, die doch in erster Linie
für den Beamten- und Richternachwuchs gedacht war. Bei der Rhetorik ist
das Verhältnis zu Gunsten der griechischen Redekunst schon 3:5 und der
philosophische Lehrstuhl dürfte ohnedies für die griechische Seite zu buchen
sein. Und da, wo die Bedeutung der lateinischen Verwaltungssprache am
peinlichsten empfunden wurde, im Alltag des Kontakts mit den Behörden,
vor Gericht usw. macht sich ebenfalls der Prozeß der Regräzisierung bemerkbar, auch wenn die kaiserliche Gesetzgebung nachhinkte. Und selbst
die Kaiser, die von Haus aus kein Griechisch verstanden, räumen in Kürze
das Feld. Der Boden war bereitet für ein sich noch römisch nennendes, aber
hellenisiertes Reichsbewußtsein. Das Reich ist „byzantinisch" geworden,
weil die Graecia capta wieder einmal auf kulturellem Boden gesiegt hatte
und die ursprünglich so fremde Reichsgewalt und Reichsverfassung als ihr
eigen betrachten konnte, als einen Rahmen, wo man Karriere machen und
sich profilieren konnte, ohne weiterhin das Feld den Lateinern überlassen
zu müssen.

2. Epochen der byzantinischen Geschichte

Nach diesen einführenden Erörterungen muß wohl noch auf die Periodisie-
rung der byzantinischen Epoche eingegangen werden, nicht um mich in das
beliebte Spiel, das damit getrieben wird, einzumischen, sondern nur um
klarzulegen, was ich meine, wenn ich von früh- oder mittel- oder spätbyzantinisch spreche. Wo man Byzanz beginnen läßt, ist die erste Frage. Viele
argumentieren mit der Regierung Konstantins des Großen, genauer mit der
Gründung Konstantinopels. Die ungeheure Bedeutung dieser Gründung
braucht nicht betont zu werden; allerdings ist auch nicht zu übersehen, daß
es einige Zeit brauchte, bis aus dieser neuen Stadt ein Regierungszentrum
wurde, das als solches die Kräfte des Reiches einem neuen Mittelpunkt

zuordnete. Es sind kaum weniger als 70 Jahre. Immerhin sind die Folgen der Gründung so weittragend, ist sie so entscheidend vom ersten Tag an auf ihre Aufgabe ausgerichtet, daß sie geeignet ist, den Anfang der byzantinischen Epoche zu bezeichnen. Es kommt dazu, daß mit Konstantins Regierung eine der Hauptkomponenten byzantinischen Lebens, die christliche Religion, ihre Freiheit erhielt. Von der Theologiegeschichte her läßt sich ähnlich argumentieren: Nikaia ist eben ein Wendepunkt, sowohl was den kirchenpolitischen Umgang mit Theologie betrifft, wie auch in Bezug auf die Schaffung kirchlicher Instanzen. Hier liegen die ersten Fixpunkte der großen Patriarchatsorganisation. Aber man kann auch dagegen argumentieren: Für die wirkliche Fixierung der Patriarchatsorganisation sind die Konzilien von 381 und 451 wichtiger als Nikaia; die Trinitätstheologie erlebt zwar in Nikaia ihren ersten Höhepunkt, aber sie lag längst entwickelt vor; zum Abschluß aber brachte sie erst das Constantinopolitanum 381, denn erst hier wurde der Arianismus endgültig abgetan, und erst hier wurde der Hl. Geist endgültig gleichwesentlicher Bestandteil der Trinität. Literarhistorisch wiederum bedeutet das 4. Jahrhundert weder Anfang noch Ende. Wollte man Literaturgeschichte allein als Kriterium verwenden, dürfte man Byzanz kaum vor dem 6. Jahrhundert beginnen lassen. Dagegen spräche auch nicht die neue christliche Literatur, denn sie ist vor dem 3. Jahrhundert schon genau so präsent wie nachher. Befragt man die Wirtschaftsgeschichte, so ist der aureus Kaiser Konstantins ohne Zweifel faszinierend, aber bedeutende wirtschaftliche Maßnahmen, die lange in die Folgezeit wirkten, gehen eben doch auf Kaiser Diokletian zurück, ebenso wie wichtige administrative Neuerungen. Zur Kulturgeschichte: Die Schließung der Schule von Athen durch Kaiser Justinian I. bedeutet meines Erachtens nicht allzu viel. Daß aber mönchischer Fanatismus und die Rücksichtslosigkeit des ägyptischen Patriarchen das, was man die „hohe Schule" von Alexandreia genannt hat, zum erlahmen brachte (erste Hälfte des 5. Jahrhunderts), bedeutet einen der schärfsten Einschnitte in der Bildungsgeschichte. Das Heidentum selbst kann vor Justinian nicht totgesagt werden. Im rein politischen Bezirk ist auch für den Osten 476 ein Epochenjahr. Epochemachend auch die Regierung des Kaisers Theodosios I. wenigstens insofern, als er ein System politischer Orthodoxie verfestigt, das vor ihm nur zögernd angepeilt worden war.

Ein Hickhack der Argumentation, an dem sich unverdrossen über lange Seiten weiterspinnen ließe, wenn es sich lohnte. Es handelt sich ganz einfach um fließende Übergänge auf allen Ebenen, und im Grunde bleibt es gleichgültig, ob man von „spätantik" oder „frühbyzantinisch" redet. Hier ist nur zu konstatieren: ich gebrauche im Folgenden, einseitig eine Reihe von Argumenten gegen die andere ausspielend, den Begriff „frühbyzantinisch" beginnend mit der Gründung Konstantinopels. Und ich füge in voller Aufrichtigkeit hinzu: Hat jemand eine bessere Lösung anzubieten, oder hat er eine andere auch nur lieber, so ist allen Ernstes von mir aus nichts dagegen einzuwenden, ganz einfach weil es sich auch anders darstellen läßt. Von Apodiktisch kann nicht die Rede sein, weil es sich um einen Prozeß handelt, der, wie jeder geschichtliche Prozeß, keinen datierbaren Anfang und keinen definitiven Abschluß kennt.

A propos Abschluß dieser ersten Epoche: Wenn sie eine Übergangsepoche ist, die noch in einem hohen Maße den Raum des alten Imperiums umfaßt, dann empfiehlt sich auf den ersten Blick, diese Epoche dort enden zu lassen, wo diese essentielle Großräumigkeit verloren geht, wo wirtschaftlich wie kulturell außerordentlich wichtige Gebiete endgültig in andere Hände fallen, d. h. mit dem Arabersturm seit ca. 630. Politisch, so kann man argumentieren, bedeutet die Vernichtung des persischen Großreiches durch die Oströmer die Erfüllung eines gesamtrömischen Traumes, der jahrhundertelang geträumt worden war. Sie bedeutet aber zugleich die Schaffung jenes Vacuums an der Ostflanke des Reiches, das den Arabern ihre Eroberungen wesentlich erleichterte. Wirtschaftlich muß das Reich jetzt völlig umdenken. Es genügt, an das Problem der Versorgung der Hauptstadt zu erinnern, die bis dato von Ägypten geleistet worden war, ebenso an den Verlust eines bedeutenden Steueraufkommens, an den Wegfall wichtiger Lieferanten von Edelmetallen, an die Erschwernisse des Fernhandelns vor allem in Richtung Osten. Kulturell wurde Alexandreia nie ersetzt, jedenfalls nicht in der spezifischen Breite seines geistigen Angebots. Im Reichsinnern aber hat es ein Ende mit jenen antikisierenden Literaten und jener schillernden Haltung gegenüber der Klassik, wie sie noch kurz vorher ein Agathias oder ein Paulos Silentiarios verkörpert hatten. Der große Atem der pragmatischen Geschichtsschreibung endet mit Prokop, spätestens mit Theophylaktos Simokattes, Latein verschwindet aus dem Lehrbetrieb und in der neuen Wertung des Griechischen manifestiert sich die Aussöhnung zwischen römischer ἀρχή (Herrschaft) und griechischer παιδεία (Bildung). Kirchenpolitisch bringt die Verarmung auch eine Vereinfachung. Die Auseinandersetzung mit der mächtigen Kirche der Monophysiten brennt nicht mehr auf den Nägeln, sie sind fern gerückt und für geraume Zeit zum Schweigen verdammt.

Natürlich gibt es auch eine ganze Reihe von Gegenargumenten: Stellt nicht Justinian einen besseren Abschluß der frühbyzantinischen Epoche dar? Kommen nicht geraume Zeit vor den Arabern im Süden die Slaven im Norden? Ist es nicht Justinian, der zu einem beträchtlichen Teil die administrative Ordnung, die Diokletian geschaffen hat, wieder rückgängig macht? Usw. Trotz allem: einen Konvergenz in Richtung auf die Zeit des Kaisers Herakleios scheint mir vorhanden. Auch an diesem Punkt muß ich mich entscheiden und ich ziehe es mit aller Reserve vor, mich für etwa 630 zu entscheiden.

Für das Ende der „mittelbyzantinischen" Epoche scheint das Jahr 1204 ein angemessenes und allgemein anerkanntes Datum zu sein. Wenn ich aber immer wieder den Ausdruck „frühmittelbyzantinisch" gebrauche, so deshalb, weil mir diese „mittelbyzantinische" Epoche weniger eine Einheit zu sein scheint als die frühbyzantinische. Daß das 12. Jahrhundert einen ganz anderen Charakter aufweist als etwa das 8., leuchtet jedermann ein; aber das 11. unterscheidet sich vom 8. und 9. nicht minder. Es gibt in den zwei letzten Jahrhunderten jene Recken nicht mehr, die sich vom 7. bis zum 9. Jahrhundert so energisch in den Vordergrund des Geschichtsbildes schieben, jene Heroen des Widerstandes gegen die Araber, die großen Magnaten draußen in der Provinz, die immer wieder auch der Hauptstadt ihren Willen aufzwingen und eine Element wilder Fronde in die Geschichte bringen. Die Mobilität des Kaisertums und mit ihr die Mobilität der Oberschicht ist noch so groß, daß man sie gewähren lassen muß. Im Hintergrund stehen die großen Kämpfe an den Grenzen des Reiches, Stoß und Gegenstoß in fast jährlicher Abfolge, die eine Konzentration der militärischen Kräfte auch auf anderen Gebieten der Verwaltung erfordern. Es sind noch nicht jene amateurhaften Zufallskriege, die man im 11. Jahrhundert führt. Nach dem Vacuum der zweiten Hälfte des 7. Jahrhunderts beginnen auch die geistigen Kräfte sich wieder langsam zu sammeln, während sich das 11. und 12. Jahrhundert schon wieder jene Artistik leisten kann, die einen selbstverständlich gewordenen Besitz voraussetzt. Ob diese Gründe für meine Unterscheidung ausschlaggebend genannt werden können, bleibe wiederum dahingestellt. Jedenfalls verstehe ich unter „frühmittelbyzantinisch" die Zeit vom Arabersturm bis etwa zum Ende der Regierung des Kaisers Basileios II. (1025).

Was für „spätbyzantinisch" bleibt, ist allgemein anerkannt und über die Daten 1453, 1460 und 1461 (Mistras und Trapezunt) braucht nicht debattiert zu werden.

II. Staat und Verfassung

Die Versuchung ist groß, Verfassungsfragen und damit Fragen nach den Normen, die ein Staatswesen bestimmen, nicht mehr als Rechtsfragen zu sehen, sondern als Fragen des Zusammenspiels von Mächten jeglicher Art, die von sich aus in der Lage sind, Leben und Rhythmus einer Gesellschaft zu bestimmen. Die Versuchung ist nicht von heute. Schon Ferdinand Lassalle hat 1862 eine solche Auffassung definitorisch vorgetragen: Er betrachtet die tatsächlichen Normen, welche ein Staatswesen bestimmen, als das Zusammenspiel von vier Machtkomplexen, der militärischen Macht, verkörpert durch die Armee und ihre Führung, der gesellschaftlichen Macht der Großgrundbesitzer, der wirtschaftlichen Macht der Großindustrie und des Großkapitals und schließlich der geistigen Macht, die im allgemeinen Bewußtsein und in der Bildung zum Ausdruck komme. Dies seien die Mächte, die in Wirklichkeit die Normen des gesellschaftlichen Lebens eines Staates bestimmten und die wirkliche Verfassung bildeten, während das, was man gemeinhin Verfassung nenne, die rechtliche Verfassung also, nicht mehr als ein Stück Papier sei.[1]

Natürlich ist das Bild einer Verfaßtheit, das hier Lasalle entwirft, sehr typisch auf die preußischen Verhältnisse seiner Zeit zugeschnitten, und selbst da kommt das Konzept mit dem Faktor Bildung und allgemeine Meinung als einer selbständigen Kraft neben Junkern und Generalen etwas ins Taumeln. Trotzdem bleibt die geschilderte Versuchung bestehen, vor allem Staaten gegenüber wie Byzanz, wo eine „rechtliche Verfassung" nicht einmal als bloßes Stück Papier bezeichnet werden kann, da sie gar nicht erst zu Pergament gebracht worden ist.

Die Frage bleibt, ob im Falle Byzanz der Nachweis gelingt, daß die Konstellation der genannten Machtfaktoren oder ihrer byzantinischen Varianten nicht genügt, das Verfassungsleben zu erklären – der Nachweis, daß es darüber hinaus eine, „wenn auch begrenzte, eigene, motivierende, das staatliche Leben ordnende Kraft" (K. Hesse) gibt. Dabei ist keineswegs vorauszusetzen, daß sich Normen und Verfassungswirklichkeit säuberlich trennen lassen. Doch Sinn hat eine solche Fragestellung nur, wenn man von vorn herein gegen ein Ergebnis gefeit ist, das reine Tautologie wäre, nämlich die Ideologie, welche sich irgendwelche Machtfaktoren zu ihrer Legitimation im Staate geschaffen haben, schlankweg mit den Verfassungsnormen gleichzusetzen. Zu suchen ist also nach Normen, welche die bestehenden Verhältnisse nicht nur spiegeln oder rechtfertigen, sondern zugleich ein Soll auferlegen, weil sie Ausdruck der menschlichen Einsicht in die Notwendigkeit einer Instanz gegenüber der Willkür schlechthin sind, die Notwendigkeit einer legitimierten Ordnung auch im Hinblick auf die Zukunft, Ergebnis andererseits der Erfahrungen aus der Vergangenheit. Näherhin ist von Verfassungsnormen zu verlangen, daß sie staatliche Einheit stiften, die Möglichkeit der Integration des Verbandes und des sich Integrierens in den Verband offenhalten und zu ihrer Aufgabe machen. Dazu kommt im Konkreten die Aufgabe, eine Staatsgewalt zu konstituieren und handlungsfähig zu machen. In schwierigen Fällen, z. B. da wo es wie in Byzanz keine geschriebene Verfassung gibt, wird die Feststellung der Normen kaum gelingen, wenn man nicht Klarheit gewinnt über die sogenannten Verfassungsvoraussetzungen, die über den normativen Gehalt und über das gemeinte Sollen Auskunft geben. Selbst im „klassischen" Fall, wo eine Verfassung durch eine „constituante" entsteht, ist ja die Frage wichtig, welche Kräfte hinter dieser Versammlung stehen, wer die constituante denn konstituiert. Es ist die Frage nach dem konzertierten Wollen einer potenten Gruppe, die getragen ist von einer auf Normierung bedachten „adäquaten Gestimmtheit" (H. Krüger).

Um von solchen Voraussetzungen her das byzantinische Verfassungsleben zu begreifen, muß bis auf die Entstehung des römischen Prinzipats zurückgegangen werden, nicht als ob a-priori unterstellt werden sollte, das byzantinische Kaisertum sei die schlichte Fortführung des augusteischen Prinzipats, sondern weil das normierende Wollen hinter der mutmaßlichen byzantinischen Verfassung im Vergleich mit dem augusteischen Zeitalter am klarsten zutage tritt.

1. Das römische Modell

Der römische Prinzipat verdankt seine Entstehung in entscheidender Weise dem Wunsche des römischen Volkes, die res publica aus den Wirrnissen sozialer Natur und den verheerenden Folgen der Bürgerkriege zu retten durch Maßnahmen, die über die in der republikanischen Verfassung vorgegebenen Möglichkeiten hinausgingen, weil sich diese Möglichkeiten als unzureichend erwiesen hatten. Die Rettung des Staates wurde nicht mehr vom Funktionieren einer Vielheit republikanischer Magistraturen erwartet, sondern von einer Einzelpersönlichkeit. Cicero schon verrät seinen und seiner Klasse Wunsch nach einem solchen Retter, zurückgreifend zum Teil auf Panaitios und damit auf die hellenistische Staatsphilosophie dieser Kreise. Sein Idealbild ist der rector oder moderator rei publicae, der seinen geistigen und sittlichen Eigenschaften nach in der Lage ist, den Staat auch ohne formal übertragene Amtsgewalt (potestas) mit seiner auctoritas zu lenken, – eine Autorität, die wohl schon für Cicero eine Art charismatischen Charakters an sich hat. Diese auctoritas wird gegen Mißbrauch abgeschirmt durch ein ebenso notwendig vorauszusetzendes Bündel von „virtutes". Ciceros Gedankengänge sind nicht abstrakter Natur; er ist vielmehr überzeugt davon, daß der römische Staat nur noch durch die Hilfe eines solchen moderator gerettet werden kann. Ob Augustus an die Gedankengänge Ciceros anknüpfte, ist umstritten, aber in unserem Zusammenhange auch belanglos, weil das, was Cicero formulierte, im Grunde eine wenn auch unartikuliert vorhandene Stimmung der Zeit zusammenfaßte: die Idee lag in der Luft, nach der nur ein „vir optimus" mit besonderem Sendungsbewußtsein und göttlicher Begnadigung – das, was man im Osten einen θεῖος ἀνήρ nannte – die Lage meistern konnte. Ciceros Lösung in ihrem entscheidenden Punkt ist also nicht der altrömische dictator, sondern der Charismatiker politischen Geblüts. Ansatzpunkt zur Verwirklichung aber boten längst vorhandene Formen der römischen Gesellschaft, vor allem das Klientelwesen, innerhalb dessen der patronus eine Rolle spielte, die im Idealfall in etwa den Anforderungen Ciceros an seinen moderator entsprach. Fast alle Formen des künftigen Prinzipats sind im Patronat in nuce vorweggenommen. Der Patron gibt, hilft und fördert und kann als Gegenleistung den Einsatz der Geförderten für sich selbst und seine Sache erwarten – ein officium als Gegenleistung für das beneficium, oder griechisch: εὔνοια gegenüber dem εὐεργέτης. Ein solches Klientelwesen konnte sich in bescheidenem Rahmen bewegen, je breiter aber im Verlauf der Erweiterung der Reichsgrenzen der Spielraum für politische Hasardeure wurde, oder – von der anderen Seite her gesehen – je dringender das Bedürfnis nach einem starken Mann an der Spitze des Staates wurde, desto rascher entwickelte sich dieses Klientelwesen zu einer weit über Stadtgrenzen hinausgreifenden Organisation. Einzelne Patronate schließen sich zu einem Zweckverband zusammen, und ein einzelner Führer kann aus einem princeps in civitate der princeps civitatis werden, auch wenn er als solcher durchaus keine Amtsbefugnisse besitzt. Die großen Patrone halten sich Garden und Privatarmeen, und je mehr in den Zeiten der Wirrnisse die römischen Linientruppen selbst für die Zwecke der Parteipolitik ihrer Heerführer eingesetzt werden, desto rascher entwikkelt sich das Patronats- und Klientelverhältnis auch in der Armee. In diesem Eindringen der Organisationsform in die Heeresverfassung muß eine der Hauptstützen des künftigen Prinzipats gesehen werden. Dazu kommt die Tatsache, daß gelegentlich auch im Senat ein Einzelner als patronus mit den patres conscripti wie mit einer Klientel rechnen konnte.

So traf sich denn die Bereitschaft der Römer, unter teilweisem Verzicht auf bisherige staatliche Formen die Rettung der Republik zu erkaufen, mit dem Mann, der es verstand, die Menge davon zu überzeugen, daß er jener princeps sei, von dem sie ihre Rettung, die Erhaltung ihrer Freiheit und die quieta tempora erwarten durfte. Man entschloß sich, ihm als princeps zu huldigen und gab dem Neuen eine republikanische Form durch die ständig erneuerte bzw. auf Lebenszeit ausgedehnte Übertragung republikanischer

Magistraturen, besonders der tribunizischen Gewalt und des imperium pro-
consulare maius.

Nicht jeder Römer, auch nicht jeder Grieche der Zeit, ließ sich von der
Selbstdarstellung, die Augustus vom Verhältnis zwischen auctoritas und potestas in seiner Person gab, überzeugen. Daß hier die Ausgangsvorstellungen
etwa von einem princeps civitatis bald grundsätzlich überschritten wurden,
daß de facto die Monarchie im Kommen war, blieb Einsichtigen nicht verborgen. Aber die Formen waren zunächst noch gewahrt, der status quo ante
theoretisch jederzeit wieder herstellbar. Und das römische Volk war müde
geworden.

Was hier mit dem consensus civium geschaffen worden war, schildert W.
Kunkel: „Augustus stellte ausdrücklich und in feierlicher Weise die durch
die Wirren des letzten Jahrhunderts v. Chr. erschütterte republikanische
Ordnung wieder her, freilich mit einer Reihe von Vorbehalten, die, so schön
und unauffällig sie auch gefaßt waren, doch tatsächlich zur Folge hatten,
daß er und seine Nachfolger die Geschicke von Staat und Reich so gut wie
unbeschränkt in der Hand hielten. In Wahrheit bedeutet also jene Wiederherstellung der Republik die Schaffung einer neuen monarchischen Gewalt,
nur daß diese Gewalt nicht eigentlich in die Verfassung eingebaut, sondern
neben sie gestellt wurde". Anders ausgedrückt: Senat und Volk wollten mit
ihrem consensus die Rettung der res publica, ihrer Freiheiten und ihrer
Prosperität, durch einen Mann, an den sie hohe Erwartungen knüpften und
den sie mit hohen ethischen Postulaten belasteten – Augustus aber wollte
die Monarchie. Daß er diese Gewalt *neben* die juristisch nicht außer Kraft
gesetzte republikanische Verfassung stellte, sicherte ihm consensus und Vertrauen, beließ aber seinen eigenen Prinzipat damit in einer Sphäre letzter
Ungesichertheit, weil Revozierbarkeit. Der Prinzipat ist seiner Natur nach
ambivalent. So ist der Prinzipat zunächst Ergebnis einer „adäquaten Gestimmtheit", die bereit ist, neben die republikanische alte Ordnung eine
„stützende und ergänzende treuhänderische Gewalt" (W. Kunkel) zu setzen,
einen Mann begnadet mit politischer Genialität, mit außergewöhnlichen
materiellen Mitteln oben drein und nicht zuletzt mit dem besonderen Segen
der Götter.

Aber aus der einmaligen Entscheidung wurde ein Dauerzustand. Augustus selbst tat alles, um den Prinzipat in seiner Familie zu vererben, wobei er
sich auf die generelle Vererbbarkeit des Patronats in der Familie stützen
konnte. Und die Indolenz des Volkes und des Senats führte dazu, daß das
Charisma des optimus vir nicht mehr vorher unter Beweis gestellt zu werden brauchte, weil man unterstellte, so weit daran überhaupt noch gedacht
wurde, daß es mit den republikanischen Übertragungsformen von selbst
kommen würde. Aber diese Übertragungsformen verfielen ziemlich bald,
die Macht verlagerte sich von der Stadt Rom in die großen Armeen, welche
im ständigen Kampf mit den Barbaren an der Grenze standen, aus einer Art

Senatskaisertum wurde ein Soldatenkaisertum. Der pure Konsens und das Gewährenlassen werden zu den Hauptfaktoren, auf die sich der Princeps, abgesehen von der Armee im Rücken, verfassungsmäßig stützen kann. Scheinbar ist er gegenüber den alten republikanischen Verfassungsnormen unabhängiger geworden. Aber er tauscht diese bisherige Abhängigkeit gegen das Ausgeliefertsein an eine prekäre concordia militum. Die Unsicherheit wird evidenter. Und man erinnert sich angesichts der tatsächlichen Geschichte des Prinzipats an die Worte Theodor Mommsens: „Der Volkswille erhebt den princeps wann und wie er will, und er stürzt ihn, wann und wie er will. Der römische Prinzipat ist eine durch die rechtlich permanente Revolution temperierte Autokratie".[2] Mehr und mehr des Rückhalts in der römischen Gesellschaft entbehrend, immer stärker unter der Willkür rivalisierender Armeen leidend, müssen die Kaiser bemüht sein, ihre Legitimität besser abzusichern. In der Verfassung finden sie diese Absicherung nicht, doch scheint es, als ob gerade deshalb die Divinisierung eine gewisse Chance zu bieten hatte. In Rom selbst verehrte man zunächst altrömischen Vorstellungen entsprechend den genius des Kaisers, ob man diesen nun als Schutzgeist auffaßte oder als die Entelechie der Summe seiner Qualitäten. Die consecratio, die Apotheose, vorgegeben in der Erhebung des toten Caesar zum Divus Julius, ist zunächst ein Staatsakt, der erst nach dem Tode stattfinden kann, wenn nicht eine Damnatio die Kehrseite der Einschätzung zum Ausdruck bringt. Mehr hatte Rom zunächst nicht zu bieten. Anders war es um die Verehrung des princeps Augustus in den östlichen Reichsteilen bestellt. Schon die römischen „Befreier" von der makedonischen Herrschaft waren von den Griechen mit göttlichen Ehren umgeben worden; Julius Caesar selbst wurde im Osten als θεὸς ἐπιφανής („Erscheinung Gottes"), ja als θεός schlechthin verehrt und nach dem Muster hellenistischer Monarchen zelebriert, und Augustus selbst bekam während seines Aufenthaltes im Osten immer wieder göttliche Ehren angetragen. Er hat diese Divinisierung ohne Zweifel als ein geeignetes Mittel gewertet, um diese Reichsteile an seine Person und sein Herrschaftssystem zu binden. Da in den Zeiten des Soldatenkaisertums auch die Verankerung des Prinzipats in einer Familie immer illusorischer wurde, gewann die Divinisierung offenbar neue Bedeutung. Die ständig steigende Unterwanderung der römischen Welt durch orientalische Kult- und Göttervorstellungen fand inzwischen auch in den Massen ihr Echo, und eine Sublimierung der Persönlichkeit des Kaisers konnte nun selbst den Römern, wenn nicht schmackhaft, so doch einleuchtend gemacht werden, wo doch schon der Vorstellung vom optimus vir etwas von besonderer göttlicher Gnade anhaftete. Außerdem eignete der Divinisierung eine besondere Integrationsfähigkeit, insofern als damit das Opfer vor dem Kaiserbild zum kontrollierbaren und fast kann man sagen zum einzigen konkreten Bekenntnis zur Reichseinheit wurde. Die Ideologie wird eine Hilfsposition der Intergrationsaufgaben der Verfassung.

2. Byzantinische Normen

Trotz geographischer Verschiebungen, ethnischer Verlagerungen und kultureller Umbildungen bleiben die Voraussetzungen, die hinter dem Verfassungsleben der römischen Kaiserzeit stehen, wenn auch modifiziert, die Verfassungsvoraussetzungen im byzantinischen Reich, die über den normativen Gehalt dieser Verfassung Auskunft geben können. Das byzantinische Reich betrachtet sich juristisch als die legitime Fortsetzung des römischen mit nur zum Teil anderen Mitteln, und es hatte allen Grund dazu. In diesem Reich ist die Vorstellung von der res publica Romana, der πολιτεία τῶν Ρωμαίων ungebrochen vorhanden, und näher besehen, vor allem in Krisenfällen, stellt sich diese Idee als das Erstgemeinte der Verfassung dar, als die raison d'être für alle Normen, die sich daraus ableiten lassen. Es bleibt wichtig, daß für die Ausschöpfung der Quellen der Krisenfall von besonderer Bedeutung ist. Das hängt damit zusammen, daß es keine geschriebene Verfassung gibt, daß theoretische Traktate über den byzantinischen Staat spärlich gesät sind und daß im „Normalfall" ein mediterranes Gewährenlassen wenig Veranlassung bot, sich Gedanken über die Verfassungsvoraussetzungen und Normen zu machen. Wenn somit schriftlich fixierte Gedanken über diesen Komplex nicht häufig auftreten, so besagt dies methodisch keinesfalls, daß sie dann bei ihrem Auftreten als Ausdruck eines momentanen Einfalles angesehen und dementsprechend für die Systematik vernachlässigt werden könnten. Die Ausführungen verraten fast immer, daß hier ohne besondere individuelle Kraftanstrengung der ratio aus einem Reservoir sehr präsenter Vorstellungen geschöpft wird.

So wie der princeps in die römische Geschichte eintreten konnte, weil man die res publica retten wollte, so verlangt der Byzantiner von der Regierungsgewalt als erstes die Erhaltung des Bestandes seines Reiches und dessen, was dieses Reich bieten kann. Die res publica ist das Integrationsfeld, innerhalb dessen sich der Herrscher als Integrationsfaktor zu bewähren hat. Dieses Feld soll bewahrt und belebt werden als realer Willensverband, der eine umgrenzte, geistig-soziale Wirklichkeit ihrem Sinn nach und in ihrer Entwicklung aufrecht erhält. Die erste Aufgabe des Herrschers kann es nur sein, sich mit diesem Willen zu identifizieren. Dieser Integrationsraum wird in Byzanz über die eigentliche res-publica-Vorstellung hinaus noch genauer definiert und mit besonderem Inhalt erfüllt durch das Konzept einer politischen Orthodoxie, über das jedoch aus praktischen Gründen eigens zu handeln ist, weil sie sozusagen die besondere Struktur der byzantinischen Politeia zum Ausdruck bringt.

Näher besehen versteht sich die respublica der Byzantiner als Rechtsstaat, getragen zudem von einem Rechtssystem, das als solches älter und damit ehrwürdiger ist als jeder Prinzipat oder Dominat, deshalb auch nicht einfach als Sicherungsmechanismus der kaiserlichen Herrschaft verstanden werden kann, als etwas a priori Manipulierbares und ausschließlich dem eigentlichen Herrschaftsbereich Zugehöriges. Zu diesem Rechtssystem gehören nicht nur privatrechtliche Normen, die in die Verfassung hineinreichen, weil es sich um eine Art Grundrechte handelt, sondern auch solche, die primär staatsrechtlich von Belang sind, Vorstellungen etwa vom Recht der Bildung von Verbänden, deren Treueverhältnisse und gegenseitigen Verpflichtungen zwar keinen Staat im Staat schaffen, aber doch zu Formen führen, denen ein gewisser Grad von Autonomie zukommt; Vorstellungen ferner, die je nach Umständen und politischer Lage ins Spiel gebracht werden, aber doch immer zur Disposition stehen. So etwa ein Komplex nicht sehr präziser Ideen von der Bedeutung des Senats oder der Rolle des versammelten Volkes.

Hinter diesen Ideen steht die allgemeinere, aber deshalb nicht schwächere Vorstellung, daß alle Herrschaft in dieser res publica abhängt vom Consensus omnium (der allgemeinen Zustimmung). So utopisch eine solche Vorstellung theoretisch auch sein mag, so wenig sie sich in der Praxis voll und ganz jemals verwirklichen läßt, übergeführt in präzise Usancen der Repräsentanz dieses Consensus wird aus dieser Vorstellung eben dann doch eine Verfassungsnorm.

Unter diesen Voraussetzungen akzeptiert Byzanz an der Spitze seiner Politeia einen Kaiser, einen Monarchen. Es akzeptiert ihn natürlich historisch betrachtet als vorhanden, als Erben des Reiches, aber es bejaht dieses Kaisertum auch und zieht es als solches kaum je in Zweifel. Dieser Kaiser kann der Qualität des Consensus entsprechend in der Theorie nur ein Wahlmonarch sein. Die Wahl mag im Einzelfall nicht mehr als eine Fiktion sein, der Wahlkörper sich noch so sehr als manipuliert erweisen: an der Grundeinstellung wird nicht gerüttelt und sie bleibt praktische Überzeugung der Allgemeinheit bis zum Ende des Reiches. Der Wechsel, denen die Gruppen unterworfen sind, die den Consensus omnium zu repräsentieren vorgeben können, das Zusammenspiel der Gruppen und ihr Gegeneinander ist ein Kapitel der byzantinischen Gesellschaftsgeschichte, in der sich die Verfassungswirklichkeit zum Ausdruck bringt.

So lange der Konsens der Wähler anhält, hat der byzantinische Kaiser einen fast unbeschränkten Spielraum innerhalb des ihm vorgegebenen Integrationsfeldes. Dieses Feld aber steht nicht nur unter dem Diktat der Vorstellungen vom Eigenwert der res publica als dem Erstgemeinten, sondern auch unter den moralischen Anforderungen an den Herrschenden, worunter zunächst gar nichts Metapolitisches oder Metaphysisches zu verstehen ist. Immerhin aber gehört zu den allgemeinen Ausgangsvorstellungen – auch dies ein Erbe seit der frühen Prinzipatszeit –, daß der einmal gewählte Herrscher nicht nur über jene Vertrauensvorgabe verfügt, welche in der Tatsache, daß man ihn gewählt, jedenfalls akzeptiert hat, liegt, sondern darüber hinaus ihm der Schutz eines Herrscher-Tabus gewährt ist, wie es sich seit der Entstehung hellenistischer Vorstellungen vom θεῖος ἀνήρ herausgebildet hat.

Keinesfalls ist der byzantinische Herrscher ein absoluter Monarch. Der Begriff Autokrat im verfassungsgeschichtlichen Sinne des Wortes ist modern, auch wenn er auf Byzanz zurückgeht. Nur ist dort das Wort Autokrator nichts anderes als das griechische Pendant zum lateinischen Imperator. Die byzantinische Monarchie kann auch vernünftigerweise und außerhalb der von den Herrschern selbst gesteuerten Ideologie nicht als Theokratie bezeichnet werden, abgesehen davon, daß dieser Begriff verfassungsrechtlich überhaupt unbrauchbar ist.

Die Forderung der Theoretiker an eine Verfassung, daß sie zu integrieren habe, findet also in der res-publica-Idee mit all ihren Implikationen ein durchgliedertes und überschaubares Feld und im vorgegebenen Potential der Kaisermacht im Regelfall ein uneingeschränktes Angebot zur Realisierung . Die zweite Forderung der Theorie nach einer Regierungsgewalt und einer Garantie für ihre Effizienz ist in dem freien Spielraum erfüllt, der dem Kaiser innerhalb des Rechtssystems für die Organisation seiner Regierungsorgane unter allen Umständen verbleibt. Die Gefahr des Gesamtsystems, ohne Zweifel aber auch ein bemerkenswertes Regenerationspotential, liegt in der Verbindung demokratischer und monarchischer Prinzipien in einer Zeit, die weder den Begriff noch die Prinzipien einer konstitutionellen Monarchie kennt.

Das Gesagte bedarf einiger Erläuterungen und einiger Beispiele. Was die res publica Romana anbelangt, so mag sie im Einzelnen schwer zu definieren sein. Daß der Begriff nicht nur, sondern wesentliche Vorstellungen von seinem Inhalt in Byzanz weiterlebten, läßt sich unschwer beweisen. Zunächst handelt es sich natürlich um ein Territorium; doch dieses Territorium hat nicht nur geschichtlich schwankende Grenzen, es bleibt auch ideell im Zwielicht, sofern es sich um einen Großraum handelt, der sich intentional mit dem Orbis terrarum, mit der οἰκουμένη deckt. Res publica bleibt auch in Byzanz ein „imperialer" Begriff und nicht nur Bezeichnung für ein definierbares geographisch-staatliches Zuhause. Auch damit kommt in die byzantinische Reichsvorstellung theoretisch eine utopische Note, aber doch auch ein Intentionalität, die weniger mit Rechtsvorstellungen als mit politischen Zielsetzungen zu tun hat. Trotzdem muß davon auch in einer Verfassungsgeschichte gesprochen werden, weil eine solche doch immer von der Auseinandersetzung zwischen Jus und Politik lebt. Und oft ist es doch Metapolitik, die Politik in Bewegung bringt. Großräumigkeit, geographisch wie ideell, ist meines Erachtens bewußtseinsbildend. Ein prosperierender Großraum garantiert der herrschenden und besitzenden Klasse die Expansion in einem weiten Lebensraum, der erhöhte Lebensqualität mit einer Vielfalt an Variationsmöglichkeiten bietet, die ohne diese räumliche Ausdehnung materiell nicht beschaffbar wären. Für die gebildete Schicht, für die „Kulturträger" ermöglicht er jenes commercium, jene Austauschmöglichkeiten und jene Fülle von Anregungen, die „aus der Distanz" kommen müssen, sollen sie angenommen werden. In kantonaler Enge, wo, was immer kulturell vor sich geht, schon im Ansatz, eben wegen der Enge, abgewürgt zu werden droht, wird der Gebildete allzu leicht auf sich selbst zurückgeworfen und verkümmert in geistigem Narzißmus. Das dem Eigenen zu Paß Kommende lockt aus der Distanz durch seine Fremdheit, ohne daß es darüber die Nähe, d. h. die Zugehörigkeit zum eigenen Reichsboden verlöre. Und auch das einfache Volk findet im Großraum Rekursmöglichkeiten und Fluchtpunkte, die keine Polis zu bieten hat, in der weder soziale noch materielle Mobilität sich entfalten kann.

Der Arabersturm des 7. Jahrhunderts engte den byzantinischen Raum um ein Beträchtliches ein. Wenn Byzanz darüber auch kein Kleinstaat geworden ist, so war damit doch der Verlust gerade jener Provinzen verbunden, die kulturell und materiell den Kontrapunkt zur neuen Reichszentrale Konstantinopel gebildet hatten. Trotzdem bleibt, nachdem die harten Zeiten der Verluste einen gewissen Stillstand erreicht hatten, etwas von der alten Mentalität und zwar nicht nur als gedankliche Fiktion. Denn das Imperium hatte in seiner Frühzeit so viel an Kulturgütern eingebracht, daß davon Jahrhunderte zehren konnten und sich ein imperiales Kulturbewußtsein herausbildete, das dem restlichen imperialen Bewußtsein als Ganzes zugute kam. Zumindest bleibt allem Nichtbyzantinischen gegenüber ein nicht völlig ungerechtfertigtes Selbstbewußtsein, das sich auf diese imperiale Idee stützt. Auch Mittelbyzanz bildet einen Staat, zu dessen wesentlichen Betätigungen Kulturpolitik gehört und diese Kulturpolitik bildet einen integralen Faktor des byzantinischen Verfassungsverständnisses. So ist das Verfassungsleben in Byzanz darauf abgestimmt, daß die Spitze des Staates mit dieser wie immer verstandenen Großräumigkeit zugleich das ihr entsprechende Selbstbewußtsein pflegt und hegt, ohne daß eine solche Kulturpolitik ausschließliches Privileg des Herrschers wird. Sie äußert sich, wenn so gesagt werden darf, als Ausdruck der Integration von beiden Seiten her, von der des Kaisers und der der res publica, wenn Staatsmänner Kultur fördern, etwa durch Schulgründungen, wobei gewiß von einer modernen Terminologie her nicht ohne weiteres von „staatlich" gesprochen werden darf, andererseits aber die Person des Gründers staatliches, gesellschaftliches und individuelles Interesse verklammert zum Ausdruck bringt, das heißt das Funktionieren des Gesamtkonzepts Byzanz evident macht.

Der Kaiser findet sich als Garant und Repräsentant dieses imperialen Bewußtseins sowohl gefordert wie gefeiert, das letztere deshalb, weil das Volk sich in der kaiserlichen Machtentfaltung spiegeln kann, d. h. in ihr sein eigenes Selbstbewußtsein konkretisiert sieht – dies wohl mit einer der Gründe für die Unangefochtenheit der monarchischen Idee als solcher, trotz vorhandener republikanischer „Bewußtseinsreste".

Gerade letztere aber verhindern eine gänzliche Identifikation von Reich und Kaiser. Ja man kann sagen, in den bewegten Zeiten byzantinischer Politik spielt sich das Verfassungsleben ab in der Polarität zwischen dem Kaiser einerseits und der res publica andererseits. Die πολιτεία bleibt eine eigenständige Größe, in der Definition vom Kaisertum unabhängig. Dieses Fortleben von der Idee einer selbständigen res publica durch die ganzen byzantinischen Jahrhunderte ist, wie schon früher angedeutet, im Konfliktsfall am klarsten festzustellen und schlägt sich dann nieder in der Kaiserkritik.

Als locus classicus sei eine Stelle aus dem Historiker Joannes Zonaras (12. Jahrh.)[3] angeführt, der Kaiser Alexios I. Komnenos den Vorwurf macht, Staat und eigene Monarchie nicht geschieden zu haben. Der Kaiser habe die alten Verfassungsnormen (ἔθη) der res publica verändert, den Staat sozusagen auf den Kopf gestellt; er habe immer wieder die Staatsgeschäfte geführt, als seien sie Privataffären des Kaisers, d. h. als ihr Herr (δεσπότης) und nicht als ihr Verwalter (οἰκονόμος) und dies heißt wiederum für einen Dritten, eine höhere Instanz, die ihn beauftragt unter der nur die res publica verstanden werden kann. So „klassisch" die Stelle bei Zonaras auch ist, sie bringt keine Neuerung. Kaiserin Verina im 5. Jahrhundert erklärt Kaiser Zenon der βασιλεία, der Kaiserwürde, für verlustig, weil er die πολιτεία, den Staat, in den Abgrund gesteuert habe.[4] 640 lehnt man ein Mitkaisertum der Witwe des Herakleios, Martina, ab, weil dies die τάξις, die Verfassung der Ῥωμαϊκὴ πολιτεία in Verwirrung bringen könnte.[5] 813 bestürmen gewisse Kreise den General Leon den Armenier, sich des Gemeinwesens, des κοινόν, anzunehmen und sich zum Kaiser ausrufen zu lassen.[6] Gerade das Wort τὸ κοινόν verrät die Unterscheidung, und es begegnet in ähnlichen Verhältnissen immer wieder. Für das 11. Jahrhundert nochmals Zonaras: Er wirft Kaiser Romanos IV. die Mietbeihilfen vor, die er gewährt hat, weil das Geld aus der Staatskasse stamme, also nicht Eigentum des Kaisers sei und nicht für einzelne Begünstigte ausgegeben werden dürfte.[7]

Normalerweise theoretisieren die Byzantiner nicht gerade häufig über ihr Staatswesen. So ist es besonders zu bedauern, daß wir von dem Traktat des Petros Patrikios (6. Jahrhundert) über „politische Wissenschaft" (Περὶ πολιτικῆς ἐπιστήμης) nur noch Fragmente besitzen. Jedenfalls will er den Staat unter νόμοι, Gesetze, gestellt wissen, was hier in etwa mit Richtlinien zu übersetzen ist, auch unter einen νόμος für die Kaiserwahl, die nicht nur unter dem Gesichtspunkt erfolgt, daß Gott den Byzantinern ihren Kaiser schenkt, sondern daß dem Erwählten das Kaisertum von den Bürgern offeriert wird (... παρὰ θεοῦ τε διδομένην καὶ τῶν πολιτῶν δέξοιτο προσφερομένην)[8] Klarer und eindeutiger in der Spätzeit Manuel Moschopulos (13./14. Jahrh.). Für ihn ist das Gemeinwesen (τὸ κοινόν) Ergebnis eines Vertrages zwischen Gleichberechtigten, die sich dann frei für eine monarchische Spitze entscheiden, und dies nicht aus metaphysischen sondern aus ganz praktischen Erwägungen.[9] Der Spitze gebührt Loyalität, eben weil sie Resultat eines Gemeinschaftsbeschlusses ist, aber auch nur so weit dieses χοινόν von ihr vertreten und geschützt wird. Es wird noch von der Kaiserideologie zu sprechen sein, welche die Herkunft der Kaisermacht von Gott als höchste und fast einzige Legitimation herausstreicht. Gemessen an ihr ist der Gedankengang des Moschopulos erstaunlich, weil er von einer Berufung der Spitze des χοινόν durch Gott kein Wort sagt, sondern fraglos den Staat und seine Interessen weit über den Monarchen stellt. Das Erstgemeinte ist zweifelsfrei wieder einmal das Gemeinwesen und nicht der Kaiser. Es wäre eine unbedarfte Methode, wollte man solche Passagen mit dem Hinweis abtun, Moschopulos verwende hier platonische Gedankengänge. Das Entscheidende – und dies gilt für Byzanz immer wieder – ist nicht die Quelle, sondern die Tatsache, daß ein Byzantiner, der mit den Inhalten der Kaiserideologie wohl vertraut war, ja vertraut sein mußte, ihr gerade nicht folgt, sondern eine Theorie entwickelt, die das Kernstück dieser Ideologie einfach in Abrede stellt. Und dabei handelt es sich nicht um eine theoretische Studie im Nachvollzug einer philologischen Platonlektüre, sondern um das polemische Ergebnis eines sehr praktischen Anlasses, um nicht zu sagen um eine Belehrung an die Adresse seines kaiserlichen Herrn. In diesem Zusammenhange darf auch daran erinnert werden, daß selbst die orthodoxe Kirche sich gelegentlich entschieden weigerte, Treueide mit der Drohung des Anathems abzusichern, die zur Sicherung der dynastischen Nachfolge geschworen werden sollten. Die Verweigerung wird sehr gewunden mit kanonistischen Bedenken begründet, aber so weit wir die Anlässe kennen, stand in Wirklichkeit die fragwürdige Verfügungsgewalt des Kaisers über die Loyalität seiner Untertanen zur Debatte.[10]

Man kann sehr wohl einwenden und hat es auch getan, daß die zitierten Äußerungen und Haltungen, gemessen an der Masse undifferenzierter Bekenntnisse und Aussagen zur Identität von Kaisertum und res publica doch kaum ins Gewicht fallen. Eine solche Argumentation übersieht großzügig zwei Dinge: Einmal beachtet sie nicht, aus welchen Kreisen und unter welchen Umständen all diese „positiven" Äußerungen zum kaiserlichen Herrschaftskonzept stammen. Zum anderen macht sie sich keine Gedanken über das Risiko, das mit der Opposition gegen das autokratische Selbstverständnis der Herrscher verbunden war. Man darf wohl auch das Trägheitsmoment innerhalb einer Bevölkerung in Rechnung setzen, die es sich in Zeiten der Prosperität durchaus gefallen läßt, regiert zu werden, ohne befragt zu werden, und nur in Zeiten der Krise dagegen aufbegehrt.

Ebenso lebendig wie die Unterscheidung zwischen Kaiser und res publica bleibt das Bewußtsein, daß diese res publica von einer Rechtsordnung lebt, die ihr Rückgrat bildet und als Institution älter ist als das Kaisertum, d. h. über dem Kaiser steht. Hier stoßen sich bis zu einem gewissen Grad die

Vorstellungen verschiedener Provenienz im historischen Raum, aber der Primat des Rechts bleibt gewahrt. Zur Vorstellung von einem optimus princeps, mit der das Volk den Princeps begrüßte und sozusagen rechtfertigte, gehört ja immer auch die Idee, daß er gewissermaßen über dem Gesetz oder außerhalb des Gesetzes stehe. Formulierungen wie „legibus solutus" oder „lex animata" sind zwar gewiß nicht synonym, aber die praktischen Folgerungen gleichen sich aufs Haar. Diese Formulierungen bleiben nicht im engen Rahmen ideologischer Feierlichkeiten und Zelebrationen, sie werden in amtliche juristische Texte aufgenommen und sie beeinflussen die Praxis. Handfester Beleg die Tatsache, wie schon in der frühen Prinzipatszeit die „oratio principis", also der Gesetzesantrag, den der Princeps an den Senat stellt, allmählich so wortlos gebilligt wurde, daß es bald keiner Beschlußfassung durch den Senat mehr bedurfte und aus der Oratio das Gesetz wurde. Die tabuisierte Wirkung der Idee vom optimus princeps brachte in die Rechtsvorstellungen der Zeit offensichtlich ein Element der Unsicherheit, etwas Ambivalentes und Manipulierbares. So nehmen die Juristen Kaiser Justinians I. bei Kodifikation des römischen Rechts in das große Sammelwerk der Digesten einen Satz Ulpians in aller Verallgemeinerung auf, der zunächst in seinem Ursprung rein punktuell verstanden worden war: „Princeps legibus solutus est".[11] In den Institutionen, die für den jungen Studenten der Rechte bestimmt waren, liest man es gnädiger und wohl temperiert: „Licet legibus soluti sumus, attamen legibus vivimus" – wobei die Funktion des Dativ/Ablativ einigermaßen fragwürdig bleibt.[12] Und war es vielleicht das Gewissen der sammelnden und auswählenden Juristen oder doch nur ihr Vollständigkeitsstreben, das sie veranlaßte, in den Codex eine Konstitution des Jahres 429 aufzunehmen: „Digna vox maiestate regnantis legibus alligatum se principem confiteri. Adeo de auctoritate iuris nostra pendet auctoritas. Et revera maius imperio est submittere legibus principatum"?[13] Vielleicht auch hier nur Oktroy? Die Ambivalenz bleibt jedenfalls durch die ganze byzantinische Geschichte bestehen und damit die Manipulierbarkeit. Man könnte annehmen, die Kaiser hätten sich jeweils ausschließlich an das „legibus solutus" gehalten. Doch das haben schon die Kaiser des Jahres 429 nicht getan und ihre späten Nachfolger sind ebenfalls nicht nur dem „solutus" verpflichtet. Das Bewußtsein der Bindung an das Jus als Ganzes scheint durchwegs stärker gewesen zu sein, auch wenn die Kaiser es lieben, diese Bindung in die Form von Konzessionen zu kleiden. Das Grundsätzliche und Entscheidende bleibt, daß trotz allen Selbstbewußtseins einiger Kaiser und trotz aller Freiheiten in Interpretation und Ergänzung, der große Rahmen römischen Rechts von ihnen nie wirklich gesprengt wird, vor allem nicht durch rechtlich fixierte Äußerungen zur Aufbesserung ihrer eigenen Stellung. So gut wie kein Kaiser versäumt es, sich als Pfleger und Wahrer des bestehenden Rechtes, als sein Verteidiger und Schützer gegen Willkür und Mißbrauch zur Darstellung zu bringen. Hier besteht eine Wertvorstellung und ein Normenbewußtsein, um das sich kein Kaiser drücken kann, auch wenn diese Norm sich mit seinem ideologischen Anspruch auf Autokratie kaum verträgt, eben weil sie ihre Wurzel in der Idee von der alten res publica hat. Doch dabei hat es noch nicht sein Bewenden. Es gibt den Fall – und er beweist ad oculos die Ungleichgewichtigkeit der angedeuteten Ambivalenz – daß ein und derselbe Kaiser, der einmal in aller Kraßheit ausspricht, er stehe über dem Gesetz und was er tue, sei rechtens – es ist Kaiser Andronikos II. – einen Gerichtshof gegen Korruption einsetzt und dem Richterkollegium mit Eid und Urkunde bestätigt, daß sie das Recht haben sollen, auch ihn, den Kaiser selbst, zur Verantwortung zu ziehen, und wenn sie damit nichts erreichten, mit ihrer Anklage an die Öffentlichkeit zu gehen.[14] Und jener Kaiser, der nach Justinian die meisten Novellen erlassen hat, Leon VI., schafft bestehende Gesetze früherer Kaiser ab mit der Begründung, daß sie von den Betroffenen nicht akzeptiert worden seien, daß sie also von den Untertanen unterlaufen worden seien, oder weil sie sich gegen ein Gewohnheitsrecht nicht durchsetzen konnten.[15] Mit anderen Worten: der angeblich „souveräne" Gesetzgeber geht auf ein Partnerschaftsverhältnis ein, das dem Reichsvolk eine Stellung einräumt, die es nach dem Wort desselben Leon von der zu seiner Zeit alles regelnden monarchischen Macht gar nicht geben dürfte. Der Widerspruch zwischen dem Anspruch der Ideologie und den politischen Realitäten ist offensichtlich. Vielleicht war Kaiser Leon beeindruckt von den Rechtsauffassungen seines alten Lehrers, des Patriarchen Photios, dem man wohl nicht zu Unrecht die einleitenden Paragraphen des Gesetzbuches, das Epanagoge genannt wird, zuschreibt. Hier wird das Gesetz definiert als Gemeinschaftsvertrag der Bürgerschaft (πόλεως συνθήκη κοινή), d. h. vom Kaiser als der Quelle des Rechts findet sich kein Wort. Er ist auch nicht Gesetzgeber im Rahmen des bestehenden Rechts, es sei denn, sofern es gilt, das geltende Recht zu verteidigen, nach Analogie bestehender Gesetze zu interpretieren oder zu ergänzen unter Achtung des Gewohnheitsrechtes, das sich herausgebildet hat.[16] Wiederum wie bei der Staatsphilosophie des Moschopulos muß unterstrichen werden: Es ist in unserem Kontext unerheblich, daß die photianische Definierung des Gesetzes, vielleicht über Papinian, auf Demosthenes zurückgeht. Daran mag sich der Historiker der klassischen Bildung delektieren. Hier allein wichtig ist die Tatsache, daß Patriarch Photios sämtliche Formulierungen und Ergüsse über den Kaiser als Quelle des Gesetzes in einem Gesetzbuch, das unter kaiserlichem Namen publiziert werden soll, unter den Tisch gewischt hat, obwohl er bestens damit vertraut gewesen wäre. Und selbst wenn die Epanagoge nicht publiziert wurde – wobei unser Publikationsbegriff für jene Zeiten ohnedies kaum anwendbar ist – bleibt die Tatsache der Formulierung seitens eines Mannes, der einmal kaiserlicher Kabinettchef gewesen war, und bleibt des weiteren die Tatsache, daß diese Epanagoge auf jeden Fall weit verbreitet und in Gebrauch war.

3. Grenzen der Autokratie

Der Res-publica-Gedanke also wie auch ein vor der Monarchie vorhandenes und geltendes Rechtssystem sind imstande, die monarchische Gewalt zu begrenzen. Werden diese Grenzen verletzt, dann wird damit der Consensus omnium sehr leicht in Frage gestellt, das heißt, es droht die Gefahr der „verfassungskonformen" Revolution, über die noch zu sprechen sein wird. Ein Rechtssystem wie das römische, in dem ursprünglich und für sehr lange Zeit der Pater familias Herrschaftsrechte gegenüber dem eigenen Hausverband besitzt, die an Vollgewalt heranreichen, Herrschaftsrechte, die, wenn auch abgemildert, im Recht des Patrons über Klientel und Freigelassene wiederkehren und nur im Sakralrecht, nicht aber in der eigentlichen Staatsgewalt ihre Kontrolle finden, bietet von sich aus alle Chancen zur Bildung von Verbänden mit einem Patron an der Spitze, die weitgehend dem Eingriff des Staates entzogen sind, nicht nur als Verbände, sondern auch was die Erreichbarkeit der Mitglieder durch den Arm des Staates betrifft. Nach dem Selbstverständnis des byzantinischen Herrschers, wie es Kaiser Leon VI. einmal formuliert hat – „Heute ist es die monarchische Gewalt, die alles regelt" – gehören solche Verbände nicht in das Verfassungsleben. Daß sie trotzdem in Byzanz weiter anzutreffen sind, beweist nicht nur die Selbstüberschätzung der Kaiser, sondern gründet m. E. gerade auch auf dem Fortleben römischen Rechtsvorstellungen von Klientel und Gefolgschaft. Das ergibt sich allein schon aus der Tatsache, daß sie über die byzantinische Zeit zurück in die römische verfolgt werden können. Ihr Vorhandensein beweist darüber hinaus, was in jeder Verfassungswirklichkeit zu konstatieren ist, daß ökonomische Notwendigkeiten in Formen münden, die schließlich neben die Verfassung zu stehen kommen, aber dort auch stehen bleiben. Der Staatsgewalt verbleibt dann höchstens eine nachträgliche Legitimierung, um wenigstens die Theorie zu retten, daß ohne sie etwas dergleichen unmöglich ist. Nur einiges aus diesem Bereich sei hier angeführt, weil es zur Erleuchtung des byzantinischen Souveränitätsbegriffes vom μοναρχικὸν κράτος, der monarchischen Gewalt, dient. Niemand wird a priori den modernen Souveränitätsbegriff unbesehen auf Byzanz übertragen wollen. Aber gerade an ihm gemessen, kann die Eigenart des byzantinischen Staatsverbandes klarer zum Ausdruck gebracht werden. Wenn auch der moderne Souveränitätsbegriff mit Vorzug am Verhältnis eines Staates zu anderen untersucht wird, so hat er doch auch seine innenpolitische Komponente, und diese besagt, daß souveräne Gewalt durch keine andere im Staat lokalisierte Gewalt in Frage gestellt werden kann und darf, wie es denn auch kein aktives Widerstandsrecht gegen diese souveräne Gewalt geben soll. Unterstellt man, daß es zur Souveränität gehört, daß der Inhaber der Gewalt jeden Staatsangehörigen, wenigstens jeden Erwachsenen, unmittelbar und ohne autonomes Zwischenglied erreichen kann, so ist auch die

Frage von Interesse, inwieweit ein Staat von sich aus dieses Prinzip abschwächt, indem er hoheitliche Funktionen nicht nur delegiert, sondern abtritt, etwa an Personalverbände und Gruppierungen und deren Chefs, jedenfalls also an „Privatpersonen". Auch so, also auf dem Weg der Konzession, ist praktisch eine Einschränkung der vollen Souveränität gegeben.

Solche Staatsgewalt limitierende Verbände sind uns besonders aus der Frühzeit von Byzanz bekannt. An erster Stelle sei hier der Kolonat genannt, eine Institution dunklen Ursprungs und in ihrem Gewicht für die Gesamtwirtschaft des spätrömischen Reiches nicht unumsritten. Die Juristen behandeln sie als Kapitel des Privatrechts, sie gehört aber ebenso wesentlich in die Wirtschafts- und Gesellschaftsgeschichte, doch eignen ihr auch verfassungsrechtliche Aspekte – wenn auch nicht auf den ersten Blick. Uns beschäftigt dieser Kolonat frühestens seit dem diokletianischen Steuersystem, jener iugatio-capitatio, die bei aller Lust, sich einer genauen Bestimmung zu entziehen, doch auf eine Stabilisierung der steuerpflichtigen capita, ja auf Bindung an den Boden, allein schon wegen des damals vorhandenen Defizits an Arbeitskräften, hinausläuft. Meist ehemalige Pächter, bleiben die coloni zwar persönlich frei (conditione ingenui), aber sie werden zu servi terrae ipsius cui nati sunt, d. h. zu „Sklaven" des Bodens, für den sie geboren sind.[17] Aber es ist nur natürlich, daß mit der Bindung an den Boden des Grundherren allmählich auch ihre persönlichen Freiheiten vor die Hunde gingen. Seit Konstantin dem Großen haben die Herren das verbriefte Recht, einen flüchtigen Kolonen in Ketten zu legen; 365 wird den Kolonen sogar verboten, über ihren Privatbesitz, das peculium frei zu verfügen,[18] 371 bekommen die Herren das Recht, statt der staatlichen Steuereinnehmer die Steuern bei den Kolonen selbst einzutreiben[19] und 396 verlieren die Kolonen sogar die Befugnis, ihren Herren vor Gericht einen Prozeß zu machen.[20] Der Grundherr ist nicht mehr nur dominus terrae, an die die Kolonen gebunden sind, sondern ihr sehr persönlicher dominus mit fast unbeschränkter Verfügungs- und Polizeigewalt. Gewiß erfolgt dies alles auf Grund kaiserlicher Gesetze, aber abgesehen davon, daß sich der Eindruck aufdrängt, daß diese Gesetze zum Teil wenigstens von den großen Herren dem Staat abgetrotzt wurden, bedeuten sie eben doch die Überantwortung von Hoheitsrechten an Privatpersonen und dies in einem Rahmen, der notwendig zu geschlossenen Wirtschaftsverbänden führen mußte, die sich in der Folge der staatlichen Hoheit kraft ihres wirtschaftlichen Potentials auch in anderer Hinsicht entziehen konnten. Die Entwicklung mag in der frühmittelbyzantinischen Periode ins Stocken gekommen sein – jedenfalls läßt es das Schweigen der Quellen vermuten – aber sehr bald entdecken wir ein weit verzweigtes Parökensystem, das den alten Kolonat mit dieser oder jener Variante, aber im Prinzip doch ungebrochen, fortführt, ungebrochen auch als von der staatlichen Macht konzedierte Provokation gegenüber der Souveränität.

Vielleicht noch charakteristischer als beim Kolonat sind die Vorgänge beim Patrocinium (προστασία), dem Patronat. Auch hier ist es nicht nötig, auf die vorbyzantinische Entwicklung einzugehen. Von Bedeutung in unserem Zusammenhange ist die Lage in der Spätantike. Dabei geht es kaum um gewisse Formen des Patrociniums in spätantiken Städten, wo ein reicher und auf Prestige bedachter „Wohltäter" die Pracht und das Wohlergehen der Stadt, in der er lebte oder mit der er sich verbunden fühlte, aus eigener Kasse bestritt und dafür die entsprechenden Ehren und Monumente einheimste, sondern um Erscheinungen des Patronats, die generell als Folgen der Wirtschaftskrise des 3. Jahrhunderts bezeichnet werden können. Besonders charakteristisch das „patrocinium vicorum". Eine Variante schildert mit Einläßlichkeit und nicht ohne Eigeninteresse Libanios.[21] Dörfer tun sich zusammen und stellen sich unter den Patronat einer nahegelegenen Garnison, der Soldaten sowohl wie ihrer Kommandeure. Zweck ist, von der Belastung durch die Steuereinnehmer loszukommen. Die Vorteile, welche die Garnison daraus zog, werden nicht näher geschildert, lassen sich aber unschwer denken. Kam nun der Steuereinnehmer, so stieß er auf den aktiven, durch die Soldaten gedeckten Widerstand der Steuerpflichtigen und mußte mit wenig oder nichts abziehen. Ein solches militärisches Patrocinium mußte sich umso verheerender auswirken, als nach der Provinzverfassung im Bedarfsfall der Steuereinnehmer ja auf die Amtshilfe des Militärs vertrauen sollte. Aber auch Kurialen ließen sich als Patrone gewinnen, ebenso hohe Amtsträger, die den Amtsgang von vornherein zugunsten ihrer Schützlinge regeln konnten, und vor allem die großen Gutsherren, denen der Patronat bald einen bedeutsamen Zuwachs an Grund und Boden brachte. In diesem Falle überlassen nämlich kleine Grundeigentümer, wenn sie nicht überhaupt fliehen (ἀναχώρησις), ihren Boden aus Angst vor dem Steuerdruck einem großen Grundherren und bescheiden sich auf ihrem alten Grund als Pächter, ja sie enden nicht selten als an die Scholle gebundene coloni. Offenbar ist ihnen dies immer noch begehrenswerter als ein Leben unter ständigem wirtschaftlichen Druck. Daß die Grundherren dabei nicht selten nachgeholfen haben, läßt sich unterstellen. Der neue Herr nun hindert die Steuereinnehmer daran, mit den bisherigen freien Bauern überhaupt noch in Berührung zu kommen, er entzieht sie ihren polizeilichen Befugnissen. Natürlich mußte der neue Herr damit die Steuerlast des ihm zugefallenen Bodens tragen, aber er besaß offenbar Mittel genug, vor allem wenn er in einer Person Grundherr und Amtsperson war, das Steuermaß zu eigenen Gunsten herabzudrücken. Man sprach gelegentlich von einer Immunität des Terrors. Es gibt die verschiedensten Verflechtungen der Systeme, etwa ein Patrocinium, das einem Grundherrn seine coloni entzieht und dergleichen. Auch die großen Bischöfe lassen sich diese Formen des Patronats nicht entgehen.

Im Gegensatz zum Kolonat kann im Falle des Patrociniums nicht von

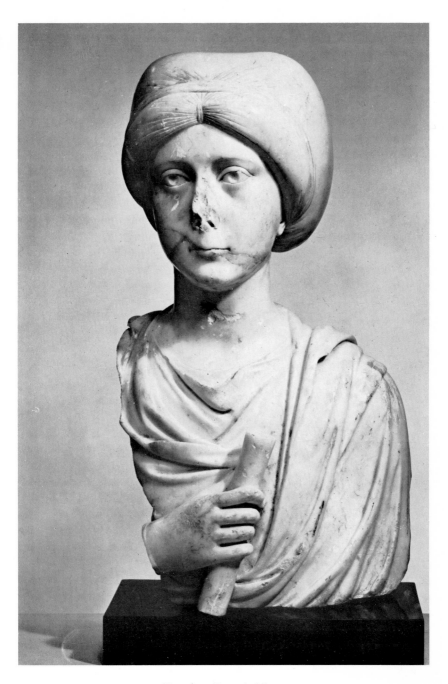

1. Vornehme Dame in Marmor

2. Marmorkopf einer Kaiserin (Theodora?)

einer staatlichen, durch Gesetze abgesicherten Konzession gesprochen werden. Der Gesetzgeber unternimmt es im Gegenteil, der Entwicklung immer neue Riegel vorzuschieben, aber da er nur die Gefahr für den Fiskus sah und das Übel nicht an der sozialen Wurzel anzufassen in der Lage war, verpufften seine Maßnahmen. Kolonat und Patrocinium weisen somit in ihrer Struktur manche ähnliche Züge auf, jedenfalls mündet das Patrocinium nicht selten in den Kolonat. Das bedeutet, daß die verfassungsgeschichtliche Relevanz beider Systeme sehr ähnlich zu beurteilen ist. Die spätere byzantinische Zeit bringt in beiden Fällen Änderungen und neue Aspekte. Die Bindung an den Boden ist gelockerter, die Hand des Staates gelegentlich kräftiger, aber der Dominat des Gutsherren scheint ungebrochen, und je länger desto mehr konsolidieren sich Herrschaftsgebilde eigener Struktur, ja eigenen Rechts, mit denen sich der Staat abfinden muß. Für die Schwäche dieses Staates ist Beleg die Tatsache, daß die Kaiser selbst immer öfter Land samt den darauf sitzenden Leuten, offenbar auch sogenannte freie Dörfer, an mehr oder weniger verdiente große Männer abtreten – zum Schaden ihrer höchsten Gewalt, weil zusehens daraus quasi-autonome Gebilde innerhalb des Staates entstehen.

Hier ist notwendig ein Wort zur byzantinischen „Pronoia" zu sagen, dem sogenannten „Feudalsystem" byzantinischer Prägung. Dieses System interessiert uns hier nicht als Phase einer gesellschaftlich-ökonomischen Entwicklung, es geht also hier nicht um die Feudalrente und ihre Bedeutung, sondern wiederum nur um den verfassungsgeschichtlichen Gehalt. Unter dieser Betrachtungsweise bedeutet die Pronoia keineswegs den Versuch, auf einem amorphen Reichsterritorium mit Hilfe von Landvergabe an treue Gefolgsleute ein Administrationssystem aufzubauen; das Bindungs- und Treueverhältnis steht primär nicht im Vordergrund. Wesentlich ist folgender Vorgang: Die Verleihung der Pronoia – Land und Bebauer des Landes samt ihrem Steuerertrag – soll zunächst den Vorgang der Entlohnung von Militärs, Senatoren usw. durch den Staat vereinfachen und ökonomisch absichern. Die Steuerleistung, aus denen der Begünstigte bezahlt werden soll, fließt nicht mehr zunächst in die Staatskasse, um von da aus verteilt zu werden. Vielmehr wird das steuerpflichtige Land und der steuerpflichtige Bauer direkt an den zu Entlohnenden überwiesen, damit er sich den Ertrag selber holen kann, in dem Ausmaß zunächst, das in der Vergabungsurkunde und in den Katastern festgelegt ist. Unmittelbar werden keine staatlichen Hoheitsrechte abgetreten. In praxi aber implizieren die übertragenen Rechte polizeiliche Befugnisse und schaffen in letzter Linie ein dominium über die Steuerpflichtigen, das notwendig mit der übrigen Provinzverwaltung in Konflikt kommen muß kraft der Materie, um die es geht, d. h. die staatliche Gewalt in der Provinz immer wieder zum Verlierer machen muß und der Immediatgewalt der Regierung Schranken setzt, die denen ähnlich sind, die mit Patrocinium und Kolonat verbunden waren. So gliedert sich das byzan-

tinische Reich wenigstens teilweise auf eine Art, die dem Wesen einer unbeschränkten Autokratie fremd ist.

Darüber soll auf die normale Gliederung eines größeren Staatskörpers
nicht vergessen werden: Provinzen, Provinzregierungen, Städte, Kommu-
nen. Daß es mit alten Provinziallandtagen und autonomen Städten in der
byzantinischen Epoche nicht mehr viel auf sich hat, ist allgemein geteilte
Überzeugung der Gelehrten. Die Frage ist nur, ob a-priori dies den Wegfall
jeder Art von Selbstverwaltung bedeutet. Eine grundsätzliche Überlegung
über Kommunikationsschwierigkeiten zwischen Stadt und Land, Provinz
und Hauptstadt wird bedenklich stimmen. Der sogenannte Nomos georgikos des 7. Jh. ist auch nicht dazu angetan, sich das Wirken eines kaiserlichen Beamten im Bauerndorf so vorzustellen, als sei er die jeweilige Instanz
aller Entscheidungen gewesen. Und was die Städte anlangt, so läßt sich sogar positiver urteilen und das Urteil auch belegen, wenn auch – leider – das
Material noch nie zusammenhängend vorgetragen worden ist. Zunächst
freilich muß die spukhafte Geschichte von einer institutionalisierten
bischöflichen Stadtherrschaft im byzantinischen Reich der Frühzeit aus dem
Wege geräumt werden. Was nach einer solchen Stadtherrschaft aussieht,
läßt sich durch die Bank reduzieren auf ganz bestimmte Notsituationen, in
denen die staatliche Verwaltung der Gouverneure der Provinzen oder das
militärische Kommando der Duces versagte. In diesen Lagen erblickte die
Bevölkerung im Bischof etwas wie einen zuverlässigeren Defensor civitatis,
der dann auch mit der Bevölkerung zu Rate ging, die notwendigen Maßnahmen anriet und organisierte und gelegentlich sogar im Einvernehmen
mit den Bürgern und gegen den Willen der von ferne beobachtenden staatlichen Organe mit dem Feind verhandelte, und dies sogar bis zur Übergabe.
Offenbar vergaßen die Bischöfe ihre Verpflichtungen dem Volk gegenüber
eben doch weniger häufig als die staatlichen Beamten. Dazu kommt, daß
den Bischöfen gerade auch durch die justinianische Gesetzgebung Rechte
eingeräumt worden waren, die zwar mit Amtsgewalt nichts zu tun hatten,
aber ein diskretionäres Eingreifen in heiklen Situationen sanktionierten,
weil eben auch der Kaiser im Bischof den geborenen Defensor plebis sah,
der ihm gerade als Kontrollorgan seiner eigenen Beamten zu Paß kam.
Herrschaft im staatlichen Sinne ist hier nie gemeint.

Was aber im übrigen städtische „Autonomie" betrifft, so handelt es sich
natürlich nie um „souveräne" Polis-Rechte, unabhängig von Kaiser und
Gouverneur, sondern jeweils um eine Art Mitbestimmung, oder wenigstens
um das Recht, angehört zu werden, aber wohl auch da und dort um das
Recht zu selbständiger Erledigung innerkommunaler Angelegenheiten, die
die Interessen des Reichs und der Zentralregierung kaum berührten und
von den staatlichen Organen gern den kommunalen Vertretungen überlassen wurden. Vielleicht kann man die Kontinuität dieser „Freiheiten" am
besten erweisen, wenn man den Weg aus der Spätgeschichte nach rückwärts

nimmt. Beispiel Thessalonike: Als Andronikos Palaiologos im Jahre 1423 die Stadt in seinem und der Bürgerschaft (!) Namen an Venedig auslieferte, tat er es unter der von Venedig zugestandenen Bedingung, daß neben anderen Vorbehalten auch die ererbten Normen und Gewohnheiten des städtischen Lebens garantiert würden.[22] Aus späteren Beschwerden ersehen wir, daß zu diesen Gewohnheiten auch ein Rat aus 12 vornehmen Bürgern gehörte, der dreimal in der Woche tagte – doch wohl nicht als Stammtisch, sondern um städtische Angelegenheiten zu regeln – und außerdem eine Gerichtsbarkeit in bürgerlichen Angelegenheiten.[23] Gehen wir 80 Jahre zurück, so finden wir Thessalonike in den schwersten Bürgerkriegswirren. Wie revolutionär das Regiment der „Zeloten" gewesen sein mag, alle Historiker, die darüber berichten, setzen als bekannt und natürlich voraus, daß in Thessalonike im Normalfall ein Rat bestand, der mit dem Gouverneur verhandelte und über das Wohl der Stadt beriet und entschied. Weitere hundert Jahre zurück verhandelt Thessalonike mit dem nizänischen Kaiser Joannes Batatzes über die Rückkehr in den Reichsverband. Wieder wird eine Garantie für die Erhaltung der städtischen Rechte und Freiheiten verlangt und auch gewährt.[24] Und als im Jahre 1205 der Kreuzfahrerkaiser Balduin Thessalonike eroberte, garantierte er nach dem übereinstimmenden Bericht von drei Historikern mit Brief und Siegel ihre ἔθιμα und ihre ἐλευθερία d. h. ihre „Gewohnheiten" und „Freiheiten".[25] Wie variabel diese Normen im Laufe der Jahrhunderte ausgesehen haben mögen, wie wenig umfassend die Freiheit gewesen sein mag, als Substanz dürfen wir jedenfalls ein wenn auch bescheidenes Maß von Selbstverwaltung unterstellen, das Jahrhunderte überdauerte und auch schon im Jahre 1205 als alter Besitz und altes Vorrecht angesehen wurde. Doch Thessalonike steht keinesfalls allein. Es würde zu weit führen, die einzelnen Beispiele namhaft zu machen. Hingewiesen sei nur darauf, daß diese städtischen Einrichtungen in der Zeit des Bürgerkriegs um die Mitte des 14. Jahrhunderts besonders deutlich in Erscheinung treten, daß selbst der Serbenkral den eroberten griechischen Städten diese Privilegien beließ und daß sogar in der Hauptstadt Konstantinopel um diese Zeit die beschlußfassende Volksversammlung zu neuer Bedeutung kommt.

Für die mittelbyzantinische Zeit spricht für städtische Selbstverwaltung allein schon der Umstand, daß im 12. Jahrundert auf den verschiedensten Punkten des Imperiums sich territoriale Stadtherrschaften – oft nur für kurze Zeit – entwickelten, offensichtlich weil vornehme und reiche Bürger der Stadt die prekären Selbstverwaltungsrechte energisch auszunützen und für sich fruchtbar zu machen wußten. Außerdem lassen sich nicht wenige Einzelfälle anführen. Da ist z. B. der Bischof Michael Choniates von Athen, der den Euboier rät, sich nicht nur zu beklagen, sondern in der Volksversammlung über ihre Angelegenheiten selbst zu entscheiden.[26] Da ist die Stadt Amaseia, in der Alexios I. das Volk in das Rathaus berufen, um sich einen Feldzug finanzieren zu lassen. Nicht nur Vornehme nehmen daran teil, sondern auch Vertreter des Volkes.[27] Was immer sich Kaiser Leon VI. in seiner Novelle 46 einfallen ließ, wenn er davon sprach, daß die Angelegenheiten jeder Stadt nur noch Sache des Kaisers seien, die historischen Realitäten sprechen nicht die gleiche Sprache. Freilich sprechen gerade für seine Zeit und die Generation vor und unmittelbar nach ihm die Quellen keine klare Sprache – doch dies gilt nicht nur für unser Thema, kann also nicht allzu sehr überraschen. Aber der Versuch, die frühbyzantinischen Reste städtischer Selbstverwaltung, die noch in den Gesetzen Justinians klar zutage treten, bis zu einem gewissen Grad mit den „Privilegien" zu identifizieren, von denen bis zum Ende des Reiches die Rede ist, scheint nicht ganz illegitim.

4. Verfassungsorgane

Es ist in der Sekundärliteratur seit langem gang und gäbe, von drei byzantinischen Verfassungsfaktoren oder Verfassungsorganen zu sprechen, die jedenfalls bei der Kaiserkür von wesentlicher Bedeutung sind, weil von ihrer Zustimmung die Legitimität eines Kaisers abhängt. Was bisher von Personalgruppierungen, Patronat usw. zu sagen war, welche die Herrschermacht limitieren, läßt sich schwer in „Verfassungsrecht" einbringen. Es ist vorstaatlich und nebenstaatlich. Es handelt sich um Gebilde, deren Zustandekommen damit zusammenhängt, daß die eigentlichen Verfassungsnormen nicht bestimmt genug und nicht umfassend genug waren, um sie zu verhindern. Senat, Volk und Armee gehören einer anderen Kategorie an. Betrachtet man ihre Geschichte, dann drängt sich tatsächlich die Bezeichnung Verfassungsorgan auf, jedenfalls zu bestimmten Zeitpunkten. Genauer gesagt: Der Consensus omnium, auf dem letztlich Herrschaftsausübung in Byzanz basiert, artikuliert sich in diesen Organen, die in entscheidenden Augenblikken repräsentativ für das gesamte Reichsvolk handeln.

In dieser Dreiheit spielt der Senat offenbar im Rückgriff auf römische Vorstellungen der republikanischen und der frühen Prinzipatszeit eine besondere Rolle. Ein Urteil über diese Rolle, insofern sie relevant für das Verfassungsverständnis ist, kann man sich nicht erlauben, wenn man nicht den Versuch gemacht hat, sie über die ganze byzantinische Zeit hinweg zu studieren. Aber vorausgehend muß versucht werden, den Senat von Konstantinopel auf dem Hintergrund des römischen Senates zu sehen, festzustellen, worin er sich von ihm unterscheidet und was seine Eigenart ausmacht. Handelt es sich in Rom in der Hauptsache, wenn auch nicht ausschließlich, um ehemalige Magistrate der Republik, die nun mit ihrer Erfahrung und ihrer Autorität den Gang der Politik wesentlich mitbestimmen, auch wenn genaue Umgrenzungen ihrer Vollmachten fehlen, so besteht der byzantinische

Senat – von der „adeligen" Klasse der Senatorialen ist hier nicht die Rede
– zum größten Teil aus den höchsten aktiven Reichsbeamten und den höchsten Würdenträgern des Hofes, ergänzt durch persönliche Berufungen durch
den Kaiser. Der Senat stellt somit annähernd die Regierungs- und Herr-
schaftsspitze des Reiches dar. Man könnte ihn als Kronrat bezeichnen. Bei
der freien Verfügungsgewalt des Kaisers über die Ämter- und Würdenspit-
zen unterliegt somit der Senat einerseits viel stärker der Willkür des Kaisers
als dies in der Prinzipatszeit der Fall war; sein Handlungsspielraum ist eingeschränkt. Andererseits bedeutet die Identität von Beratungsorgan und
Exekutive zweifellos auch eine größere Effektivität für letztere. Und da bei
einem Thronwechsel der Kaiser nicht selten jene auf freie hohe Stellen berief, die ihm zum Purpur verholfen hatten, d. h. denen er verpflichtet war,
konnte ein solcher Senat sehr wohl auch ein eigenes spezifisches Selbstbewußtsein entwickeln. Dieses Selbstbewußtsein wurde durch die Kaiser selbst
grundgelegt, als sie 359 den Senat von Konstantinopel im Range dem von
Rom gleichstellten. Da außerdem Konstantin der Große nach glaubhafter
Überlieferung Senatoren aus Altrom in Konstantinopel ansiedelte, darf angenommen werden, daß das römische Vorbild eingewirkt hatte, noch dazu
wo der Senat Altroms gerade in der späten Zeit der westlichen Reichshälfte
es an Selbstbewußtsein nicht fehlen ließ. Allerdings verfügt der byzantinische Senat so wenig über festumrissene Kompetenzen wie der römische, was
sicherlich seine Vor- und Nachteile hatte. Trotzdem muß er als in der Verfassung verankert betrachtet werden. Dies legt die Überzeugung des byzantinischen Volkes nahe, das z. B. in der kurzen kaiserlosen Zeit von 518 den
Senat mit der Tu vincas – Akklamation begrüßt, also als Souverän auf Zeit
anerkennt;[28] dies empfiehlt aber auch die Stellungnahme mancher Kaiser
dem Senat gegenüber. Das Eingreifen in die Politik seitens des Senats beschränkt sich durchaus nicht auf die Kaiserkür, von der noch eigens gesprochen werden muß. Es begleitet immer und immer wieder das politische
Handeln der regierenden Kaiser, mitunter in bestimmender und entscheidender Weise, auch wenn es große Schwankungen gibt und er manchmal
nichts anderes darstellt als ein willkürlich zu manipulierendes Organ des
Autokrators. Welches Verfassungsorgan unterläge im Laufe seiner Geschichte dieser Gefahr nicht! Es wird kaum überraschen: der Senat ist jeweils umso stärker, je schwächer der Thron besetzt ist, wenn es Verfas-
sungskonflikte gibt oder wenn der Kaiser den Wunsch hat, eine politische
Entscheidung, etwa dem Ausland gegenüber, als nicht allein von ihm getragen darzustellen.

Einige Beispiele für das Wirken dieser Institution: Schon die Regierung
des Zwischenkaisers Basiliskos im 5. Jahrhundert steht nicht nur, sie fällt
auch mit der Gunst und Ungunst des Senats.[29] Die Senatsopposition gegen
Anastasios macht sich immer wieder Luft, und der Kaiser muß sich von
daher sogar den Vorwurf des Eidbruches gefallen lassen.[30] Dem Kaiser Ju-

stinian I. allerdings war der Senat seit dem Nika-Aufstand verhaßt, und er schloß ihn mehr oder weniger von den Regierungsaufgaben aus. Aber es genügte eine Krankheit des Kaisers, um die Senatoren sofort wieder auf den politischen Plan zu rufen.[31] Unter der „Tyrannis" des Phokas nahm der Senat die Fernverbindung mit dem Exarchen von Karthago auf und löste damit die Insurrektion des Kaisers Herakleios aus.[32]

Besonders stark ist die Stellung des Senats nach den Tode dieses Kaisers: er entscheidet jetzt selbständig über die Zusammensetzung der Reichsspitze, obwohl seine Witwe im Testament des Verstorbenen erwähnt und auf, wenn auch unbestimmte, Weise in das Reichsregiment hineingestellt wird. Aber der Senat läßt bald durch den Mund des jungen Kaisers seine eigene Stellungnahme dem Volk verkünden und für rechtens erklären.[33] Belustigend und doch nicht ohne Signifikanz: Kaiser Michael II. verwitwet, wollte möglichst schnell wieder heiraten, war aber auf seinen guten Ruf bedacht, da allzu ausgedehnte sukzessive Polygamie in Byzanz durchaus nicht angesehen war. So läßt er insgeheim den Senat auffordern, er solle ihn, den Kaiser, nachdrücklich zur Eheschließung auffordern. Komme er dieser Aufforderung nicht nach, würden sie Revolution machen und ihn absetzen! Die Geschichte verrät immerhin die Vorstellung, daß der Senat dem Kaiser etwas zu sagen habe. Tatsächlich ergeht ein diesbezügliches πρόσταγμα – Terminus technicus ansonsten für kaiserliche Dekrete – des Senats an den Kaiser.[34] Kaiser Leon der Armenier und der Senat beurteilen die Politik, die den Bulgaren gegenüber einzuschlagen ist, sehr unterschiedlich. Doch der Chronist bemerkt nüchtern: Der Senat setzte sich durch.[35] Kaiserin Theodora, die Witwe des Theophilos, muß sich zur Rechenschaftsablage vor dem Senat bequemen[36], und der für das Reich so gefährliche Bulgarenzar Symeon setzt sich unter Umgehung des Kaisers unmittelbar mit dem Senat in Verbindung, um seinen Zielen näher zu kommen.[37] Der Senat spricht immer wieder bei kaiserlichen Eheschließungen mit, Novellen werden in der Senatsversammlung promulgiert[38] und er nimmt eidesstattliche Versicherungen der großen Generale entgegen, die besagen, daß nicht nur die Rechte der Dynastie gewahrt werden sollen, sondern auch dem Senat der gebührende Respekt bleibt.[39]

Die familienstarken Dynastien der Komnenen und Laskariden lassen für den Senat wenig Raum. Aber unter den Palaiologen, spätestens unter Andronikos II., kommt er zu neuer Bedeutung, ja er bildet gerade unter diesem Kaiser eine schiedsrichterliche Instanz zwischen ihm und seinem aufsässigen Enkel Andronikos III. Noch in den letzten Tagen des Reiches sehen wir den Senat in Direktverhandlungen mit Mehmed dem Eroberer. Dies eine Auslese, die sich unschwer erweitern ließe.

Wenn der Senat trotzdem nicht zu jener permanenten Kraft geworden ist, die der römische Senat über Jahrhunderte darstellte, so liegt dies neben anderen Gründen wohl vor allem daran, daß er in etwa an der Instabilität des byzantinischen Kaisertums partizipierte. Die fehlende Erblichkeit nicht nur der hohen Ämter, sondern auch der Hofwürden, die ständigen Revirements in den Rängen, wenn ein neuer Kaiser oder eine neue Dynastie ans Ruder kam, weil sie sich ihren Parteigängern dankbar erweisen mußten, affizierten selbstverständlich gerade den Senat, der sich aus diesen Rängen zusammensetzte, und verhinderte die Verankerung des Senats in einer stabilen Adelsschicht. Und selbst wenn man etwa seit der Mitte des 11. Jahrhunderts von einer sich stabilisierenden Oberschicht in Konstantinopel sprechen kann, so stellen die Maßnahmen der zweiten Jahrhunderthälfte dies wieder in Frage, als manche Kaiser in größerem Umfang Leute aus den Zünften und Gilden „nobilitierten". Daß dann seit den Komnenen, aber ebenso stark unter den Palaiologen, die höchsten Ämter und Würden an Glieder der Dynastie vergeben wurden, verhinderte Eigenständigkeit; der Senat steht und fällt mit Glück und Unglück der Dynastie. Er kann kein Interesse daran haben, durch allzu nachdrückliches Auftrumpfen die eigene Familie zu gefährden. Wo es einige doch tun, nicht als Senatoren, sondern als Familienmitglieder, beschleunigen sie nur den Verfall des Reiches.

Erinnert man sich der römischen Verfassungswirklichkeit im dritten nachchristlichen Jahrhundert, so kommt der Armee darin eine unverhältnismäßig hohe Bedeutung zu. Wenn Byzanz immer noch römischen Verfassungsvorstellungen verbunden ist, gehört dann auch die byzantinische Armee zu den Verfassungsorganen? Die Frage nach dem militärischen Charakter der byzantinischen Monarchie hängt damit eng zusammen. Von 88 Hauptkaisern können mindestens 30 als Männer bezeichnet werden, die ihr Kaisertum mehr oder weniger, aber doch in erster Linie als Generale und Heerführer zur Darstellung gebracht haben, ohne daß sie alle „Soldatenkaiser" in jenem Sinne gewesen wären, den man gegenüber Erscheinungen des Kaisertums im 3. Jahrhundert verwendet. Militärkaiser waren sie jedenfalls. Von mindestens 18 dieser 30 läßt sich feststellen, daß sie vom Feldlager weg zum Thron gekommen sind, gerade weil sie hervorragende Generale waren *und* weil die Armee sie als Kaiser wollte. Das militärische Potential spielt jedenfalls beim Akt der Kaiserkür also noch seine Rolle. Wie es im Einzelfall jeweils zur Auswirkung kam, darüber später Einzelheiten. Hier nur eine grundsätzliche Bemerkung. Die Rolle der Armee im römischen Verfassungsleben gehört jedenfalls nicht zu den genuin republikanischen Erinnerungen, und wenn ähnliche Zustände in Byzanz einzureißen drohen, sprechen die Historiker von Tyrannis. Es scheint mir für die Kraft der alten demokratischen Idee bezeichnend, daß von den übrigen Verfassungsorganen die Armee immer wieder auf lange Zeit fast völlig in den Hintergrund gedrängt wird – bezeichnend aber auch, daß sich die Armee dabei benachteiligt fühlt.[40] Natürlich können wir fast immer dann, wenn das Protokoll einer Kaiserkür von den Historikern etwas näher ausgeführt wird, von der Akklamation durch die Armee hören, aber in vielen Fällen dürfte es sich bei dieser „Armee" um prächtige Gardetruppen gehandelt haben, deren militärische Qualifikation kaum dazu ausreichte, ihre Wünsche gegenüber dem Senat und vor allem gegenüber den Volksmassen durchzusetzen. Die Linientruppen haben sich mit ihnen jedenfalls nicht immer identifiziert.

Es bleibt vom Faktor Volk und seiner Rolle im Verfassungsleben zu sprechen, wobei von vorn herein bemerkt werden muß, daß es sich in der Hauptsache immer nur um das Volk von Konstantinopel handelt, was bei den Kommunikationsschwierigkeiten der Epoche kaum anders sein kann. Daß dieses Volk an die Traditionen des Populus Romanus unmittelbar angeknüpft hätte, ist schwer vorstellbar. Es kommt zu seiner Bedeutung vielmehr durch die „Masse" und ihr Gewicht, die es in Konstantinopel, einer der wenigen Großstädte der Zeit, darstellt, eine Masse von mediterraner Beweglichkeit und nicht ohne Organisationsformen, die zunächst mit Staatsverfassung nichts zu tun haben, aber im Endeffekt doch zur Wirkung kommen.

Um bei letzterem zu beginnen: Die konkreten Ansatzpunkte für die politische Mobilität der großstädtischen Massen liegen, neben anderen Ursachen, zunächst in den mißverständlich sogenannten Zirkusparteien. Es handelt sich um Gruppierungen lockerer Art, die zunächst am Sportsgeschehen im Hippodrom interessiert sind. Sie sind jedoch rasch bei der Hand, um aus einer sportlichen Parole, ihrem frenetischen Einsatz für diesen oder jenen Jokey, eine kommunalpolitische oder reichspolitische Parole zu machen. Nie hat man den Kaiser so unmittelbar und anrufbar vor sich wie im Hippodrom, nie seinen Amtsapparat so gegenwärtig wie hier. Man kann diesen Gruppierungen weder das Festhalten an einer allgemein politischen Linie noch an einer kirchenpolitischen andichten. Sie folgen entweder Agitatoren, die ihre eigenen Ziele im Auge haben oder aber im Dienste Hochgestellter stehen und deren Propagandisten sind, oder sie bringen lauthals vor den Kaiser, was sozusagen die allgemeine Stimmung der Stadt ist. Vielleicht kann man mit einiger Vorsicht vermuten, daß die Blauen sich aus jenen Schichten rekrutierten, die in sozialer Abhängigkeit von der „Aristokratie" standen, Palastpersonal also, Dienerschaft, Lieferanten, die das Lied derer sangen, deren Brot sie aßen; während die Grünen eher unter den Parolen eines „Mittelstandes" handelten, beeinflußt von Fabrikanten und Kaufleuten, nicht unvermögenden Gewerbetreibenden, und vielleicht auch von ehemaligen Amts- und Würdenträgern, die mit ihren Ehren und Ämtern auch ihren Einfluß bei Hof verloren hatten und damit die Opposition gegen die Parolen der Blauen am besten erklären. An diese Gruppierung läßt sich anknüpfen, mit ihnen können militante Bewegungen ausgelöst werden, die politisch den Ausschlag geben können, – dies vor allem im frühen Byzanz und in den ersten Generationen des Mittelalters. Diese partei-ähnlichen Gruppierungen hielten sich länger, als gemeinhin angenommen wird. Und wenn sie im Zerimonienbuch des 10. Jahrhunderts nur noch die Rolle der Stati-

sten spielen, so besagt dies nichts über ihre politische Bedeutung, weil diese
zu erwähnen der Verfasser eines höfischen Festkalenders keinen Anlaß haben konnte. Trotz aller Gegensätze irrationaler Art ließen sich diese Gruppen gelegentlich durch keine Agitation und keine Führerschaft davon abhal-
ten, zu koalieren und ihre eigenen Ziele, die der Masse schlechthin, in den
Vordergrund zu schieben, d. h. unter Umständen sich gegen die Führung
sowohl der Blauen wie der Grünen zu stellen. Etwa seit dem zehnten Jahrhundert scheinen diese Gruppen sich mit den Zünften und Gilden zu identifizieren, die ihrerseits weder wirtschaftlich noch politisch eine völlig einheitliche Gruppe darstellen, sondern sehr verschiedenen ökonomischen Interessen dienten. In den späteren Jahrhunderten hat man den Eindruck, daß sich
die Gruppierungen verlagern: Bürgerliche Kaufleute und Gewerbetreibende
bilden eine Interessengemeinschaft, die durch das Gewicht ihrer wirtschaftlichen Bedeutung fähig ist, ihre Interessen ohne Mobilmachung von Massen
zu vertreten. Seit dem Ende des 12. Jahrhunderts stellen sie eine Macht dar,
an der mancher Kaiser scheitert, auch wenn die Aristokratie hinter ihm
steht.

Als Verfassungsorgan muß „das Volk" – so variabel es in actu sein mag
und so schwer definierbar – jedenfalls angesehen werden, da seine Beteiligung in Byzanz durch alle Jahrhunderte als notwendiges Element zur Herstellung jenes consnsus omnium angesehen wird, auf dem die Monarchie
aufruht. Diese Beteiligung an der Kaiserkür ist, wie die des Senats, besonders zu behandeln. Es entspricht aber der schwankenden Natur eines einmal
gegebenen Konsenses und zugleich dem politischen Fingerspitzengefühl vieler Kaiser, daß sie je nach politischer Lage eine Aktualisierung des einmal
ausgesprochenen Konsenses anstrebten, indem sie staatliche Angelegenheiten nicht nur dem Senat vorlegten, sondern auch das Volk darüber befrag-
ten, jedenfalls Zustimmung heischend unterrichteten. Die Kaiser Anastasios[41] und Justinian I.[42] stellen sich dem Volk im Hippodrom und rechtfertigen ihre Maßnahmen. Herakleios läßt sich zu seinen außenpolitischen
Verhandlungen mit dem Chagan der Avaren nicht nur von hohen Würdenträgern, sondern auch von Vertretern des Handels und des Gewerbes begleiten, ebenso zieht er Vertreter der Blauen und Grünen bei.[43] Seine Witwe
Martina ruft immer wieder das Volk zusammen, um ihre Interpretation des
kaiserlichen Testaments durchzusetzen.[44] Vertreter der „Parteien" unterzeichnen die Akten des 6. ökummenischen Konzils,[45] und Leon III. erläutert
seine ikonoklastischen Maßnahmen in Anreden an das Volk.[46] Vom Kaiser
Konstantin V. wird im selben ikonoklastischen Zusammenhang sogar von
Dialogen mit dem Volk im Hippodrom berichtet, die völlig im Stil der uns
bekannten Dialoge aus dem 6. Jahrhundert gehalten sind.[47] Alexios III.
sucht das Volk in einer Versammlung zur Leistung einer Sondersteuer zu
überreden, trifft aber auf Ablehnung und muß sich damit abfinden.[48] Die
Epoche des nizänischen Reiches ermangelt des Faktors Großstadtmasse, so

daß wir von der politischen Beteiligung des Volkes kaum etwas hören. Für die Spätzeit, unter der Dynastie der Palaiologen, seien wenigstens zwei charakteristische Etappen erwähnt. Andronikos II. im Kampf um seine Legitimität gegenüber den Parteigängern der Laskariden, die sich unter der Maske des sogenannten arsenitischen Schismas ein kirchenpolitisches Feigenblatt umgehängt hatten, mußte, wie schon gelegentlich sein Vater Michael VIII., aber in schwächerer Position als dieser, immer wieder meetings veranstalten und sich dort gegen Schmähschriften verteidigen, die im Volk kursierten; auch zur Verteidigung seiner Außenpolitik rief er Volksversammlungen ein.[49] Aber auch ein Kaiser vom Selbstbewußtsein eines Joannes VI. Kantakuzenos kommt um solche Versammlungen nicht mehr herum. Er braucht immer wieder Geld für die Reichsverteidigung und den Bürgerkrieg und kann es den Versammlungen nur mit Mühe und nicht immer abtrotzen.[50] Der Chronist Dukas schließlich scheint mir zu insinuieren, daß es nicht eigentlich Kaiser Manuel II. war, der nach der Niederlage der Kreuzfahrer bei Nikopolis im Jahre 1396 die Kapitulation gegenüber den Türken ablehnte, sondern das Volk von Konstantinopel.[51] Und die letzte Erklärung des Kaisers Konstantin XI. Palaiologos lautet nach Dukas – die Rede im Maius des Sphrantzes stammt vom Bischof Lionardo von Chios – „Euch (sc. den Türken) die Stadt zu übergeben, bin ich nicht berechtigt. Das ist nicht meine Sache, sondern die ihrer Bürger".[52]

Da aber, wo sich neben der Kaiserwahl Senat und Volk in besonderer Weise als Verfassungsfaktoren artikulieren, treffen wir auf einen manchen absonderlich erscheinenden Tatbestand: es handelt sich um die Abwahl eines Kaisers. Wenn W. Enßlin einmal behauptet, es habe kein verfassungsmäßiges Mittel gegeben, den einmal gewählten Kaiser wieder zu stürzen, so ist dies m. E. falsch. Es sei nur an das Wort Theodor Mommsens von der „rechtlich permanenten Revolution" erinnert, der entsprechend der Volkswille den Imperator schafft und ebenso wieder abschafft – ein schroffer Satz, laut Mommsen, von dem man nicht erwarten dürfe, daß er in der zahlreichen uns erhaltenen Literatur niedergelegt sei, der aber „in den Gemütern gelebt hat" und mit dem wenn nicht Literatur so doch Geschichte gemacht wurde. Historisch betrachtet mag man zwei Arten byzantinischer Revolutionen unterscheiden: solche, die sozusagen ex abrupto ausbrechen, wie ein Naturereignis, und andere, die einer Art Protokoll und Liturgie der Revolution folgen, etwas wie wohl vorbereitete „Verfassungsakte". Die Unterscheidung läßt sich an den Quellen überprüfen, aber sie krankt letztlich an dem Umstand, daß die Quellen nicht gleich ausführlich und unter verschiedenen Gesichtspunkten berichten. Gelegentlich ist die Erzählung so dürftig, daß über Motivation, Protokoll usw. einfach nichts zu entnehmen ist, was nicht bedeutet, daß solche Dinge nicht im Spiel gewesen sein können. Was mit einer protokollgerechten Revolution gemeint ist, sei an einem Beispiel erläutert: Unter der Regierung Justinians II., im Jahre des

Herrn 695, rief der Kandidat der Unzufriedenen, der General Leontios, nächtens in allen Stadtbezirken das Volk auf, sich bei der Hagia Sophia einzufinden. Die Massen folgen der Einladung. Nun holt man den Patriarchen aus seinem Palast und läßt ihn sozusagen eine liturgische Einleitung intonieren. Es ist der Psalmvers: „Dies ist der Tag, den der Herr gemacht hat". Das Volk antwortet mit einem wohlgesetzten Zwölfsilber, also einem vorbereiteten Sprechchor: „Tod und Verderben den Knochen Justinians". Gegen Morgen begibt man sich in den Hippodrom, den Ort der Kaiserkür. Man schleppt Justinian herbei, schneidet ihm Nase und Zunge ab, und disqualifiziert ihn dadurch für die Herrschaft, weil die körperliche Integrität zu den schönen Eigenschaften eines Kaisers gehört. Der nächste Akt ist die εὐφημία, die Akklamation für Leontios, der damit Kaiser ist.[53] Was hier das Volk in einen Zwölfsilber faßt, „athetiert" nach den Historikern die Kaiserherrschaft Justinians. Der Akt wird als δυσφημία bezeichnet, das heißt als condemnatio. Diese Terminologie begegnet im Laufe der Jahrhunderte immer wieder und erweist sich als terminus technicus der byzantinischen Verfassungsgeschichte. Sie korrespondiert exakt mit der εὐφημία, der Akklamation. Die δυσφημία eines noch regierenden Kaisers ist die protokollarische Voraussetzung für die εὐφημία eines neuen. Dahinter steht – siehe Mommsen – nüchtern betrachtet einfach der Gedanke, daß derselbe Kreis, der einen Kaiser küren kann, ihn auch wieder abwählen kann. Und wer sich hier um jeden Preis mit byzantinischer Kaiserideologie aus der Affäre ziehen möchte, hätte zu überlegen, ob derselbe Gott, der dem zu Erwählenden seine εὐδοκία, sein Wohlgefallen schenkt und damit das Volk inspiriert, ihm zu akklamieren, dieses Wohlgefallen nicht auch wieder entziehen kann, um es einem anderen zuzuwenden. Nach eben dieser Ideologie muß ja Leontios, einmal Kaiser geworden, dieses Wohlgefallen Gottes besitzen, er muß als gottgeschenkter Kaiser gelten. Warum sollte dann das Volk nicht auch von Gott inspiriert gewesen sein, Justinian II. abzuwählen? Gewiß hat man diese Überlegungen nicht formuliert. Immerhin sprach man bei einem schlechten Kaiser von einer παραχώρησις, einer Zulassung Gottes, so wie die Sünde zugelassen wird, ohne daß sie damit zurecht begangen würde. In der Realität des Verfassungslebens aber wurde eben die Revolution als die logische Folge betrachtet, der consensus wurde gestundet und dann aufgehoben. Man sollte bedenken, daß von 88 regierenden Hauptkaisern 30 eines gewaltsamen Todes starben und 13 sich in die klösterliche Abgeschiedenheit zurückziehen mußten. Dies bedeutet, daß die Revolution nicht die große Ausnahme darstellt, sondern historisch betrachtet einen Bestandteil des Verfassungslebens bedeutet. Sie ist, so zynisch es klingen mag, ohne es zu sein, eine Verfassungsnorm.

5. Die Kaiserwahl

Der klassische Fall, der das Ineinander der Verfassungsorgane, Senat, Armee und Volk verdeutlicht, der aber zugleich die Relevanz anderer gesellschaftlicher Gruppen für die Konstituierung einer Regierungsgewalt in Byzanz beleuchtet, ist ohne Zweifel die Kaiserkür und alles was sie vorbereitet und begleitet. Dabei ist die Feststellung wichtig, daß das, was ich Verfassungsorgane genannt habe, Armee also, Senat und Volk, mit Vorzug aber Senat und Armee im Vorfeld der Kür auch als gesellschaftliche Gruppen mit dem Programm ihrer Gruppe tätig werden können, koalierend mit anderen Gruppen, die nicht „in der Verfassung stehen", aber das Verfassungsleben mitbestimmen, oder auch selbständig, im Vertrauen auf die eigene Durchschlagskraft. Die Kaiserkür bedeutet den Offenbarungseid dieser Gruppierungen und ihrer Machtverhältnisse. Die Geschichte dieser Küren ist die Geschichte der byzantinischen Verfassungswirklichkeit, und zwar jener Etappen, in denen Entscheidungen für ganze Generationen fallen können.

Es bedarf wohl keiner ausführlichen Begründung: mit der Kaiseridee, wie sie noch ausführlich zur Darstellung kommen wird, ist kein Kaiser zu machen. Es blieb selbst für diejenigen Byzantiner, die sich möglicherweise auch im Falle einer Sedisvakanz ganz an der Idee orientieren wollten, die schwierige Aufgabe, den Erwählten Gottes namhaft zu machen, um ihn wählen zu können. Das heißt: In der Idee selbst finden sich nicht genügend praktische Kriterien für ihre konkrete Verwirklichung, und man ist nicht frivol, wenn man daran zweifelt, ob diese konkrete Verwirklichung jeweils und immer auch nur behelfsmäßig von der Idee und ihrer geistigen Höhenlage mitbestimmt wurde. Es kam darauf an, einen oder mehrere Männer als Kandidaten derart in den Vordergrund zu schieben, daß eine Wahrscheinlichkeit für ihre Wahl erreicht wurde. Diese Aufgabe erfüllen heute die politischen Parteien, damals gesellschaftliche Gruppen verschiedenster Art. Es bedarf der Kaisermacher, die in langer Vorbereitung oder im raschen Zugriff einen Mann herausstellen, der so qualifiziert ist oder zu sein scheint, daß er einen ungefähren consensus omnium in der Hauptstadt erreichen kann.

Diese Aufgabe erfüllt in der Frühepoche immer noch die Armee als Randgruppe der Gesellschaft, aber als die potenteste Gruppe überhaupt. Sie, bzw. bestimmte Gruppen innerhalb des Offizierscorps, die auf Gefolgschaft innerhalb der Mannschaft rechnen können, stellen den Kandidaten heraus und empfehlen ihn der Armee zur Akklamation. Mit anderen Worten, die Armee handelt kraft ihrer unheimlichen Macht im spätrömischen Reich allein für sich und für das Reich. Sie stellt *die* „politische Partei" dar und sie handelt zugleich aus eigener Machtvollkommenheit, als alleinberechtigtes Verfassungsorgan, laut dem Wort des Aurelius Victor: „Abhinc (d. h. seit dem 3. Jh. p. Chr.) militaris potentia convaluit ac senatui imperium creandi que jus principis ereptum . . ." So tritt das byzantinische Kaisertum als Soldatenkaisertum alten Stils bruchlos in seine neue Geschichte, auch wenn schon Konstantin den dynastischen Gedanken in aller Stärke mit zur Geltung gebracht hat. Aber weder seine Kür noch die seiner Söhne oder Julians haben etwas mit einer Entscheidung des Senats oder einer konstitutiven Akklamation durch das Volk zu tun. Das Gleiche gilt von Jovian, Valentinian und Valens, Gratian und Theodosios. Die Präsentation durch Vater oder Bruder wirkt stark mit, aber die „maiestas" der Armee bleibt entscheidend. Das eine oder andere Mal mögen der Senat oder die Hofbürokratie ihre Wünsche zum Ausdruck gebracht haben, doch sie mündeten zumeist in Glückwünsche. Die Situation ändert sich seit dem 5. Jahrhundert. Der militärische Charakter des Kaisers als imperator bleibt im Bewußtsein erhalten; ganze Dynastien werden durch die soldatische Repräsentanz und Tätigkeit ihrer Mitglieder charakterisiert, doch was Kür und Akklamation anlangt, kann nicht mehr von Soldatenkaisern gesprochen werden. Die castra werden durch die Hauptstadt Konstantinopel ersetzt, und die Veränderung des Schauplatzes führt zur Veränderung der Akteure. „Palast", Bürokratie, Kurie und Volk vereinnahmen das Kaisertum. Die schon geschilderte, immer stärker werdende Gleichsetzung der aktiven Senatoren mit den Spitzen der Reichsverwaltung und den höfischen Rängen und das Zurückgreifen dieser Gruppen auf die Masse der hauptstädtischen Bevölkerung – und ihre teilweise Abhängigkeit von ihr – berechtigt sehr bald zur Kurzformel: „Senat und Volk von Konstantinopel" in der Bedeutung von „Senatus populusque"!

Die Veränderung läßt sich an den im Zeremonienbuch Kaiser Konstantins VII. erhaltenen Wahlprotokollen deutlich ablesen. Ebenso erfahren wir, daß die Soldaten nicht ohne weiteres geneigt waren, sich damit tatenlos abzufinden. Aber ihr Versuch, bei der Wahl Justins I. noch einmal das Heft in die Hand zu bekommen, endete bezeichnender Weise unter den Steinwürfen des zur Akklamation im Hippodrom versammelten Volkes, das kurz vorher dem Senat mit der Victor-Akklamation „σὺ νιϰᾷς" als dem Souverän bei Sedisvakanz gehuldigt hatte, auch wenn es in der gleichen Akklamation die Zuordnung des Kaisers zur Armee hingenommen hatte: „Τὸν ἐϰ θεοῦ βασιλέα τῷ ἐξερϰίτῳ „den gottgewollten Imperator für die Armee".[54]

Die Gründe für den Wandel sind vielfältig. Keinesfalls genügt der Hinweis darauf, daß es sich seit Theodosios um indolente Herrscher gehandelt habe, die es vorzogen zu herrschen statt zu regieren. Wichtig ist die Fixierung des Kaisertums in der neuen Hauptstadt Konstantinopel. Damit hatte es ein Ende mit dem ständigen Wechsel der Kaiser und ihres Apparats von Heerlager zu Heerlager, der Generationen lang gedauert hatte. Diese Fixierung wurde neben anderem ermöglicht durch die Herrschafts- (nicht Reichs-)Teilung unter den Theodosiossöhnen, die es den Herrschern im Osten erlaubte, sich stärker als bisher auf ihren Reichsteil zu konzentrieren.

Hand in Hand damit ging die Barbarengefahr für den Osten wenn nicht vorüber so doch glimpflichere Wege als für den Westen. Dies und die betonte Abneigung der konstantinopolitanischen Bevölkerung führte zu einer Verminderung der Effektivstärke der Armee, jedenfalls im Umkreis der Hauptstadt, wo sich diese Abneigung in vehementen Ausbrüchen des Volkszornes Geltung verschaffte. Schon hier zeigt sich das Gewicht der Massen. Die Stadt wächst schneller, als ihre Planer gedacht hatten; sie drängt die bisherigen Residenzen Mailand, Antiocheia und Nikomedeia entschieden in den Hintergrund, und jetzt kann es sich auswirken, daß altrömische Senatsfamilien der Kurie von Konstantinopel einverleibt und diese Kurie denselben Rang wie der Senat von Rom übertragen bekommen hatte. Die Christenheit aber sah in Konstantinopel mit Leidenschaft ihr neues Rom, ungetrübt von heidnischen Exzessen und dem Anblick der „Hure Babylon". Die starke Vermehrung der Bürokratie seit Diokletian tat ein übriges. Die Stäbe verlangten nach jener Seßhaftigkeit, die nun einmal der Konstitution einer Bürokratie entspricht, nach jenem behäbig breiten Lebensraum, der ihr die Expansion garantiert – und dafür war in Konstantinopel Platz, ein Platz zudem, der dem seit Konstantin ständig steigenden Repräsentationsbedürfnis des Hofes und der Höflinge besser entsprach als irgendein Heerlager. So spielt alles zusammen um – wiederum Kurzform – aus dem Soldatenkaisertum ein Senatskaisertum werden zu lassen, daß die Vorbereitung einer Kaiserwahl jetzt in die Hände des Palastes, der hohen Ressortchefs und des Senats zu liegen kommt, welche die neue aristokratische Schicht der Hauptstadt ausmachen, eine Schicht, die jederzeit auf das Volk der Stadt zurückgreifen kann, wenn die Armee Schwierigkeiten zu machen droht. Diese Bedeutung der Hauptstadt mit all dem, was sie beinhaltet, bleibt, sieht man vom Notstand nach dem 4. Kreuzzug ab, durch alle Jahrhunderte erhalten. Ohne den Besitz dieser Hauptstadt und ohne Rückendeckung in dieser Hauptstadt bleibt jede Bewerbung um das Kaisertum unweigerlich stecken. Und dieser Umstand garantiert dem Senat und dem Volk einen dauernden Einfluß auf die Kaiserkür, auch wenn die militaris potentia sich immer wieder bemerkbar macht und der dynastische Gedanke sich stärker durchsetzt. Einige bezeichnende Etappen der Entwicklung seien festgehalten.[55]

Als 602 an der Donaugrenze die unzufriedenen Truppen einen Offizier niederen Ranges, Phokas auf den Schild erhoben, genügte dies keineswegs. Erst als die „Parteien" des Zirkus den bisherigen Kaiser Maurikios fallengelassen hatten, war der Weg für Phokas frei. Aber es bedurfte noch der formellen Akklamation durch Senat und Volk im Hebdomon, bis er sich im Sattel fühlen konnte. Aber noch zu seinen Lebzeiten hielten politisch besorgte Senatoren Ausschau nach einem Gegenkandidaten und fanden ihn in der Person des jungen Herakleios in Karthago. Besonders prägnant verlaufen die Ereignisse nach dem Tod eben dieses Herakleios im Jahre 641 und den folgenden. Die Interpretation seines Testamentes durch die Kaiserin-

Witwe Martina, wonach sie als Mitkaiserin mit ihrem Stiefsohn Konstantin und ihrem Sohn Heraklonas regieren sollte, versuchte sie zwar in einer Versammlung dem Senat und dem Volk mundgerecht zu machen, aber es war gerade das Volk, das durch seine Sprecher opponierte und Martina zwang, auf jede Mitherrschaft zu verzichten, und nur Konstantin als Hauptkaiser gelten ließ. Trotz dieses Beschlusses übernahm Martina nach dem Tod des Konstantin zusammen mit Heraklonas die Herrschaft. Doch wiederum zwang eine Volksversammlung Martina zum Abtreten, und Heraklonas dazu, den Sohn Konstantins als Mitkaiser zu proklamieren. Bald darauf wird auch Heraklonas der Herrschaft entsetzt und das Volk und der Senat beschließen, nur Konstans II., den Sohn des Konstantin, als Kaiser anzuerkennen. Der junge Kaiser darf dann eine Thronrede halten, in welcher er erklärt, dieser Senatsbeschluß sei „mit Gott" gefaßt und deshalb rechtens.

Von einem neuen Soldatenkaisertum zu sprechen, könnte man versucht sein für die Periode zwischen dem Sturz Justinians II. im Jahre 695 und der Thronbesteigung Leons III. im Jahre 717. Die Themenorganisation hatte riesige Bezirke geschaffen, die ganz in den Händen rein militärischer Kommandeure (Strategen) lagen. Und die Bedeutung der Reichsverteidigung und damit der Armee überhaupt war infolge der ständigen Kriege gegen den Islam neuerdings sehr gestiegen. So treten denn die Soldaten auch wieder als Kaisermacher auf und zwar nicht selten mit einer Lust zum frivolen Spiel mit der Krone, das deutlich an das 3. Jahrhundert erinnert. Dem Senat sowohl wie dem Volk scheint es trotzdem klar gewesen zu sein, daß die Stunde einen großen Militär als Kaiser verlangte und so nahmen sie die Initiative des Heeres im allgemeinen hin. Aber es ist bezeichnend, daß die Prätendenten der Zeit an der Hauptstadt nicht vorbeikommen, d. h. ohne Senat und Volk oder beide nicht viel ausrichten können. Leontios ist zwar als Stratege des Themas Anatolikon für den Thron in dieser Zeit qualifiziert, aber er lebt in der Hauptstadt als Gefangener. Er hat unter der Bevölkerung, die mit Justinian II. grundunzufrieden ist, Sympathien, und es sind die „Blauen" die seine Proklamation mit Erfolg in die Wege leiten.[56] Sein Nachfolger Tiberios II. wird zwar vom Flottenthema ausgerufen, aber in der Hauptstadt sind es jetzt, als Reaktion auf Leontios, natürlich die „Grünen", die ihm zum Thron und zum Besitz Konstantinopels verhelfen.[57] Über Wege und Weisen, auf die Philippikos auf den Thron kam, schweigen die Quellen, aber Anastasios II., sein Nachfolger, wurde offensichtlich überhaupt ohne Beteiligung der Themata gekürt, vielleicht gerade um gegen deren Einfluß zu protestieren. Zwar wird die Beteiligung von Truppen erwähnt, aber es handelt sich ohne Zweifel nicht um Linientruppen sondern um höfische Garden. Theodosios III., Produkt reiner Willkür der Soldateska, kommt auf eine Weise, die wir nicht kennen, in den Besitz der Hauptstadt. Der Chronist Nikephoros spricht hier jedenfalls von reinem Machtmißbrauch der Armee, von einer Tyrannis.[58] Daß er sehr rasch durch

Leon III. abgelöst werden konnte, lag ohne Zweifel in der Tatsache begründet, daß dieser der mächtige Kommandeur des größten Themenbezirks war und es verstanden hatte, sich von langer Hand aufzubauen. Aber er wurde in Konstantinopel nach Bekanntwerden seiner Insurrektion nicht nur von den Soldaten, sondern auch von den zivilen Würdenträgern, d. h. dem Senat, in aller Form zum Kaiser gewählt, noch bevor er die Hauptstadt betreten hatte. Das Zwischenspiel war zuende. Die Historiker und Chronisten haben die Gefahr genau gesehen und sie haben diese Präpotenz des Militärs ohne Umschweife als verfassungswidrig, als Tyrannis betrachtet. Einer von ihnen, der Diakon Agathon, spricht vom Fehlen der ἔννομος δοκιμασία, (der gesetzlichen Qualifikation), und des legalen ψήφισμα (Wahl).[59]

Im 9. und 10. Jahrhundert wird die Funktion der Vorbereitung einer Kür von langer Hand nicht selten durch gesellschaftliche Gruppen erledigt, die man als Gefolgschaften bezeichnen kann. Sie beruhen in ihrer Spitze nicht selten auf der künstlichen Verwandtschaft, der Blutbrüderschaft, und auf heiligen Treuschwüren. Klan und Klientel kommen dazu, manchmal auch in der Armee. Es sind Interessengruppen, innerhalb derer jeder Aufstieg möglich ist, und die in der Kür eines der ihrigen als Kaiser das Optimum an gesellschaftlicher und materieller Geltung erreichen. Die „Verfassungsorgane" sind deshalb für den letzten Akt nicht gerade schwer zu gewinnen, weil eben Klan und Klientel zum Teil in diesen Organen Sitz und Stimme haben, so daß die endgültige Akklamation nur noch Sache gekonnter Regie sein mag. Erst wenn der Bogen überspannt wird oder die Unzufriedenheit mit der Mißwirtschaft des Klans nach Abhilfe ruft, tritt die Revolution als Korrektiv des Verfassungslebens wieder in ihre Rechte, wobei die Revolution sich entpuppen kann als Rückkehr zur „legitimen" Dynastie.

Das 11. Jahrhundert läßt ein Kaisertum erscheinen, das in hohem Maße als „zivil" und hauptstädtisch bezeichnet werden kann. Es ist die Zeit, in der Psellos, hellsichtig wie selten, den Satz formuliert: „Man hat den Eindruck, daß die Kaiser heute beim Antritt ihrer Herrschaft der Meinung sind, es genüge, wenn ihnen die Zivilbevölkerung die Akklamation leiste. Sie leben mitten in diesen zivilen Kreisen, und wenn sie sehen, daß hier keine Opposition zu befürchten ist, dann glauben sie fest im Sattel der kaiserlichen Macht zu sitzen. In Wirklichkeit aber beruht ihre Sicherheit auf einer Dreiheit von Faktoren: auf der Masse des Volkes, auf dem Stand der Senatoren und auf dem Militär".[60] Die Vernachlässigung des Militärs ist um diese Zeit sehr spürbar, die kriegerischen Ereignisse sind nicht schreckenerregend und die konstantinopolitanische Aristokratie, ergänzt durch ein nach oben, nach Nobilitierung strebendes Bürgertum, ruht in sich – und in „ihrem" Kaisertum. Bis Normannen, Petschenegen und Seldschuken gegen Ende des Jahrhunderts die halkyonischen Tage vergessen lassen. Freilich, das Militär hatte schon früher, mit Kaiser Isaak I. Komnenos, den Versuch gemacht, dieses Ende herbeizuführen. Man hat sogar die Hypothese gewagt, damals sei eine Verfassungsänderung zugunsten des Militärs beabsichtigt gewesen. Doch zum ersten beruht diese Hypothese auf einer Mißinterpretation der Quellen und zum zweiten war Isaak nicht der Mann, der sich hätte durchsetzen können. Er verfing sich im Machtbewußtsein einer Gruppe, die jetzt wenn nicht zu einem Verfassungsorgan, so doch zu einer bestimmenden Kraft im Verfassungsleben wird, der Kirche. Ansätze hat es schon früher gegeben. Schon bei der Wahl des Kaisers Anastasios II. im Jahre 713 betont eine allerdings kirchliche Quelle die Bedeutung der Stimme (ψῆφος) des ganzen ἱερατικὸς κατάλογος, d. h. wohl des gesamten höheren Klerus der Hauptstadt,[61] und im 10. Jahrhundert hatte der Patriarch Polyeuktos gelegentlich die Hand stark im Spiel.[62] Aber sozusagen in corpore, als eine vom Patriarchen mehr oder minder freiwillig angeführte gesellschaftlich potente Gruppe, als Synode, erscheint die Kirche erst seit der zweiten Hälfte des 11. Jahrhunderts auf dem Verfassungsplan[63]. Es verrät ein neues Selbstbewußtsein, gefördert vielleicht durch den Aufschwung der Kanonistik in dieser Zeit, die ja auch dem Klerus im Westen ein deutlicheres Standesbewußtsein vermittelte. Es ist dieselbe Zeit, in der auch der dynastische Gedanke mit den Familien der Dukas und Komnenen einen neuen Höhepunkt erreicht. Wie später in einer solchen Situation die verschiedensten Komponenten in eine „konzertierte Aktion" münden, läßt sich bei der Thronbesteigung Manuels I. Komnenos besonders deutlich machen. Kaiser Joannes II., der sich nach dem Tod seines Vaters nicht mit der Akklamation der Menge begnügte, sondern eine gesonderte εὐφημία durch Patriarch und Synode verlangte, will, totkrank, im Feldlager in Kilikien noch die Nachfolge regeln. Damit war ein dynastisches Problem aufgeworfen, denn er wollte nicht den älteren Sohn Isaak zum Nachfolger, sondern den jüngeren Manuel. So erklärt er vor einer Versammlung hoher Würdenträger, der Armee und höfischer Chargen, es sei sonnenklar, daß er selbst als Sohn und Erbe seines Vaters Kaiser geworden sei. Das mache ihn geneigt, nun selbst einen seiner Söhne zum Erben einzusetzen. Aber er unterwerfe diesen Wunsch der Zustimmung der Versammelten. Seinen Sohn Manuel empfehle er nicht aus starrem Familiensinn und nicht als ob er ihm ein Geschenk machen möchte, sondern weil er der Beste sei. Die alte Idee des Optimus, freilich hier nur in Alternative zu einem anderen Kaisersohn. Manuel erhält die Akklamation der Versammelten und empfängt die kaiserlichen Insignien. Aber noch ist die Hauptstadt nicht gewonnen. Die wichtigsten hohen Würdenträger (= Senatoren) mögen in Kilikien versammelt gewesen sein. So erzählen die Quellen nur, dies aber mit Nachdruck, daß er sich um eine feierliche Zustimmung der kirchlichen Synode bemühte und dabei vor erheblichen Bestechungsgeldern nicht zurückschreckte.[64] Folgerichtig versuchte er auch später die Nachfolge seines Sohnes Alexios II. durch kirchliche Eidesleistungen absichern zu lassen.

Trotzdem bleibt seit den Komnenen der dynastische Gedanke die beherrschende Regel in der Nachfolgesicherung bis zum 15. Jahrhundert. Aber wo immer sich eine Lücke auftut, melden sich sofort die alten Gruppen und Kürfaktoren. Den Sturz des Kaisers Andronikos I. vorbereitend macht das Volk von Konstantinopel den Sproß einer unbedeutenden Familie, Isaak II. Angelos, in einer geradezu grotesken Inszenierung zu seinem Kaiser (1185). Alexios III. kommt 1195 auf den Thron durch einen Militärputsch. Die Hauptstadt schlief und akklamierte träge. Niketas Choniates aber erbost sich darüber, daß „niemand an Widerstand und Aufruhr dachte oder in gerechten Zorn darüber geriet, daß das Heer ihnen das Recht, den Kaiser zu wählen, entrissen hatte".[65] Wiederum ist es das Volk, das 1204 im Angesicht der Kreuzfahrer vor der Stadt gegen Isaak II. und Alexios IV. revoltiert. Doch weder Senat noch Klerus sind geneigt, mitzumachen. Da zwingt sie das Volk, an einer Wahlversammlung teilzunehmen. Und da sie auch hier passiven Widerstand leisten, kürt das Volk seinen eigenen Kaiser, Alexios V. Als dieser am Schicksal der Stadt verzweifelnd floh, wurde zum ersten und einzigen Mal in der byzantinischen Verfassungsgeschichte die Wahl zwischen zwei Kandidaten, die sich zur Verfügung gestellt hatten, dem Los überlassen.[66] Man mag über Stellung und Rang des so gekürten Laskariden Konstantinos denken wie man will – jedenfalls ist unter allen Umständen die außerordentliche Situation mit in Rechnung zu ziehen – der Fall zeigt immerhin die Variationsmöglichkeiten der byzantinischen Verfassung und zugleich die Permanenz des „adäquaten Gestimmtheit".

Die Laskariden-Dynastie im nizänischen Reich ist angetreten mit dem selbstgestellten und allgemein anerkannten Ziel einer Restitutio Imperii in Konstantinopel. Diesem Willen legt man keine Revolution in den Weg, und die militärischen Bedürfnisse sind so groß, daß der Faktor „Volk", dem noch dazu die große Stadt und damit die Signatur der Masse fehlt, in den Hintergrund rückt, um den Militärmagnaten Platz zu machen. Diese Magnaten freilich fühlen sich gegen Ende dieser Epoche düpiert, weil Kaiser Theodoros II. Laskaris für ihr Empfinden sich allzu sehr auf homines novi verläßt und sie in die höchsten Ämter und Würden schleust. Dies ist die Gelegenheit für die Insurrektion des späteren Kaisers Michael VIII. Seine Taktik war ebenso vorsichtig wie brutal. Der legitime Erbe Theodors, sein Sohn Joannes IV. Laskaris, wird Zug um Zug kalt gestellt, bis ihn die Blendung trifft. Michael läßt sich zunächst zu einer Art Reichsverweser aufstellen. Aber voraus geht ein eindrucksvolles Referendum zu seinen Gunsten, in dem die Truppen einschließlich der ausländischen Söldner um ihre Meinung befragt werden.[67] Der Ausdruck λαός in diesem Zusammenhang bedeutet kaum, daß man auch die Bevölkerung befragte, sondern meint das „Kriegsvolk". Da Michael VIII. größtes Gewicht auf Unterstützung der Kirche legte – auch hier spielt schlecht getarnte Bestechung keine geringe Rolle – nahmen auch Patriarch und Synode an der Notablenversammlung teil, die ihn dann formell zum Reichsverweser bestellte. Der nächste Schritt war die Bestellung Michaels zum „Despotes", wiederum dank des Zusammenwirkens der Garden und des Patriarchen Arsenios, der Zeit brauchte, um das Spiel zu durchschauen. Auch bei der bald darauf folgenden Kaiserkrönung scheint das Volk kaum eine Rolle gespielt zu haben. Die Antwort war eine tiefreichende und lange währende Opposition zugunsten der Laskariden, bei der das einfache Volk, kleiner Adel und Klerus, wohl die Hauptrolle spielten.

Einen Bruch in der dynastischen Kontinuität bedeutet erst wieder das Kaisertum Joannes' VI. Kantakuzenos in der Mitte des 14. Jahrhunderts. Offenbar stand das Volk, wenn diese Verallgemeinerung überhaupt vertretbar ist, von allem Anfang an eher auf der Seite der Palaiologen als auf der Seite der Magnatenfamilien, zu denen Kantakuzenos gehörte. Seine Ausrufung zum Gegenkaiser vollzog sich in Didymoteichos sozusagen en famille, akklamiert von seinen eigenen Truppen, d.h. seiner Hausmacht. Die Machtergreifung in Konstantinopel selbst endete formell in einem Kompromiß (samt Eheschließung) mit der Palaiologendynastie, so daß die Formulierung des Kantakuzenos, er stütze sich auf das Votum der Kirche, des Senats und des ganzen Volkes, wohl mehr deklamatorischen Gehalt hat.

Die Beispiele mögen genügen. Trotz aller Variablen bleibt in dieser Geschichte doch eine große Konstante: die Abhängigkeit des Kaisers schon beim Amtsantritt von Verfassungsorganen, die sich ihrerseits auf gesellschaftliche Gruppen und Stände berufen und stützen können in einer Weise, daß die Geschichte der byzantinischen Kaiserkür sozusagen die Sozialgeschichte des Reiches oder wenigstens der Hauptstadt jederzeit widerspiegelt, – eine Konstante auch des Verfassungsbewußtseins dieser Faktoren einerseits und des Bewußtseins der Herrscher, letztlich mit ihnen auf Gedeih und Verderb verknüpft zu sein, auf der anderen Seite.

Wie immer man die herrschaftssichernde, die Loyalität steuernde Kraft der Kaiser- und Reichsideologie einschätzen mag, auch auf ihrem Hintergrund bleibt das Kaisertum eine Wahlmonarchie, d.h. auf die Person beschränkt und nicht vererbbar. Damit konkurriert wie selbstverständlich die Einstellung des Herrschers, der die Macht in der Familie zu erhalten wünscht, d.h. eine Dynastie anstrebt. Ansätze dazu sind von allem Anfang an vorhanden, theoretisch in der Erblichkeit der Stellung des Patrons gegenüber der Klientel, jenes Patronats also, das für die Anfänge des Prinzipats wesentlich mitbestimmend gewesen ist, praktisch der schon von Augustus gemachte Versuch – er mochte dabei auf das Gewicht seiner eigenen Zugehörigkeit zur Familie des „Divus Julius" verweisen – in verschiedenen Ansätzen den Prinzipat in seiner eigenen Familie fortzuerben, seine Nachkommen als die „optimi" für diese Stellung zu empfehlen. Bald tritt neben den leiblichen Erben der adoptierte Nachfolger, wobei die Adoption natürlich wieder den optimus trifft, das heißt eben einen charismatisch begabten princeps. Einen letzten Versuch, solche Verwandtschaftsverhältnisse auch ohne Blutsbande oder durch Heirat herbeigeführt sogar in der „Sippe" der Olympier zu verankern, bedeutet das tetrarchische System Diokletians, das sich zwar noch zu seinen Lebzeiten als brüchig erwies, aber im System von an die Familie des Senior Augustus gebundene Caesares als präsumptive Nachfolger sich noch einige Zeit fortsetzt. Doch realiter schon mit Konstantin dem Großen gewinnt der natürliche Familiengedanke die Oberhand, und die byzantinische Kaisergeschichte setzt ein mit einer Dynastie. Sie hält nicht lange vor und die folgenden Jahrhunderte kennen ebenso oft die Nachfolge durch reine Wahl wie diejenige in der Familie. Die Dynastien wechseln, manche halten länger vor, manche sind kurzlebig. Auch wenn sich Senat und Volk immer wieder auf ihr Wahl- bzw. Akklamationsrecht versteifen, auch ihnen – und das heißt hier wohl, im Rahmen eines angeborenen und längst gewohnten Vorstellungskreises, besser gesagt einer Mentalität im Sinne einer umweltbedingten psychischen Disposition, angesiedelt zwischen gesellschaftlicher Wirklichkeit und Ideologie – entsprach der dynastische Gedanke durchaus, sofern ihre alten Befugnisse wenigstens formal gewahrt blieben. Man hat den Eindruck, daß bereits die syrische Dynastie Leons III. als Dynastie durchaus mit der Sympathie des Volkes rechnen konnte. Dies gilt noch in stärkerem Maße von der makedonischen Dynastie, insbesondere um die Mitte des 10. und des 11. Jahrhunderts, wo, wenigstens im 11. Jahrhundert, schon fast sentimentale Bindungen in Erscheinung treten. Seit dem Ende des 11. Jahrhunderts mit den Komnenen beginnt der dynastische Gedanke sich endgültig zu verfestigen, so daß jede Dynastie immer wieder die familiäre Bindung an die vorhergehende herausstellt und unterstreicht, und gelegentliche Intrusi, wie Joannes VI. Kantakuzenos, alle Mittel anwenden, um eine solche familiäre Bindung zu konstruieren.

In den meisten Fällen wird die Kontinuität der Dynastie dadurch gewahrt, daß der präsumptive Erbe durch den regierenden Kaiser, meist den kaiserlichen Vater, zum Mitkaiser erhoben wird. Mitregentschaft ist dabei keineswegs beabsichtigt und bis in die zweite Hälfte des 13. Jahrhunderts fehlt es wohl auch an jeglicher Festlegung irgendwelcher Rechte dieser Zweitkaiser. Es ist kaum zu erkennen, was genau die ideologischen Überlegungen waren, die einen solchen Schritt legitimierten, wenn man von der auf die Proklamation folgenden Akklamation der Kürfaktoren absieht. Es scheint mir jedenfalls unbyzantinisch, allzu rasch von einem auf Blut gegründeten Königsheil zu sprechen. Der Heilsgedanke war aber vielleicht trotzdem vorhanden in der Form der charismatischen Begabung, die den Hauptkaiser befähigte, den „Besten" als Nachfolger ausfindig zu machen, der dann zufällig sein Sohn war. Vielleicht auch nicht zufällig, weil die Vererblichkeit guter Qualitäten auch für die Byzantiner eine geläufige Vorstellung war. Daß der Blutsgedanke aber nicht einfach durchschlug, ergibt sich eben doch aus der Tatsache, daß in allen Fällen, über welche die Quellen

ausführlich genug berichten, diese Kür eines Mitkaisers durch den Hauptkaiser der Bestätigung durch die klassischen Kürfaktoren bedurfte, so formal sie in manchen Fällen gewesen sein mag. Ein paar Fälle aus weit ausein-
anderliegenden Epochen mögen das Gesagte beleuchten: Kaiser Valentinian
wünschte seinen Sohn Gratian als Nachfolger und Mitregenten, also ein
commilitium in der Terminologie des Ammianus Marcellinus. Er gewinnt
vorweg die Zustimmung der Armee und empfiehlt dann in einer feierlichen
Wahlversammlung seinen Sohn den Soldaten mit den bezeichnenden Worten: „Accipite, quaeso, placidis mentibus desiderium nostrum . . . si propi-
tia caelestis numinis vestraeque *maiestatis* voluntas parentis amorem iuverit
praeeuntem". „Ich bitte euch, vernehmt meinen Wunsch geneigten Ohrs.
Die Gunst des Himmels und die Bereitschaft eurer Majestät, möge dem
von mir geäußerten Wunsch zuhilfe kommen!"[68] Im Jahre 776 läßt sich
Leon IV. von den Garden der Hauptstadt und den Volksmassen bestürmen,
seinen kleinen Sohn Konstantin zum Mitkaiser einzusetzen;[69] er gibt erst
nach, nachdem alle Beteiligten heilige Eide geschworen haben, seinem Sohn
die Treue zu halten. Natürlich spielt hier das Bedenken Leons eine Rolle,
sein Sohn könnte beim Ableben des Vaters noch nicht regierungsfähig sein
– so war es dann auch –, aber die Beteiligung des Volkes bei der Kür eines
Mitkaisers ist nicht zu übersehen. Einige 500 Jahre später unterläßt es Kaiser Joannes III. seinen Sohn Theodoros zum Mitkaiser zu proklamieren,
weil er sich der γνώμη und προαίρεσις d. h. der Einstellung seiner Untertà-
nen nicht sicher ist.[70] Und als Joannes VI. Kantakuzenos im 14. Jahrhundert seinen Sohn Matthaios zum Mitkaiser erheben wollte, ließ er sich
durch Senat und Adelsversammlung zur Kür auffordern, da dies nicht seine
Sache sei, sondern die der Versammelten.[71]

In der Substanz erweist sich jedenfalls der dynastische Gedanke trotz
mancher Einbrüche als ein geeignetes Mittel der Herrschaftssicherung für
die Familie, aber die allgemeinen Verfassungsnormen kann auch dieser Gedanke nicht aus dem Felde schlagen, und die geeignetste Lösung für einen
glatten Übergang vom Vater auf den Sohn oder Bruder bleibt die feierliche
Kür-Akklamation durch Senat, Herr und Volk. Man kann den dynastischen
Gedanken, ruft man sich die Entstehung des Prinzipats ins Gedächtnis,
nicht ohne weiteres als verfassungsfremd betrachten, soweit er den übergeordneten Normen des Verfassungsrechtes nicht entgegentritt.

Zum dynastischen Gedanken im allgemeinen kommt jener der Porphyrogennesie. Unter Porphyrogennetos ist ein Prinz zu verstehen, der in der Porphyra geboren ist, d. h. in einem mit Porphyr verkleideten Pavillon des Kaiserpalastes, der für die Niederkunft der Kaiserinnen bestimmt war. Daneben in den Quellen auch die allgemeinere Erklärung, die im Endeffekt das
gleiche besagt: ein Prinz, der geboren wurde, als sein Vater schon den kaiserlichen Purpur trug. Die Funktion des Begriffes ist eine doppelte. Er kann
– dieses *kann* ist zu unterstreichen – innerhalb der kaiserlichen Familien

den Anspruch eines Nachgeborenen, aber in der Porphyra Geborenen, gegenüber dem Älteren, noch vor der Thronbesteigung des Vaters Geborenen, begründen, wenn auch mit wechselndem Erfolg. Er kann aber auch dazu verwandt werden, einen jungen, noch kaum regierungsfähigen Prinzen, für den Tutelarkaiser aus eigener Machtvollkommenheit die Regierung führen, abzusichern gegen einen Machtanspruch dieser Vormünder, die am liebsten als Hauptkaiser den wahren Erben in den letzten Winkel drängen möchten. Es ist das dynastische Denken, das mit dem Begriff der Porphyrogennesie dem Tutelarkaiser die höheren Rechte des Erben ins Gedächtnis zurückrufen will. Doch bleibt die Porphyrogennesie immer ein sekundäres Element im eigentlichen dynastischen Denken.

6. Die Regierung

Die Verfassung verlangt ihrem Wesen entsprechend nach einer Regierungsgewalt und sie fordert die Bereitstellung der Mittel, die es einer Regierung ermöglichen, ihre Gewalt zur Geltung zu bringen, einen Apparat, der die Chance, innerhalb der übrigen Verfassungsnormen die Gewalt durchzusetzen und zugleich die übrigen Verfassungsnormen selbst durchzusetzen, garantiert. Grob gesprochen kann man, abgesehen von der theoretischen Macht des Regierenden, diese Macht in zwei große Gruppen unterteilen, deren eine ich, einen althergebrachten Ausdruck etwas spezifischer fassend, als „Hausmacht" bezeichnen möchte, und deren andere als Bürokratie des Staates als solchen (unabhängig von der Person des Herrschers). Die beiden Gruppen gehen in der Geschichte ineinander über, die eine kann durch die andere aufgelöst und abgelöst werden. Als Grundtendenz monarchischer Regierungen darf wohl das Bestreben des Monarchen geltend gemacht werden, aus der Bürokratie eine Hausmacht werden zu lassen, d. h. einen vorhandenen und vorgefundenen Apparat möglichst stark an die eigene Person zu binden. Dies umso stärker, je mehr andere Verfassungsnormen die Macht des Herrschers einzuschränken geeignet sind. Insofern stellt sich auch bei der Bürokratie das Problem, inwieweit sie als herrschaftssichernd manipuliert werden kann und inwieweit sie trotz dieser Manipulierbarkeit ihre Ambivalenz bewahrt. Es kommt jeweils darauf an, ob die Bürokratie bereit ist, sich als Instrument des Herrschers und nur als solches zu verstehen, oder ob sie sich mit einem dem Herrscher objektiv gegenüberstehenden Staat identifiziert, oder schließlich ob sie in Ausbildung einer eigenen Gruppenmentalität, vielleicht sogar Kastenmentalität, ihre eigenen variablen Ziele verfolgt. Daß, wie wir gesehen haben, dem byzantinischen Autokraten eine reale res publica gegenübersteht und daß die byzantinische Bürokratie einen sehr umfangreichen und in der Gesellschaft verankerten, komplizierten Apparat darstellt, läßt verstehen, daß in Byzanz theoretisch jede Möglichkeit vorhanden ist und somit durch die Bürokratie für den Kaiser wichtige Probleme der Herrschaftssicherung aufgegeben sind. Das Positive in der Ausgangslage ist der generell konservative, staatserhaltende Charakter der Bürokratie im allgemeinen, während das Karrieredenken und die Abhängigkeit in der Karriere nicht nur von ihresgleichen, sondern letztlich vom Regierenden für die Beamten selbst und damit an der Spitze der Bürokratie eine Verunsicherung bedeutet, welche dem konservativen Element ungünstig werden kann, weil Bürokratie immer auch Macht bedeutet.

Zum Ganzen einige Bemerkungen, wobei selbstverständlich nicht Verwaltungsgeschichte gemeint ist, sondern jene Umstände, unter denen Formen der Verwaltung und Eingriffe in sie für die Verfassung und das Verfassungsleben Bedeutung gewinnen.

Den Weg der Bindung des bürokratischen Apparats an die eigene Person hat schon Augustus mit aller Entschiedenheit beschritten, indem er die noch vorhandenen republikanischen Magistraturen allmählich ihrer Bedeutung entleerte und alle wichtigeren Funktionen der Verwaltung den Angestellten seiner eigenen domus Augusta überantwortete. Der fiscus Caesaris lieferte solche neuen Beamten, ebenso die Garde und die Domänenverwaltung, wie generell sein Büro. Die konstitutionelle Unsicherheit des Kaisertums vor allem im 3. Jahrhundert dürfte das ihre dazu beigetragen haben, daß die Bindung dieser neuen Bürokratie an den Kaiser sich doch wieder gelockert hat, daß sie jedenfalls mit eigenem Selbstbewußtsein unter ihm stand. Hauptgrund dürfte die Entnahme der wichtigsten Amtsträger aus der Garde gewesen sein – man denke an den praefectus praetorio, – auf die die Selbstherrlichkeit der Armee besonders stark übergriff. So setzt schon in der frühen byzantinischen Zeit eine neue Epoche der Bindung an den Herrscher ein. Zwei Techniken scheinen vorzuherrschen: einmal die Überführung wichtiger Stellen aus dem militärischen Bereich in den rein zivilen – Musterfall wiederum der praefectus praetorio; dann aber und vor allem die Schaffung einer rein höfischen Hierarchie von Würden mit engster Abhängigkeit vom Kaiser, eine Rangfolge, in welche die höchsten Amtsträger eingegliedert wurden, sodaß wenn auch nicht mit letzter Präzision, einem Amt auch ein Hofrang entsprach, durch den die Nähe zum Kaiser und damit Einfluß auf ihn bestimmt waren. Umgekehrt kann dies dazu führen, daß nun auch rein höfische Funktionen zu „staatlichen" Stellen werden, etwa der oberste Kammerherr des Kaisers, der praepositus sacri cubiculi, und damit im Consortium des höchsten beamteten kaiserlichen Rates Sitz und Stimme haben. Die meisten Beamten haben offensichtlich auf die Dauer ihrem Hofrang eine höhere Bedeutung zugemessen als ihrem Amtsrang – eine Entwicklung, die gewiß nicht ausschließlich byzantinisch ist. Natürlich gab es Versuche, die Reichsämter sozusagen republikanisch aufzufassen; aber wenn beispielsweise Themistios sein Amt als praefectus urbi von Konstantinopel als eine Funktion der griechischen Polis interpretierte, so nahm ihm dies kaum jemand ab, am wenigsten Libanios. Es bleibt ein preziöser Versuch eines zum Sterben verurteilten Konzepts hellenistischen Stadtdenkens. Die Ränge des Hofadels haben im Laufe der Jahrhunderte manche Veränderung erfahren, das Prinzip, daß die Nähe zum Kaiser auch für die Beamten maßgebend sein sollte, blieb ungebrochen.

Zwar erwähnt man unter den Pluspunkten des byzantinischen Reiches gern eine wohlausgebildete und effektive Bürokratie, welcher der Westen vor dem 11. Jahrhundert nichts Gleichbedeutendes entgegensetzen konnte, trotzdem wäre es meines Erachtens unangebracht, die Gefahr, welche die Bürokratie für den Kaiser werden konnte, in erster Linie da zu sehen, wo sie heute gesehen wird, etwa in der Beherrschung eines für unentbehrlich geltenden fachlichen und technischen Sonderwissens und Sonderkönnens in allen Fragen der staatlichen Administration mit dem Effekt einer verfremdeten Verhaltensweise der Beamten, gespeist durch ein gehegtes und gepflegtes Kastenbewußtsein. Die administrativen Zwänge und Verfahrensweisen der byzantinischen Verwaltung waren wohl immer durchschaubar und ohne allzu großes technisches Fachwissen zu bewältigen. Besonderes Fachwissen war kaum verlangt, es sei denn ein bißchen Juristerei, und Versuche, ein Curriculum des Aspiranten systematisch und überzeugend darzustellen, scheitern wahrscheinlich nicht nur mangels Quellen, sondern einfach weil es nur in bescheidenen Ansätzen vorhanden war. Die Gefahr für den byzantinischen Kaiser lag wohl in erster Linie darin, daß er trotz aller theoretischen Freiheit in Regierungs- und Verwaltungsdingen, bei der Bestellung der Bürokratie starken pressure groups ausgesetzt war. In ca. 40 von ca. 88 Thronbesteigungen setzt eine neue Herrscherfamilie an oder gibt es revolutionäre Umstellungen innerhalb der Dynastie. Jeder dieser Kaiser verdankt den Thron einem Machtpotential an Gönnern, Förderern, Gefolgsleuten, Klienten oder Soldaten. Und sie alle wollen an der gewonnenen Macht nach Maßgabe ihres Beitrags teilhaben, sie wollen selbstverständlich hoffähig werden und sie wollen in vielen Fällen auch die wichtigsten Ämter in ihre Hand bekommen. Manche von ihnen sind in die Aufgaben, die ihnen damit gestellt waren, hineingewachsen, andere konnten nur zu einer Belastung des Apparats werden. Die Stäbe der vorausgegangenen Herrscher aber mußten ganz oder teilweise abtreten und bedeuteten dann naturgemäß ein oppositionelles Element in der byzantinischen Gesellschaft, vor allem, wenn sie in ihrer Amtszeit genug Verbindungen hergestellt und genug Geld gescheffelt hatten. Diese Situation erklärt so manche befremdliche Erscheinung in der Welt dieser Bürokratie. So kamen gewiß infolge des Zwangs, unter dem der neue Kaiser stand, entlohnen und verleihen zu müssen, verdiente Gefolgsleute auf „Etatstellen", also besoldete Posten, für die sie wesentlich weniger geeignet waren als für andere. Dementsprechend setzt dann der Kaiser diese Leute für Dienstleistungen und Missionen ein, die mit dem Ressort, für das sie bestellt sind, kaum noch etwas zu tun haben. Diese ressortfremde Ver-

wendung erklärt uns Logotheten des Dromos, Leute also, die im 9. Jahrhundert fast als „Außenminister" bezeichnet werden könnten, als Kommandeure militärischer Expeditionen, Gardeoffiziere als Untersuchungsrichter
in Hochverratsprozessen, Generale als Beauftragte für Unionsverhandlun-
gen mit dem Papst und kaiserliche Garderobiere als Chefs der Hafenverwal-
tung oder oberste Kammerherren in der Außenpolitik. Natürlich steht dahinter wohl auch die geringe Spezialisierung der Verwaltung und wohl auch
die schlichte Tatsache, daß auch damals schon das Militärhandwerk nicht
geradezu geheimnisvolles Wissen voraussetzte. In anderen Fällen führt die
Inkompetenz der Amtschefs dazu, daß sie aus ihrem Amt langsam aber sicher in die reinen Hofränge entgleiten und dafür der zweite im Amt an die
Ressortspitze rückt. Dieses Entweichen in die Sphäre des rein Höfischen hat
in der spätesten byzantinischen Zeit allerdings seinen Grund auch darin,
daß die Masse des realiter Verwaltbaren immer geringer wurde und die
Notwendigkeit, über ein Amt in die Nähe des Kaisers zu kommen immer
weniger verlockend.

Die Verwaltung konnte unter diesen Umständen nur immer unübersicht-
licher werden. Ununterbrochene Kompetenzüberschreitungen und Ressort-
rivalitäten sowie eine ständig wachsende Verlangsamung der Verwaltungs-
wege waren unausbleiblich. Die Notwendigkeit, den Apparat oder wenigstens Teile des Apparats in eine Hand zu legen und damit die Verwaltung
besser zu koordinieren, mußte sich aufdrängen. Der Idee nach war es der
Herrscher selbst, der diese charismatische Aufgabe wahrnehmen konnte
und wahrzunehmen hatte. Und es gibt eine beträchtliche Anzahl byzantinischer Kaiser, welche über dieses Talent und die nötige Spannkraft verfügten. Andere waren damit überfordert oder spürten keine Lust dazu. Man
fand dann eine andere Lösung: Man entschloß sich, Männer, deren Loyalität groß genug schien, um dem kaiserlichen Prestige nicht abträglich zu
werden, mit der Koordinationsaufgabe zu betrauen. Und zwar sollten sie
diese Aufgabe ausüben in einer Position, die weder im Gesamtrahmen der
amtlichen Bürokratie fixiert war noch gar als solche, was Rang und Nähe
zum Kaiser anlangt, in den Listen verankert werden durfte. Es handelt sich
um eine Funktion, und nicht um Amt oder Würde. Man betraute mit dieser
Funktion, aus der erst in den spätesten Zeiten des Reiches ein Amt wurde,
irgend einen Ressortchef oder auch einen Mann außerhalb der Ränge, einen
Bischof etwa oder gar einen subalternen Höfling, der dann aber de facto
nach Maßgabe dessen, was sich der Kaiser selbst vorbehielt, die Regierungsgewalt in Händen hatte, arbiträr, ad nutum Caesaris und ohne Insigne. Die
Bezeichnung der Inhaber wechselt von παραδυναστεύων in der früheren
Zeit über οἰκονόμος τῶν κοινῶν zum spätbyzantinischen μεσάζων, den
dann die spätesten Historiker in einer Zeit, da er schließlich doch verbeam-
tet wurde, mit dem türkischen Großvezir vergleichen. Angesichts des arbi-
trären Charakters dieser Funktion wäre der Versuch, ihre Kompetenzen zu

definieren, schlichtweg absurd, wie es abwegig wäre, etwa durch den Nachweis des Fortlebens eines Ressorts, z. B. eines Finanzressorts, diesem Mesa-
zon finanzielle Kompetenzen abzusprechen. Es ist nicht Aufgabe des Mesa-
zon ein Ressort zu beseitigen, sondern es zu kontrollieren und unter Umständen den Ressortinhaber in den Wartestand abzuschieben. Die Funktion
ist mit den Mitteln der bürokratischen Terminologie nicht zu definieren und
soll es gar nicht sein. So ist die Gefolgschaft befriedigt, die Etatstellen sind
in festen Händen und der Kaiser verfügt über einen Vertrauensmann, der
ihn gegen die Velleitäten der Gefolgsleute absichert. Dies gelang freilich
nicht immer, aber Putschversuche seitens der Paradynasten zu Lebzeiten ihrer Herren gehören zu den großen Ausnahmen. Apriori betrachtet bedeutet
eine Bürokratie bestehend aus Gefolgsleuten natürlich auf jeden Fall ein
Sicherheitsmoment für den Herrscher. Aber Treue ist dem Verschleiß ausgesetzt, auch in der Bürokratie. Und die byzantinischen Beamten waren mitunter Opportunisten genug, um einem Kaiser, den die fortune verließ, bedenkenlos jenen Schutz zu versagen, kraft dessen er einst Herrscher geworden war. Ein gutes Beispiel dafür die sang- und klanglose Art, wie Isaak I.
Komnenos fallengelassen wurde. Und glaubte ein Herrscher mit Rücksicht
auf seinen Vorgänger, dem er rechtens nachgefolgt war, dessen Anhänger
wenigstens teilweise im Amt belassen zu sollen, so konnte deren Ressentiment gegen den neuen Machthaber durchaus gefährlich werden oder wurde
doch von diesem als gefährlich hingestellt, wie es z. B. Romanos Lakapenos
machte. Unter Kaiser Manuel I. kommt der Mißmut seiner Amts- und
Hofränge gegen seine Autokratie auch ideologisch zur Artikulation: sie argumentieren mit zur Herrschaft berechtigenden Qualitäten, die ihnen
ebenso eigen seien wie dem Kaiser![72]
    Was an anderer Stelle vom Senat zu sagen war, gilt kraft der hohen An-
gleichung von Senatsmitgliedschaft und Regierungsamt auch von der hohen
Bürokratie: Querschläge gegen die kaiserliche Politik, Ausnutzung jeder
Schwäche des Herrschers zugunsten der eigenen Macht usw. Es gilt aber
auch für die neuen Zustände seit der Komnenenzeit: Wie der Senat so werden notwendig auch die Ämter bis zu einem gewissen Grad Apanagen der
Familienangehörigen der Dynastie mit all den Vor- und Nachteilen, die
schon angeführt wurden. Der Staatsapparat wird immer stärker unter dem
Gesichtspunkt eines Familienunternehmens geführt. Und wo die Blutsver-
wandten oder Verschwägerten nicht ausreichen, schafft man mit dem System der οἰκεῖοι, das in den Anfängen weit zurückreicht, eine Gruppe von
homines imperatoris, die durch besondere Treueverpflichtungen und Eide
eine erweiterte „domus Augusta" bildeten und zugleich ein Reservoire für
hohe Ämter.

7. „Verdünnte Souveränität"

Das Thema Herrschaftsausübung bedarf noch einer spezifisch byzantini-
schen Ergänzung. Aufgabe der Verfassung ist, wie öfters bemerkt, nicht nur
die Konstituierung einer Staatsgewalt sondern auch eine handlungsfähige
Staatsgewalt. Ein wichtiger Teil dieser Handlungsfähigkeit beruht auf der
Organisation einer Verwaltung. Sie muß aber in Byzanz durch ein Instrumentar ergänzt werden, das dort Verwendung findet, wo die ordentliche
Verwaltung nicht hinreicht, in Zonen „verdünnter Souveränität" an den
Rändern des Reiches. Von der Intentionalität, die mit im Begriff Imperium
beschlossen ist, war schon die Rede, das heißt von der Auffassung, daß sich
die realen Grenzen mit den idealen nicht decken. Aber auch die realen
Grenzen sind Einbrüchen ausgesetzt, die Verluste mitbringen. Gelegentlich
entstehen dabei Gebilde, die nicht einfach als einem anderen Staat zugehörig bezeichnet werden können, sondern die gegenüber Byzanz in ein prekäres Verhältnis von „zu und gegen" geraten. Das magnum nomen des Imperiums ist immer noch attraktiv genug, um manche Eroberer zu veranlassen,
die Bindung an das Reich nicht völlig aufzugeben, während sie andererseits
doch gewillt bleiben, ihre Macht nicht wieder abzugeben oder sich als bloße
kaiserliche Gouverneure abwürdigen zu lassen. Hier hat die byzantinische
Diplomatie Formen ausgebildet bzw. weitergeführt, die sowohl den ideellen
Ansprüchen der Kaiser wie den praktischen Wünschen der Eroberer entsprechen. Als Herrschaftsformen sui juris innerhalb der ideelen Reichsgren-
ze gehören sie zur Verfassungsgeschichte.

Zunächst einige Bemerkungen zum Klientelkönigtum: Die Institution ist
für Byzanz nicht neu. Als sich Rom über die engeren Grenzen Italiens hinaus besonders nach Osten entwickelte, beließ man des öfteren die legitimen
Herrscherhäuser der angegliederten Länder in einer eingeschränkten Macht-
stellung; man setzte da und dort aber auch neue Könige ein (reges appel-
lare). Sie bekamen von Rom königliche Herrschaftsinsignien zugesandt.
Erblichkeit war damit nicht verbunden. Byzanz hat solche Königtümer von
Rom „geerbt" und teilweise auch neu geschaffen. Prototyp des ererbten
Königtums ist das armenische Reich. Hier allerdings mischten die Perser
jeweils kräftig mit. Besonders dringlich stellt sich das Problem in der Völkerwanderungszeit gegenüber barbarischen Stämmen, die sich auf Reichsboden niederließen. So mußte Kaiser Theodosios I. mit der Katastrophe,
ausgelöst durch den Gotensieg von 378 bei Adrianupolis, fertig werden.
Der Friedensschluß von 382 brachte eine verfassungsgeschichtliche Merk-
würdigkeit, da es sich um Regelungen handelt, die ein Binnengebiet des
Reichs betreffen. Die Goten werden auf den entvölkerten Landstrichen zwischen Donau und Balkangebirge angesiedelt. Ihre Gegenleistung besteht in
der Heeresfolge als foederati, jedoch unter dem Kommando ihrer eigenen
Könige und Häuptlinge. Dafür erhalten sie nicht nur hohe Soldzahlungen,

sondern auch Steuerfreiheit und rechtliche Autonomie und Selbstverwaltung; kein kaiserlicher Beamter hat auf ihrem Gebiet etwas zu sagen.[73] Der Souveränitätsverlust ist beachtlich, aber die Form ist gewahrt – und die Zeiten werden sich ändern. Diplomatische Notwendigkeiten führen zu Verfassungsregelungen auf Zeit. Exemplarisch dafür ist Italien im 5. und 6. Jahrhundert. Trotz der Siege Odoakars anerkennt Byzanz immer noch den westlichen Kaiser Julius Nepos, der sich nach Dalmatien zurückgezogen hat. Aber nach der Absetzung des Romulus Augustulus zwang Odoakar den römischen Senat, in Byzanz vorstellig zu werden, Kaiser Zenon möge Odoakar als ersten Magister militum mit der Hofwürde eines Patrikios ausstatten und Italien ohne westlichen Kaiser verwalten lassen, d. h. im Namen Zenons. Zenon taktiert hinhaltend; er verweist Odoakar auf die Kompetenzen des Kaisers Nepos, nennt ihn aber in einem späteren Schreiben doch Patrikios, vielleicht weil er annimmt, daß Nepos dem Eroberer mit diesem Titel entgegengekommen sei. Als Nepos 480 ermordet wurde, anerkennt Zenon die von Odoakar ernannten Konsuln und damit praktisch die von Odoakar gewünschten Kompetenzen. Theoderich war längst Magister militum und Patrikios, ja er hatte selbst schon das Konsulat bekleidet, als er nach Italien aufbrach; er war Reichsangehöriger und Untertan des Kaisers, zugleich aber König seines Stammes. Wer letztlich den Zug nach Italien veranlaßt hat, ist in diesem Zusammenhang ohne Belang, jedenfalls wurde damals zwischen dem Kaiser und dem Germanen ein pactum geschlossen, wonach Theoderich nach einem eventuellen Sieg über Odoakar als Vertreter des Kaisers Italien regieren solle, bis der Kaiser selbst dorthin käme. Theoderich siegte, aber der Kaiser fand keine Gelegenheit zu einem Zug nach Italien. Theoderichs Wunsch geht nun nach der römischen Königswürde, die ihm wichtiger scheint als die gotische. Zenon ließ ihn warten und starb darüber. 492 ging wiederum eine Gesandtschaft römischer Senatoren an den neuen Kaiser Anastasios mit der Bitte um die Königswürde für Theoderich. Aber auch Anastasios ließ sich Zeit: erst im Jahre 497 schickte er dem Goten die ornamenta palatii, d. h. die königlichen Insignien.[74] Natürlich bedeutete dies keine Entlassung aus dem Reichsverband und die Goten haben es auch nie so interpretiert, selbst dann nicht, als Justinian I. längst gegen sie Krieg führte. Sie wußten auch, daß dieses Königtum nicht erblich war, und bemühten sich noch einige Zeit nach Theoderichs Tod um eine neue Investitur für die Erben. Wie eingeschränkt die kaiserlichen Souveränitätsrechte in Italien unter den Goten auch gewesen sein mögen, das verfassungsrechtliche Verhältnis blieb de jure noch lange Jahre nach dem Tod Theoderichs aufrechterhalten. Als Arrangement zwischen kaiserlichen Souveränitätsrechten und der Macht des Eroberers entzieht sich das geschaffene Verhältnis stabilen Regeln, aber als Verfassungskonstruktion behält es seine Relevanz als Ergebnis der Verbindung von imperialem Res-publica-Denken und kaiserlichem Prestigeanspruch. Weil jeder Fall Ergebnis individueller Verhältnisse ist, lassen sich die Methoden im einen nicht immer auf die im anderen Fall übertragen, aber die Substanz bleibt. So gesehen kann die Regelung der Gotenherrschaft im byzantinischen Italien als Modell betrachtet werden. Analoges könnte vom Verhältnis zwischen den ghassanidischen Arabern an der Südostecke des Reiches und der Zentralregierung gesagt werden und läßt sich auf die Herrschaften in Armenien und im Kaukasusgebiet ausdehnen. Im Verlauf der mittelbyzantinischen Zeit bildeten sich neue Formen heraus, mit denen ähnliche Absichten verbunden waren. Hierbei handelte es sich zumeist um die Regelung von Verhältnissen zu Staaten, deren Regenten nicht der Meinung waren, sie benötigten zu ihrem nationalen Herrschertitel auch noch das Prädikat eines römischen „rex". Und wenn die Byzantiner sie als reges titulierten, so war dies für sie ohnedies ein Prestigeausdruck, denn der rex steht seiner Qualität nach unter dem Kaiser, und aus dem rein protokollarischen „unter" ließ sich auch ein herrschaftsmäßiges „unter" herauslesen. Darüber hinaus aber versuchte man, solche Könige durch Bande fiktiver Verwandtschaft ans Reich zu binden, einer Verwandtschaft mit dem Kaiser als Vater an der Spitze und davon ausgehend alle möglichen Bande zum Sohn, zum Bruder usw. Diese Bande konnten liturgisch unterstrichen werden durch Patenschaft, die ja nach byzantinischem Recht ebenfalls Verwandtschaft schafft. In anderen Fällen arbeitete man mit der Verleihung byzantinischer Hofwürden. Die Investitur mit einem Galakostüm allein tat es nicht, Pensionen kamen hinzu. Und wenn dabei der verfassungsrechtliche Gehalt auch gering geblieben sein mag, Exponenten des byzantinischen imperialen Gedankens auf nichtbyzantinischem oder kaum-byzantinischen Territorium waren damit auf jeden Fall geschaffen.

Daß und auf welche Weise gerade auch die große orthodoxe Glaubensgemeinschaft der Byzantiner in ihren Spitzen staats- und herrschaftssichernd eingesetzt werden konnte, ist in einem eigenen Kapitel näher darzustellen. Denn hier ist weniger Verfassungsgeschichte als allgemeine Gesellschaftsgeschichte impliziert.

So lebt die byzantinische Verfassung nicht ohne quid pro quo. Die Verfassungsnormen, nach denen sie sich richtet, sind von unterschiedlicher Herkunft und damit nicht durchaus homogen. Auf der einen Seite ein Staatsgedanke, der letztlich von republikanisch-aristokratischen Vorstellungen bestimmt ist, der vermeintliche oder wirkliche Körperschaftsrechte weiter tradiert und untergeordnete Herrschaftsformen gelten läßt, die alle im Grunde dem Gedanken der Autokratie nicht entsprechen. Diese Autokratie war als solche auch nicht gemeint als sich die Republik dem Prinzipat verschrieb. Aber die ideelle Herkunft des Princeps, mentale Grundeinstellungen der Bevölkerung und politische Unlust ließen aus dem Prinzipat Autokratie entstehen. Doch der Rückgriff auf die alten Vorstellungen war jederzeit möglich und wurde zur rechten Zeit auch getätigt. So ergibt sich das Ver-

hältnis einer grundsätzlichen Polarität in der Verfassung selbst und im Verfassungsleben. Diese Verfassung beweist ihre stärkste Integrationskraft, wo
beide Seiten aufeinander Rücksicht nehmen und sich in Rechnung stellen,
um dem Fernziel des endgültigen Ausgleichs näher zu kommen, das jedoch
nie erreicht wird. Die byzantinische Verfassung ist nicht statisch zu verstehen, sie ist stärker Aufgabe, politische Aufgabenstellung als ehrwürdiges
Dokument einer alten Harmonie.

8. Herrschaftsideologie

Herrschaft ohne Ideologie ist kaum denkbar. Die Monarchen und Herrscher aller Zeiten, die unsere nur scheinbar ausgenommen, formen und kul-
tivieren ihr Selbstbewußtsein, das Gefühl, etwas Besonderes zu sein und,
wenn überhaupt, besonderen Regeln zu unterliegen, in ständiger, traumge-
ladener Distanznahme von Realitäten des sie umgebenden Verfassungslebens. Sie können mit allen möglichen Faktoren dieses Lebens zu arbeiten
und zu politisieren haben, aber sie setzen ihnen, bewußt oder unbewußt, ein
charismatisches Selbstverständnis entgegen, selbst wenn sie es nur insgeheim pflegen können. Dieser Akt der Selbstbehauptung kann zu recht unter-
schiedlichen Ideologien führen, aus denen er sich speisen läßt. Wie immer
sie im einzelnen aussehen mögen, eine theologische oder pseudotheologi-
sche Komponente eignet ihnen fast immer, zumindest eine meta-politische.

Über die Herrschaftsideologie der byzantinischen Kaiser ist so oft und
preiswert geschrieben worden, daß es hier genügt, diese politische Theologie in kurzen Strichen in Erinnerung zu rufen. Vorausgeschickt aber sei, daß
Ideologien als „Überbau" durchaus nicht immer „nachgeliefert" sein müssen; sie können, für ähnliche Umstände ausgearbeitet, zur weiteren Verwendung bereits vorliegen (so wie sie auch im voraus konzipiert werden können, um angepeilte Herrschaft schon apriori zu rechtfertigen). Auch die byzantinische Kaiserideologie lag in charakteristischen Grundzügen bereits
vor, geliefert von einem Zweig des hellenistischen Staatsdenkens, das, an
der Demokratie verzweifelnd, den Grundriß einer monarchischen Staatsform geliefert hatte, die durch den römischen Prinzipat in konkrete und
robuste Wirklichkeit übergeführt wurde. Diese Ideologie wurde für Byzanz
fahrlässig verchristlicht durch den Hofbischof Eusebios, der sich dabei, gemessen an Prinzipien der christlichen Theologie mehr als einen Paratheolo-
gismus der reinen Vernunft leistete.

Im Grunde basiert diese Ideologie auf der von mir schon erwähnten
Lehre vom θεῖος ἀνήρ, von einem optimus princeps mit charismatischer
Begabung, kann also, (und das ist einer ihrer großen Vorteile, der sie vor
dem Vorwurf, ad hoc nachgeliefert zu sein, zu bewahren versucht,) da anknüpfen, wo theoretisch nicht nur sondern praktisch jener consensus om-

nium angeknüpft hatte, der zum Prinzipat führte. Am Anfang steht jedenfalls die Vorstellung von einer unmittelbaren, göttlichen Berufung des Kaisers – eine Berufung die mit der Inspiration der Kürfaktoren verknüpft ist, diesen und keinen anderen Kaiser zu wählen. Auf dem Thron ist der Herrscher also ein Auserwählter Gottes, Träger einer Herrschaft, die sich jederzeit auf Gott berufen kann und beruft. Das verleiht ihm einen numinosen Charakter, rückt ihn in die Sphäre der Sakralität, ausgedrückt durch die unendlich oft wiederholten Beiwörter divus, sacer, θεῖος usw. Die Auserwähltheit fordert vom Kaiser sozusagen als Gegenleistung die Annäherung und Angleichung an Gott, die Nachahmung Gottes (μίμησις θεοῦ) – eine sittliche Aufgabe, die wesentlich dadurch erleichtert wird, daß er nicht nur der Auserwählte ist, an dem sich die Wahl durch Gott als einmaliger Akt offenbart, sondern zugleich Gottes besonderer Liebling (θεοφιλής), dem Begabung und Begnadigung besonderer Art nach allen Richtungen, die sich denken lassen, in die Wiege gelegt sind, so daß die Angleichung an Gott schon fast Tatsache und nicht mehr Aufgabe ist, wie denn auch die Auserwählung durch Gott von Enthusiasten zur πρόβλησις θεοῦ, zur Emanation aus Gott gesteigert werden kann und Ausdrücke fallen können, die den Kaiser bewußt und mit Nachdruck Gott nennen. Jedenfalls wird damit der Kaiser zum Inbegriff aller Tugenden. Er ist in erster Linie ein exemplarischer, d. h. ein orthodoxer Christ, er verfügt, als der Auserwählte, über eine besondere Inspiriertheit, eine besondere Befähigung, den Willen Gottes zu erkennen, zu definieren und auszuführen, dazu auch das besondere Talent, in Glaubenssachen das Richtige zu treffen und zu verkünden. In diesem Zusammenhang tauchen dann auch Wortprägungen auf wie Stellvertreter Christi – eine Formulierung, die sich allerdings öfter in Umschreibungen in der Kaiserliturgie findet als in der Literatur kristallisiert. Auch die Idee von einem Priesterkönig wird immer wieder ins Feld geführt, ohne daß damit eine liturgisch-sakramentale Funktion im Rahmen der Kirche gemeint wäre. Dazu kommen aber auch alle Tugenden, die den guten Herrscher ausmachen: das alte Imperatoren-Konzept, das im griechischen Pendant für den Uneingeweihten durch Autokrator etwas verschleiert wird, schreibt ihm eine ausgezeichnete Tapferkeit zu, die manchmal mythische Züge annimmt und die Akklamation ἀεὶ νικητής (semper victor) auslösen kann. Der Inspiriertheit in göttlichen Dingen entspricht seine Frömmigkeit. Seine persönliche Qualifikation äußert sich in einem hohen Maß an Selbstbeherrschung, in Gerechtigkeit und Klugheit und vor allem im Wohltun an der ganzen Menschheit. Dieser Kaiser verkörpert das Gesetz, weil er es in sich trägt.

Da die gesamte Herrschaft über alles, was ist, in den Händen eines einzigen höchsten Gottes liegt, des Pantokrator und Kosmokrator schlechthin, ist jede Herrschaft auf Erden nur eine delegierte dieses Gottes, und es kann in Korrespondenz mit dem Monotheismus nur eine einzige Herrschaft, die Herrschaft eines einzigen Kaisers sein. Dieser Kaiser kann nur der römische sein, entsprechend dem von der Vorsehung herbeigeführten Synchronismus zwischen Christi Erscheinen auf Erden und der Herrschaft des Augustus und der pax Augusta, der Wegbereiter der christlichen Mission. Diesem universalen Kaisertum entspricht ein universales Reich. Ausgangspunkt ist der Orbis romanus, aber intentional gehört der ganze Orbis terrarum, die οἰκουμένη dazu. Wie ein Sonnensystem umkreist das Gefüge aller denkbaren Herrschaften den kaiserlichen Helios. Dieses Universum der Herrschaft ist in Rom oder Neu-Rom zentriert. Die römische Komponente ist der historische Bezugspunkt, auch wenn sie die Linien zurückzieht zur Weltherrschaft Alexanders des Großen, einem der Prototypen byzantinischer Weltherrschaftsvorstellung. Da die Oikumene Fernziel ist, eignet dem Kaiser eine hohe missionarische Sendung, missionarisch sowohl im politischen wie im christlichen Sinn, weil beide Bereiche in diesem Konzept und in der Praxis nicht mehr zu trennen sind, und weil der Kaiser als besonderes Geschenk Gottes an die Menschheit auch innerhalb des Rahmens der Kirche eine gnadenhafte Stellung einnimmt.

Diese Kaiseridee scheint aus einem Guß zu sein, ein ungeheures Potential im Sinne der „Legitimierung" des Herrschers und als Lenkungspotential der Herrschaft. Genauer besehen enthält sie jedoch Elemente von sehr verschiedener Widerstandskraft und von nicht ungefährlicher Ambivalenz. Ein zuerst in die Augen springender Komplex ist zunächst rein moralischer Natur, vorstellbar auch ohne metaphysischen Hintergrund: ein Katalog von Tugenden. Der Kaiser ist gerecht, milde, tapfer usw. Wo die Ideologie zelebriert wird, werden diese Tugenden beim Kaiser als tatsächlich vorhanden unterstellt; aber diese Unterstellung ist intentional zugleich eine ethische Forderung, die im konkreten, unfeierlichen Fall auf Erfüllung wartet und im Warten zur Ungeduld und zur Kritik reizt. Hier hat die Idee ihre verwundbarste Stelle und hier liegt ihr besonderes Defizit an Steuerungskraft und Herrschaftssicherung.

Ein weiterer Gedankenkomplex ist Frucht einer besonderen politischen Theologie: er verankert die Kaisermacht in einem bestimmten metaphysischen Weltbild, d. h. in einer Korrelation zwischen Gottesherrschaft und Kaiserherrschaft in Richtung auf unbeschränkte Monarchie und auf metaphysisch abgedeckte Weltherrschaft. Die Byzantiner sind Realisten genug, um zu erkennen, daß diese Weltherrschaft, wenn nicht Utopie so doch fernster Orientierungspunkt ist. Der nicht erfüllte Anspruch wird keinem Kaiser ohne weiteres zum Vorwurf gemacht, kann vielmehr zur Rechtfertigung jeder Expansionspolitik verwendet werden, auch wenn dies selten geschieht und gar nicht so sehr byzantinisch ist. Realistischer bleibt die Forderung nach Monarchie schlechthin. Sie ist für den Byzantiner im allgemeinen die Staatsform par excellence, wie sie es auch im Bewußtsein des spätantiken und mittelalterlichen Menschen, auch ohne Metapolitik, war. Die Verknüpfung dieser monarchischen Idee mit der Idee des Monotheismus basiert im christlichen Bereich nicht zuletzt auf dem Gedanken der Überwindung der Vielgötterei, der dii gentium, die als „National"-Götter die selbständigen Einzelstaaten vertreten, durch die christliche Predigt. Sie wird problematisch in dem Augenblick, in dem eine nicht mehr subordinatianische, sondern auf der Homousie beruhende Trinitätslehre die Lehre vom Monotheismus gliedert und expliziert. Aber es ist historische Tatsache, daß das Spiel mit dieser Dreiheitsidee im Sinne eines Drei-Kaisertums dem Monarchen im Laufe der Geschichte höchstens einmal gefährlich zu werden drohte, sofern diese theologische Begründung damals überhaupt mehr war als ein skurriler Begleitslogan. Zu diesem Kapitel politischer Theologie gehört natürlich vor allem die Vorstellung von der individuellen Auserwählung des Herrschers durch Gott, durch Gottes besonderes Wohlgefallen und die besondere Begnadigung. Hier liegt die Möglichkeit für den Kaiser, sich in besonderer Weise von der übrigen Menschheit abgrenzen zu lassen, sich mit einem Mantel, einer Wolke von Unnahbarkeit zu umgeben, die ihn gegen jeglichen Angriff feit und seine Unantastbarkeit garantiert, besser als jeder Tugendkatalog. Aber gerade durch diese extravagante Sublimierung gerät der Kaiser in die Nähe des „Anathems", in die Ambivalenz eines Tabus, das in der consecratio zugleich die execratio impliziert. Theologisch – im Sinne der byzantinischen Theologie – ist Gottes Wohlgefallen auf keinen Menschen dauernd zu fixieren, weil der Mensch sich dessen unwürdig machen kann. Von den praktischen Folgerungen, die sich daraus ergeben können, wurde schon oben gesprochen.

Neben diesen beiden Komplexen innerhalb der Idee steht ein dritter, der vielleicht unter dem Lemma kaiserlicher Forderungen und Schlußfolgerungen stehen kann. Dazu gehört der Anspruch, das Gesetz zu verkörpern, ja über dem Gesetz zu stehen, und der Anspruch auf absolute, durch keine Institution beschränkbare Regierungsgewalt, also auf das μοναρχικὸν κράτος schlechthin, wie es Kaiser Leon VI. formuliert hat. Natürlich kann man diesen Anspruch aus dem Gottesgnadentum ableiten, und die Zelebranten der Idee tun es, wie man denn überhaupt die drei genannten Komplexe in eine hierarchische Ordnung bringen kann. Hier geht es aber nicht darum, sondern um eine Klassifizierung unter dem Gesichtspunkt des Steuerungspotentials der Herrschaft, das in den einzelnen Komplexen liegt. Dieser dritte Komplex würde, bis ins letzte durchgedacht, sozusagen einen luftleeren politischen Raum voraussetzen, die volle Negation z. B. eines Eigenbewußtseins der ausführenden Organe der Kaiserherrschaft, die völlige Lethargie der Untertanen. Mit anderen Worten: gerade dieser Teil der Kaiseridee zwingt den Herrscher, wenn er ihn nur einigermaßen „mundgerecht" machen will, zum ständigen Arrangement mit der Gesellschaft im weitesten Sinne des Wortes, in die er sich hineingestellt sieht.

Der Gesamtkomplex der Kaiseridee ist ohne Zweifel von ebenso grandio-

ser Vollendung wie faszinierender Traumhaftigkeit: anscheinend eine letzte
in den fernen Firmamenten verankerte, nicht mehr zu durchbrechende Sicherung der Kaisermacht als solcher. Das Problem beginnt beim einzelnen
Kaiser. Jede Herrschaftsidee braucht Menschen, die sie formulieren, vortra-
gen, propagieren und steuern, sie braucht Herrscher, die sich die in der Idee
angelegten Forderungen angelegen sein lassen, und sie braucht eine breite
Schicht, auf welche die Idee Eindruck macht. Es ist eine Grundaufgabe der
byzantinischen Verfassungsgeschichte, die Gegebenheit dieser Voraussetzungen zu verifizieren und sich nicht mit der Darstellung der Idee zu begnügen, weil nur auf diese Weise die Idee als verfassungsgeschichtlich relevant
erwiesen werden kann. Die philosophische Schlüssigkeit des ganzen Gedan-
kenganges, die in der Idee zum Vorschein kommt, mag hier dahingestellt
bleiben, weil diese Ideologie nicht auf dem Boden rationaler Schlußfolgerungen entstanden ist, sondern politische Sehnsüchte und Träume dingfest
zu machen sucht. Man kann etwa drei Formen der Artikulierung der Idee
unterscheiden: Wort, Vollzug und Bild. Für das Wort kommen in erster
Linie Verlautbarungen der Kaiser selbst und ihrer Kanzlei in Frage, sodann
in besonderer Weise die sogenannten Kaiserreden, gehalten vor dem Hof
bei besonderen oder jährlich wiederkehrenden Anlässen. Wie weit die Kaiser selbst bei Abfassung der Arengen[75] ihrer Urkunden, die eine beliebte
Gelegenheit für die Darstellung einzelner Bestandteile der Ideologie bildeten, beteiligt waren, ist schwer auszumachen. Der Anteil dürfte je nach Persönlichkeit sehr verschieden zu bewerten sein, entscheidend ist jedenfalls,
daß diese Arengen kaum ohne Wissen und Billigung der Herrscher die
Kanzlei verließen. Die gebildeten Kräfte in der Kanzlei dürften die Haupt-
verantwortlichen sein. Dazu gehören die prominentesten Namen der byzantinischen Literatur- und Geistesgeschichte, Tarasios etwa, Photios, Psellos,
Theodoros Metochites, Demetrios Kydones usw. Daß sie ihre Elaborate
nicht als Gelegenheitsarbeit für Bezahlung am äußersten Rande ihrer literarischen und sonstigen Interessen betrachteten, ergibt sich daraus, daß manche von ihnen die von ihnen verfaßten Prooimien von Kaiserurkunden in
die Gesamtausgaben ihrer literarischen Werke einfügten. Der Eindruck freilich entsteht, daß in den Prooimien, was die Sublimierung des Kaisers anlangt, aufs Ganze gesehen weniger hoch gegriffen wurde als in den Kaiserreden. Das hängt wohl mit dem praktischen Charakter des Urkundeninhalts
zusammen, der wichtiger war als das Prooimion, sowie mit der themati-
schen Begrenzung, die durch eben diesen Inhalt vorgeschrieben war. Jedenfalls finden sich die sublimiertesten und exaltiertesten Äußerungen nicht
hier, sondern eben in den feierlichen und offiziellen Reden an die Adresse
des Kaisers oder der höchsten Mitglieder der Herrscherfamilie. Wer sind die
Redner? Hier nur eine kleine, völlig unausgefeilte Statistik. G. Moravscik
nennt in seinem Werk „Byzantino-Turcica" etwa 34 Autoren solcher Kaiserreden. Drei davon sind nach Stand und Namen unbekannt – wenigstens

mir – zwei sind Kaiser bzw. kaiserliche Prinzen, von zwei weiteren fehlen Angaben über Stellung und Stand. Von den verbleibenden 27 sind 14 Metropoliten und Bischöfe, zwei Großdiakone der Hagia Sophia, ein hoher Richter, ein hoher Militär, sechs hohe und höchste kaiserliche Beamte und drei „Professoren". Die Grundlage der Statistik ist dünn, aber vielleicht doch nicht ohne repräsentativen Wert. Dann aber ergibt sich, daß es sich bei diesen 27 Verfassern durch die Bank um Angehörige eines „Establishments" handelt, das zum Hof gehört, vom Hofe lebt oder ihm sehr nahesteht. Jedenfalls findet man keinen einzigen „Privatmann", denn auch die genannten Professoren gehören offensichtlich zu staatlichen oder kirchlichen Institutionen. Kurzum: die Kaiserredner zelebrieren, worum sie gesellschaftlich rotieren; das gilt gewiß auch vom hohen Klerus einer Kirche, die ihrem Selbstverständnis entsprechend mit dem Kaisertum steht und fällt. Insgesamt handelt es sich um Menschen, die an diese Idee gebunden sind, die ein Bedürfnis oder materielles Interesse haben, daß die Idee aufrecht erhalten wird, weil sie hier Anerkennung und Rang erhalten haben und weiter erhoffen. Wer eine Herrschaftsidee anerkennend formuliert, stützt damit nicht nur die Herrschaft, sondern auch sich selbst und seine Stellung in einer Gesellschaft, die sich in der Herrschaft selbst wiederfindet. Die Herrschaftsidee rechtfertigt den Herrscher und die Formulatoren zugleich, und darüber hinaus hebt sie das Selbstbewußtsein der letzteren. Gewiß gibt es neben einer Formulierung der Herrschaftsidee, die „vor Anker geht", auch eine solche auf hoher Fahrt, d. h. die unzufrieden mit den bestehenden Verhältnissen und messend am Ideal verändern will. Doch dies sind die Ausnahmefälle. Ihre herrschaftssichernde, ihre legitimierende Funktion beziehen diese Reden weniger, wie schon angedeutet, aus theoretischen Deduktionen als aus dem rednerischen Genos des Enkomions, aus der himmelstürmenden Amplifikation von Kleinigkeiten, aus Plastizität der Sprache, dem Appell an alles sinnlich Erfaßbare, an Phantasie und Emotion, vor allem aber in einer außerordentlich gekonnten Verflüssigung des Unterschiedes zwischen Kaisertum und einzelnem Kaiser.

Neben dieser Zelebration im Wort steht, ungleich mächtiger, die Kaiserliturgie, das höfische Zeremoniell bis hin zu seinen Manifestationen im Verkehr mit dem Ausland. Es konnte in seinen letzten Verfeinerungen nur entstehen als Folge einer Verständnisinnigkeit zwischen den Herrschern selbst und beflissenen Rubrizisten und Chefs des Protokolls, wie sich ja wohl der Protokollchef einer Regierung um den Auftritt des Präsidenten tiefere Sorgen macht als irgend ein Minister. Die Publikation der Idee durch das Zeremoniell hat gegenüber den Urkunden und Kaiserreden den Vorteil, weitere Kreise zu erreichen und in einer verständlicheren Sprache zu sprechen, zugleich aber auch die Reflexion weniger herauszufordern. Für die Kaiserreden gab es die attizistische Sprachbarriere, von der schon die Rede war, und der Kreis der Hörer blieb offensichtlich auf die Menge beschränkt, die in einer Hofaula Platz fand. Natürlich wurden die Reden auch publiziert, aber die Sprachbarriere blieb damit bestehen und der Kreis der Leser beschränkt sich auf an Philologie und Rhetorik interessierte Gelehrte oder Studenten, die nun in der Rede anderes suchen, als was anläßlich ihres Vortrags beabsichtigt war. Das Zeremoniell integriert zunächst in seinem Tagesablauf den ganzen Hof, obwohl man die abkühlende Wirkung der Alltäglichkeit mit der damit verbundenen Oberflächlichkeit des Vollzugs nicht unterschätzen darf. Die großen Aufzüge des Kaisers aber beanspruchten nicht selten die ganze Stadt und ihre Beteiligung. Sie vermittelten jene „circenses" des täglichen Lebens, die für den Mittelmeermenschen wesentlich sind; sie trugen die Bevölkerung mit und schufen eine festliche Einheit, in der Fragen nach dem ökonomischen Hintergrund in Vergessenheit gerieten. Dieses Gepränge wurde gelegentlich auch in die Provinz getragen und tat dort dieselbe Wirkung, und so weit die Provinz ausgeschlossen war, gab es das Wissen von dieser Magnifizenz und Munifizenz in der Hauptstadt, es gab einen Fixpunkt, an dem man sich sehnsüchtig und schaulustig orientieren konnte, wie Muslime am Gedanken an eine Wallfahrt zur Kaaba. Wenn von Gefahren dieses Protokolls gesprochen werden soll, dann lagen sie in der Auslieferung der Majestät an eine Camarilla einerseits und im öffentlichen Auftreten des Kaisers andererseits, das die Grenze zwischen Unnahbarkeit und Ansprechbarkeit des Kaisers auf verlockende Weise aufhob und einen Dialog provozieren konnte, dessen Ende nicht abzusehen war.

Versucht man eine Gesamtwürdigung der beeindruckenden Kraft der Ideologie, so ist man angesichts einer „zahmen uns erhaltenen Literatur" – wir wissen von Schmähschriften und Pamphleten, aber nichts ist erhalten – auf punktuelle Feststellungen angewiesen. Nur in Parenthese sei erwähnt, daß man sich in Kreisen der Eingeweihten mit Augurenlächeln über Redner lustig macht, welche die Farben allzu dick auftragen. Wichtiger sind die Beobachtungen, daß z. B. ein Redner von der überfließenden Kaisereloquenz eines Michael Psellos in dem Augenblick, wo er als Historiker antritt, sich vor ein Dilemma gestellt sieht, weil er klar erkennt, daß die Kategorien seines rednerischen Kaiserlobs für die Geschichtsschreibung nicht maßgebend sein können. Er sieht in den Kaiserreden ein literarisches Genos, mit dem die politische Wirklichkeit nicht dargestellt werden kann.[76] Psellos ist nicht der einzige Redner, der zugleich Historiker ist. Beispiel Niketas Choniates. Er, der die Klaviatur der Kaiseridee bestens kennt und im Bedarfsfall übt, scheut sich in seinem Geschichtswerk nicht, an der praktischen Verwendung bestimmter Bestandteile dieser Idee durch Kaiser Manuel I. offen und ätzend Kritik zu üben.[77] Man weiß zwischen Liturgie und Politik zu unterscheiden, und in die Geschichte geht das Urteil über die Politik ein. Die größte Bedeutung der Kaiseridee für die herrschende und angesehene Klasse der Bevölkerung dürfte im offenen und emphatischen Bekenntnis zu einer Kraftspitze bestanden zu haben, die ihrem eigenen Selbstbewußtsein die notwendige Stütze war, aber auch im Bekenntnis zum eigenen einmaligen Reich und zum eigenen einmaligen Herrscher gegenüber subversiven Kräften in der eigenen Gesellschaft und gegenüber ausländischen Herrschern und Mächten. Aber der Senator, der dem Kaiser seine Politik ausreden möchte, der will, daß er seiner Linie folge, denkt gewiß nicht an die himmlische Begabung des Souveräns, sondern schlicht an die Dummheit oder Indolenz seines Diskussionspartners, an seine Hartnäckigkeit oder an seine Ungeeignetheit für das Herrscheramt. Und der Byzantiner, der vor dem Kaisergericht steht, ist kaum erfüllt von der Überzeugung, der göttlichen Gerechtigkeit selbst gegenüberzustehen, sondern verläßt sich auf den Buchstaben des Rechts, auf sein advokatisches Geschick und auf das Gewicht seiner Person, sicher aber nicht auf die Kaiseridee. Und die Soldaten wissen es auswendig, was es mit dem „semper victor" auf sich hat, aber auch mit ihren wirklichen Siegen, für welche der Kaiser, der zuhause geblieben ist, sich einen Triumph ausrichten läßt, wie ihnen denn auch die Idee, für den Kaiser freudig ihr Leben hinzugeben, völlig fern liegt. Es gibt kaum einen besseren Beleg für die skeptische, wenn nicht mißvergnügte Anteilnahme an der byzantinischen Kaiseridee durch die Höherstehenden – sofern sie dem Kaiser allein zugute kommen soll, – als die Ratschläge, die Kekaumenos seinen Söhnen für den Umgang mit Hof, Behörden und Kaisern erteilt.

Was das einfachere Volk anlangt, so fließen die Quellen nicht weniger spärlich. Vielleicht darf man an den epischen Romanhelden Digenis erinnern, nicht insofern er zum Adel gehört als vielmehr deshalb, weil die Lieder von seinen Taten Besitz des Volkes waren: Seine Begegnung mit dem Kaiser erfolgt sozusagen pari passu, in vornehmer Distanziertheit, wie man mit einer unbekannten Größe umgeht, der man sich jedoch völlig gewachsen weiß. Sich den Kaiser vom Leibe zu halten, ist vielleicht die beste Devise, sich seine Beamten vom Leibe zu halten – Idee hin, Idee her – eine krasse Notwendigkeit. Die Ausstrahlung kaiserlicher, quasi-göttlicher Macht bedeutet im Alltag zunächst Steuerdruck und Fronleistungen. Die Nötigung wird man, wie so oft, den nachgeordneten Behörden in erster Linie aufgerechnet haben, so daß die Majestät gewissermaßen intakt bleiben konnte. Damit aber rückt der Kaiser in die Stellung des Märchenkönigs, er bedeutet Größe, Reichtum, Glanz und Macht, Stoff für Sprichwörter, Anekdoten und schöne Ermahnungen, Hoffnung der Naiven in verzweifelten Fällen, Drohung für den Übeltäter, Anlaß zu Feiern und Anlaß zur Trauer – entpersönlicht, ein ferner Bezugspunkt, Fascinosum und Tremendum zugleich und, was die Ideologie angeht, völlig abstrakt, weil das Volk aus solchen Gedankengängen wesentlich weniger macht, als man ihm zumutet. Vielleicht bewährt sich die alte Idee, losgelöst vom Einzelkaiser, am besten in den spätesten Tagen des Reiches, wo alle Rettungsangebote mit Bedingungen verknüpft werden, die vielen wie ein Ausverkauf ererbten Byzantiner-

tums erschienen. Die Idee, im Glanz einer alten Tradition zugrunde zu gehen, alles, was Prestige und Macht gewesen, wie einen Abglanz mit ins
Ende zu nehmen und die Ehre zu retten – das war vielleicht der letzte Sieg,
den die alte Ideologie davontrug.

Diese Idee ist also zunächst eine Absicherung der Kaiserherrschaft gegenüber Relikten von Anschauungen aus anderen Rechts- und Verfassungs-
bereichen. Sie kann als Bestandteil dieser Verfassung verstanden werden, so
weit sie die alten Rechtsvorstellungen nicht beseitigen will. Aber auch, insofern sie an die alte Grundvorstellung vom charismatischen optimus vir anknüpft und damit ein zwar manipulierbares aber auch staatserhaltendes
Element des Gesamtreichs geworden ist.

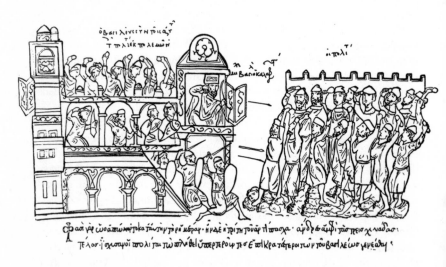

Revolution gegen Kaiser Michael V. (1042) Nach einer Miniatur aus einer Handschrift des Joannes Skylitzes

III. Politische Orthodoxie

Das Begriffsfeld „Orthodoxie" ist der heidnischen Gräzität nicht sehr geläufig. Das Hauptwort ὀρθοδοξία scheint zum erstenmal in der neuplatonischen Philosophie der nachchristlichen Epoche aufzutauchen, und es ist nicht unwahrscheinlich, daß es bereits dem christlichen Sprachgebrauch entnommen wurde. ᾽Ορθόδοξος scheint überhaupt nicht belegbar zu sein. Nur ὀρθοδοξέω ist in der nikomachischen Ethik bezeugt und begegnet später auch bei Poseidonios und anderen. Gemeint ist die richtige Lehrmeinung in der philosophischen Auseinandersetzung, keine Verbindlichkeit für Leben und Lebensführung. Fortune hat „Orthodoxie" offenbar erst im Christentum gemacht, doch auch hier kaum vor dem 4. Jahrhundert. Mit Methodios von Patara, Eusebios von Kaisareia und Athanasios von Alexandreia setzt der Gebrauch dann freilich massiert ein.

Dies kann sicherlich nicht besagen, daß der frühen Christenheit der Begriff der Rechtgläubigkeit einfach gefehlt habe; nur sollte man bedenken, daß Orthodoxie mit Rechtgläubigkeit unzulänglich wiedergegeben ist, weil δόξα und πίστις (Glaube) sich nicht decken. Der Glaube muß gerechtfertigt sein und ist auf Unterpfänder angewiesen, die δόξα muß schlicht richtig sein. Die Kirchenväter haben δόξα offensichtlich der Philosophensprache entnommen und darunter zunächst die Lehre, die Lehrmeinung verstanden, während der Begriff Glaube und Gläubigkeit von Verhalten, von Vertrauen und Hingabe zunächst nicht zu trennen ist. Orthodoxie impliziert Neigung zur Begrifflichkeit, zum Satz, zur Definition. Durchblättert man ein Dokument früher Christlichkeit, etwa den Barnabas-Brief, so werden die drei „Dogmen des Herrn" definiert als Hoffnung, Gerechtigkeit und Liebe. Der Irrtum, die πλάνη, ist das Nachgeben gegenüber den Versuchungen des weltlichen Lebens. Natürlich setzen diese „Dogmen" die Göttlichkeit Christi und sein Erlösungswerk, sowie den Glauben daran voraus, aber der Versuch, diese Voraussetzungen in philosophisch abgedeckte Lehrsätze zu bringen, liegt nicht vor. Ähnliches gilt wohl auch von der sogenannten Didache. Sie spricht von Pseudopropheten, versteht aber darunter nicht Menschen mit abweichender Lehrmeinung, sondern Prediger einer unchristlichen Sittlichkeit. Die Didache enthält nicht einmal ein Taufsymbol, das über ein unnüanciertes Bekenntnis zur Dreieinigkeit hinausginge. Ziel ist die christliche Liebesgemeinschaft, die sich in der Liturgie und in der Erwartung der Wiederkunft Christi, nicht in einem ziselierten Lehrgebäude zusammenfindet.

Ansätze zu einer bescheidenen Dogmenbildung fehlen ganz gewiß nicht, doch zum Tragen kommen sie erst da richtig, wo sich die junge Kirche nach außen absetzen muß, wo die Botschaft sich mit entgegenstehenden philosophischen oder gnostischen Systemen auseinandersetzen muß, um ihre Gläubigen gegen deren Propaganda zu schützen und um selbst Propaganda zu machen. Damit erst ist die Stunde des Dogmas im strengen Sinne des Wortes, die Stunde des Sic und nicht anders gekommen. Damit ist aber auch die Stunde der innerkirchlichen Abweichung in der Lehre gekommen, der Häresie. Daß diese Entwicklung einen ersten Höhepunkt um die Zeit findet, als das Christentum auf die Toleranz des Staates rechnen konnte, ist kein reiner Zufall, weil eben diese Toleranz vorbereitet war durch die Symbiose der Kirche mit der antiken Kultur, ihren Philosophen und ihren Philosophumena.

Neben dieser Entwicklung ist das Selbstverständnis der Kirche als einer Liebes- und Kultgemeinschaft durchaus nicht verschwunden. Aber die griechische Lust an der Kontroverse und der steigende Bedarf an geistiger Auseinandersetzung mit einer Welt, deren Grundkonzepte so ganz anders waren und auch nach den Toleranzedikten noch blieben, führte dazu, daß die richtige Lehrmeinung, eben die Orthodoxie, einen Stellenwert bekam, den sie früher nicht kannte. Für die Kultgemeinschaft wurde die Orthodoxie allmählich zur conditio sine qua non.

Wie wird aus der dogmatischen Orthodoxie eine politische? Hier muß einiges zum Prozeß der Emanzipierung des Christentums im römischen Staat vorausgeschickt werden. In der Legitimationskrise des römischen Kaisertums im dritten Jahrhundert, ausgelöst durch den Bruch mit den bisherigen Formen der Übertragung des Imperiums und der tribunizischen Gewalt republikanischen Ursprungs an einen Princeps „neben der Verfassung", mehr noch durch die Absentierung des Senats von der Bestellung des Kaisers und die Usurpation dieser Bestellung durch einzelne Armeecorps und deren willkürliches Verfahren – in dieser Krise machen sich die nachdrücklichsten Versuche bemerkbar, den Kaiser stärker als bisher im Metaphysischen zu verankern. Orientalisch-hellenistische Sonnenkulte und ihr Einfluß auf das religiöse Treiben im späten Rom und in den Armeen in den Provinzen helfen dabei mit, Vorstellungen auch in der westlichen Welt Wurzel fassen zu lassen, die zur Zeit des Augustus in Rom selbst noch kaum denkbar gewesen wären, auch wenn diese Vorstellungen an sich zunächst anderen Zielen dienten als dem Kaisertum.

Bewußter, nachdrücklicher und vor allem konkreter erfolgt jetzt eine Divinisierung des Herrschers schon zu seinen Lebzeiten, die Einreihung in eine unverletzliche und allgemein anerkannte Hierarchie der Gottheiten, denen das Opfer dargebracht wird und werden muß. Dieses Opfer anerkennt den göttlichen Charakter des Kaisers, ohne daß von dem, der opfert, ein verbales, in irgend einer Form theoretisch nuanciertes Bekenntnis gefordert würde oder man nach der inneren Überzeugung fragte. Dieses Opfer ist naturgemäß ein Opfer als Ausdruck der Loyalität gegenüber dem Kaiser und dem Reich, das er vertritt, und – allgemein geübt – wird es zum Bekenntnis nicht nur zur Monarchie, sondern auch zur Reichseinheit und Reichsunversehrtheit; es garantiert die salus publica, weil es die notwendige Gunst der Götter garantiert. Der Nexus zwischen Kult und Wohlfahrt wird stärker betont als je. Hinter dieser Entwicklung steht gewiß kaiserlicher Wille, aber auch eine allgemeine religiöse Lage, die in Zusammenhang mit dem steht, was man die allgemeine Krise des 3. Jahrhunderts genannt hat. Von kaiserlicher Seite aber ist in erster Linie die politische Notwendigkeit, der Bedarf an politischer Ideologie gemeint, die ein Legitimationsdefizit auszugleichen hat.

Wenn aber Einheit des Reiches gemeint ist, dann muß Einheitlichkeit des Kultes mitgemeint sein. Der Kaiserkult will keinen der bisherigen in Rom akkreditierten Kulte beseitigen oder ihn gar unter dem Aspekt einer Wertskala der Götter überbieten. Aber er faßt zusammen, weil mit dem genius des Kaisers der genius des populus Romanus und all seiner Götter zur Darstellung kommt, in einer Präsentheit, die Götterbilder als solche in dieser Zeit nicht mehr darzustellen vermögen. Sämtliche Götter stehen zur Disposition, um dieser Einheit zu dienen. Es sind die Christen, die sich nicht in diese kultische Einheitlichkeit einbauen lassen wollen und die damit für ihre Umwelt die väterlichen mores und den genius des populus Romanus ablehnen. Was immer sie verehren und wem immer sie ihren Kult bezeugen, für den echten Römer sind sie gottlos, weil götterlos. Mag sein – sie betonen es jedenfalls immer wieder – daß sie sich zum Gebet für Kaiser und Reich bekennen; aber gerade durch die Ablehnung des Kaiserkultes neben der Ablehnung des Kultes der anerkannten Götter zeigt sich sozusagen, daß ihr Gebet *für* den Kaiser nur ein Alibi ist, um von ihrer sonstigen negativen Haltung abzulenken. Hier liegt wohl der wichtigste Grund für die Christenverfolgungen, vor allem für die Diokletians. Wie man weiß, fruchteten diese Verfolgung wenig, es eignet ihnen nicht einmal die aufschiebende Wirkung, die man von einer entscheidenden Stärkung des paganen Selbstbewußtseins, in numerischer Hinsicht wie der Intensität nach, hätte erwarten dürfen, und die es erlaubt hätte, über das Außenseitertum der Christen hinwegzusehen, so wie man über die jüdischen Außenseiter seit langem hinwegsah. Die Christen konnten nicht mehr als quantité négligeable betrachtet werden, die Kultlücke konnte nicht mehr übersehen werden. Und die Not der Zeit ließ angesichts der Barbareneinfälle viele vermuten, daß nun auch die alten Götter unzufrieden mit diesem Einbruch in ihren Kult seien, was für die salus publica offensichtlich nicht ohne Folgen blieb. Ein Ausweg mußte gefunden werden und er konnte auf die Dauer nur darin bestehen, daß man den Kult der Christen nolens volens legitimierte und ihn sozusagen umadressierte in Richtung auf die Ziele des Kaiserkultes, also in Richtung salus publica. Dies war es, was Kaiser Galerius im Jahre 311 mißgelaunt mit seinem Toleranzedikt tat. Er verfügte[1] die Lizenzierung des Christentums („. . . ut denuo sint Christiani . . ."), sofern es sich wohlverhält. Und die Begründung: „Unter den übrigen Verordnungen, die wir zum Wohl und Nutzen des Staates erlassen haben, haben wir seinerzeit den Willen bekundet, alle Verhältnisse entsprechend den alten Gesetzen und der römischen Staatsverfassung zu ordnen und dafür zu sorgen, daß auch die Christen, welche die Religion ihrer Vorfahren verlassen haben, wieder zur besseren Einsicht kämen." Dies die Begründung für seine Verfolgungsedikte. „Aber sie beharrten auf ihrer Torheit und erwiesen weder den himmlischen Göttern die ihnen schuldige Ehrfurcht, noch verehren sie den Gott der Christen." Galerius kann sich nur einen öffentlichen Kult vorstellen, und da die christlichen Kirchen gesperrt und konfisziert waren, gab es für ihn auch keinen christlichen Kult mehr. So will er jetzt Gnade walten lassen, und die Christen sollen wieder die Möglichkeit haben, „zu ihrem Gott für unser Wohlergehen, für das des Volkes und ihr eigenes zu flehen, damit das Staatswesen in jeder Beziehung unversehrt bleibe und sie selbst sorglos zuhause leben können." Toleranz à contre-coeur und unter einengender Zielsetzung des christlichen Kultes.

Kurz später treffen sich Konstantin der Große und Licinius in Mailand, und der Niederschlag ihrer Gespräche bedeutet eine Erneuerung des galerianischen Edikts, übertrifft dieses aber, da es nicht nur toleriert sondern Parität gewährt und zwar allen Religionen ohne Ausnahme und wiederum unter politischer Zielsetzung „Quidquid est divinitatis in sede coelesti nobis atque omnibus placatum atque propitium possit existere . . . „. . . damit die Gottheit auf ihrem himmlischen Thron, wer immer es ist, uns und allen gnädig und gütig gesinnt sein kann."[2] Die Präferenz für das Christentum ist zunächst nur angedeutet, aber sie blieb auf die Dauer im Blickfeld Konstantins. Die Kulteinheit ist damit wieder hergestellt oder wenigstens ermöglicht. Aber vom Kaiserkult ist keine Rede. Die Pluralität der göttlichen Kultadressaten widerspricht dieser Einheit nicht, denn der aufgeklärte Henotheismus der ausgehenden Antike konnte mit den monotheistischen Vorstellungen der Christen durchaus eine Koalition eingehen, der Begriff „Summa divinitas" – ein Lieblingsbegriff Konstantins – konnte beide Seiten, wenn nicht befriedigen, so doch beruhigen. Es tat gut, nicht näher hinzusehen und die Dogmatik aus dem Spiel zu lassen, die dem römischen religiösen Denken ohnedies nicht geheuer war.

Bei diesen und ähnlichen Edikten nach der Überzeugung der Kaiser zu fragen, die sie erlassen haben, wäre hier nicht am Platz. Es geht nicht darum, sondern um den Appell an eine religiöse Mentalität, die als gemeinsamer Nenner des Orbis Romanus damals offenbar unterstellt werden konnte. So wird das Christentum zur religio licita und nach einiger Zeit zwar nicht zur Staatsreligion aber zum favorisierten Bekenntnis, auf das Konstantin zu bauen hofft. Es ging, nochmals sei es betont, nicht um Dogmen oder religiöse Überzeugungen, sondern um eine kultische Einheit, bei

welcher lehrhafte Implikationen dem einzelnen freigestellt waren. Die Kult-
lücke ist wieder geschlossen und die Gunst der Himmlischen gewonnen:
Beweis die wiederhergestellte Reichseinheit und Konstantins Siege über die
Barbaren.
Der Erfolg scheint zunächst auf den Westen beschränkt. Aber woran
Konstantin mit Inbrunst arbeitete, war die Integration des christlichen
Ostens. Und hier erwartete ihn die Enttäuschung. Daß es mit der christlichen Einheit nicht immer weit her war, hatte er schon anläßlich des donatistischen Streites in Afrika erfahren müssen, aber das Problem war mit einigem Geschick auf die disziplinäre Ebene herunterzuspielen. Immerhin störte
schon dieser Zwist die Gemeinsamkeit der öffentlichen Gottesverehrung in
einer christlichen Kirche (τὴν τῶν δήμων θρησκείαν) und zwar ἀβούλῳ
κουφότητι (in schlecht beratenem Leichtsinn).[3] Doch als Konstantin, der
inzwischen seinen eigenen Gott mit dem Gott der Christen zu identifizieren
begonnen hatte und ihn immer wieder anrief und für sich in Anspruch
nahm, nicht nur taktisch, wie ich meine, sondern aus jener Überzeugung
heraus, die allen absolutistisch denkenden Herrschern eigen ist, daß nämlich ihr herrscherliches Selbstbewußtsein Ergebnis einer Berufung von oben
sei, – als er das Schwergewicht seiner Herrschaft nach Osten verlagerte,
kam er mit Gegebenheiten in Berührung, die ihm neue Probleme stellten,
nicht zuletzt das Problem der Loyalitätsgrenze der Christen gegenüber einem christlichen Herrscher.
Hier war das Christentum, soweit es öffentlich in Wort und Schrift in
Erscheinung trat, auf dem besten Weg, in die reine Orthodoxie zu münden;
es ging nicht mehr um die Definition der Kirchenzugehörigkeit wie in
Afrika, sondern um die Erfassung der letzten Mysterien der christlichen
Gotteslehre, um das Verhältnis des Vaters zum Logos-Sohn in Gott. Wie ist
es zu interpretieren, wenn in der Schrift immer wieder von einer Unterordnung dieses Sohnes unter den Vater gesprochen wird? Soll und kann diese
Unterordnung ontologisch interpretiert werden? Die Entwicklung drängte
dazu, sich mit einem heilsgeschichtlich-„ökonomischen" Subordinatianismus nicht mehr zufrieden zu geben. Das führt bei Areios im Bezug auf den
Logos schließlich zur berühmten Formel: „ἦν ποτε, ὅτε οὐκ ἦν", was bedeutet, daß der Sohn zwar „vor der Zeit" ist und in diesem Sinne „nicht
eines der Geschöpfe", daß er aber vom Vater nicht „gezeugt" ist, d. h. daß
ihm das Prädikat der Göttlichkeit nicht von Natur sondern durch gnadenhafte Teilnahme zukommt. Die Gegner aber beharren auf einer „natürlichen" Göttlichkeit des Sohnes, auf sein Gezeugtsein vom Vater, wofür sich
schließlich die früher von der Kirche gelegentlich verworfene Formel der
Homousie einfindet. Areios wurde aus der alexandrinischen Kirche ausge-
stoßen, man verweigerte ihm die liturgische Gemeinschaft. Andere Kirchen
dachten ähnlich wie er und der Riß ging bald durch den ganzen Osten, und
mit dem gegenseitigen Ausschluß war die liturgische Einheit wiederzum zer-

rissen oder doch stärkstens gefährdet. Konstantin hatte für den Streit nicht das geringste Verständnis, er ist für ihn einfach „billig" (ἄγαν εὐτελής). Man habe unbedachte Fragen gestellt und unbedachte Antworten gegeben und das Ergebnis sei ein reiner Streit um Worte. „Wer aber ist schon imstande, so große und schwierige Dinge zu begreifen und auszudrücken?" Man könne solchen Fragen höchstens den Charakter einer philosophischen Denkübung zugestehen, vorausgesetzt, daß den Ertrag jeder der Beteiligten für sich behalte. Ein öffentliches Interesse daran bestehe jedenfalls nicht und das Volk damit zu befassen, sei schlicht abwegig. „Ist es denn recht, daß wegen eitlen Wortgezänks Bruder gegen Bruder steht? Das ist ordinär und steht Priestern nicht an." Auf was es ankomme, das sei die einmütige seelische Verfassung und Zielsetzung (μία ψυχῆς πρόθεσις). „Ich sage das nicht, als wollte ich euch zwingen, in jeder einfältigen Frage einer Meinung zu sein. Eintracht und Gemeinschaft können selbst neben kleinen Differenzen bestehen". Seine, des Kaisers Aufgabe sei es, die religiöse Gesinnung aller Völker auf einen Nenner zu bringen und damit dem schwer verwundeten Körper der Welt wieder Kraft und Zusammenhalt zu geben. Wenn unter den Dienern Gottes völlig Eintracht herrsche, dann nähmen auch die öffentlichen Angelegenheiten eine Wendung zum Besseren.[4] Wiederum also öffentliches Wohl und Reichseinheit als Korrelat zu einer μία ἕξις, einem einträchtigen Verhalten, und nicht zu einem dogmatischen Univok.

Der Friedensappell des Kaisers blieb ohne nennenswertes Echo. Die Dankbarkeit der östlichen Christenheit für die Emanzipation der Kirche durch Konstantin ging nicht so weit, daß sie sich seiner kirchenpolitischen Zielsetzung angeschlossen hätte. Aber der Kaiser stand seinem Selbstverständnis als ordnender Kraft in allen Lebensfragen des Reiches entsprechend unter dem Zugzwang, und da ihm Gewalt lange Zeit ferne lag, hieß dies, aus politischen Gründen nachgeben. Wenn er die liturgische Einheit, die μία ἕξις, einer im einzelnen nicht zu definierenden religiösen Verhaltensweise wieder herstellen wollte – und dies mußte er im Interesse seiner Politik und im Interesse seiner Legitimation gegenüber einer emanzipierten Kirche, im Interesse schließlich auch seines Paritätsediktes, das die unifizierende Kraft des Kaiserkultes unberücksichtigt gelassen hatte und lassen mußte – dann mußte er in den sauren Apfel der Orthodoxie beißen, Orthodoxie zu seiner politischen Aufgabe machen. Hier ist die Geburtsstunde der politischen Orthodoxie: Kaiser und Religion, Politik und Glaube und Glaubensbekenntnis sind hinfort nicht mehr von einander abzulösen. Konstantin biß in den Apfel. Er tat es verärgert und lustlos. Er tat es auf eine Weise, die das quid pro quo in Sachen Staat und Kirche nur noch mehr verwirren konnte, aber er tat es zugleich nicht ohne in seinem Selbstbewußtsein und in seinem Machtanspruch gegenüber der Religion eine neue Legitimation zu finden, eben weil die Kirche selbst ihn zu seinen Schritten drängte und sie ihm abforderte.

Nach Lage der Dinge in der damaligen östlichen Christenheit, die keine übergeordnete Instanz kannte, die kirchlicherseits den Streit hätte schlichten können, wenn er die Bistumsgrenzen überschritten hatte, war es fast natürlich, daß sich der Kaiser der Angelegenheit annahm. Das entsprach seinem kaiserlichen Amt – wobei ich nicht weiß, ob man den „Pontifex maximus" bemühen soll, wie es oft geschieht. Und die Kirche hat dieses Recht nicht in Zweifel gezogen, – ein Recht, das zunächst zur Einberufung einer Synode führte. Daß man dieses Recht allein Konstantin zugestanden hätte, als dem Befreier des Christentums, dem man Dank schuldete, scheint mir nicht ganz wahrscheinlich. Längst vor der Emanzipation der Christenheit hatten einzelne Kirchen sich nicht gescheut, um das Schiedsgericht heidnischer Kaiser zu ersuchen. Eine a-priori Anerkennung eines kaiserlichen Rechts auf eine dogmatischen Entscheidung auf den Konzil war in dieser Konzession keinesfalls eingeschlossen. Ein großes Kirchenparlament auf Reichsboden ohne kaiserliche Bewilligung aber ist kaum vorstellbar. Rechtliche Vorstellungen allein dürften jedoch diese kirchengeschichtliche Initialzündung kaum erklären. Im Falle Konstantins – und das beweisen die Folgen – war mehr im Spiel. Wie immer man die Bekehrung Konstantins beurteilen will, wie immer man das Verhältnis zwischen religiöser Überzeugung und politischem Kalkül abwägen will, sie kann jedenfalls nicht an jenen Maßstäben gemessen werden, die damals für eine Konversion zum Christentum galten und die Regel bildeten. Die Kirchenmänner von damals maßen sie auch nicht daran. Diese Konversion geht nicht über demütige Katechumentasstufen, über Belehrung und Ermahnung durch Beauftragte der Hierarchie. Sie ist nach Konstantins eigener Überzeugung die Folge einer unmittelbaren und höchst persönlich an ihn und nur an ihn gerichteten Offenbarung jener Summa divinitas, von der schon die Rede war, eine Offenbarung nicht an den Privatmann Konstantin, sondern an den Träger der höchsten Gewalt auf Erden, an Gottes Stellvertreter in der diesseitigen Welt, eine Offenbarung, in der sich diese Summa divinitas selbst mit dem Gott der Christen identifiziert. Konstantin wird also nicht missioniert, er findet seinen Weg in die Kirche durch keine Vorhalle, ja man kann sich fragen, ob er den Weg in die Kirche überhaupt gefunden hat oder finden wollte. Die Taufe auf dem Totenbett ist ein Korrolar, das vielleicht mit anderen Gründen erklärt werden kann. Eine Fügung Gottes schenkt ihn der Kirche, wiederum nicht als Privatmann, sondern als den Nachfolger der Caesaren. „Colimus ergo imperatoren ut hominem a deo secundum et, quicquid est a deo consecutum, solo tamen deo minorem" hat schon Tertullian bekannt.[5] Die Kirche wird von Gott mit Konstantin begnadet. Er wird sich nie mit der Kirche identifizieren, sondern daran festhalten, daß er für sie Gnade ist. So ist es nicht einfach Servilität, wenn sich die Kirche ihm anvertraut, wenn sie es hingehen läßt, von ihm in Korrektur genommen zu werden. Andererseits schmeichelt es dem Selbstgefühl nicht weniger Bischöfe, die jetzt sozusagen hoffähig geworden sind, wenn der Imperator und erhabene Caesar für sie Interesse bezeugt. Man darf wohl nicht vergessen, daß die Idee vom Gottkaisertum auch an den Christen nicht spurlos vorübergegangen ist. Was auch sie beeindruckte und woran sie emotional offenbar nicht vorbeikamen, war gewiß nicht eine ontologisch zu verstehende Divinisierung des Herrschers, wohl aber eine manifeste, beeindruckende und feierlichst zelebrierte Überhöhung des Kaisers in Sphären, die über den gemeinmenschlichen lagen, eine besondere Relation des Herrschers zu Gott jenseits aller juristischen oder gar kanonistischen Kategorien und in einer „Metaphysik", die der Anführungszeichen nicht entraten kann. Im Kaiser gewann die Sehnsucht des spätantiken Menschen, gerüttelt von den Katastrophen des Jahrhunderts, nach göttlicher Führung, nach dem Erscheinen des Überirdischen auf Erden, Gestalt und Hypostase. Es geht um die Gesamtmentalität eines Zeitalters, unabhängig von jedem spezifizierten religiösen Bekenntnis. Für diese Sehnsucht war Konstantins Konversion die Parusie, der adventus, Erfüllung langer Hoffnungen einer Zeit, die keine laisierte Welt kennt.

Konstantin war in dem, was ihn im Osten erwartete, nicht ganz ohne einschlägige Erfahrungen. Es war kurz nach dem Sieg an der Milvischen Brücke, daß er der Kirche von Afrika eine Geldspende zukommen lassen wollte. Nur: wer repräsentierte die Kirche von Afrika? Zwei Oberbischöfe machten sich den Rang streitig, aber jeder wollte das Geld. Man befehdete sich und setzte sich gegenseitig ab. Die eine Partei appellierte an den Kaiser und die andere zog nach. Nach allen Regeln ehrlichen Finanzgebahrens hat ja wohl ein Spender das Recht, die Qualifikation des Empfängers nachzuprüfen. Somit hat dieser Appell der Kirchen zunächst – wenn auch nur zunächst – mit einem Ausbruch aus dem kanonischen Bereich nichts zu tun. Der Kaiser nahm die Appellation an; aber da ihm offenbar bewußt wurde, daß seine Richter mit der Materie der Gültigkeit von Bischofsweihen wenig vertraut waren, übergab er, genauer gesagt, delegierte er die Entscheidung an ein kleines Gremium von Bischöfen, mit dem römischen an der Spitze. Daß trotzdem ein Kaisergericht beabsichtigt war, läßt sich kaum bezweifeln. Der Bischof von Rom aber machte aus dem Gerichtshof eine kirchliche Synode, die Donatus, den Gegenbischof des Caecilianus, verurteilte. Die Verfahrensmängel müssen so offensichtlich gewesen sein, daß der Kaiser die Sache nochmals, diesmal in Arles, von kirchlichen Richtern verhandeln ließ, die aber das römische Urteil bestätigten. Als auch damit der Konflikt nicht behoben werden konnte, zog der Kaiser zunächst die Entscheidung an sich, versuchte es mit verschiedenen polizeilichen Mitteln, um sich schließlich mehr oder weniger dazu zu entschließen, die Parteien sich selbst zu überlassen.

Im Osten verfuhr Konstantin zunächst wie in den Anfängen des donatistischen Streites. Er versuchte es also mit einer Bischofsversammlung, die er selbst einberief (Nikaia 325): die erste ökumenische Synode der Kirchenge-

schichte, wie die Kirche selbst sie verstand, ein kaiserliches Entscheidungs-
gremium in Sach- und Personalfragen, wie es der Kaiser verstand, dem es
inzwischen klar geworden war, daß er sich auch mit den Fragen der Orthodoxie befassen mußte. Das kirchliche Verständnis einer ökumenischen Synode mit Anspruch auf Unfehlbarkeit in Glaubensfragen und damit der Un-
wiederruflichkeit seiner Beschlüsse gehört einer späteren Entwicklung an,
zum Selbstverständnis einer Mehrheit von Bischöfen aber, wenn nicht aller,
gehörte die Überzeugung, daß die Glaubensfragen ihre Sache waren. Es gab
immer noch genug Gruppen in der östlichen Kirche, die sehr bald nach dem
Konzil auf eine Änderung der Lehrentscheidung drängten, von einer Unfehlbarkeit des Konzils also nichts wußten. Und wenn Athanasios und seine
Anhänger unverbrüchlich an diesen Entscheidungen festhielten und sie für
unwiederruflich erachteten, dann doch wohl zunächst, weil es *ihre* Entscheidung war und nicht aus einer a priori feststehenden Konzilstheorie. Für den
Kaiser jedenfalls waren hier Beschlüsse gefaßt worden, über deren Exequatur er entscheiden konnte und die er auch wieder aufheben konnte, auch
wenn ihm angesichts der alexandrinischen Festigkeit darüber Zweifel gekommen sein mögen. Das quid pro quo wird immer tiefer, die byzantinische Konzilsgeschichte wird davon auf die Dauer leben. Daß die dogmatische Entscheidung des Konzils unter kaiserlichem Druck entstanden war,
daß viele Bischöfe die ὁμοούσιος-Formel (gleichen Wesens) nur aus Furcht
vor dem Kaiser unterschrieben, läßt sich nachweisen.[6] Der Druck kam natürlich den Verfechtern des ὁμοούσιος zugute, und sie nahmen ihn dankbar
an. Aber würden sie ein solches Verfahren auch annehmen, wenn der Kaiser
gegen ihre Meinung entschied? Einigkeit herrschte allein darin, daß man
dem Kaiser das Recht zubilligte, eine Synode einzuberufen, daß man auf
seine Hilfe baute, wenn es galt, die Beschlüsse durchzuführen.

In dieser Spaltung der Gemüter, in einer Situation, in der eine bedeutende
Gruppe von Bischöfen Nikaia gern ungeschehen machen wollte, konnte der
Gedanke auftauchen, die Vorstellungen von der Kaisermacht, die schon
vorhanden waren, in einer Weise theologisch zu untermauern und neu zu
definieren, daß niemand mehr an des Kaisers Recht zweifeln konnte, auch
die Beschlüsse der Synode von Nikaia wieder rückgängig zu machen. Es
spricht einiges dafür, daß es gerade solche Gedankengänge waren, die den
Bischof Eusebios von Kaisareia, der nicht gerade guten Gewissens die Beschlüsse von Nikaia unterschrieben hatte und keineswegs auf der Seite des
Alexandriners Athanasios stand, dazu bewogen, anläßlich der Trizennatsrede auf Konstantin und in der Vita Constantini einen solchen Plan auszuführen. Jedenfalls ist er der Schöpfer einer spezifisch christlichen, bzw. sich als
christlich verstehenden Kaiserideologie, die sehr stark mit überkommenen
Vorstellungen vom Kaisertum, aber auch mit dem ihm bekannten Selbstverständnis Konstantins arbeitete, beides aber transzendierte und mit entscheiden theologisch verstandenen Akzenten anreicherte.

Für Eusebios[7] ist der Kaiser nicht nur Abbild (εἰκών) des Universums, er ahmt nicht nur den Logos-Christus nach, sondern er ist zugleich Abbild und Nachahmung des Verhältnisses in Gott zwischen dem Vater und dem Logos – ein Konzept, das ohne den Adoptianismus seines Verfassers kaum verständlich ist. In diesem Verhältnis einer „königlichen Trinität" stehend kennt der Kaiser von Natur aus seit frühesten Jugendtagen die Geheimnisse der Gottheit. Ihm eignet die Fähigkeit, das Verhältnis zwischen Vater und Logos zu interpretieren, weil er es eben selbst darstellt. (Im Grund genommen – dies sagt natürlich Eusebios nicht, – interpretiert der Kaiser damit nur sich selbst). Er verdankt diese Erkenntnisse den Theophanien, die ihm immer wieder zuteil geworden sind, wie er selbst versichert; er bedarf dazu keiner menschlichen und auch keiner kirchlichen Belehrung, er ist selbst der διδάσκαλος, der Lehrer, schlechthin. Somit aber ist er Gottes Stellvertreter (ὕπαρχος) auf Erden in einem umfassenden Sinn, auf eine eminentere Weise als jeder andere, der seine Gewalt auf Gott zurückführt. Und wie Christus der große Opferpriester in der Ordnung Melkisedeks ist, so nimmt auch der Kaiser eine priesterliche Stellung in einem universalen Sinne ein: er opfert sich mit Leib und Seele und damit das Universum, das er verkörpert und abbildet, Gott dem Vater und „Gott freut sich dieses Opfers und bewundert den Opferer". Er ist Missionar des Gottesglaubens gegenüber den Heiden, die nun aus Ehrfurcht vor dem Kaiser den wahren Gott verehren; er ist aber zugleich κοινὸς ἐπίσκοπος „gemeinsamer Bischof" in der Kirche selbst, der die Synoden einberuft und nicht nur schiedsrichterlich waltet, sondern auch in Glaubensfragen den Bischöfen den rechten Weg weist, ihnen die klare Gotteserkenntnis vermittelt und die Richtigkeit ihres Glaubens zu prüfen befugt ist. Seine Glaubensentscheidungen stützen sich nicht auf Mehrheiten im Episkopat, sondern sind sui juris, bei aller Verehrung, die im übrigen den Bischöfen erwiesen wird.

Eusebius nimmt einen historischen Ausgangspunkt, den er schon vor der Trizennatsrede ausführlich begründet hat. Schon Origenes hat auf den zeitlichen Zusammenfall der Monarchie des Augustus, der mit der Verschiedenheit der gentes ein Ende machte und alles in einem Reich in Frieden einigte, mit dem Erscheinen Christi, das der Vielgötterei in der Pax Christi ein Ende macht, hingewiesen und darin einen Akt der Vorsehung Gottes gesehen, der, wenn man so sagen darf, das römische Reich theologisch rechtfertigte und auch für den Christen annehmbar machte.[8] Eusebius formuliert es so: „Als dann aber der Herr und Heiland erschien und zugleich mit seiner Ankunft Augustus als der erste Römer Herr der verschiedenen Nationen wurde, da löste sich die pluralistische Vielherrschaft auf, und Friede erfaßte die ganze Erde."[9] Die Weissagungen der Propheten über den paradisischen Zustand auf Erden finden ihre Erfüllung im römischen Reich, die Monarchia des imperator Romanus entspricht der Monarchia Gottes über alle Vielgötterei, und die erstere der Monarchien ist das Instrument der letzteren; das römische Reich ist ein wesentlicher Bestandteil der Geschichte des Reiches Gottes auf Erden, und damit wird auch der römische Kaiser in die Theologie vereinnahmt.

Auf die Kontinuität der Relation, die zwischen göttlicher und irdischer Monarchie hergestellt wird, braucht nicht näher eingegangen zu werden. Dagegen ist die Problematik zu erwähnen, die auf diesem Feld mit der Ausbildung einer Trinität mit drei gleichwesentlichen Personen und der Überwindung des Adoptianismus entsteht, auf dem noch Eusebios gründet. Man kann mit gedanklicher Schärfe daraus die Folgerung ziehen, daß damit „Eusebios theologisch nicht mehr zu halten war und daß Konstantin und seine Nachfolger nicht mehr als Verwirklicher des von Augustus prinzipiell Begründeten angesehen werden können" (E. Peterson). Ich glaube, es kommt darauf an zu sehen, daß Eusebios, wie Peterson selbst zugibt, bei seiner Kaiserideologie nicht als Theologe, sondern als politischer Publizist agiert. Eusebios war mit seiner Ideologie von allem Anfang an theologisch nicht zu halten, eben weil er nicht Theologie betrieb, sondern Theologie mißbrauchte, – optima fide, wenn es jemand so haben will. Ein politisches Konzept war theologisch zu garnieren, und es führte zu nichts, wollte man allzu genau hinsehen. Man wußte, was gemeint war, und eine generelle Numinosität, die man von jeher den Kaisern zuerkannte, genügte vollauf, um den theologischen Mißgriff gar nicht erst in Erscheinung treten zu lassen, – eine Numinosität die außerdem mit einem so vagen Begriff von Göttlichkeit operierte, daß mehr darunter subsumiert werden konnte, als sich ein Philosoph der Transzendenz würde einfallen lassen. Es blieb außerdem die Möglichkeit für den, der es theologisch genau haben wollten, statt mit drei göttlichen Personen mit der einen göttlichen, auf die Welt auftreffenden Energie zu operieren, die Ausfluß des einen göttlichen Wesens war.

Daß etwa ein Kaiser wie Justinian I. sein Selbstverständnis als εἰκών des Logos so weit getrieben hätte, sogar mit einer Zwei-Naturen-Lehre der einen kaiserlichen Persönlichkeit zu argumentieren, kann mich mangels Quellen nicht überzeugen. Und wenn man auf die Ereignisse des Jahres 669/70 verweist, als die Truppen des Thema Anatolikon die beiden Brüder Konstantins IV. zu Mitkaisern ausriefen mit der Parole: „An die Dreieinheit glauben wir, drei krönen wir",[10] um daraus eine trinitarische politische Reichstheologie zu destillieren, so scheint mir auch dieser Versuch nicht gelungen und von geringer Bedeutung. Er bleibt ohne Vorgeschichte und ohne Nachhall, und er verbrämt etwas schlicht eine pure Militärrevolte. Man sollte nicht zu viel Theologie in einem Offizierskasino unterstellen. Grundsätzlich bedeutsamer sind wohl Versuche kirchlicherseits, die unmittelbare Begnadigung des Kaisers durch Gott und ohne Vermittlung der Kirche schließlich doch zugunsten einer Vermittlerrolle der Kirche umzudeuten, etwa wenn ein byzantinischer Patriarch 1393 in einem Auslandsschreiben die Rechte des Kaisers in der Kirche auf eine Privilegierung durch die Kirche, vorab durch die erste ökumenische Synode zurückführt,[11] ja wenn sich 1380/82 der Kaiser selbst seine Rechte im disziplinären Raum der Kirche durch Synodalbeschluß als vom kanonischen Recht eingeräumt bestätigen läßt.[12] Aber bei all dem bleibt, was im Schreiben von 1393 das Wichtigste ist: es gibt keine orthodoxe Kirche ohne einen orthodoxen Kaiser.

Auch die selbstverständliche Unterstellung, daß der Kaiser als Beauftragter Gottes nur ein orthodoxer Kaiser sein kann, genügt nicht, um ihn von einer kirchlichen Orthodoxie-Definition abhängig zu machen. Es gibt keinen Fall in der byzantinischen Kirche und in der byzantinischen Geschichte überhaupt, wo ein Kaiser zum Abtreten gezwungen würde, nur weil er nicht orthodox ist. Selbst der am häufigsten angeführte Casus des Kaisers Philippikos Bardanes, der es mit einer Wiederbelebung des durch Kirche und Kaiser verurteilten Monotheletismus versuchte, besagt nichts. Philippikos endete nach Ausweis der Quellen nicht durch eine Revolte gegen seine Heterodoxie, sondern durch Meuchelmord seitens einiger Rivalen. Von Orthodoxie oder Heterodoxie erwähnt der Bericht, der von einem Patriarchen stammt, nichts.[13]

Um auf Eusebios zurückzukommen: Eusebios formuliert seine Kaiserideologie sehr persönlich in Richtung auf Konstantin den Großen, aber er formuliert sie zweifelsfrei für ein christliches Kaisertum als solches und er denkt auch schon an die Konstantinsöhne. Er geht mit seinen Formulierungen, wie angedeutet, über das Selbstverständnis Konstantins hinaus, der etwa von seinem εἰκών-Charakter innerhalb einer adoptianischen Trinität nichts gewußt hat und dessen Konzept vom κοινὸς ἐπίσκοπος kaum so weit ging wie das des Eusebios, jedenfalls nicht in der Auffassung von einem Lehramt in der Kirche. Er bedarf des Gebets und der Buße! Und Konstantin blieb auch keine Zeit mehr, sich nach den Ideen des Eusebios zu richten. Ob seine Rückberufung exilierter Arianer und Halbarianer auf einen dogmatischen Gesinnungswandel zurückzuführen ist, möchte ich mit Fug bezweifeln. Konstantin hat sich widerwillig in die Arena der Orthodoxie begeben, er mag sich einige Zeit darin gefallen haben, aber kaum auf die Dauer.

Wie kam Byzanz mit den eusebianischen Formulierungen und Ideen zurecht? Man kann versuchen, es in eine gleitende Formel zu fassen: Wenn immer ein dogmatischer Gruppenstandpunkt sich mit dem des Kaisers deckte oder der Kaiser dafür gewonnen werden konnte, so wurden diese Ideen in vollen Umfang, wenn nicht angewendet, so doch unterstellt und gelten gelassen. War diese Konkordanz nicht gegeben, so erinnerte man sich der kirchlichen Autonomie. Und die Kaiser selbst gingen fast ohne Ausnahme dazu über, ihre eigenen dogmatischen Einfälle wenigstens im nachhinein durch eine kirchliche Synode oder durch Unterschriften des Episkopats absegnen zu lassen. Im Falle der Konkordanz aber hielt man es mit den extremsten Formulierungen des Eusebios, vor allem in Zeiten kirchlichen Friedens. Und dies nicht einmal nur im Osten. Die Väter des Konzils von Chalkedon (451) akklamieren den Kaiser: „Τῷ ἱερεῖ, τῷ βασιλεῖ, σὺ ὤρθωσας, διδάσκαλε πίστεως." „Dem Priester ... dem Kaiser ... Du hast uns zum Richtigen gebracht, Lehrer des Glaubens." Und zur gleichen Zeit der selbstbewußte Papst Leo I. an Kaiser Markian: „. . . inter Christi praedicatores digno honore numerandus ... Officii mei est, et patefacere quod intelligis et praedicare quod credis". Meines Amtes ist es, offenbar zu machen, was deine Gedanken sind, und in der Predigt zu verkünden, was du glaubst.[14] Und an einer anderen Stelle in einem Brief an denselben Kaiser: „. . . per inhabitantem in vobis Spiritum Dei sat vos instructos esse perspici . . ." Ich weiß zur Genüge, daß ihr durch den Heiligen Geist, der in euch wohnt, unterrichtet seid. Oder „. . . inspirata tibi divinitus fides . . ." der dir von Gott inspirierte Glaube[15] usw. Gewiß muß der Papst dem Kaiser gegenüber politisch und das kann heißen taktisch handeln. Aber die Formulierungen bleiben im Raum. Was zu ihren Gunsten gesagt werden kann, muß mit demselben Recht auf Billigkeit auch den Formulierungen der östlichen Bischöfe gegenüber gelten.

Man darf unterstellen, daß den Kaisern, soweit sie über den Wirren in der Kirche nicht auf Reichspolitik vergaßen, genügte, wenn sie auf irgend eine Weise die dogmatische Einheit wiederhergestellt sahen, d. h. jenes Band, in dem sie eine der wenigen Garantien für die Reichseinheit sehen zu dürfen glaubten, wenn damit die konstantinische „μία ἕξις", die einheitliche gläubige Haltung erreicht war. Bezeichnend ist, daß Konstantin der Große in dem Brief, den er nach Abschluß des Konzils von Nikaia schrieb, immer noch mindestens ebenso die erreichte Einheit in der liturgischen Osterfrage betonte, wie das dogmatische Ergebnis. Sträubt sich aber der eine oder andere Mann der Kirche allzu heftig gegen die neuen Formulierungen, versteht er sich nicht wie Eusebios von Kaisareia auf beredtes Schweigen und taktisches Hinhalten, dann tut er gut daran, ihm einen Ortswechsel zu verschreiben. Die Exilsorte mancher Protagonisten der Kirchenpolitik der Zeit finden sich nicht in öden Wüsteneien. Zum Teil sind es Kaiserstädte, zum Teil Orte, die nicht weit von großen Städten entfernt sind. Doch damit ist es nicht getan. Mit jeder Generation brach ein neuer Streit aus, und immer wieder zerbrach die prekäre Einheit, die irgend ein Konzil versucht hatte. Konstantin der Große ließ sich da und dort noch zum Eingreifen bewegen, aber gegen Ende seines Lebens scheint ihm die Erkenntnis gekommen zu sein, daß die Zinsen, die er als Politiker für den Kredit, den ihm die Kirche gewährte, zu zahlen hatte, doch zu hoch waren. Er rückt ab. Von besonderem Interesse in diesem Zusammenhang ist sein Schreiben an die Katholiken in Constantina (Nordafrika), denen die Donatisten eine Kirche weggenommen hatten. Die Katholiken wandten sich offenbar an die kaiserlichen Behörden, doch auch diese erreichten die Rückgabe nicht – was wohl beweist, daß sie nicht gerade alle Mittel einsetzten. Es sind wohl die Katholiken, die den Kaiser davon benachrichtigen. Der Kaiser legt die Vorgänge so aus, daß er den Mißerfolg der Geduld und Toleranz der Christen zuschreibt: „Ex hoc quippe maius dei summi exsistat iustiusque iudicium, quod eos aequo animo tolerat et patientia condemnat omnia, quae ab ipis processerunt, sustinendo, deus siquidem se omnium vindicem promisit. Et ideo, cum vindicta deo permittitur, acrius de inimicis supplicium sumitur, quod vos nunc famulos et sacerdotes dei libenter fecisse cognovi et satis gratulatus sum, quod ... nullam vindictam poscitis ... Hoc est vere ac penitus deum nosse, hoc est praeceptis insistere, hoc est feliciter credere ...“[16] Des höchsten Gottes Gericht möge sich umso größer und gerechter herausstellen, wenn ihr sie (die Donatisten) und ihre Taten geduldig ertragt. Gott hat versprochen, alle Rache zu nehmen. Bleibt also die Rache Gott überlassen, dann wird die Strafe der Feinde nur umso empfindlicher ausfallen, wenn ihr keine Rache fordert. Dies ist wahre Gotteserkenntnis, dies ist Treue zu seinem Gebot, dies ist ein glückverheißender Glaube! Im übrigen greift Konstantin in die Tasche und stellt das Geld für einen neuen Kirchenbau zur Verfügung.

Konstantins Sohn Konstantios II. will von dieser Geduld und Toleranz nichts wissen, er hat von seinem Vater nichts gelernt. Die Folge sind chaotische Jahrzehnte, in denen es kaum noch möglich ist, eine klare politische oder dogmatische Linie zu erkennen. Doch dann besteigt Julian den Thron. Daß er, der im Christentum erzogen worden ist, in erster Linie durch die Mißstände in der Kirche zum Abfall bewogen worden wäre, ist nicht wahrscheinlich. Doch für seine antichristliche Propaganda hat er sie weidlich verwendet. Im Gedächtnis der byzantinischen Nachwelt lebt er fort vor allem als der Kaiser, der die Christen von den antiken Bildungsgütern fernhalten wollte. Es scheint aber, daß seine antichristliche Propaganda, auch so weit sie über das sogenannte Bildungsedikt hinausging, nicht ohne Erfolg geblieben ist und auch nach seinem Tod noch weiterwirkte. Und vielleicht muß man es dieser Wirkung zuschreiben, wenn bald darauf Kaiser Valentinian den Versuch machte, zum ursprünglichen Gedanken Konstantins, d. h. zur völligen Religionsparität zurückzukehren. „Unicuique quod animo imbibisset colendi libera facultas tributa est“.[17] Doch es war zu spät: das Edikt mußte zurückgenommen werden und zwar unter dem Druck der Kirche. Sie, die vor Konstantin immer für Toleranz plädiert hatte, wollte jetzt, an der Macht, zumeist nichts mehr davon wissen. Vielleicht ist Gregor von Nazianz einer der letzten, die vom alten Gedanken der Toleranz noch beherrscht waren. Die Kirche wollte jetzt nicht mehr nur, daß der orthodoxe Glaube als solcher unter kaiserlichem Schutz verbindlich definiert und von der staatlichen Macht geschützt würde, sie wollte auch die Bestrafung des Gegners, seinen Ausschluß aus der Gesellschaft. Kaiser Theodosios I. hat diesem Verlangen Rechnung getragen – vielleicht nicht ohne Bedenken. Er hat die Entwicklung damit bis zu einem gewissen Grad zum Abschluß gebracht. 380 dekretiert er die Orthodoxie von Nikaia für das ganze Reich.[18] Wer sich nicht zu dieser Orthodoxie bekennt ist „demens et vaesanus", irr und verrückt, er verfällt juristisch der Infamie, er hat kein Recht auf eine Kultstätte und kann bei Widerstand aus der Stadt verbannt werden. Seine Schriften sind zu verbrennen und jedermann bekommt das Recht, ihn zu denunzieren. Orthodoxie wird für das Reichsganze verpflichtend. „Cunctos populos, quos clementiae nostrae regit temperamentum, in tali volumus religioni versari." Weitere Strafen für Übertreter behält sich der Kaiser vor. Das Edikt von 381[19] enthält darüber hinaus ein förmliches Glaubensbekenntnis, das nun Bestandteil des Staatsrechtes ist. Mit diesen Dekreten erreicht das System der politischen Orthodoxie seinen vorläufigen Abschluß. Es ist nicht mehr das System Konstantins. Die byzantinische Kirche der Folgezeit ist eher „theodosianisch" als „konstantinisch".

Damit zeigt sich aber auch die Ambivalenz des Systems mit besonderer Deutlichkeit. Die Kirche und ihre Orthodoxie zwingen den Kaiser in ihr System, weil das Reich über kein anderes Gedankengebäude, über keine Idee oder Ideologie mehr verfügt; die Romidee, die fähig wäre, die Reichseinheit zum Ausdruck zu bringen und als integrierender Faktor zu wirken, ist längst zu schwach geworden und stößt um diese Zeit auf den harten Widerstand der gebildeten Hellenen. Wo immer hinfort ein Kaiser etwas wie Toleranz ins Spiel bringen will und noch dazu davon redet, erinnert ihn die Kirche energisch an seine christliche Herrscherpflicht und droht mit Gottes Gericht. Dies zwingt den Kaiser theoretisch, jede neue Glaubensentscheidung mit seinem polizeilichen Exequatur zu begleiten. Doch das Imperium ist nie völlig orthodox. Die Kirche behilft sich in dieser Situation mit Anathem und Bannstrahl, aber der Staat braucht auch die nicht-orthodoxen Reichsangehörigen. Auf Jahrhunderte kann es sich kein Kaiser erlauben, die Armenier im Reich allzu sehr zu schikanieren; ihr militärisches Potential ist unentbehrlich. Und die arabischen Reichsangehörigen in der syrischen Wüste mögen Monophysiten sein – ohne sie gibt es lange Zeit keinen wirksamen Schutz an der persischen Grenze. Der Kaiser braucht die Häretiker nicht nur als Soldaten, sondern auch als Siedler, als Steuerzahler, als Produzenten. Daß die Frage, wo denn nun Orthodoxie ist, immer wieder auftaucht, erleichtert die Lage nicht. Der Widerwille mancher Kaiser gegenüber dem Druck des Systems auf die Grundsätze einer Politik des Ausgleichs geht durch die ganze byzantinische Geschichte. Konstantin wurde schon erwähnt, ebenso Valentinian. Kaiser Tiberius ist hier zu nennen, der mit der absurden Weise Schluß machte, in der sein Vorgänger Justin II. in den Spuren der Religionspolitik Justinians I. wandelte; aber auch Herakleios in seinen letzten Lebensjahren, und gelegentlich sogar Kaiser Alexios I. Bei Kaiser Michael VIII. macht sich dieser Widerwille auf vehemente Weise Luft,

bis schließlich Joannes V. sein religiöses Bekenntnis von dem der orthodoxen Reichskirche löst und privatisiert, um die politische Bewegungsfreiheit
nicht ganz zu verlieren – der letzte Beweis dafür, sollte es dessen noch bedürfen, daß Begriffe wie Caesaropapismus in diesem Zusammenhang völlig
abwegig sind. Viele Chancen der Kaiserpolitik in Byzanz liegen ausschließlich darin, daß sich der Herrscher wenigstens bis zu einem gewissen Grad
von der augenblicklichen Linie der Politik der Kirchenmänner distanziert,
ohne das Prinzip preiszugeben, weil das Potential der Orthodoxie einer der
wenigen Pluspunkte in der Kontrolle seiner Legitimität darstellt. Dieses sich
über den Tagesstreit und seine polizeilichen Auswirkungen Erheben kann er
sich leisten, weil trotz der unabdingbaren Forderung, der Kaiser habe orthodox zu sein, ein Mangel an Orthodoxie nie zur Absetzung eines Kaisers
führte. Im Ganzen bleibt es erstaunlich, wie selten – entgegen landläufiger
Meinung – die byzantinischen Kaiser es in die Hand nahmen, von sich aus
und autokratisch einen dogmatischen Streit zu entscheiden oder gar vom
Zaun zu brechen. Theodosios I. kann nur bedingt als Gegenbeispiel angeführt werden, weil seine Religionsedikte von 380 und 381 im Grunde nur
das von der Kirche verabschiedete nizänische Glaubensbekenntnis verbindlich machen. Kaiser Manuel I. hat sich als eigenwilliger Dogmatiker versucht. Aber diese Versuche waren so amateurhaft, daß es fast den Anschein
hat, als habe ihn niemand allzu ernst genommen. Wirkliches Gegenbeispiel
ist im Grunde nur Justinian, dafür aber auch der beste Beweis für einen
byzantinischen Kaiser, der sich im System trotz aller Bravour heillos ver-
strickte. Er verstand sich auf die politische Distanznahme in keiner Weise;
er will selbst bestimmen, was dogmatisch richtig ist und fühlt sich drei,
viermal veranlaßt, seine Meinung zu ändern. Er verspielt damit den Freiraum politischen Handelns, weil er es bald dieser Partei, bald jener Provinz
recht machen will. Das Ergebnis ist, daß die wichtigsten Provinzen des Reiches sich dem Kaisertum entfremden und die Loyalität aufkündigen. Andererseits ist die Kirche, dies jedenfalls in den letzten Jahrhunderten des Reiches, durchaus bereit dem Kaiser die Gefolgschaft zu verweigern und auf
breiter Basis Obstruktion zu betreiben, wenn er von den Thesen der Orthodoxie allzu klar abrückt, um außenpolitisch den Bestand des Reiches abzusichern, wie dies in der Frage der Wiedervereinigung mit Rom oft der Fall
war.

Daß die Orthodoxie, jedenfalls in den ersten Jahrhunderten ihrer politischen Ausprägung, immer wieder in Frage gestellt wurde und immer wieder
nach neuen Formeln suchen mußte, um ihr Selbstverständnis zu behaupten,
hat die verschiedensten Ursachen. Ihre Bindung an eine philosophische Terminologie, mit der sie versucht, letzthin Undefinierbares zu definieren, mag
hier genannt werden. Psychologische Ursachen, etwa der fatale Hang zur
Logomachie, kommen dazu, und die Vermengung dogmatischer Positionen
mit kirchenpolitischem Ehrgeiz tut ein übriges. Näheres über den Weg die-

ser Theologie ist an anderer Stelle zu sagen. Hier interessiert nur das, was mit der politisch-gesellschaftlichen Seite des Problems zusammenhängt. Je versponnener das Begriffsnetz dieser Orthodoxie wurde, desto gefährdeter war sie. Dies führt allmählich zum Verzicht auf die freie schöpferische Auseinandersetzung mit den Quellen der Lehre, der Bibel und der urchristlichen Tradition. Die Bibel ist fortan auf weite Strecken nicht so sehr Quelle der religiösen Inspiration, sondern Fundgrube von Beweisstellen, die so oder so interpretierbar sind. Die Masse der vornizänischen Theologie aber, weil nicht mehr auf der „Höhe" der Begrifflichkeit des 5. oder 6. Jahrhunderts, verfällt dem Vergessen. Die handschriftliche Überlieferung beweist es. Somit verschwindet der Pluralismus der theologischen Denkansätze. Eine einmal erarbeitete Formel erhebt jeweils den Anspruch auf Exklusivität, ein Anspruch, der notwendig zur Sterilisierung der Formel selbst führen muß. Was nach erbitterten und unerbittlichen Kämpfen endlich abgesichert ist, muß für alle Zeit gesichert bleiben, und sei es mit Acht und Bann. Es geht nicht an, den Inhalt der freien Interpretation zu überlassen. Der Theologe hat fortan nicht mehr so sehr die Aufgabe, das Gewonnene je neu zu überdenken, sondern vielmehr es zu wiederholen und den anderen einzuhämmern. Dogmatische Repertoires werden „Waffenkammern" (ὁπλοθῆκαι oder πανοπλίαι). So wird die Beschäftigung mit den gefährdeten Formeln selbst gefährlich. Die Formeln sind kaum noch religiös aktivierbar, weil sie immer abstrakter werden. Und wo sie es mit der Frömmigkeit des Volkes zu tun haben, geraten sie in eine Emphase, die selbst den orthodoxen Ausgangspositionen gefährlich werden kann. Es verdient herausgehoben zu werden, daß der nüchterne Kirchenpolitiker, der Patriarch Tarasios war, diese Emphase aus den Definitionen des bilderfreundlichen Konzils von Nikaia 787 energisch fernhielt. Noch dazu hatte diese Empase ihre Vertreter dazu geführt, der einfachen Betrachtung des Bildes und der damit zu gewinnenden „reinen Gnosis" die Theologie des Wortes, ja die schriftliche Offenbarung selbst, wenn auch mit einigem Zagen, unterzuordnen. Ein kleiner Kreis Eingeweihter sollte allein über die Inhalte der Orthodoxie befinden und damit über die Kontrolle der Loyalität der Gläubigen entscheiden. Der Rest sollte sich am rituellen Leben der Kirche genug tun. So ziehen sich die frommen Gläubigen zurück. Die einen in die geheimnisvolle Welt der Mystik, deren Lehren sich am Dogma vorbeientwickeln, weil diese kaum noch imstande ist Frömmigkeitsreserven zu aktivieren, die „Gebildeten" in die Gefilde der klassischen Literatur und die einfacheren Seelen – aber auch alle übrigen Schichten – in die rituellen Formen.

Hier ist ein Ansatz gegeben, der für die Gesamtkultur des byzantinischen Reiches besonders wichtig ist, der das Alltagsleben innerhalb dieser politischen Orthodoxie stärker prägt als das Dogma oder die Kaisermacht, so stark, daß in ihrer ritualisierten Form die politische Orthodoxie den Sturz des byzantinischen Imperiums um Jahrhunderte überleben kann und heute

noch lebendig ist. Ohne Zweifel lassen die Enthusiasten des dogmatisieren-
den Formalismus und der unverrückbaren Orthodoxie auch dieses rituelle
Leben nicht außeracht. Der dogmatischen Versteifung folgt die rituelle.
Aber sie braucht kaum aufgezwungen zu werden und wird deshalb auch
nicht als solche empfunden. Denn es gehört zu den archaistischen „patterns
of behaviour" einer abgegrenzt und isoliert lebenden Gesellschaft – und
Byzanz hebt sich bewußt ab von einer Umwelt, die ja doch kaum anders als
barbarisch bezeichnet werden kann –, Verhaltensweisen auch des Alltags zu
fixieren und den Ablauf des Lebens unverrückbaren rituellen Strukturen zu
unterwerfen. So wird auch im rituellen Leben die Frage nach der Orthodoxie gestellt, auch hier wird immobilisiert und tabuisiert und Vollzüge mit
dogmatischer Relevanz bedacht. Die Frage nach der „Richtigkeit" stellt sich
etwa an die Ikone und ihre Authentizität, an die gesamte Ikonographie,
d. h. an die christliche Kunst und ihre Normen. Sie kann sich an die Haartracht der Priester richten, an den Vollzug scheinbar unbedeutender liturgischer Gebärden, an Daten des Fastens und Feierns. Die Orthodoxie will
sich nicht einmal mit der alten Variationsbreite der liturgischen Formen und
Formulare im Umfang des Reiches abfinden. Die Liturgie der Hauptstadt
schluckt die anderen nicht einfach, weil der Sog der Hauptstadt eben über-
mächtig ist, sondern weil die kirchliche Verwaltung der Hauptstadt bewußt
darauf ausgeht, das rituelle Eigenleben der übrigen Kirchen im Reich als
weniger passend, wenn nicht orthodoxiegefährdend, zu diskreditieren. Alles
muß seine kontrollierbare Richtigkeit haben, und die Kontrolle ist umso
leichter, je einheitlicher und eindeutiger jede Form präkonisiert wird. Es
gibt sehr bald keine Zonen der Indifferenz mehr, es gibt Orthodoxie nur
noch en bloc.

Gewiß gab es Nonkonformismus.[20] Er ist überall da zu suchen, wo die
byzantinischen Häresiologen Ketzerei vermuten, und die dogmatische Ketzerei besteht selten ohne die Begleiterscheinung der liturgischen Ketzerei. Er
ist aber auch in gewissen Formen des Mönchtums zu suchen, wo die Anachorese zur reinen Verweigerung gegenüber allen gesellschaftlichen und
kirchlichen Formen führt; aber auch bei jenem Personenkreis, der sich
„Narren in Christo" nennt – wenn auch vielleicht nicht in allen Fällen. Es
handelt sich um eine asketische Bewegung, in der unter dem Deckmantel
vorgetäuschter Narrheit gelegentlich nicht nur bewußt jene Verachtung und
Verworfenheit gesucht wird, die dem Verrückten von der Gesellschaft ent-
gegengebracht wird, sondern auch der Freibrief gefunden wird, der es erlaubt, und dies doch wohl bewußt, Riten und Formen des orthodoxen Establishments wenn nicht lächerlich zu machen so doch außerordentlich stark
zu relativieren.

Aber aufs Ganze gesehen funktioniert das System der rituellen Orthodoxie sehr wohl und dies aus guten Gründen. Wer den Theologen seinen Que-
relen überließ, konnte sich in diesem System zuhause fühlen. Die Frage nach

der Richtigkeit, nach der rituellen Orthodoxie im strengen Sinne des Wortes, stieß ja nicht selten auf sehr weiche und nachgiebige Felder, die einfach auswichen. Die Symbiose dieser auf der Oberfläche entschieden christlich geprägten Welt mit zeitlosen Vorstellungen, Verhaltensweisen und Spielarten des mediterranen Lebens schlechthin gedieh nicht übel. Nicht wenige pagane Glaubenselemente, die ohne den Überbau des kirchlichen Ritus schutzlos der Verfolgung ausgesetzt gewesen wären, fanden hier ein behagliches Auskommen, wiederum weil der Arm der offiziellen Kirche nicht allzu tief ins Volk hineinreichte. So entstand ein weiter Rahmen. Zwar gab es keinen Heilschlaf im Tempel des Asklepios mehr, aber man konnte sich mit derselben Wirkung in der Kirche der hl. Kyros und Joannes in Abukir, oder in der Hagia Anastasia oder der des hl. Anthemios in Konstantinopel zum Schlafen legen. Die Astrologie berief sich sicherheitshalber auf den Stern der Magier aus dem Morgenland, und die Amulette ließen sich mit christlichen Emblemen ausstatten; die orthodoxe Dämonologie bot einen ungeheuer weiten Spielraum für apotropäische Praktiken und pure, gelegentlich auch etwas pikante Unterhaltung ließ sich unschwer hagiographisch einkleiden. So entstand ein pittoreskes Alltagsleben, das auch immer wieder jene Höhepunkte verschaffte, deren die Menschen aller Zeiten bedürfen, um unter dem leidigen Druck der Verhältnisse nicht zu verzagen. In Konstantinopel gibt es den feierlichen Prunk des Kaiserhofes, der sich nicht auf den Palast beschränkt, Repräsentation des Kaisers so gut wie Augenweide des schaulustigen Volks. Das kirchliche Zeremoniell hinkte nicht nach, weil sich die byzantinische Liturgie bewußt als theatralischer Vollzug anbot. Das reichte bis ins Dorf und die kleinen privaten Feste, an denen die ganze Gemeinde anteilnahm. Man stand mitten darin und gehörte dazu. Dieses Gefühl der Dazugehörigkeit aber wurde auf besondere Weise von der Idee der Orthodoxie im weitesten Sinne des Wortes gewürzt. So entsteht eine Gemeinsamkeit, die weder die dogmatische Orthodoxie noch die Herrscheridee allein hätten schaffen können, und die in eine Mentalität mündet, die sich in hohem Maße als Instrument der Herrschaftssicherung gebrauchen ließ: der Herrschaft der Kirche, weil primär sie über Richtig oder Unrichtig in Sachen des Glaubens und der Riten zu entscheiden hatte, aber auch der Herrschaft des Kaisers, denn er wird von der Kirche voll in diesen Entscheidungsprozeß miteinbezogen, soweit er nicht unter Billigung der Kirche schon selbst die Initiative ergriffen hat. Die Loyalität, die mit diesem Sich – zuhause–fühlen verbunden ist, kommt allerdings, und dies ist ganz natürlich, nicht in erster Linie dem Kaiser selbst zugute, sondern dem Lebensraum, wenn man so will dem Reich und dem Reichsgedanken im Sinne der Idee der Zusammengehörigkeit und der Identität der Lebensbedingungen, die von der nichtbyzantinischen Welt nicht einfach nur abgrenzen sondern mit der Abgrenzung ein besonderes Selbstgefühl erzeugen. So wie alles im byzantinischen Raum seine Richtigkeit hat, so ist alles, was sich außerhalb dieses Raumes findet, wenn nicht unrichtig, so doch leicht verdächtig. Das Volk, das in diesem richtigen Raum lebt, kann nur ein auserwähltes Volk sein. Auserwählt aber kann nur ein einziges Volk sein. Der Byzantiner behauptet einen Monopolanspruch, in dem Volk und Orthodoxie in ihrer Exklusivität deckungsgleich werden, einen Anspruch, der durch das Monopol der geistigen Kultur und Gesittung, des Besserwissens und des Savoir vivre nur noch unterstrichen wird, außerdem ganz energisch von der Außenwelt abhebt. So lange der Byzantiner Reich und Kaiser mehr oder weniger identifiziert – er tut es über weite Strecken seiner Geschichte, – ist dieses Selbstbewußtsein eine Stütze des Herrschers, auf die er sich verlassen kann. Die politische Orthodoxie gestattet ja eine Politik, die imstande ist, das Gewissen zu binden, weil die politische Spitze eine orthodoxe Spitze im Vollsinn des Wortes ist und sich damit das Wohlverhalten gegenüber dem Herrscher mit dem Wohlverhalten gegenüber der Orthodoxie deckt. Die aus dem System der Begriffe logisch resultierende Ambivalenz erlaubt es, aus dem Nichtwohlverhalten gegenüber dem Kaiser Sünde zu machen. Eine Sünde, die dann nach theologischer Lehre auch bereut werden kann, und der richtige Ort für den politischen Büßer ist das orthodoxe Kloster. Daß es die Kaiser waren, die sich dieser Ambivalenz mit Vorliebe bedienten, ist verständlich. Die Kirche tat meist mit, auch wenn sie gelegentlich einige Skepsis gegenüber dieser Ambivalenz an den Tag legte. Doch weil ambivalent, kam Byzanz um die Kehrseite des Systems nicht herum. Wenn man mit dogmatischen und rituellen Formeln ein System abschirmen kann, dann kommt es darauf an, diese Formeln der Verfügbarkeit außerhalb der herrschenden Klasse zu entziehen, sie der kirchlichen Hierarchie und dem Kaiser und seinem Stab zu reservieren. Man tat alles, um dieses Privileg festzumauern, aber ganz gelang es nie. In Italien artikuliert sich die Opposition gegen die Willkür der Zentrale Konstantinopel im 8. Jahrhundert im militanten Bekenntnis zum Bilderkult, wobei das Sekundäre der orthodoxen Parole gegenüber der politischen – im Gegensatz zum Osten – nachweisbar ist. Die Bogomilen erheben sich im Namen des gereinigten Evangeliums gegen die feudale Grundherrschaft und die etablierten Hierarchien; der Prätendent Joannes Kantakuzenos mobilisiert mit äußerstem Geschick einen Teil der Anhängerschaft des Theologen Gregorios Palamas gegen die legitimen Palaiologen, und nicht wenige Patriarchen und Prälaten sabotieren die kaiserliche Politik in Richtung auf eine Union mit der westlichen Kirche mit der Warnung vor den lateinischen Häresien, nur weil sie eine Union die kirchliche Suprematie kosten würde. Immerhin: die gemeinsamen Interessen der Hüter des Systems sind groß und lebendig genug, so daß die Sicherheit des Systems größer ist als seine Ambivalenz.

Wie tief in die einfachen Schichten hinab dieses Bewußtsein gedrungen ist, wenn auch nur unreflektiert, können wir schwer ermessen. Die Tatsache aber, daß diese orthodoxe Lebenshaltung die großen Krisen der Spätzeit

– im Gegensatz zum Reich selbst – überlebte, ja den endgültigen Sturz des Reiches überdauerte, warnt vor der Annahme, es habe sich nur um das elitäre Bewußtsein einer Minderheit gehandelt. Die großen Erschütterungen blieben ja nicht aus. Ihr Beginn wird signalisiert durch den Bruch der byzantinischen Abgrenzung gegenüber Ost und West, der die radikale Distanznahme gegenüber der Außenwelt nicht mehr erlaubte. Es beginnt mit der wirtschaftlichen Unterwanderung durch die italienischen Handelsstädte im 12. Jahrhundert, es treibt dem Debâcle des 4. Kreuzzuges entgegen und es kulminiert geistesgeschichtlich in der Provokation durch den Import der lateinischen Scholastik. Das byzantinische Monopol gerät ins Schwanken und ins Zwielicht. Die Herde der Störung, die Gegenkräfte der byzantinischen Integration und die Behinderungen des staatlichen Steuerungspotentials sitzen jetzt mitten im Land. Das kaufmännische Gebahren und der Erfolg der Italiener untergräbt jene Prosperität, die das Zuhause in der eigenen Welt gesättigt hatte. Die Eroberung Konstantinopels im Jahre 1204 gab der Reichsideologie einen kaum noch wettzumachenden Stoß und führte zu einem Pluralismus griechischer und halbgriechischer Herrschaftsgebilde, deren Häupter zwar gelegentlich nach der Aureole des alten Kaisertums trachteten, aber damit nur sehr kurzzeitig Erfolg hatten. Die berittenen und betroßten Prälaten andererseits, die sich in den Heeren der Kreuzfahrer fanden, mochten mit ihren Unionsgesprächen wenig Erfolg haben, aber sie vermittelten dem byzantinischen Klerus das Bild einer souveränen Kirche, das auf die Dauern auch die griechischen Prälaten veranlassen mußte, ihr Verhältnis zum Kaisertum neu zu überdenken. Und die Scholastik provozierte mit Denkansätzen und Modellen, die das Selbstverständnis der Orthodoxie auf die Dauer nur stören konnten. Die Provokateure waren zugleich die Prosperierenden. Der Anspruch auf das Monopol in Bildung und Wissenschaft war kaum noch aufrecht zu erhalten, ein universalistisches Reichskonzept wurde täglich durch die klägliche politische Wirklichkeit Lügen gestraft, und in manchen ehemaligen Reichsteilen konnte selbst das orthodoxe rituelle Kirchenwesen nur noch im Untergrund seinen Einfluß geltend machen. Das Selbstbewußtsein der Byzantiner war zu lange Zeit mit allen Mitteln aufrechterhalten worden, als daß es durch diese Krise nicht schwerstens erschüttert worden wäre. Manche große Persönlichkeit der spätbyzantinischen Epoche hat das geistige Defizit der politischen Orthodoxie klar erkannt und für die Anleihe beim Westen gestimmt. Sie drangen nicht durch, und der Westen hat daran ein gerütteltes Maß an Schuld, weil jedes seiner Kreditangebote, auch das der Türkenhilfe, in ein fatales Junctim mit den theologischen Fragen gebracht wurde. Man mag es beurteilen wie man will: im Grunde zeigte die politische Orthodoxie nochmals ihre Lebenskraft, indem sie endgültig und obwohl in Todesgefahr, die westliche Offerte ablehnte. Nicht unbedeutende Kreise scheinen noch im letzten Augenblick vor dem Fall von Konstantinopel argumentiert zu haben, die Orthodoxie sei wahrscheinlich immer noch besser bei den Türken als bei den Lateinern aufgehoben. Vielleicht hatten sie recht, wenigstens noch für ein paar Jahrhunderte.

Dieses Überleben der Orthodoxie, was sowohl ihre dogmatische wie auch ihre rituelle Seite betrifft, erkaufte sie sich mit einer starken Verschiebung in der politischen Komponente. Sie rückt auf bedeutsame Weise vom Kaiser als ihrem Garanten ab, weil diesen die politischen Verhältnisse zwingen, eine Linie zu verfolgen, welche in den Augen der Orthodoxie nur als unzuverlässig erscheinen konnte. Joannes V., wie schon erwähnt, ging konfessionell andere Wege als seine Reichskirche, um in der Außenpolitik freien Spielraum zu behalten, und Johannes VIII. konnte zwar mit seinem Erfolg auf dem Unionskonzil von Florenz zufrieden sein, weil die überwiegende Mehrheit seiner Prälaten in Florenz ihre Unterschrift zum Unionsdekret leistete. Aber in der Heimat blieb ihm der Erfolg versagt; eine starke Opposition verhinderte auf Jahre die Verkündigung des Dekrets, und einmal doch promulgiert, blieb es de facto ein Fetzen Papier. Die orthodoxe Kirche hatte gelernt, daß der Kaiser aus dem System herausnehmbar war, daß man sich jedenfalls auf Zeit, seiner begeben konnte, und daß in einem solchen Krisenfall das Volk eher der Kirchenleitung als der kaiserlichen Majestät die Treue halten würde. Hier entpuppt sich, was im Grunde von allem Anfang an erkannt werden konnte, daß innerhalb der politischen Orthodoxie das Gewicht der Kirche stärker war als das des Kaisers, und daß es im Grunde immer stärker geblieben war, auch wenn manch potenter Herrscher diese Tatsachen für ein paar Jahre in Vergessenheit bringen konnte.

Das politische Potential der Orthodoxie verlor sich nicht mit dem Verzicht auf den Kaiser. Die rituelle Orthodoxie hatte sich als fähig gezeigt, kompakte Leitbilder einer Gesellschaft auszubilden und damit Gesellschaften geformt. Der Nenner einer solchen Gesellschaft erwies sich hinfort als austauschbar, und bei einiger Toleranz konnte dieser Nenner auch in einem nichtchristlichen Herrscher gefunden werden. Übrigens war diese Orthodoxie schon vor dem Fall des Reiches von slavischen Herrschern für ihre Völker übernommen worden, die sich für einige Zeit bequemt hatten, eine Art Souveränität des byzantinischen Herrschers anzuerkennen, dann sich aber beherzt, auch der Kirche gegenüber, in ihren Ländern an die Stelle des Kaisers setzten, ohne daß dem System damit besonderer Schaden entstanden wäre. Hier und im Milletsystem der türkischen Sultane bewährte die politische Orthodoxie ihre ungebrochene Lebenskraft.

IV. Literatur

Würde man einer beliebten Art folgen und in eine Literaturgeschichte nur aufnehmen, was zur sogenannten Belletristik gehört, d. h. Werke ohne „technische Zweckgebundenheit", die nur aus sich heraus als Sprachkunstwerke Bestand haben, Romane also, Erzählungen, Lyrik, epische und dramatische Dichtung, dann blieben von den klassischen tausend Seiten der byzantinischen Literaturgeschichte Karl Krumbachers im Bestfall einige fünfhundert. Der Verdacht kann sich aufdrängen, die Byzantinistik arbeite mit einem umfassenderen Begriff von Literatur, um international mithalten zu können, wenn nicht mit Qualität, dann zumindest mit Quantität. Dies entspräche in etwa dem allgemein verbreiteten Urteil über das literarische Schaffen der Byzantiner. Doch vielleicht liegen die Dinge nicht ganz so einfach. Ich glaube nicht, daß es beispielsweise einem Historiker der spanischen Literatur des „Goldenen Zeitalters" einfallen würde, über Cervantes, Calderon, Lope de Vega und anderen auf Teresa von Avila und Juan de la Cruz zu vergessen. Gewiß hat die Darstellung der edlen Taten des Ritters von der traurigen Gestalt keine zweckbestimmte Zielsetzung wie etwa ein Leitfaden zur Einführung in das Studium der Betriebswirtschaft, aber ob sie nur um des sprachlichen Kunstwerkes willen geschaffen wurde, ist fraglich. Um dieses Kunstwerkes willen haben Teresa und Juan de la Cruz bestimmt nicht geschrieben, zweckfrei sind ihre Werke keinesfalls. Doch was trennt sie von den Dramatikern und Romanschreibern ihrer Zeit? Sind die großen Bögen des inneren Lebens mit seinen Abgründen der Verzweiflung und den Höhepunkten der Tröstung weniger abenteuerlich als die ritterlichen Ideale Don Quixotte's? Wer „En una noche oscura / con ansias en amores inflamada ..." einer völlig anderen Literaturgattung zuweisen möchte als „Nel mezzo del cammin di nostra vita / mi ritrovai in una selva oscura", hat offenbar über eine letzte Affinität, um nicht zu sagen Identität des Urerlebnisses beider Autoren nicht nachgedacht. Was aber anderen, bekannteren Literaturen recht ist, muß der byzantinischen billig sein. Symeon der Neue Theologe etwa kann hier mit demselben Recht einen Platz beanspruchen wie Juan in der spanischen oder Seuse in der deutschen; ebenso die Essays des Theodoros Metochites, wenn anders Montaigne in die französische Literaturgeschichte gehört.

Die Hauptmasse dessen, was die Byzantiner geschrieben haben – sehen wir für den Augenblick einmal von der sogenannten „Volksliteratur" ab – steht auf einem philologischen Boden im weitesten Sinne des Wortes. Haben wir es deshalb mit einer Literatur zu tun, die als Fabrikat „aus zweiter

Hand" abgewertet werden kann? Ohne Zweifel stehen so gut wie alle Byzantiner unter dem überwältigenden Eindruck der griechischen Klassik und all des Nachklassischen, das sie noch darunter subsumieren. Sie waren das einmalige und verpflichtende Vorbild. Und manchmal überkommt sie die Verzweiflung: sie fragen sich, ob es angesichts dieser Vorbilder noch Sinn habe, zur Feder zu greifen. Daß sie diese Frage stellen, führt uns auf ein Feld von Vorüberlegungen, das schlankweg zugunsten dieser Literaten spricht. Ihre „sensibilité formelle" erlaubte ihnen nichts von jener Naivität, mit der sich der mittelalterliche Mönch im Westen in seiner Schreibstube über solche Bedenken hinwegsetzte. Was sie dann doch anregt und inspiriert, sei es die klassische Sprache oder der klassische Gedanke, prägt ihr eigenes Werk auf eine Weise, die eben auf diese sensibilité nicht vergessen lassen kann. So kommt hier Philologie in zweifacher Weise ins Spiel: Einmal für uns Nachgeborene, die wir sozusagen jeweils vor zwei Werksschichten stehen, die beide für sich, ohne daß sie getrennt werden könnten, in Betracht zu ziehen sind. Philologie aber auch bei den Byzantinern selbst: der Zeitabstand, der sie von ihren Vorbildern trennt, wird immer größer, die Sprache entwickelt sich unaufhaltsam fort, die gesellschaftlichen Umstände verändern sich. Nur die Philologie ist in der Lage, diesen Literaten den Zugang zu ihren Modellen in aller Breite offenzuhalten. Sie ist dann aber auch das Medium, das sich zwischen ihren Werksentwurf und das klassische Vorbild schiebt. Der byzantinische Literat ist fast immer auch Philologe. Und trotzdem wäre es vorschnell, wollte man seine Schöpfungen deshalb in das Gebiet der Philologie abschieben und nur dort abhandeln. Dies hieße sich damit abfinden, das Instrumentar unter die Lupe zu nehmen, das Produkt aber, die Leistung einer bestimmten Individualität, die nicht mehr der Antike angehört und dies auch gar nicht verleugnen kann, und einer bestimmten Zeit, die eben nicht mehr klassisch ist, unberücksichtigt zu lassen.

Natürlich eignet solchen Werken gegenüber „autonomeren" eine erhöhte Interpretationslast. Aber diese kann es nicht rechtfertigen, die Ebenen zu verschieben. Sähe man es anders, dann müßte z. B. auch Bert Brechts Drei-Groschen-Oper aus der deutschen Literaturgeschichte verschwinden und sich mit einer Zeile in einer englischen unter der Rubrik Th. Gay begnügen. Die Interpretation aber muß von vornherein wissen, was sie will. Stellt sie sich in den Dienst der klassischen Philologie, der Erforschung des Nachlebens klassischer Motive usw. oder in den Dienst der byzantinischen Literaturgeschichte? Wenn letzteres, dann ist es mit der Verifizierung von Zitaten und Anspielungen, mit dem Nachweis von Topoi und Schreibmustern nicht getan. Es gilt vielmehr mit diesem Material den byzantinischen Autor als solchen einzukreisen, das Feld seiner ästhetischen Interessen zu bestimmen, seine Auswahlprinzipien durchsichtig zu machen und aus der Assonanz oder Dissonanz dieser Felder mit der vielfach strukturierten Zeit und Umwelt des Autors dessen historisch-literarische Eigenexistenz näher zu bestimmen und ihn als Schriftsteller sui juris abzusichern. Weder Kreativität als solche noch das literarische Kunstwerk als ihr Ausdruck verlieren an Bedeutung, wenn hinter dem sujet nicht auch die eigenste „inventio" des Autors steht. Die „variatio" ist nicht weniger legitim und von Fall zu Fall nicht weniger an Kreativität gebunden; abgesehen davon, daß Kreativität im Rahmen der menschlichen Kontingenz ohnedies eine Katachrese darstellt, wenn sie nicht überhaupt auf Selbsttäuschung beruht. Dies alles sind selbstverständliche Feststellungen. Merkwürdig bleibt, daß man sie Byzanz gegenüber in Erinnerung bringen muß.

Wenn nun auch die byzantinischen Literaten gelegentlich, und dies kaum nur aus rhetorischen Gründen, ihre eigenen literarischen Hervorbringungen angesichts der erdrückenden Autorität der Klassik zu entwerten bereit waren, so hat sie dies doch nicht daran gehindert, sie zu wagen. Gerade innerhalb dieser Polarität zwischen Wagen und Verzagen hat diese Literatur ihren Platz und ihre Heimat. Hier zeigt es sich, daß hinter der μίμησις, die sich schlimmstenfalls als pure Nachahmung entpuppt, des öfteren doch ein Urtrieb, ein ζῆλος, steht. Das Zugeständnis, zwischen beide Pole eingespannt zu sein, ja apriori eher zum Scheitern als zum Erfolg verurteilt zu sein, sichert dem häufigen Scheitern einen Grad von Sympathie, der ohne das Zugeständnis wesentlich kleiner ausfallen müßte. Die Byzantiner sprechen nicht oft über solche Dinge, aber einige, Metochites z. B., geben sie unmißverständlich zu erkennen. Die Anerkennung eines Klassikers als Vorbild ist nicht gleichzusetzen mit bloßem Epigonentum und nicht einmal mit Klassizismus, wenigstens nicht überall. Es überrascht dann nicht mehr, wenn derselbe Metochites in der Polarität zwischen Identifikation mit dem Vorbild und einer besonnenen Distanznahme steht, d. h. den Klassiker historisch bedingt erkennt, ihn der Kritik unterzieht und zwischen Form und Aussage klar unterscheidet.[1] So ist er trotz seiner Überzeugung vom überragenden Wert des klassischen Kunstwerkes doch auch mit Inbrunst um sein eigenes Oeuvre bemüht wie „um seine Kinder", wenn er es seinen Erben als sein teuerstes Vermächtnis ans Herz legt.[2] Er steht nicht allein: ähnliches kann man bei Michael Psellos nachweisen, oder in der sogenannten Schriftsteller-Autobiographie, z. B. des Georgios Kyprios, die der Werkssammlung vorausgeschickt wird, oder auch bei den nicht wenigen Briefschreibern, die Zettelchen für Zettelchen aufbewahren, um gegen Ende des Lebens selbst oder durch Schüler eine Gesamtausgabe herstellen zu lassen.

Es soll hier nicht Komparatistik getrieben werden, aber vielleicht ist es gut, sich gelegentlich darüber klar zu werden, daß das Medium Philologie in der Literatur auch heutzutage noch nicht verschwunden ist. Hinter Thomas Mann's „Lotte in Weimar" steht eine ganze Menge Goethe-Philologie, ohne daß man deshalb auf die Idee käme, das Buch unter dieser Rubrik abzustellen, und ohne ein Intensivstudium der ägyptischen Archäologie ist auch das Werk „Joseph und seine Brüder" nicht denkbar. Thomas Mann hat in Goethe nicht weniger einen Klassiker vor Augen als Psellos oder Gemistos in Platon. Natürlich liegt über Mann's Goethe die ureigene Mannsche Ironie. Hat man schon darüber nachgedacht, wie viel Ironie etwa in byzantinischen Werken zu unterstellen sein könnte? Ironie nicht nur dem Thema gegenüber, sondern auch gegenüber der gewählten Form, ja wohl sogar Ironie des Autors gegenüber seiner eigenen Wahl! Es ist schwierig, dieser Ironie auf die Spur zu kommen, weil sich der Byzantiner, so weit ich es beurteilen kann, streng an die Definition der Ironie in den Handbüchern hält, d. h. keinen warnenden Hinweis, kein Rufzeichen anbringt, sondern die ἠϑικὴ ὑπόκρισις rein für sich stehen läßt. So ist es durchaus möglich, daß uns ein wesentlicher Bestandteil dieser Literatur kaum noch zugänglich ist.

1. *Genera*

Unterstellt man, ohne auf die modernen Versuche einzugehen, die Generallehre auf neue Füße zu stellen, die übernommenen Einteilungen, so sind für die byzantinische Literatur merkwürdige Ausfälle zu verzeichnen. Schon Karl Krumbacher hat darauf hingewiesen, daß die dramatische Dichtung, vor allem die Tragödie, so gut wie ganz verschwunden ist, und daß auch kaum lyrische Poesie anzutreffen ist. Es wäre ein leichtes, darauf hinzuweisen, daß diese Ausfälle schon für den späten Hellenismus, an den Byzanz anknüpft, charakteristisch sind. Die Tragödie ist längst von der Bühne in den Vortragssaal abgewandert, und hätte man Sophokles oder Aischylos noch aufgeführt, wäre es doch antiquarisches Tun geblieben. Auch das Christentum hat keinen neuen Boden für die Tragödie bereitgestellt, weil in ihm der tragische Stoff immer wieder durch die Gnade auflösbar bleibt, während die echte Tragödie von der Gnadenlosigkeit lebt. Solche Überlegungen gehören allerdings der reinen Theorie an. Dem Byzantiner war das Gefühl für Tragisches nicht fremd, ja dieses Gefühl verdichtet sich angesichts der katastrophalen Lage des Reiches gegen Ende der Epoche in besonderem Maße – vielleicht eben in einem Maße, welches das Alibi einer dichterischen Darstellung nicht mehr zuließ. Die „Auflösung in Gnade" war es wohl nicht, die der Schaffung einer Tragödie im Wege stand. Übrigens hat auch das lateinische Mittelalter keine echte Tragödie aufzuweisen. So bleibt das Welttheater mit christlicher Endzeitperspektive oder das Autodafé im ursprünglichen Sinne des Wortes. Doch auch davon ist nichts vorhanden, jedenfalls wurde bis heute nichts davon entdeckt. Eine Art Passionsspiel läßt sich zwar nachweisen, etwa in einem Scenarium aus Kypros,[3] aber auch in Berichten des Metropoliten Symeon von Thessalonike.[4] Doch in beiden Fällen spricht alles dafür, daß es sich um Importe aus dem Westen handelt. Trotzdem kennt auch die byzantinische Literatur dramatische Ver-

3. Serbisches Herrscherportrait von einem byzantinischen Maler

4. Der Hl. Theodor (Wollgobelin)

suche, kleine Dialogszenen etwa in der Art von Streitgesprächen um die
Rolle des Glücks[5] oder weiter ausgeführte Stücke in der Gefolgschaft der
Batrachomyomachie, jetzt übertragen auf Katze und Maus[6] – drollig, sati-
risch-parodistisch und nicht ohne Geschmack. Doch scheint es nicht, als
hätte irgendeiner dieser Autoren an Aufführung gedacht. Aus den Kommentaren zu den Kanones des Konzils in Trullo[7] läßt sich mit einigem guten
Willen dies und jenes von szenischen Aufführungen kabarettistischer Natur
herauslesen. Texte dafür aber bleiben uns unbekannt, ja wahrscheinlicher
ist, daß es dabei um Improvisation ging. Wenn man echtem oder doch annähernd echtem Theater begegnen will, dann muß man sich über eine
Grundtatsache der byzantinischen Literaturgeschichte klar werden, daß
nämlich die Genera nicht immer da zu suchen sind, wo wir sie unserer
Vorbildung entsprechend zu suchen gewohnt sind. Es ist gerade die Rhetorik, die sich in Byzanz als die Fundgrube der verschiedensten Genera entpuppt. Rhetorik ist in Byzanz omnipotent gegenwärtig, und sie verlangt in
diesem Buch noch ein eigenes Kapitel. Doch einige Spolien daraus müssen
schon hier eingebracht werden. Durchmustert man die byzantinische Homiletik, so stößt man auf Pseudepigrapha, die sich mit erlauchten Predigerna-
men der patristischen Ära schmücken, um sich dann bald als sehr volksnahe
dramatische Dialoge zu entpuppen, die man mit einer rhetorischen Einleitung und einem ähnlichen Schluß versehen hat. Hier als Beispiel der dramatische Teil einer Rede auf das große Kirchenfest des Euangelismos, d. h.
Mariae Verkündigung:[8]

Der Engel: Sei gegrüßt, die du begnadet bist.
Maria (mit scheelem Blick): Fremdling, es sind fremdartige Worte, die du
hier aussprichst. Weißt du vielleicht nicht, wie man sich begrüßt? Oder
willst du mich auf die Probe stellen, etwa ob ich leicht zu umgarnen bin?
„Sei gegrüßt", das gehört sich. Aber „begnadet", das klingt merkwürdig.
(Streng:) Hebe dich weg, Mann, von meiner Schwelle. Du gefällst mir
nicht. Du siehst in mir deine Beute, wie einst Eva zur Beute wurde. Aber
du bekommst mich nicht und du wirst meine Zuneigung zu meinem armen Bräutigam nicht beseitigen können. Außerdem ist er eifersüchtig;
wenn er dich so daherreden hören könnte, gäbe es für dich nur Ärger und
für mich Gram und Tränen.
Der Engel (wiederholt): Sei gegrüßt, die du begnadet bist.
(Maria hört nun genauer hin, um zu erfahren, um was es geht)
Der Engel: Der Herr ist mit dir.
Maria (ruft den Engel von der Schwelle ins Haus): Den Herrn hast du mitgebracht? Komm schnell herein und erzähle, um was es sich handelt.
Der Engel: Siehe, du wirst empfangen und einen Sohn gebären, und du
wirst seinen Namen Emanuel nennen. Er wird groß sein, ein starker Gott,
der Fürst des Friedens, der Vater der Zukunft.

Maria: Ich bin doch noch nicht verheiratet und da soll ich schon gebären! Du weißt wohl nicht, was du sprichst. Wenn du etwas brauchst, kannst du es meinetwegen haben, aber geh jetzt und laß die unpassenden Prophezeihungen.

Der Engel: Ich täusche dich nicht. Er *wird* groß sein.

Maria: Was soll das heißen: groß? Mein Mann ist arm und ich bin arm. Wir haben keinen Besitz und kein Geld, wir stammen aus keiner angesehenen Familie und jetzt müssen wir noch zu dieser Volkszählung. Der Steuerbeamte wird uns die letzte Drachme wegnehmen. Und du sprichst von groß! Hör doch auf damit!

Der Engel: Du verweigerst dem Diener den Glauben, aber der Herr wird seinen Willen durchsetzen. Sein Sohn wird der Sohn des Höchsten genannt werden.

Maria: Jetzt aber schleunigst hinaus! Wenn Joseph das hört, wird er es den Priestern erzählen. Er könnte mich dann nicht mehr heiraten und würde mir den Hals durchschneiden. Du stehst ja mitten im Haus, ganz neben mir, und versprichst mir einen Bräutigam vom Himmel. Gibt es denn dort jemand, der heiraten möchte? Da gibt es doch nur Wesen ohne Körper. Wie soll sich Körper mit Unkörperlichem verbinden?

Der Engel: Der Sohn des Höchsten wird körperlich und unkörperlich zugleich sein.

Maria: Er soll also keinen Vater haben?

Der Engel: Das ist es gerade. Du sollst keinen Mann erkennen und trotzdem gebären.

Maria: Jetzt hast du dich blamiert. Deine eigenen Worte widerlegen dich. Was soll denn dies alles heißen . . .?

(Der Engel geht)

Maria: Soll ich es Joseph sagen oder nicht? (Und während sie noch überlegt, spürt sie das Kind in ihrem Schoß. Sie zieht sich alles mögliche über, damit Joseph nichts merke. Auf die Dauer ohne Erfolg)

Joseph: Jetzt sage mir genau, was passiert ist. Verhehle mir nichts! Hier hört uns niemand und ich kann schweigen. Woher kommt deine Schwangerschaft? Wer ist der Vater? Ich will dir verzeihen. Du bist eben nur ein Weib, und die Begierde hat dich übermannt.

Maria: Solltest du den Vater suchen, dann wirst du keinen finden. Aber wenn du glaubst, es sei ein Waisenkind, täuscht du dich wiederum.

Joseph: Lüge nicht, Maria, wenn es keinen Vater hat, dann ist es eben ein Waisenkind

Maria: Selbst wenn ich dir die Wahrheit sagte, würdest du mir nicht glauben. Du siehst nur den Bauch, den verborgenen Herrn aber siehst du nicht. Würde ich dir erzählen, was mir der Engel gesagt hat, würdest du nur wider sagen, ich lüge . . .

Man kann sich theoretisch einen oder mehrere Sprecher, welche die Dialoge vortrugen, und einen Kommentator vorstellen. In welchem Ausmaß solche Szenen wirklich mit verteilten Rollen zum Vortrag kamen, wissen wir nicht. Jedenfalls begegnen wir dem dramatischen Genos in einem Überlieferungszusammenhang, der es zunächst nicht vermuten läßt. Diese Dramatik ist weit entfernt vom dogmatisch-hieratischen Pathos einer byzantinischen Durchschnittpredigt. Hier waren andere Kräfte am Werk, Dichter mit unfehlbarem Gespür für drôlerie, deren Ehrfurcht vor dem Mysterium der Heilsgeschichte nicht so weit geht, daß sie darüber auf sehr menschliche, allzumenschliche Reaktionsweisen vergäßen. Die unmittelbare Naivität dieser Reaktionen erlaubt wohl den Schluß, daß hier wirklich für eine beabsichtigte „Aufführung" gearbeitet wurde. Trotzdem kann man sich die Aufführung auf dem Marktplatz schwer vorstellen angesichts der homiletisch-konventionellen Zwischentexte. Stellt man sich, was näher liegt, die Darbietung eben doch im Kirchenraum vor, dann müßten wir uns allerdings von dem liturgischen Denken der Byzantiner ein neues Bild machen. Nicht nur die literarischen Genera schlagen sich hier in ein und demselben Text, auch die Ebenen der Bildung, der Einstellung zur hohen Tradition der kirchlichen Dogmatik schieben sich ineinander – ein weiter Beweis dafür, wie unscharf die Schichten in der byzantinischen Gesellschaft voneinander getrennt sind. Von hier aus betrachtet, freilich mit einem geringeren Grad von Evidenz, läßt sich auch vermuten, daß das Genus der liturgischen Hymnik sich dem liturgischen Drama geöffnet haben könnte, sogar bei Romanos dem Meloden, dem größten der byzantinischen Hymnendichter. Doch vielleicht genügt die Annahme alternierenden Gesangs zur Erklärung der Befunde, ohne daß man gleich von dramatischer Aufführung sprechen sollte.

Doch bleiben wir noch bei der Fundgrube Rhetorik. Wie erwähnt vermißt man gewöhnlich in der byzantinischen Literatur die Lyrik. Die Frage, was unter Lyrik zu verstehen sei, wird wohl nie einheitlich beantwortet werden. Geht man einerseits von der „Stimmung" aus und bedenkt man zum anderen, welch große Rolle in der byzantinischen Rhetorik das Metrum, der Prosarhythmus spielt, dann ist es nicht einfach verfehlt, auch in der Rhetorik sich hier und da nach Lyrik umzusehen. Und man findet dann tatsächlich Stücke von überraschend lyrischer Zartheit der Empfindung und des Ausdrucks, der gegenüber die „technischen" Mittel des eigentlich Rhetorischen zwar nicht verschwinden, aber stark in den Hintergrund treten. Man denke etwa an das Preislied auf den Frühling in einer Predigt des Gregor von Nazianz, gleichgültig, welches Mosaik ihn dazu angeregt haben mag.[9] Oder an eine kleine Rede des Michael Psellos an sein Enkelkind:[10] ein „echter Psellos", mit virtuoser, aber eben doch nur gedeckt auftretender Beherrschung der Technik, ein Psellos mit all seinen Ambitionen und seiner unverdrossenen Selbsteinschätzung. Doch unverkennbar und echt ist das Vergnügen an der kreatürlichen Naivität des kleinen Kindes, an dem unbeholfenen Zauber seiner Tapsigkeit und an den frühen Anzeichen einer Persönlichkeit, die der entzückte Großvater zu entdecken glaubt – spürbar auch die Elegie des Alters, melancholische Resignation und Trauer darüber, daß er dieses Kind auf seinen weiteren Wegen nicht mehr lange wird begleiten können – Abschied, und ein hoffnungsloses „Verweile doch . . ." Und über dem ganzen sogar ein sympathischer Schimmer von Selbstironie. Oder die Klage des Michael Italikos über sein verstorbenes Haustier, ein Perlhuhn.[11] „. . . es erkaltete, sein ganzer Körper schüttelte sich, und doch vergaß es nicht einmal im Sterben auf seine Zuneigung zu mir. Es schleppte sich zu meinen Füßen, wie um das Ende anzuzeigen. Ich nahm es hoch und brachte es an die Sonne und wendete kein Auge von ihm, während es um sein Leben kämpfte. Wäre ich nicht mißtrauisch gegenüber jedem Gefühlsausbruch, dann hätte ich geweint." Und der Schluß: „Aus dem Überfluß meiner Worte schenke ich diese Rede dem Tier, dem die Rede nicht geschenkt ist." Bloße Antithetik? Schülerübung? Oder eben doch ein Gefühlsausbruch echter Liebe zum Haustier?

Lyrische Kleinmalerei: Sie findet sich auch in der frühen kirchlichen Hymnendichtung. Wir verlassen damit noch keineswegs das Gebiet der Rhetorik. Man hat ja die große Hymnographie vor allem des 6. Jahrhunderts mit ihrem Repräsentanten Romanos dem Meloden längst als versifizierte Prosapredigt erkannt, ja in manchen Fällen sogar die Prosamodelle namhaft machen können. Es bei diesem Fund sein Bewenden haben zu lassen, gehört nur wieder zu jenen zahlreichen vorzeitig abgebrochenen Forschungswegen unserer Wissenschaft. Diese Hymnen sind nicht nur Prunkstücke einer rhetorischen Antithetik, die umso eindrucksvoller ist, weil sie mit der dogmatischen Antithetik, etwa der Christologie, so nahtlos in eins geht, sie mündet vielmehr immer wieder in eine hellenistisch anmutende Kleinmalerei ein. Es entstehen Miniaturen der Heilsgeschichte, die auf den vorausgegangenen hohen antithetischen Stil vergessen lassen. Beispiel das berühmte Weihnachtskontakion des Romanos: Ἡ παρθένος σήμερον.[12] Im Verlauf der Strophen zeigt sich Maria in diesem Kontakion kaum weniger neugierig als in der oben zitierten Verkündigungshomilie. Sie will alles genau wissen: woher die Magier kommen, wie sie die Krippe gefunden haben. Ebenso wollen die Magier alles genau wissen, vor allem, welche Rolle denn dieser alte Mann, Joseph, im Geschehen spielt. Die verschiedenen Ebenen liegen nicht weniger weit auseinander als in der zitierten Predigt. Oder das Kontakion des Romanos über die Verleugnung Christi durch Petrus. Das dreimalige Nein vor dem Hahnenschrei wird hier zu einem psychologisch sich verkrampfenden Sich-hineinsteigern in die eigene Schwäche. Entschuldigungen für das erste Versagen werden angeboten, fruchten aber nichts. Der Höhepunkt wird bis zum Wort Christi an den rechten Schächer verschoben: „Räuber, mein Freund, du wirst noch heute bei mir sein. Auch Petrus hat mich ja verleugnet. Aber ich verzeihe dir, ihm und allen."[13]

Die Kritiker der byzantinischen Literatur wiederholen die Behauptung, hier habe das Epigramm das lyrische Gedicht verdrängt, und dies entspreche in einem hohen Maße byzantinischer Eigenart. Zum Epigramm gehöre die Pointe und gerade diese sei unlyrisch. Wie immer es mit der unlyrischen Pointe bestellt sein mag, der Begriff Epigramm im ursprünglichen Sinne des Wortes entspricht durchaus nicht in allen Fällen dem, was in der byzantinischen Literaturgeschichte unter der Rubrik Epigrammatik läuft. Die Epigrammsammlungen umfassen Kurzgedichte unpointierter Selbstbetrachtung, längere und kürzere Klagegedichte, Beschreibungen usw. Darunter findet sich so manches Stück, besonders innerhalb der Kategorie εἰς ἑαυτόν (In seipsum), das in jeder Beziehung lyrisch genannt werden kann. Als Beispiel etwa Gregorios von Nazianz:[14]

Αὖραι δ'ἐψιθύριζον ἅμ' ὀρνιθέεσσιν ἀοιδοῖς,
καλὸν ἀπ' ἀκρεμόνων κῶμα χαριζόμεναι,
καὶ μάλα περ θυμῷ κεκαφηότι. Οἱ δ' ἀπὸ δένδρων
στηθομελεῖς, λιγυροί, ἠελίοιο φίλοι,
τέττιγες λαλαγεῦντες ὅλον κατεφώνεον ἄλσος.
αὐτὸς δὲ, στροφάλιγξιν ἑλισσομένοιο νόσεο
τοίην ἀντιπάλων δῆριν ἔχων ἐπέων ·
Τίς γενόμην, τίς δ'εἰμὶ, τί δ'ἔσσομαι; οὐ σάφα οἶδα,
Οὐδὲ μὲν ὅστις ἐμοῦ πλειότερος σοφίην.
Ἀλλ' αὐτὸς νεφέλῃ κεκαλυμμένος ἔνθα καὶ ἔνθα,
πλάζομαι οὐδὲν ἔχων, οὐδ' ὄναρ, ὧν ποθέω.

Einsam, von Ängsten gequält, saß jüngst ich versponnen
in einem schattigen Hain und nagte am Kummer.
Trost bringt es sonst mir in traurigen Tagen,
wenn ich allein mit mir selbst ein Zwiegespräch führe.
Säuselnd regte die Luft sich und singende Vögel
träufelten Ruhe herab aus den Spitzen der Zweige
auf mein erschöpftes Herz; aus dem Dickicht der Bäume
zirpend aus voller Brust und schmeichelnd die Freunde der Sonne
füllten geschwätzig den Hain, die Zikaden. Im Grase
nah an den Füßen vorbei floß kühlendes Wasser. Ich aber
kam vom Kummer nicht los und, trostlos wie vorher,
saß ich teilnahmslos da. Was nützt es dem Menschen,
wenn ihn der Schmerz getroffen, die Pracht der Natur zu genießen?
Und in der Unlust des Herzens fragt' ich mich selber:
Wer bin ich, wer war ich, wer werde ich sein? Ich weiß nicht!
Und auch wer weiser als ich, versagt mit der Antwort.
Nebel umhüllt mich, ich irre ziellos im Kreise,
selbst im Traum erfüllt sich kein einziger Wunsch.

Aber auch spätere byzantinische Epigrammatiker, z. B. Joannes Geometres, kennen den lyrischen Anschlag. Ihm ist auch die Leidenschaft nicht unbekannt – „laß mich doch von deinen Lippen, Mädchen trinken" –[15] und ebenso wenig ein Naturempfinden in dichterischer Fülle:[16]

> Prangende Fülle, Trauben in Glut,
> Honig in allen Waben;
> strotzende Euter, Übermut,
> Böcklein, die sich erlaben.
> Milchschwere Ziegen mit ihrer Last,
> Saaten, gereift zum Schnitte,
> Vogelsang auf der Bäume Ast,
> schattig des Heines Mitte.
> Kühlende Wasser umspielen den Stein,
> emsig zirpet die Grille.
> Singe auch du, laß alles sein,
> Freue dich dieser Fülle.

Um ein anderes Beispiel, das in keine Sammlung von Epigrammen Eingang gefunden hat, zu erwähnen: Was immer der äußere Anlaß für die Klage gewesen sein mag, die Michael Choniates über die entschwundene Herrlichkeit Athens anstimmt, sie kommt ihm gewiß aus dem Herzen, sie entspricht genau den Klagen, die er in Prosa über die Situation Athens seiner eigenen Zeit niederschreibt,[16a] und sie ist nicht deshalb literarisch wertlos, weil am Ende ein Klassiker anklingt.

Daß Philologie per se dem lyrischen Schaffen nicht eben hold ist, scheint klar. Aber die Lyrik der Byzantiner ist nicht abzutun mit dem, was man „gelehrte Literatur" nennt. Je länger desto stärker schiebt sich ja neben sie eine originäre Literatur, die sich wenig um formale Modelle aus alter Zeit kümmert und eine leichtere Sprache pflegt. Das Digenislied etwa, trotz aller Distanz vom ursprünglich Epischen doch noch episch mitbestimmt, hat auch seine lyrischen Intermezzi, das Werben etwa des jungen Helden am frühen Morgen um die Hand der Tochter des Strategen:[17]

> Wie konntest du, Süße, so rasch auf unsere Liebe vergessen?
> Wie konntest du sorglos und leicht die Nacht im Schlafe verbringen?
> Auf jetzt, Rose der Lust, mein Apfel, duftend in Reife!
> Der Morgenstern steht am Himmel, auf und weg aus dem Hause!

Oder jene Worte, mit denen Digenis auf dem Sterbebett vor seinen Kameraden an die Kämpfe ihrer frühen Zeit erinnert:[18]

Wißt ihr noch, meine Helden, wie es war auf Arabiens Boden?
Kein Tropfen Wasser weitum, nur flirrende Hitze ...

Erst recht ist die spätere Poesie in der Sprache des Volkes mit Lyrik getränkt, nicht nur in der Liebespoesie, sondern auch in der Klage, zum Beispiel über den Fall der Stadt Adrianupolis:[19]

Alle Schwalben des Ostens und alle Vögel des Westens
klagen des Abends und klagen am Morgen und klagen am Mittag
über Edirne, die Stadt, die der Feind von Grund aus zerstörte.

So viel jedenfalls kann man sagen: Byzanz kennt keinen Walter von der Vogelweide und noch weniger einen Petrarca, aber die Lyrik ist ihm nicht fremd, auch wenn man ihr nicht auf Schritt und Tritt begegnet. Sie findet eben doch in der Literatur da und dort ihren schüchternen Niederschlag, manchmal fast verschämt und darum nur umso reizvoller.

In die Werkstatt der Rhetorik gehören die Vorübungen, die προγυμνάσματα. Es handelt sich um Anleitungen, wie Teilstücke einer großen Rede anzufertigen sind, etwa wie ein kleiner Bericht möglichst präzise ausfallen kann, wie man eine These von allen Seiten beleuchtet oder wie ein Gemeinplatz als etwas Besonderes abgehandelt werden muß. Die Theoretiker lieben es, den Regeln Beispiele anzufügen. Jedes Progymnasma aber kann sich verselbständigen, über den Zweck, für den es geschaffen wurde weit hinauswachsen, auch formal. Das bedeutet eine Spannweite von der einfachen Schülerübung, vom „Aufsatzthema", oder von der Musterarbeit des Lehrers bis zum selbständig ausgearbeiteten und überdachten Traktat, der je nach Gattung der Vorübung zum Essay werden kann und auch tatsächlich wird. Die Entscheidung, ob es sich um einen Essay handelt oder um einen Schüleraufsatz, sollte nicht allzu schwer fallen. Es geht eben um den Grad der Reife des Gedankens und um das Ausmaß der eingebrachten Erfahrung. Die byzantinische Literaturgeschichte kennt jedenfalls eine beträchtliche Anzahl solcher Progymnasmata, die weit über die Schülerübung hinausgehen. Essayistik als eigenes Kapitel dieser Literaturgeschichte bedürfte in Zukunft besonderer Pflege, weil die Weltanschauung der Byzantiner hier besser greifbar wird als in rein theologisch-philosophischen Traktaten, die allzu leicht auf der ausgefahrenen Spur bleiben. Die rhetorische Ausgangsbasis der Progymnasmata sollte den Blick für ihren wahren Ort nicht behindern. Das beste Beispiel dafür, wie Literatur sich aus der Progymnastik herausentwickelt, ist das Essaywerk des Theodoros Metochites. Der Titel „Ὑπομνηματισμοὶ καὶ σημειώσεις" verrät nichts mehr von rhetorisch-technischer Anleitung, doch könnte eine Reihe von Kapiteln dieses Werkes ohne weiteres unter der Rubrik Progymnastik firmieren, sofern man eben zwischen Aufsatzthema und Essay unterscheidet: Öffentliches und meditatives Dasein werden gegen einander abgewogen, ebenso eheliches und eheloses Leben, ja die Frage nach Wert und Unwert des Geborenseins, (ἀνασκευή und κατσκευή),²⁰ es wird über die Erschwernisse des literarischen Schaffens gesprochen (θέσις),²¹ der Begriff δοξοσοφία²² wird abgehandelt, die Klage über den Verfall des Reiches angestimmt oder der Wert der antiken philosophischen Staatslehre unter die Lupe genommen.²³ Hier erreicht die Essayistik ohne Zweifel ihren Höhepunkt. Von rhetorischen Vorübungen kann nicht mehr die Rede sein. Andererseits kann die Vorübung auch Zwecken der Verfremdung dienen, worüber später noch ein Wort zu verlieren sein wird.

Das Thema des Versteckspiels der literarischen Genera könnte noch des weiteren und breiteren ausgeführt werden, doch soll mit einem einzigen Beispiel ein Ende gemacht werden: es ist die Hagiographie. Sie ist nicht nur Fundgrube für Kult- und Liturgiegeschichte und für Kulturgeschichte ganz allgemein, sondern auch für den unterhaltsamen Roman.

Gerade auf diesem Gebiet der Unterhaltungsliteratur hat das Christentum sehr früh zu schaffen begonnen. Nicht nur der hagiographische Roman im engeren Sinne gehört dazu, sondern auch bestimmte Apostelakten. Am Anfang seht die kanonische Apostelgeschichte des Lukas. Die Missionsreisen des Apostel Paulus nehmen hier einen breiten Raum ein; Petrus spielt daneben eine bescheidene, manchmal sogar klägliche Rolle. Hier mußte Abhilfe geschaffen werden, und so entstanden weitschweifige Romane auch über die Missionsreisen dieses Apostels, immer wieder unterbrochen durch lange Unterweisungsreden und Missionspredigten. Den Rahmen bildet das Schicksal der Familie des Clemens – daher die Bezeichnung Ps.-Clementinen²⁴ – eines vornehmen Römers; Verdacht auf Ehebruch spielt eine Rolle, Flucht und lange Odyssee aller Familienmitglieder bis zu den Enden des Mittelmeerraumes und schließlich Wiedervereinigung. Helfer in der Not ist immer wieder Petrus. Bedeutende Gelehrte stimmen darin überein, daß hier ein älterer Romanrahmen benützt wurde, um die Predigten Petri attraktiver zu verpacken. Aber auch von Paulus ließ sich viel mehr erzählen, als was Lukas berichtet hatte, vor allem ließ es sich amüsanter berichten. So entstand der sogenannte Thekla-Roman,²⁵ ein Stück Literatur voll von Elementen für Psychoanalyse und eine Phänomenologie der Hysterie. Paulus predigt in Ikonion. Auf der Straße gegenüber klebt ein Mädchen „wie eine Spinne am Fenster" Tag und Nacht, um sich kein Wort des Apostels entgehen zu lassen. Sein Bräutigam fühlt sich vernachlässigt, die Mutter versucht einzuschreiten – alles vergebens. Da läßt der Bräutigam Paulus verhaften, aber Thekla besticht einen Wächter und schleicht sich nachts zum Apostel in die Zelle. Man entdeckt die beiden, Paulus wird vor Gericht gestellt, Thekla wälzt sich verzweifelt am Boden des Kerkers. Die Taufe war ihr von Paulus zunächst verweigert worden. Schließlich wird auch sie vor Gericht gestellt. Sie soll auf dem Scheiterhaufen enden, aber ein Platzregen verhindert die Exekution. Sie wird frei gesetzt und begibt sich sofort auf die Suche nach dem Apostel, der aus der Stadt verwiesen worden ist. Sie findet ihn und drängt ihn, sie auf seinen Missionsreisen mitzunehmen. Auf die Gefahren aufmerksam gemacht, schneidet sie sich die Haare nach Männerart. So kommen sie nach Antiocheia. Hier verliebt sich ein junger Mann auf offener Straße in sie, küßte sie ab und verlangt von Paulus, er solle sie ihm verkaufen, da er sie für seinen Sklaven oder seine Sklavin hält. Aber Thekla reißt dem jungen Mann den Kranz von den Haaren, zerkratzt sein Gesicht und zerfetzt seine Kleider. Natürlich wieder ein Prozeß und die Verurteilung ad bestias. Doch die Tiere zerfleischen sich lieber selbst als Thekla. Diese aber erblickt ein Wasserbecken im Zirkus und springt kopfüber hinein, um sich auf diese Weise selbst zu taufen. Die Robben im Becken schwimmen sofort tot, wie vom Blitz getroffen, auf der Oberfläche. Wieder wird sie freigelassen. Paulus anerkennt offenbar diese Selbsttaufe und schickt sie nun selbständig, in Männerkleidung, auf Missionsfahrt zurück nach Ikonion. Später siedelt sie nach Seleukia über, wo sie stirbt und begraben wird. Aus dieser Grabstätte mit Kirche und Tierpark wird einer der besuchtesten Wallfahrtsorte der Spätantike.

So wenig wie bei den Ps.-Clementinen handelt es sich um einen „echten" Liebesroman, wenn auch die pikante Approximation immer wieder versucht wird. Man hat im Thekla-Roman, wie häufig in solchen Fällen, einen häretischen Hintergrund gesucht. Ich halte dies nicht für nötig. Es genügt anzunehmen, daß jemand am Werk war, dem das Apostelwort „Mulier taceat in ecclesia" „das Weib hat in der Kirche den Mund zu halten", nicht paßte und der sich im übrigen unbekümmert im Raum einer sich nur langsam konsolidierenden kirchlichen Disziplin bewegte. Jedenfalls ist der Roman, ebenso wie der Clemens-Roman, vorbyzantinisch. Aber er durfte hier erwähnt und etwas ausführlicher dargestellt werden, nicht nur weil er die ganze byzantinische Zeit hindurch trotz kirchlicher Verdammnisse gelesen wurde, sondern vor allem weil hier die Möglichkeiten abgesteckt sind, in denen sich der spezifisch byzantinische hagiographische Roman bewegen wird. Die Entstehung dieses Romans kann man sich recht verschieden vorstellen, aber ein Grundschema dürfte vorgeherrscht haben: Heilige wurden jährlich gefeiert, und dazu bedurfte es eines erbaulichen Berichtes über ihr Leben und Sterben. Da und dort gab es echte Acta martyrum oder authentische Lebensberichte. Was aber dann, wenn solche Berichte nicht vorhanden waren, wenn es nur eben einen Namen, ein Datum und ein Grab gab, oder wenn irgend eine Gründung eines Heiligen bedurfte, den man nicht hatte? Dann mußte eben die Phantasie zu Hilfe kommen. Jeder Heilige hat seine Pflichten, er hat vor allem tugendhaft zu sein und ein seliges Ende zu nehmen, sowie zum Beweis seiner Heiligkeit Wunder zu wirken, jedenfalls nach seinem Tod, besser schon bei Lebzeiten. Die Tugenden kennt man, es sind ihrer mindestens sieben, und was sich an Wundern denken läßt: dazu be-

darf es nur eines Blickes auf die Miseren der Menschheit. So läßt sich auch
für den unbekannten oder nicht existenten Heiligen unschwer eine glaub-
hafte Biographie herstellen. Im hagiographischen Roman kann sich die
Phantasie ungehemmter bewegen als im heidnischen, der in der Orthodoxie
immer Kritik und Veto fürchten muß. Das Laster hat in der Hagiographie
einen festen Platz, weil Gnade und Absolution so nahe stehen und letztlich
die doch siegreiche Tugend den Stoff für besondere Erbauung liefert. Kaum
irgendwo erfährt man über die Praxis alexandrinischer Huren mehr Details
als in der schönen Geschichte der ägyptischen Maria[26] und kaum irgendwo
gibt es mehr zu lesen über den sozialen Hintergrund spätantiken Lebens
unter christlicher Tünche als in den Berichten von den Wundertaten der
heiligen Kyros und Joannes.[27] Im hagiographischen Roman hat der Byzantiner alles an „leichter" Lektüre, was nach weltanschaulicher Lage erwünscht
und möglich sein konnte. Und die Belieferung mit Stoff war reichlicher als
auf dem Gebiet des heidnischen Romans. In einer Welt, die vom psychologischen Entwicklungsprozeß des Menschen wenig wußte, die es liebte, zu
typisieren, die weder den Erziehungsroman noch den Familienroman noch
gar den sozialkritischen kannte, war der Roman im Rahmen der Heiligenlegende weit genug gespannt, um all das unterzubringen, was ansprach und
erfreute.

Dieser hagiographische Roman scheute sich auch nicht, gelegentlich beim
spätantiken Liebesroman Anleihen zu machen: Wenn in der Legende des
heiligen Paares Galaktion und Episteme die Eltern die Namen Kleitophon
und Leukippe tragen, so besteht doch kaum ein Zweifel, daß hier der ge-
nealogische Anschluß an den gleichnamigen Liebesroman des Achilleus Ta-
tios gesucht wird. Antikisch sind auch die vielen ἐκπληκτικά und
θαυμάσια, das Wunderbare und Erschreckliche, das sich besonders in den
Apostelakten findet, die von einem Weltteil in den anderen führen, gleich
dem Alexanderroman.

2. „Relevanz" und „Aktualität"

Gebieterisch erhebt sich die Frage, wie die Byzantiner mit dieser Literatur
zurecht gekommen sind. Und zunächst steht hier wiederum die Literatur
auf philologischem Boden zur Debatte. Geht es hier nur um das Ergötzen
von Connoisseurs, die jede Gedankenwindung mit ängstlicher Liebe aus der
Einbettung in philologische Anspielungen und klassische Reminiszenzen
herauszuschälen imstande sind? Es ist wohl zuzugeben, daß es derartige
Werke gab. Wie viele Personen etwa mit den Gedichten des Theodoros Metochites zurechtgekommen sind, scheint mir eine berechtigte Frage. Und ein
Leser, dem das Geschichtswerk des Michael Glykas weiter kein Kopfzerbre-
chen bereitet hat, dürfte doch mit Niketas Choniates seine Schwierigkeiten

gehabt haben. Doch im allgemeinen muß folgende Tatsache berücksichtigt werden: Die gebildete Schicht in Byzanz war eine einheitlich gebildete Schicht, sie stand unter dem allgemein verbindlichen Imperativ der antiken klassischen Bildungsgüter. Es gab nicht jene Bildungsdivergenz, die bei uns vorhanden ist und die Verständigungsmöglichkeiten erschwert. Was immer die ἐγκύκλιος παιδεία – man könnte ihre Absolvierung mit unserem Abitur vergleichen – im einzelnen umfassen mag, simple Grammatik, Lektüre antiker Autoren, Stilanalysen, Einführung in die mathematische oder astronomische Terminologie: alles nimmt seinen Ausgangspunkt bei der Klassik und mündet wieder in sie ein. Auch „Fachwissen" ist primär philologisches Wissen. In diesen Gütern liegt die byzantinische Bildung beschlossen und aus ihnen heraus schaffen die Literaten ihre Werke. So können sie auf Verständnis und Aufnahmebereitschaft rechnen, denn sie treffen auf einen vorbereiteten Boden. Der Autor eines byzantinischen Epigramms und eines Progymnasma kann bei seinen Lesern nicht nur mit dem Wortlaut, sondern auch mit seinen klassischen Reminiszenzen „ankommen", weil sie beide im selben Bildungsraum zuhause sind, der noch dazu wenig Ablenkung und Zerstreuungsmöglichkeiten kennt, weil dieses Bildungssystem von außen her nicht in Frage gestellt wird, weil keine Ergänzungen und keine Alternativen angeboten sind. Die Schicht der Literaten ist somit keine Kaste, die durch unüberschreitbare Schranken von der breiteren Schicht der nicht schreibenden Gebildeten getrennt wäre. Gewiß gibt es Berufsliteraten, die sich etwa besonders dünken, die einen unverkennbaren Bildungsdünkel pflegen und mit Verachtung auf die anderen herabsehen. Aber es ist bemerkenswert, auch wenn es selten bemerkt wird, daß die Zahl der reinen Berufsliteraten, die nicht in die Welt der übrigen byzantinischen Berufsstände eingegliedert sind, eine Minderheit darstellt. Sie sprechen in ihrem Dünkel nur lauter als die anderen und werden deshalb besser gehört. Jedenfalls ist die gebildete, für Literatur aufgeschlossene Schicht keine Randerscheinung einer robust regierenden und geistlos genießenden herrschenden Klasse ohne Interesse für Literatur. Im Gegenteil: sie repräsentiert, was innerhalb dieser Klasse Rang und Namen hat. Unter den Literaten sind nicht weniger als ca. 15 Kaiser zu finden. 20 Prozent stellen adelige Amtspersonen und Würdenträger, über 30 Prozent der hohe Klerus vom Bischof aufwärts und ca. 15 Prozent der Lehrberuf. Der „Ton" dieser Literatur ist damit jener der tonangebenden Schicht der byzantinischen Gesellschaft, ihre Kritik bleibt immer loyal und „systemimmanent" – dies gilt für den Klerus nicht weniger als für die Laien. Von einer solchen Identifikation kann sogar im Hinblick auf jene Berufsliteraten gesprochen werden, deren materielle Lage nicht rosig war. Man hat sie gelegentlich als Proletarier bezeichnet, jedenfalls als Bettelliteraten, obwohl man bedenken sollte, daß das, worum sie betteln, nicht selten zu den Luxusgütern gehört! Sie schielen jedenfalls sozial nach oben in Richtung auf mögliche Mäzene, auf eine Pfründe oder ein gut dotiertes sorgenfreies Amt. Sie schielen aber auch nach den sozialen Standards dieser möglichen Mäzene und sind bereit, diese Standards auch zu verteidigen – ein Phänomen, das für die Aufrechterhaltung der Leitbilder eines gehobenen byzantinischen Lebens nicht ohne Bedeutung bleiben kann.

Das Verhältnis dieser Literatur zum antiken Anknüpfungspunkt spiegelt in einem hohen Maße das Geschichtsbewußtsein des Byzantiners, es stellt den Halt für seine kulturellen Monopolansprüche dar und das Gegengewicht gegen eine, in der modernen Literatur oft allzu stark betonte Vermönchung. Damit wird sie zu einem Politicum. Ihr Klassizismus ist nicht einfach und nicht allenthalben geschmäcklerisch. Natürlich ist diese Literatur in hohem Maße konservativ; sie dient vielfach einer herrschenden Schicht, die sich mit dem Staat und seinen Haltungs- und Geltungsansprüchen identifiziert. In prosperierenden Zeiten wie im 6. und 10./11. Jahrhundert begleitet sie das ungebrochene politische Selbstbewußtsein mit ornamentaler Instrumentation; in Zeiten schwerer Selbstbehauptungskämpfe, etwa in der Auseinandersetzung mit den Persern und kurz darauf mit dem Islam, zündet sie episch-rhetorisch wie etwa Georgios Pisides oder episch-romanhaft wie im Digenis Akritas; und in Zeiten, in denen es scheint, als gebe es ein Überleben nur, wenn man die alten Standards in letzter Strenge zur Geltung bringt, hilft sie ihrem Klassizismus defensiv gegen alles Fremde und vor allem „Westlerische" zu neuer Geltung.

Doch blenden wir zurück zu den Inhalten dieser Literatur, und zwar vorab jener, die aus dem philologischen Fundus stammt, jedenfalls philologische Interpretation insofern nötig hat, als es der Ablösung vom klassischen Modell bedarf, um ihr Eigenes festzustellen. Reproduziert diese Literatur nur ihre Vorbilder und bleibt ihr Inhalt für die Zeit, in der sie entstanden ist, für ihre Deutung und Erhellung ohne Bedeutung? Ist sie für Byzanz selbst etwas Unverbindliches? Eine Literatur, die auf den Spuren einer klassischen wandelnd diese auf eine Art zu reproduzieren verstünde, daß man sie ohne Kenntnis ihrer Entstehungszeit für klassisch halten könnte, ist von vornherein kaum jemals zu unterstellen, so wie es unwahrscheinlich ist, daß die römische Kopie eines klassisch-griechischen Torso als solche nicht erkentlich sein sollte. In der Plastik mögen gelegentlich Zweifel auftauchen, im geschriebenen Wort ist dies weniger wahrscheinlich, weil sich in ihm mehr Untertöne artikulieren als in der Skulptur. Die Zwischenperiode zwischen Antike und endgültig verchristlichtem Byzanz verändert die Einstellung zu Fragen der Welt, des Lebens und des Schicksals. Körper und Geist bilden nicht mehr jene Einheit, wie sie einst in der Formel καλοκαγαθία zum Ausdruck gekommen war und einen fast naiven Zugriff zur Wirklichkeit erlaubt hatte. Das ethische Empfinden wird nicht mehr in dem Maße wie früher von dieser alten Zweiheit bestimmt, sondern verbindet sich endgültig mit dem Geist, der seinerseits peinlich eingespannt wird in eine Bewegung zwischen Abfall und Rückkehr, in welcher der holde Augenblick kein

Recht mehr auf Verweilen hat. Dies ist erst in zweiter Linie ein Ergebnis der Christianisierung; der späte Platon, die Gnosis, neuplatonische Systeme usw. haben dabei ihre Rolle gespielt, die Unterwanderung griechischer Lebenshaltung durch fremde, orientalische sowohl wie römische Einflüsse tat ein übriges. Und gewandelt haben sich die gesellschaftlichen Verhältnisse: die Freiheit derer, denen sie gegönnt war, ist in der hellenistisch-römischen Polis gefährdeter als früher, die materielle Lage des Reiches hat die Gegensätze zwischen Arm und Reich wahrscheinlich kaum verschärft aber nachdrücklicher bewußt gemacht, die Übermacht fremden Militärs und einer römischen Administration die Selbstsicherheit erschüttert. Dies alles muß keinesfalls immer seinen Niederschlag in der Literatur finden, aber nicht selten geschieht es doch. Mit anderen Worten: so gut wie jede Literatur, wie stark ihre Abhängigkeit von Vorbildern auch sein mag, verrät ungewollt ihre eigene Entstehungszeit und ist damit für ihre Zeit von Bedeutung.

Die große Frage ist also, ob es einer solchen wesentlich durch das Medium der Philologie gegangenen Literatur gelingt, zur „Aktualität" durchzubrechen, das Medium vergessen zu lassen; ob diese Literatur mehr ist als eine gekonnte oder versuchte Reproduktion antiker Schreibweise. Die Antwort darauf ist schon deshalb nicht leicht, weil die Zahl derer, die diese Literatur lesen auch unter den Byzantinisten nicht eben groß ist. Es läßt sich wohl kaum umgehen, einen Gang durch diese Literatur anzutreten und für die einzelnen Epochen konkrete Beispiele anzuführen, bevor eine verallgemeinernde Aussage vorgenommen werden kann. Vorweg jedoch läßt sich sagen, daß bestimmte literarische Gattungen, so insbesondere die Historiographie, nicht eigens aufgeführt werden müssen, weil allein schon ihr geschichtlicher Ansatzpunkt, ihre Thematik, die Frage beantwortet. Über die Größe der historiographischen Tradition in Byzanz ist man sich ja wohl einig. Mögen Anna Komnene oder Niketas Choniates in ihrem Stil noch so schwierig, wenn nicht hoffnungslos geziert sein, die „Hand am Puls der Zeit" haben sie beide. Erst recht gilt dies von der Chronistik. Über die Rhetorik und ihre umstrittene Fähigkeit, mehr als Formelhaftes auszusagen, muß in einem eigenen Kapitel gehandelt werden.

Für die frühbyzantinische Literatur möchte ich an erster Stelle Palladas nennen, wohl den größten Epigrammatiker, der sich für das nachklassische Griechisch anführen läßt. Er ist ein Sohn der Zeitenwende, sein Alexandreia ist kirchlich-christlich längst Mittelpunkt der alten Welt des Ostens, ist aber zugleich die Hochburg einer Bildung, die tief im paganen Hellenismus verwurzelt ist. Gerade die Ambivalenz einiger seiner Epigramme – es ist typisch, daß die Deuter immer wieder glauben, sich zwischen „heidnisch" oder „christlich" entscheiden zu müssen – repräsentiert diese Zeit und ihre Problematik. Dem griechischen παιδεία-Ideal verhaftet nimmt er sich einen Mann aufs Korn – vielleicht ist es tatsächlich Themistios –, der sowohl für diese παιδεία wie auch für die römische Administration optieren will und glaubt, eines mit dem anderen verbinden zu können. Mit dem Bild von den zwei Sitzen, dem himmlischen Thron des Philosophen und der silbernen „sella curulis" des römischen Beamten trifft er das, was so viele griechisch Gebildete seiner Zeit, vorab Libanios, bewegt hat, auf den Kopf:[28]

> Der du auf himmlischen Stuhl soeben gesessen, du nahmst
> freudig den silbernen Stuhl. O wie beschämend dies ist!
> Gestern noch warst du ein Hoher, heut bist du ein Niedrer ge-
> worden.
> Heb dich zur Tiefe empor, der du zur Höhe nun sankst!

Daß dann die römische Verwaltung in actu nicht gut wegkommt, versteht sich fast von selbst, dies vor allem, wenn es sich um einen Finanzbeamten handelt:[29]

> Viele sind glänzende Redner, doch kann auch ihr Ausdrucks-
> vermögen
> das nicht deuten, was dir wechselnd die Seele durchzieht;
> was uns befremdet an dir als widerspruchsvoll und unglaublich
> ist: du stiehlst und dabei bist du zu Tränen gerührt.
> Chalkis sandte ihn her und mit Schalkssinn beraubt er uns Bürger,
> stiehlt, und während er stiehlt, weint er und denkt an Profit.

Um so reiner das Bild jener Frau, die in besonderem Maße alexandrinische Bildung und Wissenschaft verkörpert:[30]

> Bei deinem Anblick, deinen Worten, knie ich hin
> und hebe zu der Jungfrau Sternenhaus den Blick;
> denn nach dem Himmel geht dein Tun, zum Himmel weist
> der Worte Schönheit, göttliche Hypatia,
> o du der Geisteswissenschaften reiner Stern.

Ist es Bedauern oder genüßliche Ironie oder einfach Resignation, was er über ein Heiligtum der Tyche schreibt, das in eine Kneipe verwandelt wurde?[31]

> Ich sehe, furchtbar kehren sich die Dinge um
> und Unglück hat ersichtlich jetzt das Glück sogar!

Gewiß teilt Paladas auf keinen Fall das Vertrauen einfacher Heiden in die Göttergestalt aus Marmor oder Erz. Die Frivolität ihr gegenüber ist nicht neu, etwa angesichts einer Erzstatue des zündenden, feurigen Eros, die ein- geschmolzen wird und weiß Gott welchen weiteren Zwecken dient:[32]

Man hat den ehernen, feurigen Eros im Feuer verwandelt:
Nun ward ein Tiegel aus ihm: Qual also wurde zur Qual.

Was ihm trotz aller Zeitläufe unbenommen bleibt, ist sein armseliges
Schicksal als Schulmeister, der sich herumzuschlagen hat mit den Eltern, die
ihm das Schulgeld schulden, und dem die primitive Homer-Exegese in der
Elementarschule zum Halse heraushängt. Was kommt dabei heraus?[33]

> Eine Grammatikertochter gebar in Liebe. Ein männliches
> oder ein weibliches Kind? Nein, nur ein Neutrum entstand!

Neben Palladas sei noch Synesios genannt, der spätere Bischof von Ptolemais, Sohn vornehmer Eltern, stolz auf die Ahnenreihe, die bis zu den spar-
tanischen Königen zurückgeht, lange Zeit neben einem Büchernarren ein
Pferdenarr, wie er selbst bekennt. Er ist aber zugleich der begeisterte Schüler Hypatias. Wenn er über die Träume[34] geschrieben hat, so ist dies insofern nicht unaktuell, weil dieses Thema in seiner Zeit viel diskutiert wurde,
und dies nicht ohne einen Anflug tiefenpsychologischer Erkenntnisse.
Vorzüglich aber sei er hier genannt als der Verfasser des „Dion";[35] denn
dieser Traktat über den antiken Weg des Philosophierens und Schriftstel-
lerns, der in zauberhaften Farben die Idylle des musisch interessierten Gent-
leman malt, findet sich die erste grundsätzliche Auseinandersetzung eines in
der heidnischen Tradition lebenden Ästheten mit metaphysischen Aspirationen mit den Idealen des ägyptischen Mönchtums; Wege der Entwicklung
sind hier thetisch vorweggenommen, die sein Zeitgenosse Euagrios Pontikos
auf radikalere Weise predigen wird. Seine große Rede an Kaiser Arkadios
gehört in die aktuellste politische Publizistik des anbrechenden 5. Jahrhunderts, und sein „Schlüsselroman" „Ägyptische Geschichten"[36] ist sozusagen
der belletristische Beitrag zu seinen politischen Anschauungen. Synesios
steht nicht nur in seiner Zeit, er artikuliert die Besorgnisse und Hoffnungen
seiner Klasse und seine antike Bildung sowohl wie im engeren Sinne seine
„Philologie" tun dem in keiner Weise Abbruch.

Philologie ist nicht immer mitbestimmend. Gerade im christlichen Raum
der Spätantike treffen wir auf Schriftsteller, die zwar ihren Bildungsgang
durchgemacht haben, und keinen schlechten obendrein, die aber, mögen sie
auch zunächst religiös-asketische Zielsetzungen verfolgen, „unphilologisch"
kleine Meisterwerke schaffen. Man könnte den schon erwähnten Euagrios
Pontikos nennen und seine erstaunliche Kunst der Verkettung tiefsinniger
spiritueller Aperçus,[37] doch seine Lektüre überfordert den Nichteingeweihten. Besser plaziert ist hier Joannes Moschos mit seiner „Geistlichen
Wiese".[38] Ein Zeitgenosse des Papstes Gregor des Großen, schreibt er wie
dieser über Leben und Taten der Helden der Einsamkeit und des klösterlichen Lebens. Aber der Unterschied ist charakteristisch: Gregor der Verfas-

ser der „Moralia in Job", zur Klage begabt, die Katastrophen der Völkerwanderung vor den Toren Roms, kommt von seiner „tristesse" nicht los, auch nicht in den Dialogen über die „italischen Väter"; Moschos eilt fast zeitlos glücklich von Zelle zu Zelle, von Einöde zu Einöde, als gäbe es nur dort Leben, nur dort sogar Humor und unbeschwerte Eintracht mit Gottes Schöpfung. Die Löwen werden zu Lämmern und der asketische Kraftakt zur Geste leichter Hand. Die Wüste lebt, intim und fast anheimelnd.

Das 7. und 8. Jahrhundert gibt für unsere Zwecke wenig her. Nach den ungeheuer schweren Kämpfen um den Bestand des Reiches und dem Verlust der kulturell inspirierenden Provinzen, muß sich die geistig interessierte Welt von Byzanz erst wieder finden. Im 9. Jahrhundert repräsentieren dann Photios und Arethas den Neubesitz der Kräfte. Aber sie sind einsame Größen, wenn sich um sie herum auch dies und das, etwas ungelenk und kaum mit viel Esprit, tut. Fast bezeichnender noch als diese Ungelenkheit ist ein gerade um die Wende zum 10. Jahrhundert zu bemerkender Grobianismus. Die Adepten einer wiedergefundenen „Bildung" schlagen wütend aufeinander ein, etwa ein Konstantinos Rhodios auf Leon Choirosphaktes.[39] Das plumpe Interesse an Kontroverse, wo mit dem Vorwurf des Heidentums der Neubeginn eines Humanismus abgewürgt werden soll, verrät eine Zeit, deren übrige Interessen so wenig mit Geist zu tun haben, daß die armseligen Vertreter des „Geistes" sich zur Kaste formieren und in der Kaste zerfleischen.

Spuren dieses Verdachtes auf heidnische Umtriebe finden sich noch im 10. Jahrhundert, z.B. in dem Dialog mit dem Titel „Philopatris".[40] In der Deutung des Werkes ist man sich keineswegs einig – übrigens auch dies eine Folge des intimen Zeitbezugs, der unterstellt werden muß und den wir kaum noch deutlich zu erkennen vermögen. Aber um ein politisches Pamphlet, das nichts mit der Antike und alles mit dem 10. byzantinischen Jahrhundert zu tun hat, ist dieser Dialog auf jeden Fall. Natürlich steht Lukian Pate, so sehr, daß ältere Zeiten ihn für lukianisch gehalten oder doch in die Antike zurückversetzt haben. Dem energischen Engagement gegen merkwürdige Umsturzpläne in hohen klerikalen Kreisen der Hauptstadt kann dies nicht Abbruch tun.

Kaum mit Palladas zu vergleichen, und doch auf ihre Art die alte Epigrammtradition fortsetzend, beleuchten sowohl Christophoros Mytilenaios wie Joannes Geometres das Alltagsleben in Byzanz. Selbstironisch schildert der erstere wie er beim Fischkauf den erhöhten Preis des Zwischenhandels umgehen möchte und dafür jämmerlich auf die Nase fällt.[41] Kulturgeschichtlich nicht weniger aufschlußreich seine Spottverse auf den Reliquiensammler Andreas;[42] auf zehn Hände des Martyrers Prokop und vier Köpfe des hl. Georg hat er es schon gebracht! Unübersetzbar die Verse des Joannes Geometres auf den Sprachpopanz der Richter seiner Zeit, vorzüglich auf ihre rollenden R's:[43]

Κρίσιν κριταὶ κρίνουσιν ἐν κριτηρίῳ,
ἀεὶ τὸ ῥῶ λέγοντες ἠκριβωμένως.
Κριτὴς δ' ὁ μὴ γνοὺς ἀσφαλῶς τὸ ῥῶ λέγειν
ὀρθῶς προσειπεῖν οὐκ ἂν ἰσχύσῃ λόγον,
ἀλλὰ κλιτὴν μὲν τὸν κριτὴν, τὴν δὲ κρίσιν
κλίσιν προσείποι · πάντα λοξὰ καὶ νόθα ...

Die träge politische Mitte des 11. Jahrhunderts ist andererseits eine der hohen Zeiten der byzantinischen Literatur und des byzantinischen geistigen
Lebens. Zu nennen ist an erster Stelle Joannes Mauropus, Prediger, Epigrammatiker, Hymnendichter und Briefschreiber – und in all dem Humanist reinsten Wassers. Nur bei ihm erfahren wir von der Misere des Historikers, der sich von hohen Stellen gedrängt fühlt, Geschichte, wenn nicht zu
fälschen, so doch so zu schreiben, daß sie dem Selbstgefühl der Auftraggeber keinen Abbruch tut. Mauropus legt die Feder beiseite![44] Nur er in dieser
Zeit wagt es, gegen uralte Tabus der dogmatischen Orthodoxie seine Skepsis zu stellen, d. h. zu fragen, ob es denn immer Kyrillos von Alexandreia
sein müsse, der den Ton angibt, und warum man Theodoret dem Bann
verfallen ließ.[45] So möchte er obendrein auch noch für Platon und Plutarch
einen Platz im christlichen Himmel.[46] Immer kehrt bei der Beurteilung historischer Situationen bei ihm die Bemerkung wieder: Er war ein Mensch!
Mensch, richte nicht! Es ist dann nur folgerichtig, daß er z. B. beim Marien-
lob die gewohnten Hyperbeln nicht überspannt, sondern wiederum auf den
Boden zurückkehrt und feststellt: Stammt nicht auch sie aus unserem Men-
schengeschlecht?[47] Auch sie war nur ein Mensch!

Mit Mauropus befreundet und doch von ihm grundverschieden ist der
Philosoph, Polyhistor und Höfling Michael Psellos. Sein Virtuosentum reißt
ihn immer wieder mit sich fort, immer wieder liebt er Artistik um ihrer
selbst willen, aber er ist so zeitgebunden wie nur irgend ein Schriftsteller.
Mit Vorliebe kramt er in antiquarischen Kenntnissen, aber er vermarktet sie
immer geschickt und talentiert à la 11. Jahrhundert. Sein Geschichtswerk
ist weit weg vom Pathos eines Prokop, aperçuhaft und anekdotenhaft angelegt: Geschichte gebrochen durch das vielfarbige Prisma seiner eigenen Persönlichkeit. Daß ihm der lyrische Ton nicht fremd ist, wurde schon bemerkt. Seine Satiren sind nicht weniger bemerkenswert. Da ist der byzantinische Pfarrer, der Pfarrer des Psellos, den er witzig wie selten aufs Korn
nimmt: Καὶ ποταπὸς παπᾶς ὁ παπᾶς ὁ ἐμός![48] Was mein Pfarrer darstellt,
das müßte in liturgische Verse gebracht werden, aber darauf verstehe ich
mich nicht. Doch dies sei schließlich auch nicht nötig, denn viel von einem
Pfarrer sehe man ihm nicht an: vom Priesterkleid nur noch verschlampte
Fetzen; was Bildung anlangt, so ist er in der ersten Schulklasse stecken geblieben, dafür hat er sein Würfelspiel und seinen Wein. Und so weiter. Von
scharfer Satire nicht viel, eher eine lachende Persiflage – das Bild eines Pa-

pas, sehr lebensnah und höchst wahrscheinlich. Wesentlich bitterer wird
Psellos, wenn einer ohne Vorbildung versucht, in seine eigenen, d. h. in die
literarischen Kreise sich einzuschmuggeln. Zeugnis davon eine Satire auf
einen Schankwirt, der sich zum Richter gemausert hat.[49] Doch bedeutsamer
scheint mir der Hinweis, daß zur lebendigen Literatur der Byzantiner wenigstens hin und wieder doch auch der Brief gehört – und an Psellos läßt es
sich vorzüglich nachweisen. Oft natürlich ist auch bei ihm der Brief nichts
anderes als ein preziöses Billet, oft allerdings auch ein Empfehlungsschrei-
ben, das er jungen oder in Bedrängnis gekommenen Leuten mit auf den
Weg gibt, denen geholfen werden soll. Es spricht für Psellos, daß er sich um
solche Briefe offenbar kaum lange bitten ließ, anders ist die übergroße Anzahl dieser Schreiben kaum zu erklären. Aber immer wieder wird er im
Brief auch zum Erzähler, der uns tief in den Alltag der Zeitgenossen
schauen läßt. So erzählt er etwa vom Besuch eines Alleswissers,[50] der so tut,
als sei er erst gestern aus Ägypten, Äthiopien und Indien zurückgekehrt; er
weiß alles über jeden Arm des Nildeltas, kennt jedes Kaff und was für ein
Wind dort weht und läßt sich vor allem nie unterbrechen. „Mir blieb nichts
anderes übrig, als in einen tiefen Schlaf zu verfallen und mir so den Menschen vom Leibe zu halten. Aber er kommt ganz bestimmt wieder!" Es gibt
unter den Briefen des Psellos auch etliche, die das Mönchtum seiner Zeit in
zweideutigem Lichte erscheinen lassen, und in manchen fährt er Vertreter
dieses Standes an, wie man es vom „orthodoxen" Byzantiner nicht erwarten
würde. Schließlich war er selbst kurze Zeit Mönch auf dem heiligen Berg
Olymp (in Bithynien). Aber die Mönche haben es nicht versäumt, ihm diesen Abstecher angemessen zu vergüten. Einer von ihnen schrieb, bewußt
den bithynischen Mönchsberg mit dem Götterberg in Griechenland ver-
wechselnd:[51]

Herr Zeus, Vater und Herrscher,
Kinderreich und gewaltig donnernd,
Du hast den Olymp nicht ertragen, auch nicht für kurze Zeit,
Denn leider waren da deine Göttinnen nicht zu finden!

Nur noch anmerkungsweise sei erwähnt, daß Psellos vielleicht einer der ersten Gelehrten ist, der sich mit den volkstümlichen Redensarten seiner Zeit
befaßte – ein Zeichen sprachlichen Interesses über den Klassizismus
hinaus.[52] Was den literarischen Brief anlangt, so hört er auch im 12. Jahrhundert,
das viel stärker als das 11. rhetorisch gestimmt ist, nicht auf, aussagekräftig
zu bleiben. Was etwa Michael Italikos über das Homiliar eines Patrarchen
schreibt,[53] (es könnte Joannes Agapetos sein,) das praktisch aus anderen
abgeschrieben ist, leuchtet in eine Arbeitspraxis hinein, die nicht allzu selten
gewesen sein dürfte. Und dann das ewige Klagelied über die fehlende Bezah-

lung der Professoren an die Adresse eines Hofbeamten, der ehedem Michaels Schüler war.[54] So wirft er sich scherzend in Positur als Professor gegenüber dem Studenten, der ohne ihn doch nichts geworden wäre: Ich bitte nicht, ich ordne an: die Gehälter der Professoren sind auszuzahlen! Hilft dies nichts, dann will er in die Maske des armen Schluckers schlüpfen, der sich an den allmächtigen Minister wendet, der überall die Finger im Spiel hat, und dann bittet er nicht mehr um die Gehälter, sondern um einige Talerchen.

Der arme Gelehrte und Professor ist in der byzantinischen Literatur perennierend. Er versteht sich aufs Klagen wie der Bauer. Und manchmal hat es den Anschein, daß da doch um mehr als um das tägliche Brot gebettelt wird. Wie dem auch sei: das Ptochoprodromosgedicht von jenem jungen Mann, dem der Vater sagte: Mein Sohn, du mußt studieren, nur so bringst du es zu etwas; und der dann ein Leben lang voll Neid auf die gefüllten Töpfe seines Nachbarn, des banausischen Handwerkers sehen muß, der sich über ihn lustig macht, spiegelt wohl die soziale Wirklichkeit wenigstens zum Teil wieder.[55]

Das 12. Jahrhundert schafft, zurückgreifend auf spätantike Vorbilder, in preziöser Sprache auch neue Liebesromane.[56] Ihre Helden bewegen sich in einem imaginär antikischen Raum, sie haben mit Byzanz kaum etwas zu tun, jedenfalls kaum nach Absicht ihrer Verfasser. Daß sich gelegentlich doch dieses oder jenes einschleicht, was die Zeit ihrer Entstehung verrät, ist bei einer solchen Art von Literatur unvermeidlich. Sinkt hier der Literaturbetrieb in die bloße Mimesis alter Vorbilder zurück? Geht es hier nicht um den bewußten Verzicht auf jeden Einfluß auf die eigene Zeit? Allem Anschein nach ja; doch vielleicht darf man folgendes nicht ganz übersehen: So klein die Gruppe jener gewesen sein mag, welche diese Romane lesen konnten, sie verraten doch einen emanzipatorischen Drang, aus der Prüderie der gängigen Orthodoxie auszubrechen. Der Versuch mag gekünstelt sein, ein Versuch ist es trotzdem. Im 14. Jahrhundert wird man ihn mit geeigneteren Mitteln wieder aufnehmen.

Zu den Autoren dieser Romane gehört auch Theodoros Prodromos, von dem sich kaum behaupten läßt, er habe keinen Blick für seine Zeit. In nicht unbedeutenden Gedichten hat er sich zu den politischen Ereignissen seiner Zeit geäußert. Er ist mit hoher Wahrscheinlichkeit auch der Verfasser einer dramatischen Parodie, des sogenannten Katzmäusekrieges.[57] Es müßte nicht mit rechten Dingen zugehen, wenn Prodromos hier nicht mit beißender Ironie so manche „Bravour" des 12. Jahrhunderts aufs Korn nähme. Neuerdings will man in ihm auch den Verfasser der Satire „Timarion"[58] sehen. Wie immer es damit bestellt ist, sie gehört ins 12. Jahrhundert, Denkmal einer merkwürdigen Liberalität, in dem ein alter Kaiser (Theophilos) zelebriert wird, der nach allen Grundsätzen der Orthodoxie gar nicht gefeiert werden dürfte. Darüber hinaus ist dieser Timarion ein amüsantes Stück Stichelei gegen gelehrte und halbgelehrte Scholaren des 12. und zurückgreifend des 11. Jahrhunderts und bietet noch dazu kulturgeschichtliche Nachrichten, die wir sonst vergeblich suchen würden.

Für das 13. Jahrhundert, in dem das Reich über Dezennien auf seinen politischen und geistigen Mittelpunkt Konstantinopel verzichten mußte, möchte ich nur einen Autor nennen, der ansonsten wenig Sympathie findet: Nikephoros Blemmydes. Überblickt man die handschriftliche Überlieferung einiger seiner Werke,[59] so gewinnt man den Eindruck, daß er mit seinen naturwissenschaftlichen Kompendien bei den Humanisten des 15. und 16. Jahrhunderts mehr Erfolg als bei den Byzantinern hatte, d. h. in einer Zeit, die sonst so vieles besser zu wissen glaubte, – Aktualität für die Zukunft!

In dem bisher Gesagten hängt sich der Begriff „Aktualität" wohl häufig an vereinzeltes, an Anekdotisches, um nicht zu sagen an die Oberfläche. Die Aktualität der byzantinischen Schriftstellerei des 14. und 15. Jahrhunderts hat andere Ausmaße. Es ist die Zeit, in welcher der byzantinische Monopolanspruch auf Bildung und Wissen von außen her sehr energisch in Frage gestellt wird. Lateinische Literatur von der späten Patristik bis zur Früh- und Hochscholastik wird ins Griechische übersetzt, sogar meisterhaft übersetzt, unvoreingenommen zunächst und ohne daß an die Folgen gedacht wäre. Aber diese stellen sich ein. Metochites, der hier wieder einmal und nachdrücklicher als an anderen Stellen zu nennen ist, ist sich darüber klar, daß das byzantinische Monopoldenken nicht zuletzt darin seine falsche Sicherheit gefunden hat, daß es an Vergleichsmöglichkeiten fehlte, daß man sich in der übrigen Welt nicht umgetan hat, die sich nun so laut zu Wort meldet.[60] Einmal auf dem Weg der Kritik, wagt er sich auch an die Klassiker, und zwar nicht nur sprachlich-philologisch und stilistisch, sondern mit der Grundfrage, was sie dem modernen Menschen des 14. Jahrhunderts zur Bewältigung seiner Aufgaben zu bieten haben. Die Antwort ist durchaus nicht immer positiv. Und Demetrios Kydones entdeckt mit Staunen, daß die Schärfe und Stringenz scholastischer Argumentation altes griechisches Erbe ist, um das sich seine Zeitgenossen nur zu wenig kümmern.[61] Es geht an die Wurzeln. Gründlicher als beide zusammen kümmert sich Georgios Scholarios um das neue Angebot, aber sein Schaffen hat als Leitstern keine Hoffnung mehr.

Über die Aktualität der gleichzeitigen Literatur in der Volkssprache ist kaum noch viel zu sagen. Diese Literatur hat sich im Laufe des 14. und besonders im 15. Jahrhundert von den „Philologen" emanzipiert, sie schafft aus dem Unmittelbaren und ist schon deshalb zeitbezogen. Die Genera und viele Anschauungen bleiben, trotz allem, was man gern aus Eigeninteresse an einer unabhängigen „Volksliteratur" dagegen anführt, nicht selten typisch „byzantinisch". Aber das Milieu, das getroffen und betroffen wird, ist einige Stufen tiefer zu suchen und dementsprechend auch breiter und um-

fassender. Die Satiren, Parodien und Fabeln befassen sich nicht mehr mit
einer Kaste oder einer vereinzelten Schicht, sondern mit dem „Volk", – und
sie sind die beste Quelle für eine Kulturgeschichte des 14. und 15. Jahrhunderts. Die Liebeslieder haben keine Angst mehr vor einem orthodoxen Veto
und der Roman lebt von der reinen Lust am Fabulieren.

Es ist unmöglich, an dieser Stelle alle Literaturgenera der Byzantiner mit
Beispielen zu Worte kommen zu lassen, die ihre zeitgeschichtliche „Transparenz" beweisen können, die in irgendeiner Weise die Möglichkeit verraten, daß der Byzantiner sich in ihnen selber wiederfinden oder von ihnen
provoziert fühlen konnte. Nur einer Gattung sei noch eigens gedacht, weil
sie in den Literaturgeschichten so selten zu Worte kommt, der Selbstbiographie. Sie kann sich ihrerseits so gut wie jeder literarischen Gattung bedienen, des Gedichts, der Rede, des Briefes, ja selbst der Urkunden. Wo Selbstbiographie mehr ist als die Aufzählung von Lebensdaten und Taten, wo sie
wirklich über das eigene Innere aussagt, hat sie es in Byzanz schwer, weil
das Typische aus alter Tradition heraus den Vorzug genießt. Um so bedeutender die Ausnahmefälle. Die Distanznahme von der Umwelt und ihrer
prägenden Kraft fordert besondere Anstrengungen, und weil die Gefahr der
Selbstverzeichnung natürlich immer gegeben ist, sind diese Anstrengungen
besonders „verräterisch".

Das Interesse an Selbstbiographie zu Beginn der byzantinischen Ära ist
sozusagen Person geworden in Gregor von Nazianz. Er selbst und oft fast
nur er selbst ist Gegenstand seiner Gedichte, seiner Reden und Briefe. Fast
alles ist εἰς ἑαυτόν, in seipsum, ist Bekenntnis und Confession.[62]

Er will die Kalamitäten seines Lebens schildern und tut es im Metrum,
weil dieses geeignet sei, den Schmerz zu überspielen und mit Maß die Maß-
losigkeit seiner Person zu bändigen. So manche seiner Predigten reflektieren
weniger über den Festtag, an dem sie gehalten werden, als über sein eignes
Verhältnis zur Gemeinde, sind Teil seiner Rechtfertigung gegenüber dieser,
gegenüber seinem Vater, seinen Freunden und vor allem gegenüber Basileios
von Kaisareia. Die ganze Skala von Verhaltensmöglichkeiten liegt offen:
sein Verhältnis zum Zauber der Antike und der hellenischen Gelehrsamkeit,
noch verkörpert im sterbenden Athen des 4. Jahrhunderts (Ὢ λόγοι καὶ
Ἀθῆναι καὶ ἀρεταὶ καὶ λόγων ὑδρῶτες!), das Verhältnis zu Konstantinopel, dem Neuen Rom, das ihm die beglückendste Chance seines Lebens bot,
um ihn schließlich doch wiederum zu enttäuschen, sein Verhältnis zu den
Mitbischöfen, das schlechter nicht sein konnte, und denen er alle Vorwürfe
macht, mit denen ich Partien meines Kapitels über die politisierte Orthodoxie hätte garnieren können, und schließlich und immer wieder das Auf und
Ab seiner Bindung an Basileios den Großen, das alles, was für ihn Freundschaft bedeutete, immer wieder aufrief und immer wieder desvouierte. Der
feurige Erguß der Freundschaft hier, und dort ein „Nie mehr werde ich an
Freundschaft glauben". Ein byzantinischer Mensch, dem keine Schwäche

fremd ist und der uns fast nichts verschweigt. Es ist wohl auch selbstbiographisch, was wir in einem seiner Briefe an einen jungen Mann lesen: „Ich höre, daß du dich für Sophistik begeisterst und dies eine große Sache für dich ist. Wenn du daneben noch Sinn für die Tugend hast, dann gehörst du zu uns. Wenn du aber *nur* Sophist bist und auf unsere Freundschaft vergißt, dann will ich dir trotzdem nichts Unfreundliches sagen. Nur dies: Du wirst einige Zeit, umgeben von jungen Leuten, mit dir selbst zufrieden sein. Aber wenn dann die Vernunft kommt, dann wirst du lange über dich selbst zu lachen haben. Doch dies ist für später."[63] Sicher war Gregor kein Sophist von reinen Wassern, aber „Sophistik" war eine der Möglichkeiten, auf die er angelegt war, ein Pol seines Wesens. Und auch er hat lange gebraucht um zur Vernunft zu kommen. Doch scheint er das Lachen nicht mehr gefunden zu haben:

> Es hat mir Altem wohlgetan,
> zu dichten, und mir, wie der greise Schwan
> sich Tröstung zurauscht mit den müden Schwingen,
> kein Klaglied, doch ein Abschiedslied zu singen.[64]

Ein ähnliches Ambiente, dasselbe Jahrhundert, dasselbe Kleinasien, in der Selbstbiographie des Libanios, dem Λόγος περὶ τῆς ἑαυτοῦ τύχης.[65] Fast ist man versucht, in der Einführung der Tyche in die Überschrift den Unterschied zu Gregor von Nazianz zu sehen. Gregor exkulpiert sich mit seiner eigenen Schwäche und noch lieber mit der Gegnerschaft von Mitbischöfen oder dem Unverständnis von Freunden. Bei Libanios ist es das Schicksal selbst, mit dem er von Eigenem ablenkt. Die schwarzen und weißen Kugeln werden hin und hergerollt und hinter der Ballotage verschwindet die Persönlichkeit. Der Kreis der Interessen ist eng gezogen: Lehre, vor allem Rhetorik und das Prestige des Rhetors. Athen bleibt im Nebel und ebenso das ungeliebte Konstantinopel. Seine Stadt und seine Welt, nach der alles gemessen wird, ist Antiocheia; hier ist er Bürger, Professor, Patron und Wohltäter. Eine Schlußszene dieser Biographie: Libanios verliert durch den Tod einen seiner Söhne in einer thrakischen Stadt. Trauer und Tränen „fast bis zum Erblinden" in der Familie und unter Freunden. Bis dann Libanios selbst in den Kreis tritt und verkündet: „Hört auf zu trauern; wir haben etwas, was dem Schmerz ein Ende macht: Die Stadt, in der mein Sohn umgekommen ist, haben die Götter mit einer Hungersnot bestraft." Der moderne Leser mag die Brauen hochziehen, doch für ihn waren diese Zeilen nicht geschrieben. Libanios kennt sich selbst und wahrscheinlich auch seine Zuhörer und Leser. Die Episode verrät, wie viel von antikem Sophistentum noch lebte, aber auch wo die Antike mit sich selbst am Ende war.

Einen völlig anderen Typ der Selbstbiographie, außerordentlich „byzantinisch" und doch ebenso von höheren Kräften bestimmt, wenn auch nicht mehr durch die Tyche, stellt die mönchische Selbstbiographie dar, wie sie von Gründeräbten nicht selten ihren Klosterregeln oder letztwilligen Verfügungen vorausgeschickt wurde. Ein Beispiel sei herausgegriffen: Christodulos, der Stifter des berühmten Klosters auf der Insel Patmos.[66] Auch hier ist das Entscheidende nicht eine innere Entwicklung des Helden, aber auch keine pittoreske Schilderung kleiner Erfahrungen, Ereignisse und Abenteuer, sondern die Führung Gottes von Station zu Station, die zur Erbauung und Belehrung seiner Mönche aufgezeichnet wird. Weder der Name des Klosters, wo seine Laufbahn beginnt noch der des Mönches, der ihn in das geistige Leben eingeführt hat, spielen eine Rolle. Zwei Dinge bestimmen dieses Leben: der Eros zur ξενιτεία (Heimatlosigkeit), wie er selbst es formuliert, und die Furcht, einmal vor den Sarazenen, dann vor den Türken, dann vor der Welt überhaupt. So geht sein Weg von der östlichen Heimat auf den Berg Latros, wo er einen neuen Sinai entdeckt, dann nach Strobelos, dann auf die Insel Kos und schließlich in die „wirkliche Einsamkeit" auf Patmos, die ihm durch kaiserliche Freigebigkeit abgesichert wird. Und Euboia ist die letzte Station. Von einer inneren Folgerichtigkeit findet sich nichts. Die Furcht bleibt dominierend, die Persönlichkeit im besten Fall typisch – mehr soll sie gar nicht sein, – darf sie wohl gar nicht, weil diese Typisierung den mönchischen Idealen besser entspricht als die ausgeprägte Individualität. Die schamhafte Entschuldigung der eigenen Schwäche und Furchtsamkeit mit Gottes Führung verrät jene Frömmigkeit, die sich selbst als Objekt in eine andere vom Selbst fast unabhängige Sphäre versetzt.

Typisiert und unpersönlich bleibt beispielsweise auch die Selbstbiographie, die Kaiser Michael VIII. seiner Klosterregel für das Demetrioskloster in Konstantinopel voranschickt.[67] Monumental aber wie das Ancyranum, weil sie uns das Selbstbewußtsein dieses Herrschers auf so unverfrorene Weise zum Bewußtsein bringt. Alles ist Majestät und es gibt keinen Zweifel: die Majestät steht jederzeit unter Gottes besonderer Vorsorge, erst recht die Bataillone des Herrschers. Und seine persönlichen Feinde sind Reichsfeinde und Gottes Feinde zugleich. Ein unvergeßliches Dokument für kaiserliches Selbstbewußtsein, für die restlose und unbedenkliche Aneignung der Herrscherideologie durch einen einzelnen.

Eine besondere Gattung, ebenso auf den Beruf und ihn allein zugeschnitten wie in der Mönchsbiographie, ist die Schriftstellerselbstbiographie. Eine der sprechendsten ist die des späteren Patriarchen Gregorios Kyprios im 13. Jahrhundert.[68] Man verläßt bei Nacht und Nebel die Heimat auf der Suche nach dem großen Lehrer; man nimmt lange Reisen und unendliche Mühen auf sich und setzt sogar das Leben aufs Spiel, weil man von einer Akropolis der Bildung in der Ferne gehört hat, – und man ist enttäuscht über die Dürftigkeit des Gebotenen. Es gehört fast zum guten Ton dieses Genres, letztlich nur auf sich selbst angewiesen zu sein. Die Enttäuschung bei Gregorios ist Nikaia und sein Ruf. Aber Konstantinopel wird wieder byzantinisch: das große Ereignis. Groß deshalb, weil es hier wieder Bildungsmöglichkeiten gibt. Und hier bringt er es zum Professor, dessen Programm lautet: τὸ χαριέν, το ἀστικόν, τὸ σεμνὸν καὶ τὸ ὄντως Ἑλληνικόν (das Angenehme, das Geistreiche, das Erhabene, das wahrhaft Hellenische)! Patriarch wird er natürlich gegen seinen Willen, und die Zeit seiner Amtsführung dient, über Andeutung, große Schwierigkeiten betreffend, im Grund nur dazu, den geringen Umfang seiner literarischen Produktion zu erklären.

Einer langen und breiten Einführung bedürfte die Selbstbiographie eines etwas älteren Zeitgenossen, Nikephoros Blemmydes,[69] weil er Mönchbiographie und Schriftsteller-Biographie ganz einfach im Stile der Heiligenlegende zu Selbstbiographie macht, ohne dabei auch nur einen Augenblick ein schlechtes Gewissen zu verraten, denn er hat immer recht. Er nennt denn auch seine Werke eine στήλη ὁμολογίας, ein Monument des Bekenntnisses, – eines Bekenntnisses zu sich selbst. Da fehlen selbst die Wunder nicht, weil sie in der Hagiographie nicht fehlen können. Und die Mißerfolge in seiner Karriere sind im Grunde nichts anderes als eine Strafe Gottes für seine Gegner. Die strafende Hand Gottes bekommt durch ihn die rechte Richtung, er repräsentiert die Gerechtigkeit schlechthin und hat damit auch das Recht, sich an seinen Gegnern zu rächen, wo immer sich die Gelegenheit bietet. Die orthodoxe Kirche zählt ihn trotzdem nicht zu ihren Heiligen.

Bleibt die besondere Art selbstbiographischer Darstellung durch Demetrios Kydones zu nennen: die Apologia pro vita sua,[70] ein fast tragisch anmutender Versuch, die Abkehr vom System der politischen Orthodoxie, hervorgerufen durch die unfreiwillige Entdeckung der lateinischen Scholastik und ihres provokatorischen Denkansatzes, zu rechtfertigen gegenüber einer Gesellschaft, die außer dieser Orthodoxie kaum noch etwas hat, an das sie sich klammern könnte.

3. Gesellschaftskritik?

Daß ein Schriftsteller kraft seiner inneren Berufung immer auch Gesellschaftskritik treiben müsse, ist eine Verallgemeinerung, die so keinen Bestand in sich hat. Andererseits gehört es ohne Zweifel zu seiner besonderen Rezeptivität, auf Unruhen und Bewegungen innerhalb der ihn umgebenden Gesellschaft anzusprechen und in erhöhtem Grad zu reagieren; dies vor allem dann, wenn eine solche Unruhe an jenen Freiraum rührt, den jeder schöpferische Mensch benötigt. Insofern ist schriftliche Gesellschaftskritik nicht nur Anzeichen für die „Aktualität" des literarischen Schaffens, sondern darüber hinaus jener Widerhall, den das konkrete Dasein im Wort findet, auch das Dasein in seiner Gefährdung.

Wenn allerdings, wie angedeutet, die literarisch schaffende Schicht in Byzanz bis in die späten Jahrhunderte mehr oder weniger deckungsgleich ist mit der gesellschaftlichen Oberschicht, zumindest auf diese Oberschicht hin orientiert ist und auf ihre Standards aspiriert, dann wird es kaum überraschen, daß in der byzantinischen Literatur dieser „gelehrten" Schicht Gesellschaftskritik nicht das übliche ist, und daß sie, wo sie doch vorkommt, systemimmanent bleibt und sich eher an Personen, an einzelnen Vertretern der Oberschicht, reibt als am System und seinen Institutionen und Verhaltensmustern.

Auf einzelne kritische Ansätze wurde schon im vorausgehenden hingewiesen. Hier noch ein paar Ergänzungen, die über rein punktuelle und reine Gelegenheitskritik hinausgehen. Großangelegte politische Kritik kennt Byzanz schon im 4. Jahrhundert und zwar vertreten durch einen Kaiser, Julian, der hier aber nicht in seiner Eigenschaft als römischer Imperator spricht, sondern als griechisch Gebildeter, als Vertreter der griechischen Mentalität neuplatonischer Art, die mit den mores Romani ausgesöhnt werden soll. Zwei seiner Werke sind besonders bedeutsam, die Caesares[71] und der Misopogon.[72] In den Caesares enthüllt sich gnadenlos sein Haß gegen die Familie Konstantins des Großen, der er selbst angehört, jenem Zweig nämlich, der durch die Skrupellosigkeit der Kaiserin-Mutter Helena und die Nachgiebigkeit Konstantins selbst und den Haß seiner Söhne fast völlig ausgerottet wurde. Julian konnte offensichtlich bereits feststellen, wie sich das Bild des großen Konstantin in christlichen Kreisen zu einem Idealbild des christlichen Herrschers verdichtete, das besser in die Hagiographie als in die politische Geschichte paßte. Dagegen nimmt er mit aller satirischen Schärfe Stellung, nicht nur, weil er haßt, sondern weil er in diesem Kaiserbild eine Verfälschung dessen sieht, was dem Imperium nottut. Das Rad der Geschichte aber konnte er damit nicht zurückdrehen.

Ebenso wenig gelang ihm dies mit der teilweise selbstkritischen Satire Misopogon, worin er den Antiochenern jenes hellenistische Kaiserbild nahebringen will, dem er sich verpflichtet fühlt, der Herrscher also als Philosoph, aber zugleich altrömisch im Sinne eines Princeps, der sich als Hoheitsträger republikanischer Werte versteht, worüber Antiocheia sich offenbar nur mokiert. Die Satire macht es evident, wie wenig der Osten, zumindest der großstädtische Osten, von einer Rückkehr zur alten Schlichtheit und philosophischen Kühle bei einem Herrscher wissen wollte, nicht weil er gewillt gewesen wäre, sich einem Dominus submissest zu Füßen zu werfen, sondern weil er sich in der Pracht eines Dominus und Autokrator sonnen und wohlfühlen wollte.

Wie aus dieser im Freiraum des Hellenismus und noch dazu unter kaiserlichem Patronat abgedeckten Kritik innerhalb der verengten Grenzen der späteren politischen Welt von Byzanz dann eine Klassen-, wenn nicht Kasten-Satire werden kann, zeigt am besten die „Hadesfahrt des Mazaris",[73] eine Satire auf den Hof und die Höflinge des Kaisers Manuel II. Was hier angeprangert wird, ist eine völlig korrupte Gesellschaft, wo jeder jeden besticht und jeder sich von jedem bestechen läßt, wo es nur eine Sorge gibt, nämlich wie man am schnellsten die höfische Chance für Reichtum ausbeutet, wo kaiserliche Dekrete für hohe Summen verkauft werden, wenn sie nicht in einer Schublade verschwinden, und wo die Interessen des Reiches skrupellos verraten werden. Nur der Kaiser selbst – vielleicht bezeichnend für die Lauterkeit Manuels II., die wir auch aus anderen Quellen kennen – wird aus der Satire herausgehalten. Es bleibt natürlich die Frage, wie viel von diesem abstoßenden Bild auf das Konto des Satirikers zu setzen ist. Die Antwort darauf ergibt sich vielleicht, wenn man die wahren Absichten des Verfassers herauszufinden sucht. Es handelt sich doch wohl um einen Mann, dem es noch nicht gelungen ist, selbst in diesen Kreis, den er so heftig kritisiert, einzudringen, um an seinen Chancen teilnehmen zu können. So empfiehlt er sich dem Kaiser nachdrücklichst als der einzig Uneigennützige, der einzige, der wirklich treu zum Kaiser hält, während im übrigen auf die Umgebung des Kaisers nicht der geringste Verlaß sei. Im Grunde fällt die Satire auf ihren Verfasser zurück, ebenso die Gesellschaftskritik, die er ausspricht. Der wirklich politische Atem fehlt vollständig, was allerdings nicht bedeutet, daß das Sittengemälde als solches nicht seinen Wahrheitsgehalt haben kann.

Leider bleibt der Dialog Philopatris[74] für sehr verschiedenartige Interpretationen offen. Nur stückweise kann das eine oder andere gedeutet werden. Die „gebückten und bleichen Männer" aber, die sich im Saal mit der goldenen Decke versammeln, sind wohl kaum anders zu deuten als auf den Patriarchen und seine hohen kirchlichen Berater, in den Augen des Verfassers eine politische Clique, die gespannt auf schlechte Nachrichten wartet, ohne sich selbst auf die Straße zu wagen, aber doch bereit, im Trüben zu fischen. Der Philopatris erweist sich im Grunde doch als eine politische Streitschrift im Dienste des legitimen, wahrscheinlich in schwere Grenzkämpfe verwickelten Kaisers, gegenüber jenen hauptstädtischen Kreisen, die während dieser Zeit sich unkontrolliert der Konspiration hingeben.

Unmittelbarer als Philopatris, naiver sozusagen und damit überzeugender, setzt sich Kekaumenos in seinem sogenannten Strategikon mit seiner Umwelt auseinander.[75] Es handelt sich um sprachlich bescheidene Ratschläge an seine Söhne – eine fast einzig dastehende Quelle ersten Ranges für unsere Kenntnis dessen, was ein Landedelmann, ein ehemaliger Gouverneur oder hoher Militär, sich in den späten Tagen des Lebens durch den Kopf gehen läßt und betulich niederschreibt, obwohl er kein Mann der Feder ist und, wie er selbst sagt, „keine griechische Bildung" genossen hat. Er tritt nicht an mit dem Impetus des Kritikers, er macht sich nur Notizen. Die Summe seiner Weisheit ist, fast möchte man sagen, Mißtrauen schlechthin. Weder dem Glück noch den Frauen und schon gar nicht den Ärzten ist zu trauen, weder dem Kaiser noch dem besten Freund. Er ist Pessimist wie die

Verfasser der Weisheitsbücher des Alten Testaments, aus denen er besonders gern zitiert. Sein Gott ist kein byzantinischer Pantokrator, eher der Gott der Moralisten, des gerechten Ausgleichs unter allen Umständen, wenn jeder das Seine tut; zugleich aber doch auch der Gott, mit dem man nächtens Zwiesprache halten kann; beileibe nicht der Gott der stärkeren Bataillone, eher jener der klügeren und vorsichtigeren Kommandeure. Was immer es mit den Hyperbeln der Kaiserideologie auf sich haben mag, Kekaumenos ist durch sie nicht zu beeindrucken. Auch der Kaiser ist nichts weiter als ein Mensch. Mag er vieles wissen, es gibt noch viel mehr, das er nicht weiß, und jedem beliebigen seiner Befehle zu gehorchen, wäre widersinnig. Wie die Kaiser mit den Toparchen an den Grenzen des Reiches umspringen, kann er nicht verwinden, und daß sie den Höflingen so viel Einfluß zugestehen noch weniger. Er weiß, daß die Hauptstadt von der Provinz lebt und hält die Vernachlässigung der Provinz für ein Hauptübel der byzantinischen Politik. Der Weitblick ist unverkennbar; denn aus genau diesem Grunde gingen bald darauf die östlichen Provinzen, die Kekaumenos mit Vorzug im Auge hatte, dem Reich von heute auf morgen verloren. „Die große Trägheit" ist über die Menschen gekommen – dies sein Wort. „Zieh hinaus in die Provinzen, mahnt er den Kaiser, und schau dir das Unrecht an, das deine Untertanen erleiden müssen!" Konstantin IX. Monomachos ist für ihn der exemplarische „kaiserliche Stubenhocker". Und „dem römischen Reich ist seither nichts Gutes mehr widerfahren."

In der Kritik an der Tätigkeit bzw. Untätigkeit der Kaiser gehen die Historiker gemeinsame Wege mit Kekaumenos. Natürlich gehört zur sogenannten Kaiserkritik der Historiker manches, was weder mit echter politischer Kritik noch mit Gesellschaftskritik zu tun hat. Was z. B. mönchische Chronisten an den Kaisern der ikonoklastischen Periode auszusetzen haben, stammt nicht selten aus dem Fundus ziemlich enger dogmatischer und kirchlicher Vorstellungen, denen diese Kaiser nicht zu entsprechen geruhten. Daß sie ihnen den Ikonoklasmus zum Vorwurf machten, ist ihr Recht; schlimm aber wird es, wenn darüber das außenpolitische Bemühen mancher dieser großen Herrscher in Mißkredit gebracht wird. Immerhin wirkt bei dem einen oder anderen dieser „Mönchschronisten" noch nach, was sie an politischer Bildung während ihres weltlichen Lebens im Dienste des Reiches gelernt und eingesogen haben. Trotz aller Liebe zum Bilderkult macht z. B. Theophanes jene Kaiserin Eirene, die diesen Kult restauriert hat, nicht zu jener Heiligen, als welche sie die byzantinische Kirche verehrt. Auch die rein „dynastische Kritik" kann in unserem Zusammenhange nicht zu Buche schlagen, etwa die Polemik der Zeit der makedonischen Kaiser gegen Kaiser Michael III. Aber wenn sich auch keine durchaus einheitliche, von höchsten politischen Standards bestimmte kritische Linie feststellen läßt, so nimmt doch beispielsweise im Geschichtswerk des Niketas Choniates die Kritik an den Verhaltensweisen und politischen Initiativen vieler Kaiser einen breiten

Raum ein, und Zonaras vertritt nicht nur die „Senatsklasse", er formuliert, was er zu bemängeln hat, von einer höheren Warte aus als manch kleinerer Historiker. Kapriziöser ist Psellos, weil er immer wieder dazu neigt, in den Kaisern „seine" Kaiser zu sehen. Doch auch bei ihm begegnen gelegentlich echt politische Ansätze, die man sonst so selten bei ihm findet. Michael Attaleiates verdient hier eben so einen Platz wie hunderte von Jahren später Nikephoros Gregoras, um von den fast abgefeimten Wegen des Prokop hier einmal abzusehen. Über Prokop zurück sollte noch auf Zosimos hingewiesen werden, der Konstantin dem Großen gegenüber fast eine ähnliche Stellung einnimmt wie Kaiser Julian.

In diesem Zusammenhang verdient auch der byzantinische Episkopat ein Wort, was immer man sonst über diesen Stand denken mag. In gar nicht so seltenen Fällen erinnern sich die Bischöfe ihrer alten Rolle als „defensores plebis" und treten vor die kaiserlichen Beamten und vor die Kaiser selbst als Fürsprecher gegen den Steuerdruck, gegen willkürliche Zwangsaushebungen und Konfiskationen und gegen Zwangsarbeiten. Dies ist hier deshalb zu erwähnen, weil viel von dieser Kritik seinen Niederschlag in der Briefliteratur gefunden hat, die sich hier wieder einmal als ein Genos erweist, das nicht nur der Spielerei und dem Belanglosen dient. Und um Literatur im byzantinischen Sinne handelt es sich dabei auf jeden Fall, denn sonst wären diese kritischen Briefe nicht in die sorgfältig hergestellten Brief-Corpora aufgenommen worden.

Auch die rhetorische Produktion im engeren Sinne des Wortes darf in diesem Zusammenhang nicht ganz vernachlässigt werden. Schon in einem anderen Zusammenhang wurde die große Rede „über das Königtum" des Synesios von Kyrene erwähnt.[76] Es ist erstaunlich, wie stark sich seine Kritik am Kaiser seiner Zeit mit der so viel späteren des Kekaumenos deckt. Auch bei ihm die unüberhörbare Mahnung „Zieh hinaus in die Provinz und sieh dir an, was dort geschieht!" Ausnahmen bleiben solche Reden auf jeden Fall; aber stellt man in Rechnung, daß viele von ihnen auf Bestellung bei festlichen Anlässen zelebriert wurden, so bleibt es doch überraschend, wenn manche trotz der Feierlichkeit der Stunde mit ihrer Kritik, wenn auch noch so verschleiert, nicht hinter dem Berg halten.

Die Kritik am offiziellen Staatsgedanken oder besser an einer von der herrschenden Klasse bewußt festgehaltenen und gepflegten Ideologie wurde schon an anderer Stelle kurz gestreift. Bleibt übrig, auf ein soziales Schrifttum hinzuweisen, das für das 14. Jahrhundert charakteristisch ist. Mag es auch in keinem unmittelbaren Zusammenhang mit dem sogenannten Zelotenaufstand stehen der damals Thessalonike und andere Städte erschütterte, es gehört jedenfalls in die Zeitverhältnisse, aus denen diese Aufstände ihre Nahrung zogen. Verfassungsänderndes war allerdings damit nicht beabsichtigt, aber im System selbst bleibt die Kritik herb genug: verschiedene Briefe des Demetrios Kydones[77] sind hier zu nennen, besonders aber ein Dialog des Makrembolites[78] und selbst der Mystiker Nikolaos Kabasilas.[79] Gerne wüßten wir, ob soziale Kritik sich auch in revolutionärer Agitation äußerte. Inwieweit die Bogomilen hier in Betracht kommen, sei an anderer Stelle abgehandelt. In einem Zusammenhang, der vielleicht doch auch in die Nähe bogomilenartiger Bewegungen gehört, wird von einer solchen Agitation durch Michael Psellos berichtet in seinem Schmähgedicht auf Sabbaites,[80] der sich offensichtlich zum Anwalt der Armen aufgeworfen hatte und dabei weder vor dem Kaiserthron noch vor dem Stuhl des Patriarchen haltmachte:

> καὶ δογματίζεις καὶ τυποῖς καινοὺς βίους,
> κυκᾷς δὲ πάντα καὶ ταράττεις ἀφρόνως.

Leider wissen wir nicht, ob und in welcher Form dieser Sabbaites seine Kritik auch schriftlich niedergelegt hat.

Die byzantinische Literatur kennt in ihrer letzten Periode eine ganze Anzahl von Dichtungen und Prosastücken in Form von Tierfabeln und ähnlichem. Parodie, Satire, reine Persiflage und alter Fabelton variieren hier auf interessante Weise, – ein „Bestiarium humanum" nicht unkritischer Natur.[81] Wo diese Satiren polemisch werden, ist es gelegentlich nationale Polemik gegen Franken und Bulgaren. Oft aber ist die Satire nichts als Spott an denen, die eine Chance verpaßt haben. Was nicht nur bedauert, sondern vor allem verachtet wird, ist Elend und Not. Lebenswert ist allein der Standard der höheren Klassen. Trotzdem sind die Autoren kaum in diesen Kreisen zu suchen, sie sind nur nicht geneigt, sich mit menschlichem Ungeschick zu identifizieren und sich mit den Zurückgebliebenen zu solidarisieren. Echte Sozialkritik ist kaum zu finden, im besten Fall das Vergnügen daran, daß auch ein „Nichtstudierter" dem Scheingelehrten ein Schnippchen zu schlagen weiß. Eine Orientierung am Reichszentrum und am Reichsgedanken ist kaum noch festzustellen, große Politik interessiert nicht mehr, der Lebens- und Gedankenkreis ist „kleinbürgerlich," die getroffene Schicht freilich ist damit breiter geworden.

Wesentlich kritischer akzentuiert ist das der Paläologenzeit zugehörige Belisarlied.[82] Hier handelt es sich um kein historisches Gedicht, um keine Ballade, sondern auf weite Strecken um eine dichterische Kampfschrift, um den Gedanken, wie denn das Reich überhaupt noch zu retten sei. Es kann nur das Volk sein, dies die Tendenz, das einen Kaiser gut berät, während alle Adelsgeschlechter, aus reinem Neid auf einander, für eine solche Aufgabe völlig unfähig sind. Und da die Adelsgeschlechter alle beim Namen genannt werden, artikuliert hier vielleicht so etwas wie ein „dritter Stand" sein Selbstbewußtsein gegenüber der herrschenden Klasse auf denkbar ausdrückliche Weise!

So viel zum Aktualitätsbezug dieser Literatur. Er äußert sich nicht immer gleich stark, und noch dazu konnte hier nur eine sehr beschränkte Anzahl von Beispielen angeführt werden. Aber er ist da! Jedenfalls wäre es weit übertrieben, wollte man behaupten, diese Literatur verschwende sich sinnlos in klassizistischem Formalismus und gehe an der byzantinischen Wirklichkeit wortlos vorüber.

4. *Ideologische Barrieren*

Daß sich aber innerhalb dieser immer wieder zu beobachtenden Aktualität bemerkenswerte Lücken finden, läßt sich kaum leugnen. Sie zeigen sich im Fehlen einer literarischen – nicht einer theologischen – Auseinandersetzung mit jenen Lebenswerten, die für den Idealtyp des Byzantiners von höchster Verbindlichkeit sind, das heißt mit den Werten der Orthodoxie, auch der politischen Orthodoxie in ihrer ganzen Spannweite, in einem nicht zu leugnenden moralischen Puritanismus, um nicht zu sagen in Prüderie gegenüber allem unbefangenen Singen und Sagen, bis zu den Theoremen ihrer Lehre und den mentalen Voraussetzungen loyalen Verhaltens gegenüber Herrschaft und Reich.

Die Widerstandskraft des Schriftstellers gegenüber den Postulaten der Orthodoxie wurde dort nicht sehr gefordert, wo er sich mehr oder weniger ausschließlich auf den Bahnen der Antike bewegte. Das Gefühl der Verpflichtung dem klassischen Erbe gegenüber ist allgemein und kennt keine geforderten Ausnahmen, die Formalisierung dieses Erbes ist längst weit genug fortgeschritten und unter der Asche scheint kein Funke mehr zu glühen. Überdies ist die Ausbildung des Klerikers, soweit er eine hat, auch die des Theologen, von der des Laien nicht verschieden – es sind immer die Humaniora. Generell pflegt die Kirche sich damit zu begnügen, die Inhalte der antiken Literatur abzulehnen und nur die sprachlich-stilistische Form gelten zu lassen. Sie verurteilt weit ausholend pagane Unmoral und perverse Mythologie, aber die Urteilssprüche sind nicht allzu verbindlich gehalten, jedenfalls entziehen sie sich kaum einer wohlwollenden Interpretation seitens jener, die davon betroffen werden sollen. Unrichtig aber scheint es mir, verallgemeinernd zu behaupten, die Beschäftigung mit der antiken Literatur sei für den Byzantiner immer formale Spielerei gewesen, da er seiner innersten Natur nach weltflüchtig und jenseitsbezogen gewesen sei. Das Mönchtum war es nie allein und vielleicht nicht einmal an erster Stelle, das den Lebensrhythmus des Byzantiners bestimmte. Die Forderungen des mönchischen Standes waren so hochgespielt, daß man ihre Erfüllung am besten bis in die letzten Lebenstage verschob. In der Zwischenzeit war man dann nur um so freier. Derartige Überlegungen müssen angestellt werden, wenn man sich etwa mit der Epigrammatik des 6. Jahrhunderts beschäftigt, in der so viel Erotisches und nicht nur Eheliches zum Ausdruck kommt. „Überall weht uns hier eine Diesseitsbejahung entgegen, die ihre Freude offenbar an den Genüssen der Erde hat, die behaglich, ja manchmal keck und frivol mit ihren Worten und Gedanken prunkt und ersichtlich ein Wohlgefallen an ihren eigenen Ausmalungen hat" (Beckby). Doch dann soll relativiert werden: die Weltfreude, der sich die Dichter hingeben, sei ein Spiel, das nur an die Peripherie ihrer Seele heranrühre; ihre Gedanken und Gefühle seien wirklichkeitsbar, die Weltlust, von der sie sprechen, sei ein Traum, aus dem sie zur Weltverneinung erwachten. Eine solche Argumentation hat nur dann Sinn, wenn man von vorn herein annimmt, daß die wirkliche „Grundhaltung gewiß auf einer Jenseitsgebundenheit basierte". Quod esset demonstrandum! Ich glaube nicht, daß sich solche Behauptungen in dieser Verallgemeinerung halten lassen. Daß es Jenseitsgebundenheit gab, wer wollte dies leugnen. Aber niemand wird sagen können, wieviele wirklich davon erfaßt waren und wieviele nicht. Eine Umschau am Hofe des allerchristlichsten Kaisers Justinian I. macht skeptisch: Lebemänner, skrupellose Machtstreber, Heiden, Glücksritter und „große Damen" mit dem Gehabe von Huren. Selbst wenn man von Prokops Anekdota noch so viele Abstriche macht und seine Grundtendenz völlig ablehnt, bleibt ein moralischer Hintergrund, der wenig nach Jenseitsgebundenheit aussieht. Daß Tod und Amor fati als Grenzwerte in die Dichtung eingehen, ist nicht spezifisch byzantinisch. Man kann es auch in der vorausgehenden heidnischen Epigrammatik feststellen. Es hat außerdem mit Jenseits als solchem wenig zu tun, kann vor allem nicht gegen Weltlust und Lebenslust in den Zeugenstand gerufen werden. „Chi vuol esser lieto, sia; di doman non c' è certezza!;" Selbst ein großer Kirchenvater, Gregor von Nazianz, schreibt einmal in einem seiner Briefe: „Selbst das Jenseits scheint mir fürchterlich, wenn ich es am Diesseits messen soll!"[83] Nichts zwingt dazu, die nicht selten sehr freien Liebesepigramme des 6. Jahrhunderts als „in die Außenwelt projizierte Schemen eines dichterischen Spieltriebes" zu interpretieren, sofern eine solche Interpretation überhaupt Sinn gibt. Der Gegensatz wäre doch wohl „Realität" – doch welche? Die Imagination ist real und sie ist in diesem Falle erotisch. Und das Erlebnis? Konstantinopel im 6. Jahrhundert konnte es bestimmt noch bieten. Man werfe nur einmal einen Blick auf die justinianische Gesetzgebung zum Thema.

Wichtig ist jedenfalls – und dies gehört zu unserem Thema Prüderie ebenso –, daß solche vorgestellten oder erfahrenen Erlebnisse noch im 6. Jahrhundert zu Papier gebracht, gelesen, gesammelt und weitertradiert werden. Doch offensichtlich, weil sich die Byzantiner oder doch einige von ihnen hier wiederfanden.

In späteren Jahrhunderten sind die Grenzen ohne Zweifel etwas enger gezogen. Aber die großen Sammlungen der griechischen Epigramme aller Jahrhunderte und aller Färbungen, auch der „unmoralischen", wurden weiter überliefert und weiter gelesen. Eine der Sammlungen aus dem 10. Jahrhundert stammt von dem Palastkleriker Konstantinos Kephalas. Wir kennen seine Sammlung nicht mehr im einzelnen, aber daß die „Erotika" einen Teil davon ausmachten, wissen wir. Auch die letzte byzantinische Ausgabe hat einen Mönch zum Redaktor, Maximos Planudes. Zwar stellte er eine Art Ausgabe „ad usum Delphini" zusammen, aber er ging damit nicht allzu weit, wohl kaum weil er die antiken Bedenklichkeiten nicht mehr verstand – er ist einer der vorzüglichsten byzantinischen Philologen überhaupt – sondern weil sein Schicklichkeitsgefühl nicht viktorianisch war.

Die Liebesromane des 12. Jahrhunderts sind gewiß nicht obszön, aber prüde sind sie auch nicht, es sei denn an jenem Punkt, wo „prüde" und „lasziv" sich gegenseitig benötigen, um sich besser artikulieren zu können. Welche Bedeutung im Gesamt der byzantinischen Literatur ihnen etwa beigemessen werden kann, wurde schon angedeutet. Anders wo sich der Liebesroman im 14. Jahrhundert vom klassischen Vorbild ablöst und sich vorsichtig einem volkstümlichen Idiom nähert. Noch weniger als der Roman des 12. Jahrhunderts kann der des 14. Jahrhunderts obszön genannt werden. Aber auch hier bewegen sich die Helden in einer irrealen Welt, und es findet sich kaum ein Gedanke ausgesprochen, der an die vielen moralischen Traktate erinnern würde. Ein Vergnügen kann die Kirche an einer solchen Produktion nicht gehabt haben. Aber Byzanz versteht sich auf die Kunst der Verschleierung. Heliodor, den bekannten Verfasser der Aithiopika, hatte man seinerzeit zum Bischof von Trikka promoviert und zum Verfechter des Zölibats obendrein, doch offenbar um seinen Roman für den christlichen Leser zu retten.[84] Ganz gab man sich damit nicht zufrieden, die Legende wurde erweitert: Eine Synode sei zusammengetreten und habe den Bischof aufgefordert, entweder auf sein Bistum zu verzichten oder seinen Roman zu verbrennen. Und Helidodor soll sich für seinen Roman entschieden haben. Verbrannt wurde er jedenfalls nicht. Photios[85] akzeptiert das Buch, vielleicht weil er an den Curiosa mehr interessiert war als an der Liebesgeschichte, und die Tugend der Heldin ist unbestritten; er verteidigt den Roman, weil es sich hier um eine deutliche Absage an die Aphrodite Pandemos handle. Das 12. Jahrhundert kehrt wieder entschieden zur Verschleierung zurück. Der Philosoph Philippos da Cerami,[86] später Erzbischof von Rossano, schreibt einen kurzen Bericht über den Roman und entdeckt darin den konzertierten Angriff der sittlichen Tugenden auf die Sünde und das Laster; alles, auch die Sexualszenen, wird allegorisch interpretiert. Fast noch weiter geht Joannes Eugenikos:[87] Der Roman sei keineswegs jugendgefährdend, er stehe in etwa auf der Ebene des Hohen Liedes Salomonis. Doch im Grunde ließ sich wohl kaum jemand täuschen. Ein Arzt des 4. Jahrhunderts empfiehlt diese Romane als erotische Stimulantia.[88] Er hat dabei kaum an Allegorese gedacht. Spätere Ärzte wiederholen ihn.

Anderes hatte es leichter als der spätantike Roman und was davon in

Byzanz übrig geblieben ist. Byzanz hatte seinen Boccaccio in der Gestalt des Syntipas,[89] einer verschachtelten Sammlung teils sehr derber erotischer Geschichten, in keiner Weise weniger pikant als der Decamerone, auch wenn die Pikanterien viel unmittelbarer und ohne Insinuation losgefeuert werden. Es hatte seinen Äsop,[90] immer wieder angereichert, und von Zimperlichkeit kann nicht die Rede sein. Nach einigen erhaltenen Bruchstücken zu urteilen, muß es noch manch anderes auf diesem Gebiet sehr leichter Lektüre gegeben haben.

Der Roman des 14. Jahrhunderts, wie schon gesagt, kann kaum als sittlich anstößig bezeichnet werden. Aber er steht außerhalb der offiziellen Weltanschauung. Und wiederum begegnen wir der Verschleierungstaktik. Der Dichter Manuel Philes[91] resumiert einen von ihnen in ein paar Dutzend Versen und deutet ihn wiederum allegorisch als den Weg der Seele zur mystischen Vereinigung mit Gott. Ich fürchte, daß er seine Theorie selbst nicht glaubte; wie immer: es bleibt fraglich, wie viele ihm auf diesem Wege folgten, um unbeschwerten Gewissens sich in diese Liebesgeschichte vertiefen zu können. Diesesmal ließ sich die Kirche nicht täuschen. Einer aus ihrer Mitte, Meliteniotes, verfaßte einen „Gegenroman".[92] Zwar nennt er unter den Werken, die er bekämpfen will, Stephanites und Ichnelates und die äsopischen Fabeln, aber die Anlage seiner eigenen Schrift läßt ohne weiteres vermuten, daß er gerade auch die zeitgenössischen Liebesromane im Auge hatte. Seine Hauptfigur ist die Dame Sophrosyne, die Mäßigkeit in Person, und sie hat nichts anderes im Sinn, als ihre Bewunderer zur Tugend und zur göttlichen Liebe zu bewegen. Mit einiger Vorsicht kann man daraus wohl den Schluß ziehen, daß es eine Art Opposition gegen den neuen, vielleicht als frivol empfundenen Roman gab, der nun schon seiner Sprache nach sehr viel weitere Leserkreise erreichen konnte als die pikanten Geschichten des 12. Jahrhunderts. Dann aber ergibt sich zugleich, daß diese angeblich „volkstümlichen Romane" gerade auch von der gebildeten Schicht gelesen wurden, denn der Gegenroman ist in einer Sprache abgefaßt, die nur dieser zugänglich war. Oder verzichtete der Verfasser von vornherein auf eine „Bekehrung" der einfacheren Leute? Was immer Meliteniotes hoffen mochte, die geistige Situation wird nachdrücklich aber leise von einer Umwertung der bisherigen Werte bestimmt, ein Phänomen, das sich nicht nur auf diesem Gebiete feststellen läßt.

Natürlich ist der Puritanismus der orthodoxen Moral nur ein Aspekt im Gesamt der Orthodoxie. Wesentlicher ist wohl folgendes: Der byzantinische Literat ist in eine Welt des orthodoxen Glaubens und Verhaltens eingebunden, die darauf aus ist, sein ganzes Leben zu regeln. Es tränkt ihn von Kindheit an mit Leitgedanken und Leitbildern, deren Verwirklichung Ausdruck seiner Loyalität gegenüber den sittlichen und politischen, aber auch den theoretischen Normen seiner Gesellschaft bedeuten. Aber diese Orthodoxie gestattet es ihm außerhalb des Rahmens der Theologie kaum, sich mit diesen Werten schöpferisch auseinanderzusetzen; dies um so weniger, weil selbst im Raum der Theologie diese Auseinandersetzung nur noch formal erfolgt, am besten im repetierenden Rückgriff auf die Väter. Damit aber ist eine der natürlichsten Quellen literarischen Schaffens so gut wie verstopft. Und der Byzantiner, der trotzdem schreiben will und der sich nicht nur im Rahmen der klassischen Philologie bewegen will, muß nach einem Ausweg suchen, bewußt oder unbewußt. Zwei Auswege bieten sich an und beide werden beschritten. Sie zu erkennen bedeutet ein wichtiges Instrument für die Interpretation des Gesamtphänomens dieser Literatur. Der eine ist die große Distanznahme, brutal ausgedrückt: so zu tun, als gebe es Christentum nicht. So etwa verfuhren die Romanschriftsteller. Wenn es dort Szenen gibt, wie etwa die Hochzeit der Liebenden in einer Kirche, so bleibt dies völlig am Rand. Das Ethos dieser Romane ist a-christlich, und dies vielleicht bewußt, es sei denn, man stelle sich die gefährliche Frage, wie weit Christliches überhaupt in Byzanz Eingang fand – nicht natürlich in Ritus und explizitem Bekenntnis, wohl aber als Prägung von Grundanschauungen. Diese A-Christlichkeit bemerkt man übrigens auch in jener Dichtung, die dem Volkstümlichen näher steht, z. B. im Digenis Akritas! Ein zweiter Weg besteht darin, daß sich der Kritiker, auch der gutmeinende Kritiker etwa der kirchlichen Zustände, weniger an die Institutionen und Verhaltensmuster hält als an Personen, an Vertreter des Systems. Ich erinnere an das über den Dialog Philopatris Gesagte. Der Metropolit Eustathios von Thessalonike kann das Mönchtum seiner Zeit auf breiter Basis angreifen,[93] Ptochoprodromos muß sich einen Abt herausholen und ihn an den Idealen messen,[94] um seine Satire plazieren zu können, Psellos dient ein betrunkener Mönch als Aufhänger.[95] Bleibt die Orthodoxie als solche tabu, so sind ihre Vertreter in Fleisch und Blut ohne diesen Schutz. Es gibt ihrer zum einen viel zu viele, als daß der Versager als die einsame Ausnahme betrachtet werden könnte, und die Kirche als Institution gewann in Byzanz nie die Freiheit einer societas sui juris, die sich dominant und aus eigenen Kräften ihren Selbstschutz hätte aufbauen können. Und so steht am Ende der Epoche eine Gestalt wie Georgios Gemistos Plethon, Sohn aus geistlicher Familie und in den Patterns des hohen konstantinopolitanischen Klerus erzogen. Hier brennen schließlich die Sicherungen durch, es geht nicht mehr um Personen, es geht um das System, ja selbst um den Glauben als solchen.

Vielleicht kennt der byzantinische Literat auch noch einen dritten Weg, sich den Tabus der Orthodoxie zu entziehen, und vielleicht kann man ihn Verfremdung nennen. Wenn ein gelehrter Kleriker des 12. Jahrhunderts ein Progymnasma schreibt und zwar eine Ethopoiie in Beantwortung der Frage: Was hat wohl Pasiphae gesagt, als sich der Stier Minotaurus in sie verliebte? dann muß er doch die Wahl gerade dieses Stoffes – es hätte hundert andere Fragestellungen gegeben – sehr bewußt getroffen haben. Was bei der Ethopoiie herauskommt, ist ein perverses Liebesgestammel, ohne daß der

Autor die geringste Reserve einlegen würde; ja er entzieht es geradezu bewußt jeder Kritik, indem er schließen läßt mit den Worten: „Was folgt, laßt meine Sache sein und die des Eros!" Das Progymnasma, das akademische Exercitium allein, kann einen solchen Text in Byzanz schützen – und daß es ihn schützt, besagt vieles.[96]

5. Diglossie

Nicht um der Sprachgeschichte willen, aber zugunsten der Frage nach der Einheitlichkeit der byzantinischen Literatur muß kurz auf das eingegangen werden, was man landläufig die griechische Diglossie, das Sprachenproblem nennt. Ich sage landläufig, weil es meines Erachtens ein Problem ist, das sich da und dort überhaupt nicht, und an anderen Stellen unter sehr verschiedenartigem Aspekt stellt. Beispielsweise glaube ich nicht, daß das Problem im Mittelalter jemals mit den politischen Verwicklungen auftrat, die es für das moderne Griechenland charakterisieren. Zweisprachigkeit ist übrigens genauer besehen eine recht unvollständige Charakteristik. Phasenweise kann man sogar von drei Sprachebenen reden, die sich nicht etwa auf Dialekte zurückführen lassen. Da ist die Atthis und ihr Niederschlag im Attizismus; da ist des weiteren die Koine, wie sie sich im Hellenismus herausbildete und im Neuen Testament jenen Niederschlag fand, der für Byzanz eine besondere Verbindlichkeit bekam, und da ist schließlich jenes einfache Griechisch – ich nenne es mit allen gebotenen Reserven und nur der Einfachheit halber im Folgenden „Volkssprache" – das in nachbyzantinischer Zeit in die neugriechische δημοτική münden wird. Nennt man das Attizistische „Hochsprache" oder „gelehrte Sprache", so bleibt zu bedenken, daß mit der Zeit auch die Koine so etwas wie Hochsprache gegenüber dem Volksgriechisch wurde und Gelehrtensprache außerdem. Entscheidend ist die jeweilige Phase und nicht eine flächige, synchrone Betrachtungsweise. Wir kennen die Koine kaum anders denn als Literatursprache, so daß „colloquial greek" für sie eine ungeeignete Bezeichnung ist. Die Konkurrenz zwischen ihr und dem Attizistischen macht sich in Byzanz frühzeitig bemerkbar, Erbe wiederum der Kaiserzeit. Aber schon damals scheint man sich sozusagen darauf geeinigt zu haben, die Idiome je nach Literaturgattung zu benützen. Ein Sprachenkampf ist nicht feststellbar, wohl auch deshalb nicht, weil doch die Koine selbst trotz aller Einflüsse, denen sie bei ihrer Entstehung ausgesetzt war, in erster Linie dem attischen Dialekt verpflichtet geblieben ist. Und je ferner die attizistische Hochsprache ihren Ursprüngen gegenüber zu stehen kam, desto gewaltsamer mußte sie behauptet werden, ohne bei der gesprochenen Sprache noch gültige Anleihen aufnehmen zu können. Waren Themen zu behandeln, deren Ursprünge und Modelle selbst in der antiken Literatursprache gefunden wurden, konnte man mit Attizistisch sehr wohl zu Rande kommen. Ging man über diesen Themenkreis hinaus, so bot die Koine eine gesellschaftsfähige Ausweichmöglichkeit. Und im 10. Jahrhundert sieht es fast so aus, als könnte diese einstige Koine zur Koine auch der beflissenen Philologen der Zeit werden. Vielleicht ist es kein Zufall, daß mit dem 11. und 12. Jahrhundert, als der Attizismus sich wieder stärker zu Wort meldete, auch die Volkssprache begann, sich zu artikulieren, ja von den Literaten der Hochsprache selbst in den Kreis ihrer Interessen aufgenommen wurde. Zugleich damit rückt natürlich jetzt die alte Koine mehr und mehr in die Nähe der gelehrten Sprache, auch sie muß eigens gelernt werden. Und so entsteht etwas, was annähernd als Diglossie bezeichnet werden kann: hier die gelehrten, zu erlernenden Idiome und dort die aus der gesprochenen Sprache schöpfende mehr volkstümliche Ausdrucksweise. Eine klare Trennungslinie läßt sich lange Zeit nicht ziehen und der Gegensatz zwischen rednerischer „Dunkelheit" (Manierismus usw.) auf der einen Seite und der Schlichtheit des Ausdrucks auf der anderen ist nicht selten entscheidender als das eigentliche Sprachniveau. Dies zunächst einleitend und ohne Abzielen auf sprachgeschichtliche Nuancen.

Die Frage geht um den Niederschlag dieser sehr relativen Diglossie in der Literatur. Schon Karl Krumbacher hat seine Literaturgeschichte eingeteilt nach Werken in der gelehrten Sprache und solchen in „Vulgärgriechisch". Immerhin beläßt er beide Gruppen unter dem Etikett „Byzantinisch", und die Verteilungsprinzipien bleiben im einzelnen nicht selten fragwürdig. Die Historiker der neugriechischen Literatur gehen teilweise andere Wege. Sie holen sich aus dem byzantinischen Hoch- und Spätmittelalter für ihr Thema, was in einem annähernd volkstümlichen Idiom abgefaßt ist, und überlassen den hochsprachlichen Rest Byzanz. Das dispensiert sie freilich nicht davon, im Laufe ihrer Darstellung etwa der Literatur des 19. Jahrhunderts auch Autoren aufnehmen zu müssen, die, hätten sie im 14. Jahrhundert geschrieben, von ihnen vernachlässigt worden wären. Mag auch der Historiker der modernen griechischen Literatur das gute Recht haben, einzuteilen, wie es ihm beliebt: die Byzantinistik kann auf diese „volkstümliche" Literatur nicht verzichten; nicht weil sie damit ihre Lebensnähe dokumentieren will, sondern ganz einfach, weil auch diese Literatur in jeder Hinsicht byzantinisch ist, d. h. im Orbitus einer Kultur eingebettet ist, die zwar die verschiedensten Schichten kennt, aber durch eine unverkennbare Vertikale einer Grundeinstellung zusammengehalten wird. Sprache allein hat noch nie genügt, um eine Literatur zu orten!

Daß dieses Auseinanderreißen nicht angeht, ergibt sich klar aus der Tatsache, daß Volkssprache und Reinsprache gerade da, wo erstere ansetzt, in die Literatur einzudringen, nicht nur bei ein und demselben Autor sondern noch dazu im selben Werk zu einer Einheit verschmolzen auftreten. Einige der berühmten Ptochoprodromika, der großen satirischen Gedichte des 12. Jahrhunderts, setzen mit Widmung und Einleitung hochsprachig ein, handeln das Thema selbst in der Volkssprache ab und kehren am Schluß wiederum zur Hochsprache zurück. Das literarische Gewissen des Verfassers umfaßt beide Idiome und weist bereits jedem einen besonderen Platz an – Vorwegnahme einer Linie, die sich bis zu einem gewissen Grad durchsetzen wird, und zugleich Einsicht in das Verhältnis von Thema und Sprache. Wieder in ein und demselben Werk, diesmal wohl eher unbeabsichtigt, treffen wir auf Volkssprache und Hochsprache im Kerkergedicht des Michael Glykas aus demselben Jahrhundert. Auf weite Partien verwendet er die Hochsprache, aber er liebt Sprichwörter und führt diese in ihrer volkstümlichen Form ein. Und da er sie auch erläutern und anwenden will, bleibt er bei diesen Kommentaren im volkstümlichen Idiom. Das „Abgleiten" ist, wie gesagt, vielleicht nicht gezielt, es verrät trotzdem, wie ein Gebildeter des 12. Jahrhunderts, der sich in anderen Werken einer sehr gepflegten Koine bedient, sich bereits literarisch in beiden Idiomen zu bewegen weiß. Zu Beginn des 14. Jahrhunderts treffen wir auf einen Neffen des Kaisers Michael VIII., Andronikos Palaiologos, der einen Dialog gegen die Juden und ethische Traktate verfaßt hat, sicher in einer theologisch-gelehrten Fachsprache, aber auch einen Liebesroman, Kallimachos und Chrysorrhoe, dessen Sprache zwar nicht δημοτική genannt werden kann, die aber doch das gelehrte attizistische Niveau weit hinter sich läßt. Und noch im 15. Jahrhundert kann ein Bischof von Methone namhaft gemacht werden, Joannes (Joseph) Plusiadenos, der sich im herkömmlich feierlichen Stil mit Kirchendichtung befaßt, aber auch eine Marienklage schreibt, die ohne Zweifel, wenn schon kategorisiert werden soll, als volkssprachig bezeichnet werden kann. Der Bischof von Methone, der kaiserliche Prinz, der gelehrte Glykas mit einem Adressatenkreis in den höchsten Schichten – auch das Kerkergedicht wendet sich an den Kaiser –: sie beweisen, daß mit ihren literarischen Erzeugnissen in der Volkssprache nicht etwa aus einer ungehobenen Schicht volkstümlicher Worttradition allein plötzlich eine „Volksliteratur" entsteht, sondern daß die ersten Literaten, die sich dieses Idioms annehmen, Leute sind, die „von der Hochsprache her" kommen. Natürlich kommt dann auch bald das Singen und Sagen einfacher Kreise selbst zu Papier und beide Richtungen treffen sich zu einer friedlichen Gemeinsamkeit. Und beide gehören in die byzantinische Literaturgeschichte, so wie die Merseburger Zaubersprüche *und* der Heliand in die althochdeutsche gehören, und diese letztere wohl auch kaum auf das lateinisch niedergeschriebene Waltharilied verzichten wird.

Ein weiteres Argument für die Einheitlichkeit dieser byzantinischen Literatur trotz aller Sprachunterschiede liegt in der Tatsache beschlossen, daß ein und derselbe Stoff mit oft nur geringen Unterschieden sowohl in der Hochsprache wie in der Volkssprache niedergeschrieben wird, wobei zunächst der Weg von einer zur anderen „Sprache" außer Betracht bleiben kann. An erster Stelle kann hier der Alexanderstoff genannt werden, jene

romanhafte Erzählung über die wunderbaren Taten Alexanders des Großen, der das ganze byzantinische Jahrtausend immer und immer wieder beschäftigt, weil Byzanz bei allem Anspruch auf Romanitas eben doch in keinem römischen Caesar sondern in Alexander den Heros-Archetypus seiner
im Grunde immer panhellenischen Aspirationen sieht. Der Stoff wird immer
wieder variiert und jeder Variation ob in Versen oder Prosa entspricht ein
eigenes Sprachniveau von einer anspruchsvollen Koine bis zum starken Einschlag volkstümlicher Diktion. Ähnliches gilt vom epischen Roman Digenis
Akritas. Die älteste uns bekannte Version von Grottaferrata ist alles eher als
Volkssprache und eine der jüngeren, der Escorialensis, repräsentiert eben
diese Volkssprache fast rein. Auch der ursprüngliche Prinzenspiegel, gemeinhin Spaneas genannt, kennt diese Spannweite.

Die Art der Transposition eines Stoffes aus einem Idiom ins andere wird
uns besonders deutlich bei gelehrten Werken, die ursprünglich völlig in ein
gelehrtes Ambiente eingeschlossen zu sein scheinen – Hochsprache fast
schon manieriert. Beispiel das Geschichtswerk des Niketas Choniates aus
dem Anfang des 13. Jahrhunderts. Nicht daß man im 14. Jahrhundert eine
volkstümliche Übersetzung angefertigt hätte, wohl aber hat man obsolete
Wörter der gelehrten Sprache durch geläufigere aus der Umgangssprache
ersetzt, schwierige Satzkonstruktionen aufgelöst und den Stil vereinfacht.
Ähnlichen Verfahrensweisen begegnen wir selbst bei rein rhetorischen Werken, aber auch bei Unterhaltungsschriften älteren Datums, z. B. bei Syntipas, dem byzantinischen „Boccaccio". Wenigstens ein Weg der Entwicklung
wird hier völlig deutlich: Wo sich der Bedarf herausstellt, mit einem anspruchsvollen Text ein etwas breiteres Lesepublikum zu erreichen, wo vielleicht die Kenntnis des „Attizistischen" doch schon im Schwinden begriffen
ist oder man seiner „Künstlichkeit" nicht mehr so viel zutraut wie früher,
mußte man sich dazu bequemen, mit wenn auch vorsichtigen Eingriffen
eine neue „Auflage" herzustellen, die sprachlich etwas „tiefer" – womit
natürlich kein qualitativ „tiefer" gemeint sein braucht – angesiedelt werden
mußte. Dies aber konnten nur jene, die mit dem Original noch einigermaßen fertig wurden. Ich sage ausdrücklich „einigermaßen", weil es manchmal den Anschein hat, als täten auch sie sich schon schwer, Mißverständ-
nisse zu vermeiden. Jedenfalls ist ein Kenner beider Idiome vorausgesetzt,
der sich über das Problem in irgend einer Weise Gedanken gemacht haben
muß. Es besteht durchaus die Möglichkeit – die Forschung ist noch nicht
weit genug vorangetrieben –, daß auch Werke, die ursprünglich in der
Volkssprache abgefaßt worden sind, manchen gelegentlich zu weit zu gehen
schienen, und man deshalb Versionen veranstaltete, die der Hochsprache
mehr Zugeständnisse machten als das Original, so wie schon im frühesten
Byzanz gelegentlich Texte „εἰς τὸ ἀττικώτερον, in eine attischere Sprache",
transponiert wurden. Doch kann eine solche Behauptung bislang nur mit
äußerster Vorsicht gewagt werden. Der normale Weg scheint der umgekehr-

te gewesen zu sein. Jedenfalls aber ist neben dem ins volkstümliche Idiom transponierten Werk unter allen Umständen auch das volkstümliche Original zu unterstellen, auch das Original, das apriori nichts mit einem gelehrten Verfasser zu tun hat. Natürlich kann man den Autoren etwa der spätbyzantinischen Tierfabeln Kenntnisse aus dem Bereich dessen, was ansonsten hochsprachig niedergeschrieben wird, nicht immer absprechen. Aber man sollte doch mit dem Prädikat „gelehrt" etwas vorsichtiger umgehen. Nur weil ein Autor die Kenntnis des Kompasses verrät, gehört er noch nicht zu den Gelehrten, und die etwa nachweisbare Zugehörigkeit zum Klerus besagt oft kaum mehr als einen „vagans clericus", der sich ein wenig mit Alleluja und Kyrie eleison auskennt – der Normalbesucher einer orthodoxen Kirche wußte wahrscheinlich genau so viel davon. Daß beispielsweise den Satiren des 15. Jahrhunderts jener Kastengeist fehlt, jenes „Unter sich" der Ambitionen und Zänkereien, das wir etwa im Timarion oder im Mazaris feststellen, weist auf eine Verfasserschicht hin, die weniger ständisches Selbstbewußtsein hatte, die „bürgerlicher" war und nicht wie ein Psellos oder Prodromos immer wieder nach oben schielte. Und die Verfasser, die eine Achilleis zustandebrachten oder das Lied von Belisar bedurften für ihre Hervorbringungen auch nicht mehr des Mediums der Philologie – dies scheint mit noch der tiefste Unterschied innerhalb der byzantinischen Literatur zu sein, der wirkliche Aufbruch zu neuen Ufern. Aber es war Byzanz, das sich dazu als fähig erwies in einem Zeitalter, wo es begann, sich auch in den alten Kreisen der philologisch Gebildeten Gedanken zu machen über die Tragfähigkeit des klassischen Fundaments. Original Volksgriechisches entstand auch da, wo Werke des Westens ins Griechische übersetzt oder rückübersetzt wurden. Die Ursache ist einfach: Die Bekanntschaft mit solchen westlichen Originalen machte man offensichtlich am leichtesten in den Zentren fränkischer Herrschaft in Mittelgriechenland oder auf der Peloponnes. Hier war ein Milieu „zwischen den Sprachen" entstanden, in dem der eine sich noch am westlichen Original delektierte, der andere sich schon leichter mit einer griechischen Übersetzung tat, die natürlich in jenem Volksgriechisch abgefaßt werden mußte, mit dem allein er einigermaßen zurecht kam. Und die Griechen, die sich um ein solches Zentrum zusammenfanden, übernahmen diese Übersetzungen – wenn überhaupt – im selben einfachen Idiom. Für eben diese Kreise konnte dann auch mehr oder weniger original im gleichen Idiom gedichtet und geschrieben werden, die Chronik der Tocco etwa oder die Ilias des Hermoniakos.

Insgesamt sind die Werke in der Volkssprache, die als Originale entstanden sind, wie schon erwähnt, der philologischen Basis von einst ferner gerückt, aber Thematik wie Mentalität sind fast immer byzantinisch geblieben. Man denke nur etwa in den Tierfabeln und Satiren an die Grundeinstellung gegenüber der „Chance" im Leben – wer sie verpaßt, ist selber schuld, – an die neutrale Betrachtungsweise des Gegeneinanders von

Arm und Reich, an die Uninteressiertheit, sich in Theologie oder Metaphysik zu verstricken usw. Die Gesellschaft ist selbstverständlich nach wie vor nicht uniform, die Spitzen des „bürgerlichen" Verfassers einer Satire richten sich mit Vergnügen gegen die Ansprüche der gelehrten Kaste, der Hof ist fern und am leichtesten in der Form des Märchens zu verkraften, die Orthodoxie ist da, aber fast wie ein etwas ungewichtiges Ingrendiens des Alltags – Dekor oder Verpflichtung, dies bleibt die Frage. Gewiß äußert sich der Gelehrte nicht selten abfällig über eine solche Schreibe, aber es sind Seinesgleichen, die mithelfen, sie zum Durchbruch zu bringen. Gegensätzliches läßt sich unschwer feststellen, aber daraus eine Antinomie als kongnitives Prinzip für diese Literatur zu machen, geht nicht an.

6. Rhetorik

Wenn über das Kapitel, das dem literarischen Schaffen der Byzantiner gewidmet ist, hinaus noch eigens über Rhetorik gehandelt werden soll, so ist der Grund der, daß es sich um Formprobleme besonderer Art handelt, daß gerade die byzantinische Rhetorik für gewöhnlich am gründlichsten von der Beschäftigung mit Byzanz abschreckt, aber auch daß gerade in der Kunst der Rede ein besonderes Mittel der byzantinischen Selbstdarstellung beschlossen ist.

Für die Entwicklung der Redekunst in Byzanz, für die besondere Art, wie hier hellenistisches Erbe weitergepflegt wurde, ist der Prozeß von besonderer Bedeutung, in dem die kirchliche Predigt als Verkündigung geoffenbarten Gotteswortes durch die aus der Antike stammende Rhetorik vereinnahmt wurde. Die Frage, wie sich der Prunk einer solchen Redekunst mit der Schlichtheit der evangelischen Aussagen denn vertrage, haben sich die Kirchenväter auch selbst gestellt. Das Neue Testament kennt den Gegensatz zwischen Glauben und Wissen, den Paulus als den Gegensatz zwischen der „Weisheit dieser Welt" und der „Torheit des Kreuzes" formuliert hat. Natürlich handelt es sich dabei zunächst um ein religiöses Problem und nicht um ein Problem der Form. Aber unter dem starken Formdruck der sophistischen Rhetorik und des sophistischen Philosophierens der Zeit haben die christlichen Denker der frühen Epoche aus diesem Sachproblem sehr rasch auch ein Formproblem gemacht. Einem ständig wiederholten Leitsatz: οὐκ ἀριστοτελικῶς, ἀλλὰ ἁλιευτικῶς, d. h. nicht nach Art des aristotelischen Philosophierens, sondern nach Art der einfachen Fischer, die die Apostel waren, entsprach bald ein οὐ ῥητορικῶς, ἀλλα ἁλιευτικῶς, d. h. nicht nach Art der rhetorischen Technik, sondern nach Art der Fischer. Es gibt genug Ansätze im frühen christlichen Schrifttum, und in Abständen wiederholen sie sich in der byzantinischen Homiletik, wonach jeder ornatus dicendi der Schlichtheit der christlichen Lehre widerspricht und nur die einfache Ausdrucksweise der Evangelisten und Apostel Gültigkeit haben soll. Noch ein Gregor von Nyssa erklärt, daß selbst im Genus des Enkomions z. B. im Lobe eines Martyrers die klassischen Regeln des Enkomions beiseite gelassen werden müßten. Damit würde der Redner sein Ziel verfehlen und sich selbst verdächtig machen, denn die Rhetorik lasse den Willen kalt und verhindere damit die Entscheidung zum Guten, die für den christlichen Lobredner angesichts seiner Gemeinde das wichtigste Ziel sein sollte. Das Merkwürdige ist, daß sich dergleichen Bemerkungen zumeist in rhetorischen Glanzstücken der Patristik finden, die nach allen Regeln des klassischen Enkomion abgefaßt sind und kaum einen Kniff der Technik sich entgehen lassen.

Nun sollte man nicht vergessen, daß auch das Aramäische der Zeit Christi einen künstlerischen Prosabau kennt, Aufbauelemente, die sich im Neuen Testament ohne weiteres nachweisen lassen, ebenso in Passagen der Paulinischen Briefe, d. h. in den schlichten Quellenschriften des Christentums selbst finden sich rhetorische Ansätze. Vor allem aber ist darauf hinzuweisen, daß die großen Prediger der frühbyzantinischen Zeit fast ausnahmslos durch die heidnische Schule gegangen sind – heidnisch durchaus nicht immer im Sinne einer antichristlichen Propaganda, aber immerhin unberührt vom christlichen Gedankengut und in Formen und Denkbahnen der Spätantike. Das christliche Erziehungswesen, soweit ein solches überhaupt über christliche, ethische Unterweisung hinausgegangen ist, stand in den allerersten Anfängen. Das Bildungsideal der Zeit aber war eben eine an der „Paideia" als dem eigentlichen Gehalt der klassischen Autoren ausgerichtete Erziehung, stark am Wort orientiert und damit der Rhetorik nach allen Seiten offen. Auch die Kirchenväter sind Griechen, mediterrane Menschen des Wortes, des gesprochenen, des kunstvoll formulierten und des genossenen Wortes. Ihr christliches Stilgewissen unterliegt immer wieder ihrem eigentlichen Naturell. Und selbst wenn sie am Anfang ihrer Werke dem ἁλιευτικῶς ihre Reverenz erweisen, kann das den Rückgriff auf rhetorische Technik im Formalen nicht verhindern. Doch ganz so einfach ist das Problem denn doch nicht zu lösen. Bei näherem Zusehen läßt sich ja feststellen, daß sämtliche Mittel der Redekunst, der Abwandlung in Bildern, der Erläuterung durch Beispiele und dergleichen, eben doch im Dienste der Erklärung des biblischen Wortes stehen, daß dieses biblische Wort, abgefaßt nicht in einer künstlichen Sprache, sondern in der Koine der Zeit, auch den Sprachduktus des Klassizismus immer wieder durchbricht und auflockert. Und wenn das Zitieren aus heidnischen Klassikern, aus Homer oder Pindar oder Platon, dem säkularen Redner der Zeit dazu dient, seinen Hörer an die Qualität (ἀρετή) dieser Bildungsgüter heranzuführen, so dienen sie dem christlichen Redner mindestens zeitweilig für seine geschichtstheologischen Zwecke, d. h. er führt sie an als propädeutische Aussagen, die im Wort des Evangeliums transzendiert und vollendet werden. Schließlich war in der frühbyzantinischen Ära die Kluft zwischen hoher Literatursprache und dem gesprochenen Wort noch nicht so breit, daß nicht auch ein hoher Attizist, der diese Sprache von innen her kannte, der aber zugleich ein begnadeter Redner war, den Weg zu seinen Hörern hätte finden können. Das beste Beispiel ist Ioannes Chrysostomos, der große Prediger um die Wende zum 5. Jahrhundert. Bei der Beurteilung dieser kunstvollen Rhetorik der Kirchenväter ist ja wohl auch die Frage zu stellen, inwieweit der literarisch überlieferte Text nicht eine für ein gebildetes Publikum bestimmte Bearbeitung des einfachen, in der Kirche gesprochenen Wortes darstellt.

Die Kirchenväter sind Stadtmenschen und predigen für solche. Auch sie wollen mit ihrer Predigt „ankommen", und die Anpassung an die Erwartungen ihrer Hörer verlangte schließlich auch die Anpassung an jene Formen der Rede, die ihre Hörer von der Agora her gewohnt waren. Die Kirchenväter wären vermutlich auch ohne durch die heidnische Schule gegangen zu sein, als Menschen der Spätantike, die sie waren, im Laufe der Zeit auf dieselbe Technik gestoßen, die in der Schule gelehrt wurde. Denn diese „heidnische Technik" mag von manchen Pedanten ins Verschrobene abgedrängt worden sein, im Grunde ist sie nicht einfach Künstlichkeit, sondern beruht auf einer erstaunlichen Psychologie, wie man denn immer wieder feststellt, daß in den Handbüchern der Rhetorik, auch in den byzantinischen Ausgaben, ein Fundus psychologischer Beobachtungen beschlossen ist. Immerhin ist es bezeichnend, daß es Versuche gibt, gelegentlich kindlich anmutende Versuche, eine christliche Rhetorik philosophisch bzw. theologisch zu begründen, Versuche, die sich eng an ähnliche Methoden heidnischer Rhetoren, die sich gegenüber der Philosophie rechtfertigen zu müssen glauben, anlehnen. Wenn in den heidnischen Techniken etwa mit dem Vers der Ilias[97] Οἱ δὲ θεοὶ πὰρ Ζηνὶ καθήμενοι ἠγορόωντο (Die Götter aber, sitzend um Zeus, gingen zu Rate) der metaphysische Ursprung der Rhetorik dargetan werden sollte, und zwar der Rhetorik als συμβουλευτικός, (die beratende Rede) so zitieren die christlichen Autoren den Bibelvers „laßt uns den Menschen machen nach unserem Bild und Gleichnis",[98] um daraus, vor allem aus dem Plural, den christlichen Ursprung des συμβουλευτικός abzuleiten. In einem ähnlichen Versuch steht der Satz ἦν ποτε, ὅτε οὐκ ἦν (Es gab eine Zeit, da es dies (oder diesen) nicht gab). Und dieser Ansatz wird abgewandelt in dem Sinn, es gab eine Zeit, in der es keine Rhetorik gab, ein Satz, dem der Verfasser selbstbewußt als seine Meinung gegenübersetzt: es gab keine Zeit, in der es keine Rhetorik gab. Er begründet es mit der Unterscheidung von Akt und Potenz.[99] Das Erstaunliche daran ist, daß dieser Satz ganz offensichtlich aus der alexandrinischen Christologie stammt, in welcher Arius die Logostheologie ἦν ποτε, ὅτε οὐκ ἦν vertrat, während die Orthodoxie das Gegenteil aufstellte, οὐκ ἦν ποτε, ὅτε οὐκ ἦν (Es gab keine Zeit, da es dies nicht gab). Damit ist die Lehre vom göttlichen Ursprung der Rhetorik parallelisiert mit der Göttlichkeit des Logos in der Trinität, d. h.

die Theoretiker haben jenen Fund gemacht, der für immer gültig bleiben wird: der göttliche Logos als Ursprung der menschlichen Rede und der menschlichen Redekunst. Gregor von Nazianz in seinen Schimpfreden auf Kaiser Julian anläßlich des berühmten Bildungsediktes ging das Problem von einer anderen Seite an. Die Reaktion auf dieses Bildungsedikt ist ja interessant: Auf der einen Seite versucht man eine eigene christliche Literatur zu schaffen ohne mythisches Dekor, ein Epos etwa über die biblische Schöpfung u. ä. – ebenso interessant, daß fast nichts davon erhalten geblieben ist. Die allgemeine Reaktion jedoch verläuft nicht in dieser Richtung, sondern sie versucht die Berechtigung des Ediktes zu bestreiten. Gregor wirft Julian entrüstet vor, er treibe ein böses Spiel mit dem Wort ῞Ελλην und ἑλληνίζειν. ῞Ελλην, der Hellene bedeute doch seinem Ursprung nach nicht eine religiöse Einstellung, sondern bezeichne den Vertreter einer Sprache. Und ebenso bedeute ἑλληνίζειν nicht etwa „Heide sein", sondern eben „Griechisch sprechen".[100] Indem Julian sich dieses Doppelspiels schuldig mache, versuche er den Christen nicht nur den Zugang zur heidnischen Literatur zu versperren, sondern zugleich den Zugang zu ihrer eigenen Sprache. Er fährt dann fort: Im Grunde liege den Christen an der Kunstsprache der Antike nichts. Die evangelische Botschaft müsse einfach verkündet werden, aber, und nun kommt das Entscheidende, der Christ brauche die Rede als Mittel der Apologetik, denn der Gegner, also der heidnische Sophist, muß mit seinen eigenen Waffen geschlagen werden. Würde man ihn nicht mit den Mitteln seiner eigenen Rhetorik und Kunstsprache ansprechen, so würde er gar nicht hinhören. Die Apologetik also öffnet der heidnischen rednerischen Technik das Tor zur christlichen Predigt. Nun verlor ja Apologetik im umfassenden Sinne des Wortes, jedenfalls insofern sie sich gegen das Heidentum richtete, in Byzanz bald jede Angriffsfläche. Aber die Rhetorik und ihr Sieg in der Kirche bleibt unbestritten. Es ist interessant, wie man etwa im 11. Jahrhundert einen neuen Versuch macht, diese Rhetorik im christlichen Raum zu begründen. Es ist Ioannes Mauropus, ein Redner und Philologe der neubegründeten „Universität" Konstantinopel, der diesen Versuch unternommen hat. Derselbe Mauropus ist verantwortlich für das Fest der „Drei Hierarchen", das noch heute das Fest der griechischen Universitäten ist. In einer Rede auf dieses Fest führt er etwa folgendes aus:[101] der ἑλληνισμός (Hellenismus) (hier schon ausschließlich als Heidentum verstanden) hat durch die Menschwerdung des Logos seinen Todesstoß bekommen. Das Evangelium hat mit der Vielgötterei aufgeräumt und Licht in die Welt gebracht. Mit der Schlichtheit des Evangeliums war freilich auch eine Gefahr verbunden. So mancher glaubte nun, sein Auge sei stark genug, um sozusagen ohne jeden Schutz in das Licht der Gottheit zu blicken. Dafür verfielen sie in alle möglichen Täuschungen, und an die Stelle der Vielgötterei tritt die Vielfalt der Häresien. Eine Lehre steht wider die andere auf, und die Situation wird allmählich verzweifelt. Sollte das Evangelium nicht untergehen, dann mußte sozusagen eine zweite Etappe der Offenbarung bzw. ihrer Interpretation eintreten. Und in dieser Situation schickt Gott die drei Hierarchen, d. h. die drei großen Kirchenväter Basileios von Kappadokien, Gregor von Nazianz und Ioannes Chrysostomos. Mit dem wahren Logos treten sie in die λογομαχία (hier = Kampf um den Logos mit dem Wort) ein. Sie erläutern das Evangelium, und zwar mit der Hilfe der χάρις τοῦ λόγου, d. h. nicht nur mit Hilfe des Charmes und des Zaubers des Wortes, sondern auch mit Hilfe der Gnade des göttlichen Logos. Diese Gnade und dieser Charme, Natürliches also und Übernatürliches unauseinandernehmbar, unterstützen die Überredungskunst dieser drei Kirchenlehrer, und so wird durch die Rhetorik der drei Hierarchen ergänzt, was dem Evangelium bisher noch fehlte. Anders ausgedrückt: die alte heidnische Weisheit vermochte nicht, zu Gott zu führen. Da schickte Gott die Torheit des Evangeliums, die Predigt durch die Apostel. Aber die Welt wollte diese Torheit nicht annehmen, und jetzt ergänzte Gott diese Torheit durch die rednerische Weisheit der Kirchenväter, und nun ist die Harmonie hergestellt, das richtige Verhältnis zwischen Geist und Wort und zwischen Wort und Sachverhalt. Die Harmonie zwischen Philosophie, Theologie und Rhetorik. Der menschliche Logos in seiner Harmonie spiegelt die Ordnung des göttlichen Logos wider. Als Grundsatz bleibt jedenfalls durch die ganze byzantinische Epoche die Verbindung zwischen kirchlicher Redekunst, auch im technischen Sinn des Wortes, mit dem Logos als dem fleischgewordenen Sohn, dem Wort des Vaters.

Diese Begründung, die hier die christliche Homiletik findet, wird immer und immer wieder auch auf die profane Redekunst übertragen, was nicht nur als Alibi verstanden werden kann, sondern als ein christlich-humanistischer Versuch, wenigstens auf diesem Boden eine Konkordanz zwischen profanen Bildungsgütern und christlichem Ethos herzustellen.

Was im einzelnen die profane Redekunst von jener der klassischen Antike unterscheidet, ist der Verfall der politischen Rede. Dieses Genos versucht sich gelegentlich bruchstückhaft in Prunkreden oder Leichenreden auf Kaiser einzuschleichen, aber es muß sich hier mit sehr kurzen Intermezzi begnügen, um den Duktus des Enkomions nicht zu zerreißen. Erst im 14. Jahrhundert angesichts der katastrophalen außenpolitischen Lage und einer damit korrespondierenden vorsichtigen Verselbständigung bürgerlich-freiheitlichen Denkens in den Städten, wagt sich die politische Rede in Einzelfällen wieder an die Oberfläche. Im allgemeinen aber ließ ihr das monolithische politische System kaum eine Chance. Wie es mit der Gerichtsrede in Byzanz beschaffen ist, läßt sich kaum ausmachen. Die große Anklage des Psellos gegen den Patriarchen Kerullarios ist gewiß keine Rede, sondern ein literarisches Pamphlet. Andere Zeugnisse sind äußerst spärlich. Die Schriftlichkeit des römisch-byzantinischen Gerichtsverfahrens hat vielleicht der ausgefeilten Gerichtsrede nicht mehr viel Platz gelassen, und das eigentliche

Feld der großen forensischen Gerichtsbarkeit in der Antike war ja doch wohl der politische Prozeß und damit ein Gebiet, in dem die byzantinische Monokratie strenge Grenzen gezogen hat. So bleiben summa summarum die Festreden, Preisreden, Leichenreden usw., also in etwa das Genos des Enkomions. Diese politisch bedingte Verarmung kann nicht ohne Folgen bleiben. Die politische Rede im klassischen Fall – dies bedeutet hier zugleich einschränkend den voll durchstilisierten Fall – schiebt sich als notwendiges Medium und Instrument zwingender Gedankenübertragung zwischen die politischen Absichten und Vorstellungen des Redners und das, was von den Angesprochenen erwartet wird, nämlich die politische Reaktion hier und sofort. Die Herstellung dieser Übertragung verlangt den vollen Einsatz des Redners selbst, und dieser läßt sich kaum realisieren, ohne daß sich der Redner mit seinem Thema voll identifiziert und sämtliche Mittel der Darstellung dieser Identifikation ausspielt. Nur so erreicht er Glaubwürdigkeit und nur Glaubwürdigkeit provoziert die Aktion als Reaktion auf die Rede. Diese Glaubwürdigkeit nimmt den Redner in Verantwortung. Die reine Lobrede aber oder die Festrede hat wenig mit Verantwortung zu tun, und dies kann sich sehr wohl auf die Identifikation des Redners mit seinem Gegenstand auswirken. Das Enkomion lockert die Beziehung des Redners zum Thema bis zur Beliebigkeit und verleitet dazu, die rednerischen Mittel ebenso beliebig einzusetzen. So ist es wesentlich stärker von der Artistik bestimmt als vom Thema selbst. Im großen und ganzen sind damit der Redekunst des Byzantiners enge Grenzen gezogen, wenn es sich um das Pathos der Sache handelt. Um so größer ist die Versuchung, sich dem Pathos des rednerischen Vorgangs an sich zu überlassen: die Rede wird introvertiert und, um ihrer selbst willen gepflegt, schafft sie wie von selbst eine gefährliche Distanz zur „politischen" und gesellschaftlichen Wirklichkeit, zu dem was die Byzantiner πράγματα nennen. Der Ausweg in die Realität eines kreativen Kunstwerkes, das trotz seines transeunten Charakters in sich selbst ruht und zugleich „politisch" in einem höheren Sinne wird, ist nur dann gegeben, wenn der einigermaßen willkürliche Gegenstand eines Enkomions nur als Ausgangspunkt verwendet wird, um eine Zielvorstellung allgemein gültiger Natur in komplexer Abrundung rednerisch-künstlerisch zur Darstellung zu bringen, wenn, etwas emphatisch ausgedrückt, der Redner großes Welttheater evoziert und zugleich zelebriert. Ob die Byzantiner dazu in der Lage waren, welche Mittel ihnen dafür zur Verfügung standen oder gestanden hätten – die Antwort darauf sei zunächst verschoben, weil vorweg notwendig einiges Technische zu erläutern ist. Und selbst dazu noch eine Vorbemerkung: Die Rede als Kunstwerk ist ihrer Natur nach nur in dem Augenblick, in der Stunde voll erfaßbar, in der sie gehalten wird. Jede Wiederholung in Schrift und Lektüre verzichtet auf das konstitutive Element des Vortrags und all der Kommunikationsmittel, die über das eigentliche Wort und seine Bedeutung dem Vortrag als solchen eigen sind. Was wir von der byzantinischen Redekunst kennen, sind edierte Reden und sonst nichts. Wie der Redner in Ton und Haltung, eben als der Sprechende, der sich an seinem Auditorium „orientiert", auf die Reaktionen des Publikums geantwortet hat, bleibt uns meist verschlossen.[102] Ebenso wenig wissen wir, inwieweit der Redner als Herausgeber seinen Text aus dem Sprechstil in den Schreibstil übersetzt hat. Dies, wie erwähnt, einschränkend für die Gültigkeit des Folgenden.

Eine große Rede ist ein äußerst vielschichtiges Gebilde. In ihr wird erzählt, berichtet und argumentiert, Sprache wird zielbewußt eingesetzt, es wird gewarnt, gepriesen und ermahnt. Die Wandlungsfähigkeit der Sprache steht nun allerdings nicht nur dem Redner zu Gebote, und nicht nur er hat ein Interesse daran, sie einzusetzen. Die Abfassung eines Berichtes bedarf nicht unbedingt nur speziell rhetorischer Qualitäten und die Argumentation ist schließlich auch Sache des Philosophen: d. h. die rednerische Technik, so wie wir sie aus den Lehrbüchern kennen, subsumiert Erkenntnisse auf einem sehr breit gefächerten und von Natur aus nicht unbedingt ausschließlich rednerischen Feld. Da aber, wie anderwärts angedeutet, spätestens seit Isokrates die Technik der Rede als „politisches Wissen", als die Artikulation eines Systems gesellschaftlicher Kommunikation verstanden wurde, ist es nur natürlich, daß es die Handbücher der rednerischen Technik sind, die das ganze Feld der Einzelelemente, die in eine Rede Eingang finden können, beschreibt, und die nötigen Anweisungen dafür liefert. Einen großen Komplex davon umfaßt die sogenannte Progymnasmatik, das heißt die Sammlung von Regeln für solche Einzelteile der Rede. Mit einer gesonderten Ausbildung in solchen Einzelteilen hängt es dann auch zusammen, daß diese Teile für sich betrachtet und verselbständigt werden konnten. Einiges dazu wurde schon à propos byzantinische Essayistik gesagt. Hier noch einige Ergänzungen: Wie eine Fabel zu erzählen ist, mag selbstverständlich für den Redner interessant sein; aber die Regeln dafür sind wohl durch die Fabel selbst und ihre Stilgesetze bedingt, gelten also auch für „Äsop" im byzantinischen Gewand. Und die Prosopopöie, d. h. das Vermögen, sich in eine fremde Person und eine fremde Situation zu versetzen und so zu sprechen, als spreche man eben aus dieser Person und Situation, wird nicht dadurch irrelevant, daß man sie an skurilen Themen abhandelt: etwa „Was würde Konstantin der Große sagen, sähe er sich einer byzantinischen Ikonostase gegenüber?" Jedenfalls benützen die Byzantiner, und nicht nur sie, als Historiker diese Prosopopöie immer dann, wenn sie eine historische Persönlichkeit redend einführen. Die Präganz der historischen Rede überrundet im Sinne der πειϑώ die bloße analytische Berichterstattung. Oder ἀνασκευή und κατασκευή auf denselben Gegenstand angewendet, d. h. die „Kunst", demselben Thema sozusagen ebenso viele positive wie negative Seiten abzugewinnen: Sie kann im advokatischen Kniff enden. Aber wenn einer der Theoretiker, Aphthonios, ausdrücklich bemerkt, der Ort dieses Verfahrens sei eine Mittellage zwischen „Unmöglich" und „Absolut", dann deutet er an, daß der Ort eben die menschliche Kontingenz schlechthin ist, in der letzte Sicherheit nicht gegeben ist. Der ontologische Fundus ist vom rednerischen „Kunstgriff" nur noch in der persönlichen Verantwortung des Redners selbst zu unterscheiden. Dazu korrespondiert rein stilistisch die Antithese. E. Norden hat natürlich recht, wenn er ein heraklitisches „τὰ ψυχρὰ θέρεται, θερμὸν ψύχεται unter Kunstprosa, die gorgianischen Redefiguren vorwegnehmend, einreiht. Das ist sein Thema. Aber der Satz gehört genau so essentiell in die ionische Philosophie. Beides läßt sich im Sprachbewußtsein nicht trennen. Jedenfalls erhärtet sich hier schon früher Gesagtes: die byzantinische Rhetorik steht den verschiedensten literarischen Genera offen. Und hier liegt nun auch die Begründung dafür vorgegeben. Sie tut es, weil die Redebestandteile selbst, nimmt man sie gesondert, verschiedene Genera repräsentieren. Eigens erwähnt unter den Progymnasmata sei doch noch eine kleine Gruppe, die zwar bei den Technikern verschiedene Namen führt, die wir aber unter der Bezeichnung „Gemeinplatz" zusammenfassen können, poetischer gesprochen und nicht weniger suspekt „Geflügeltes Wort" oder was immer. Der Zugang dazu ist uns fast versperrt, auch als Beweis für die Belesenheit in Dichtern und Denkern erfreuen sich solche Zitate keiner Beliebtheit mehr. Über die Tatsache dieser Abwertung gibt es keinen Zweifel, die Ursachen lassen sich analysieren, doch dafür ist hier nicht der Ort. Für den Byzantiner ist der Gemeinplatz in den unterschiedlichsten Formen tatsächlich noch ein Platz, an dem man sich zusammenfindet und unter eine gemeinsame Regel stellt, in etwa noch unter dem Schatten der ursprünglichen Wortbedeutung von κοινός nämlich „verbindlich", weil von allgemeinem Interesse. Vielleicht kommt man dieser byzantinischen Auffassung von Gnomik am nächsten, wenn man sie in ihrer christlichen Ausformung unter die Lupe nimmt: Es gibt große Sammlungen solcher Gnomen aus dem Mund von Wüstenvätern, die „Apophthegmata". Diese Apophthegmata sind für den Mönch, der sie aus dem Munde eines Älteren empfängt, nicht einfach geflügelte Worte, stilistisch prägnant und gedankenschwer, es sind vielmehr Worte, die das Heil enthalten, weil derjenige, der sie ausspricht, Geistträger ist, begnadet, solche Heilsworte auszusprechen. Das Wort ist mächtig, als solches selbst zu wirken. Zur Gnome kommt also notwendig die Person, von der sie stammt, die Autorität. In diesem Sinne behandelt die Progymnasmatik das Sich-Auseinandersetzen mit einer Gnome: es ist die Auseinandersetzung mit dem historischen Erfahrungsschatz der Antike, Auseinandersetzung zugleich mit der eigenen Geschichte, soweit die in ihr beschlossenen Werte sich in solchen Gnomen niedergeschlagen haben, Negation des Satzes, daß eine Erfahrung nur gültig sein könne, wenn man sie selbst gemacht habe.

Neben diesen Teilen einer Rede, die ihren selbständigen Wert haben, behandelt die Technik mit Vorzug „Wortfiguren" und „Gedankenfiguren".

Um nicht allzu weit in die Einzelheiten zu gehen, sei hier nur einiges zu jenen Wortfiguren gesagt, die man „Tropen" nennt, die also die Sachbedeutung eines Wortes bis zu einem gewissen Grad abwandeln. Auch hier handelt es sich innerhalb der rhetorischen Technik um Stilkunde im allgemeinen Sinne des Wortes, von Wichtigkeit und Bedeutung für jede Form sprachlichen Ausdrucks. Aber der Nexus mit der Rede als solcher ist hier enger als bei einigen Progymnasmata. Hier liegen Mittel vor, die sich sehr spezifisch rednerisch verwenden lassen. Man kann sie freilich nur dann würdigen, wenn man die Rede nicht nur artistisch, von ihrer Technik her, ins Auge faßt, sondern sich jenen „ontologischen Fundus" vor Augen hält, von dem sie nicht ohne Schaden abgelöst werden kann. Wenigstens zu einigen dieser Tropen ein paar Bemerkungen. Die Metapher, die Johann Georg Hamann einen kleinen Mythos genannt hat, und von der Lichtenberg annimmt, daß sie jeweils klüger sei als ihr Verfasser, stammt aus einem sprachlichen Fundus, wo ursprünglich nicht einfach verglichen, sondern identifiziert wurde. Die Identifikation als solche versank allmählich ins Unbewußte, aber es blieb noch lange, und ganz gewiß in Byzanz, nicht beim bloßen Vergleich, sondern bei einer erinnerungsträchtigen und bedeutungsschweren Relation, die, in ein System gebracht, eine Skala von Entsprechungen herzustellen vermag, die alle Seinsbereiche umfaßt und im Grunde nichts anderes als eine Analogia entis darstellt. Dies gilt nicht nur für die Hierarchie der Lebewesen – man denke nur an die in Byzanz so beliebten Deutungen des Physiologos – sondern ebenso für den Bereich der Geschichte auf ihrem Weg aus der mythischen Welt in die Gegenwart. Im Dienste einer solchen Verspannung des Einzelnen in einem größeren Ganzen und der Konkretisierung des Allgemeinen auf der anderen Seite stehen auch jene anderen Tropen, die von den Technikern Metonymie, Synekdoche usw. genannt werden, Umbenennungen auf jeden Fall, bei denen es letztlich auf den rednerischen Effekt ankommt – ein Effekt, der wiederum sachgerecht genannt werden kann. Dazu gehören etwa die Benennung des Individuums nach der Spezies, die der Spezies nach der Gattung und umgekehrt. Damit wird ein zunächst logisches Bezugsfeld hergestellt, das man als „nominalistisch" auf sich beruhen lassen könnte. Aber die Byzantiner sind eben keine Nominalisten, sondern Realisten, und in einem solchen Bezugssystem sind für sie ontologische Bezüge gegeben, von Belang für die eigene Eingliederung und für das eigene Selbstverständnis innerhalb eines Ordo vorgegebener Natur, der die Fähigkeit hat, Vereinsamung und Entfremdung zu verhindern, – ein Ordo mit frappanter Ähnlichkeit zum System der politischen Orthodoxie, da wo dieses System seine behausende Fähigkeit unter Beweis stellt: der durchgegliederte Lebensraum, der jedem seinen Platz anweist und ihm zugleich jene Weiträumigkeit konzediert, die zum Durchatmen vonnöten ist.

Natürlich drängt sich der Einwand mit aller Macht auf, dies alles sei viel zu weit hergeholt und es handle sich um Aperçus über Rhetorik die nur so in der Luft hingen. Dem möchte ich einige Sätze eines der glänzendsten Adepten der spätantiken Rhetorik entgegenhalten, auch wenn er dem lateinischen Westen angehört, Augustinus von Hippo. In De Trinitate XI, 18 schreibt er: Neque enim deus ullum non dico angelorum sed ne hominum crearet, quem malum futurum esse praescisset, nisi pariter nosset, quibus eos bonorum usibus commodaret atque ita ordinem saeculorum tamquam pulcherrimum carmen ex quibusdam quasi antithetis honestaret. Sicut ergo ista contraria contrariis opposita sermonis pulchritudinem reddunt, ita quadam non verborum sed rerum eloquentia contrariorum oppositione saeculi pulchritudo componitur.

Lassen wir die Frage nach der theologischen Tragfähigkeit dieses Satzes beiseite. Was er deutlichst zum Ausdruck bringt, ist die Relation zwischen den Aufbaugesetzen einer vollendeten Rede und der Schöpfung. Die Schöpfung ist rerum eloquentia, ist auf ihre eigene Weise eine Rede; dies zunächst nach Ansicht Augustins selbstverständlich deshalb, weil sie vom Schöpfer redet; und verallgemeinert, weil sie eine Seins- und Geschichtsordnung (ordo saeculorum) zum Ausdruck bringt. Und der Vergleich mit den ordo der eloquentia verborum hat nur dann Sinn, wenn auch in ihr eine fundierte Seinsordnung zum Ausdruck kommt. Die Entsprechung zur Schöpfungsordnung ist notwendig, weil ohne sie der Vergleich, den Augustinus anstellt, sinnlos wäre. Und selbst wenn man nicht so weit geht: die Korrespondenz ist festgestellt, und auf sie gestützt, kann es der Redner mit der Rede wagen, das carmen saeculare einer Darstellung der pulchritudo ordinis saeculorum zu versuchen.

Es ist ein Gebot der historischen Forschung, nicht nur Tatsachen sondern auch Möglichkeiten auszuloten. Wenn wir uns darauf einlassen wollen (oder müssen), so bedarf es nochmals eines Blicks auf die byzantinischen Kaiserreden. In einem anderen Kapitel standen sie uns Rede und Antwort auf die Frage nach der Herrschaftsideologie, ihrer Träger und Propheten. Hier aber geht es darum, ob dieser vordergründige Aspekt allein genügt. Das methodische Problem besteht darin, den linearen Aufbau solcher Reden, die sich nicht selten an das biographische Schema halten, abzulösen von einem ontologischen Gefüge, das diesen Reden ebenfalls eignen kann. Das Mittel zu einem solchen Gefüge ist es nun eben – und dieses Mittel wird immer wieder teils gekonnt, teils stümperhaft angewendet – mit Hilfe der Metapher nicht nur zu vergleichen, sondern vergleichend zu transzendieren, bei bleibender intensiver Seinsrelation jeden Seinsbereich und jeden Geschichtsbereich durch den in den Augen der Byzantiner jeweils höheren (hier sind sie Schüler ihrer Theologen) zu transzendieren. So ist es für eine Analyse solcher Reden im Bestfall ein Kärrnergeschäft, wenn man ihre Metaphern sammelt, sie klassifiziert und ihre antiken Modelle feststellt. Damit tritt man auf der Stelle. Das Entscheidende wäre, Metaphernfelder festzustellen und sichtbar zu machen, wie diese Felder übereinander angeordnet werden, nicht nur äußerlich, sondern wertmäßig. Natur und Geschichte kreisen dann nicht mehr, sondern verlaufen in zielstrebiger Linearität. Es ist ein Anstieg aus der Zone des Unheils (theologisch) und aus der Zone der Isolation und fehlender Zentrierung, der Amorphität und der „Verantwortungslosigkeit". Die einzelnen Linien bündeln sich dann in der Spitze einer Pyramide. Daß diese Spitze der Kaiser ist, gehört zum politischen Credo und ist Ideologie. Doch genau besehen wird hier auch der Kaiser transzendiert, er verliert seine tagespolitische Bedeutung und wird zum Symbol der ἔσχατα. Denn das Kaisertum ragt in einen metaphysischen Raum hinein, der präsentes Reich Gottes bedeutet und damit die Identifikation zwischen dem byzantinischen Lebensbereich und der christlichen Vollendung ausdrückt. Für „Späteres" ist kaum noch Raum, das byzantinische Reich ist als Reich die vollendetste Form, die möglich ist, eben das letzte Reich. Um diese Pyramide zur Darstellung zu bringen, die das byzantinische παγκόσμιον θέατρον (Welttheater) ist, wird der Mythos aufgerufen, das Alte Testament und die griechische und die römische Geschichte. Vergangene mythische Heroen, griechische Helden, Alexander und die Caesaren, aber auch Abraham und David, die Propheten und Führer Israels, alle leuchten sie für einen Augenblick in der Metapher auf, nicht um der gelehrten Reminiszenz willen und auch nicht um historischer Romantik willen, sondern um der Gegenwart zu dienen, die alles, was die Vergangenheit nur andeuten konnte, zur Vollendung bringt. Dem Griechen bleibt seine ganze Geschichte erhalten und dem Christen der ganze lange Weg der Offenbarung, weil sie transformiert und in byzantinischer Metamorphose das jetzt Erreichte erklären und verklären. Der Byzantiner hat den Historismus überwunden, bevor er erfunden wurde. Und wenn schon in anderem Zusammenhang von der Affinität zwischen Hymnus und Rede gesprochen wurde: hier mündet die Rede von selbst in den Hymnus, und zwar in den liturgischen Hymnus einer θυσία λογική, eines „Wortopfers".

V. Theologie

Wenn man aufzählen will, was von Byzanz bis heute übrig geblieben ist, dann müßte man der ostkirchlichen Theologie einen besonderen Platz einräumen. Nicht nur, daß die moderne Theologie in ihrer Selbstbesinnung auf die Wege und Irrwege, die sie im Laufe der Jahrhunderte gegangen ist, immer wieder zurückgeworfen wird auf die Nachprüfung der Positionen, die man zwischen 400 und 600 in Byzanz eingenommen hat; nicht nur, daß die Grundzüge etwa der katholischen Christologie, so weit sie noch anerkannt werden, in eben dieser Zeit in Byzanz formuliert wurden: auch die moderne Theologie der orthodoxen Welt geht diesen Weg der Überprüfung, teils in vorsichtig kritischer Besinnung, teils in eingestandener oder uneingestandener Abstandnahme von der westlichen Theologie und ihrer Interpretation dessen, was Chalkedon und seine Folgen gebracht haben, und nicht zuletzt in dem manchmal verzweifelten Versuch einer Wiederbelebung alter Wertvorstellungen.

Vom Standesbewußtsein der Theologen her gesehen, schafft dies ohne Zweifel Empfindlichkeiten hüben und drüben, denen man auf Schritt und Tritt begegnet; Empfindlichkeiten allerdings, denen durch die folgenden Seiten keine neue Nahrung gegeben werden soll, denn Besinnungshilfe ist nicht beabsichtigt. Hier geht es keinesfalls um ein christlich-religiöses Verständnis der byzantinischen Theologie seitens des Westens oder des Ostens von heute (oder gar des Verfassers), es geht nicht um richtig oder unrichtig, sondern zunächst um die Voraussetzungen, unter denen die byzantinischen Theologen ans Werk gingen und um das Bild, das sich der Historiker davon machen kann. Es geht allerdings auch um die Frage, inwieweit diese Theologie jenen Prämissen treu geblieben ist, auf die sie sich beruft und nach denen sie angetreten ist, d. h. inwieweit sie sich an die „Tradition" gehalten hat, und schließlich inwieweit sie in ihren Sätzen innerlich konsistent zu bleiben vermochte. Ob dieses Bild überzeugend ausfällt, hängt allerdings wohl nicht vom Verfasser allein ab.

1. Präliminarien

Um nun der Theologie als einem reich beblätterten Zweig sowohl des literarischen wie auch des wissenschaftlichen Arbeitens der Byzantiner gerecht zu werden, bedarf es gewisser Vorüberlegungen. Eine beginnende christliche Theologie – Theologie hier verstanden als das Gesamtgebiet der Interpretationsversuche theoretischer Natur gegenüber einer Offenbarung – steht zunächst vor einem Pluralismus von Ansatzpunkten in den biblischen Schriften und in der Urtradition der Gemeinde. Es gibt beispielsweise unter den Logia solche, die eine subordinatianische Deutung nahelegen und solche, die „Homousie" nahelegen, es gibt Sätze, die allumfassend das Heil predigen und solche, die strenge Grenzen ziehen. Es gibt die Vorstellung der Vollendung in nächster Zeit und es gibt die Projektion in eine ferne Eschatologie. Diese Theologie steht aber auch vor einem Pluralismus methodischer Ansatzpunkte für einen dialektischen Denkprozeß, wenn sie kerygmatische Aussagen und Gemeindetraditionen systematisieren oder gar rational aufhellen will. Sie muß sich die Frage stellen, wo sie ansetzen will und wie sie ansetzen will. Die vorchristlichen Denkkategorien griechischen Ursprungs, die auch jedem einigermaßen gebildeten Christen der ersten Jahrhunderte gegenwärtig waren, haben sich auf keinem Offenbarungsboden entwickelt. Wenn sich die christliche Offenbarung in nicht wenigen ihrer Äußerungen entschieden vom „menschlichen Wissen" abhebt, können dann solche Denkkategorien in einer christlichen Theologie überhaupt Verwendung finden? Oder weist die Offenbarung nur konkrete Irrwege paganen Denkens ab, beläßt aber die Möglichkeit, dialektische Prozesse, als in der Schöpfung von Gott dem Menschen ermöglicht, auch theologisch zu verwenden? Diese Alternative genügt nicht einmal. Denn es bleibt die Frage, in wieweit Analogia entis möglich ist zwischen menschlicher Begriffsbildung und einer Offenbarung, die letztlich im undurchdringlichen Mysterium endet. In jedem Fall ist die Möglichkeit einer Polarisierung gegeben zwischen einer theoretisch rein negativen Haltung und allen möglichen Schattierungen einer positiveren Einstellung. „Theoretisch" negativ sei betont, denn konkret läßt sie sich auf keinen Fall aufrecht erhalten, da auch die Offenbarung in Kategorien menschlichen Denkens, in Analogien und teilweise auch in den üblichen Begriffen griechischen Philosophierens spricht. Aussagen über Vater und Sohn implizieren Begriffe wie Gezeugt und Ungezeugt, das Wort Logos ist vom griechischen Hintergrund nur mit einem Kraftakt ablösbar und das Konzept der Fleischwerdung eines Gottes kann entweder unberührt im Raume stehen bleiben oder es muß unter Verwendung anthropologischer Begriffe, welche die Offenbarung selbst nicht mitgeliefert hat, dem Verständnis näher gebracht werden. Wie immer man nun mit solchen rationalen Aufgaben fertig werden wollte: die pagane Philosophie hatte zwar vorgearbeitet, aber teils reichte ihr Begriffsinstrumentar nicht aus – etwa im Falle des Verhältnisses von Natur und Hypostase – oder sie bot ihrerseits eine Mehrzahl von methodischen Ansätzen und Lösungsversuchen, welche die aufkommende Theologie vor eine neue Aporie stellten.

Dazu kommt, daß das Verständnis der Begriffe Theologie oder Philosophie selbst uneindeutig war und blieb. Die skeptische Haltung der paulinischen Briefe gegenüber menschlicher Weisheit führte in christlichen Kreisen sehr bald zu einer Unterscheidung zwischen ϑύραϑεν oder ἔξωϑεν φιλοσοφία, Philosophie „vor der Tür", einer von sich selbst überzeugten und trotzdem dem Irrtum überantworteten Theorie menschlichen Erkennens, und der echten christlichen „Philosophie", der es ohnedies weniger um Erkenntnisinhalte geht, als vielmehr um die Bewältigung der Aufgaben christlichen Lebens, so daß zunächst der Märtyrer, der das christliche Ideal mit seinem Blut verteidigt hat, zum wahren Philosophen der Christenheit wird, in seinem Gefolge dann der Mönch und eben der echte und vollendete Christ überhaupt. Bleiben theoretische Aufgaben, so sind sie nicht ἀριστοτελικῶς, nach Art des Stagiriten, sondern nur ἁλιευτικῶς, nach Art der Fischer (= Apostel) zu lösen, denn sie sind die wirklichen Theologen und ihre Worte zu wiederholen ist heilsamer als jeder Syllogismus. Wahre Philosophie ist wahre Theologie und ist identisch mit der Reproduktion und Verwirklichung der Offenbarung.

Wo aber der Begriff Philosophie nicht derart verallgemeinert wird, bleibt er trotzdem ein Wort, das in erster Linie das Gesamt christlicher, also geoffenbarter Wahrheiten umfaßt, um das sich der menschliche Geist bemüht, wofür die ϑύραϑεν φιλοσοφία nur von Fall zu Fall einen propädeutischen Beitrag liefern kann. Philosophie in voller Eigenständigkeit kommt selten zu ihrem Recht, es sei denn eben auf dem Gebiet vorläufiger Bereitstellung von Begriffen. Aufs ganze gesehen ist sie ein wenig suspekt – und manchmal gar nicht wenig. Der Begriff Theologie ist in der antiken Philosophie seit Platons Zeiten mit einem mythologischen Beigeschmack belastet und die ersatzweise Verwendung von Derivaten des Substantivs für die aristotelische Metaphysik hatte auf christlichem Boden wenig fortune. Es verwundert dann nicht, wenn sich im Laufe der Zeit ein christlicher Sprachgebrauch – wenn auch nicht exklusiv – herausbildete, wonach Theologie im Vollsinn die Lehre vom dreieinigen Gott bedeutete, während man die Christologie und Soteriologie unter dem Namen Oikonomia zusammenfaßte. Doch selbst diesem Sprachgebrauch drohte von mönchisch-mystischer Seite eine scharfe, gegen das Ende von Byzanz fast tödliche Konkurrenz. Für diese Kreise ist Theologia der höchste Grad mystischer Gottesschau und der daraus resultierenden irrationalen Gotteserkenntnis. Theologia wird in nicht unbedeutenden Gruppen dieser Spiritualität zur Gnosis im verfeinertsten Sinne des Wortes. Und wiederum stellt sich die Frage, ob neben einer solchen Gotteserkenntnis eine andere, noch dazu auf menschlichen Denkkategorien basierende, möglich oder legitim ist.

Läßt man diese Konfrontation zunächst außer Betracht, um sich jenen Theologen zuzuwenden, die, wie beschränkt und vorsichtig auch immer, der Philosophie im Gemeinsinn des Wortes einigen Raum in ihrer Theologie beließen, so ist sehr rasch die Rede vom Platonismus oder Aristotelismus oder Neuplatonismus der Väter. Sowohl für die Väter wie für die späteren Byzantiner haben solche Formulierungen meines Erachtens nur dann eine

gewisse Berechtigung, wenn man sich bewußt bleibt, daß kaum jemals das
ganze oder annähernd vollständige System eines Philosophen gemeint sein
kann, es sich vielmehr jeweils um einen höheren oder geringeren Grad des
Eklektizismus handelt, wobei die Auswahl nur in seltenen Fällen einen
Theologen sozusagen voll zu charakterisieren imstande ist. Insgesamt arbei-
tet die patristische und die byzantinische Theologie gern mit generellen Be-
urteilungen dieser Philosophen; man spricht etwa von den Gefahren, die
mit der „Dunkelheit" des Aristoteles verbunden sind, oder vom gedanklichen Höhenflug Platons und der Musterhaftigkeit seiner Diktion. Aristotelismus bei den Kirchenvätern ist dann – von Ausnahmen abgesehen – etwa
die Verwendung des aristotelischen, dem Neuplatonismus ebenso vertrauten Organon, während man bei Platon Stützen für die Lehre von der Welt-
schöpfung und der Unsterblichkeit der Seele sucht. Ein organisches Platon-
oder Aristotelesstudium mag in Einzelfällen, etwa bei den Kappadokiern,
bei Joannes Philoponos oder bei Photios (über die byzantinische Spätzeit ist
gesondert zu handeln), unterstellt werden, insgesamt aber scheint es einen
Seltenheitswert zu besitzen.

So wird man denn in Byzanz a priori keine einheitliche und wohlüberleg-
te theologische Methode erwarten. Und selbst die Reflexion über Methode
geht selten über rhetorisch wohlformulierte Sätze hinaus. Die Erfahrungen
der Patristik lassen dies verständlich erscheinen. Schon die Auseinandersetzung mit einigen Gnostikern mußte die aristotelische Syllogistik bei manchen Vätern in Verruf bringen. Es genügte für sie, wenn man sie in der
Abwehr der Häretiker zur Verwendung brachte, diese also sozusagen mit
ihren eigenen Waffen schlug, die Kirche selbst in ihrem Innenleben aber
damit verschone. Zwar nicht von allem Anfang an, aber spätestens im
5. und 6. Jahrhundert, glaubte die Kirche auch die Gefährlichkeit des Origenes ganz durchschaut zu haben, der sich mit Pathos einer Flut platonischer Spekulationen geöffnet hatte. Denkt man dann noch an die Kämpfe
gegen Eunomios, welche die Frage nach den Grenzen der Gotteserkenntnis
aufwarfen, dann kann man sich etwa ein Bild davon machen, wie die Geschichte der byzantinischen Theologie in Auseinandersetzung mit der griechischen Philosophie verlaufen kann: Der in der Offenbarung gegebene Ansatzpunkt zwingt zur Abwehr gegen eine Syllogistik, die für sich keine
Grenze des Möglichen anerkennt, aber diese Abwehr ist nur „syllogistisch"
möglich, es sei denn man ziehe sich einfach auf das Wort der Offenbarung
allein zurück. Und der byzantinische Theologe schwankt ununterbrochen
zwischen diesen Polen, ohne jemals einen Ausgleich zu finden. Auch Palamas im 14. Jahrhundert hat ihn nicht gefunden.

Was hier auf den ersten Blick dilettantisch wirkt, hat noch andere Ursachen, die mit dem Theologie-„Betrieb" zusammenhängen. Theologie, wie
immer und in welchem Maße man sie als Wissenschaft vergleichbar mit
anderen Wissenschaften bewerten will, bedarf des Zusammenhangs mit der

ganzen wissenschaftlichen Welt. Sie verkümmert notwendig in der Isolation. Und sie bedarf darüber hinaus des Anschlusses an ihre Umwelt im weitesten Sinne des Wortes. Der ständige Austausch und die dauernde Wechselwirkung, ob provokativ oder schlichthin befruchtend, ist zunächst gleichgültig, kommt jeder Richtung zugute. Und was von der Wissenschaft an sich gilt, gilt auch von ihrer Verflechtung mit dem gesamten kulturellen und alltäglichen Leben, in das sie hineingestellt ist, oder sein müßte. Dies gilt für die Theologie sogar in besonderem Maße, weil und insofern sie Interpretation einer Heilslehre sein will und solange sie dies sein will. Ganz allgemein läßt sich sagen, daß die übrigen Wissenschaften der byzantinischen Theologie nicht gerade entgegenkamen, weil sie um ihr Überleben zu kämpfen hatten. Manches, was einleitend über das hellenistische Erbe gesagt worden ist, wäre hier zu wiederholen. Die Auseinandersetzung zwischen Fortschritt und Konservatismus endete ohne Zweifel mit einem fast gänzlichen Sieg des letzteren. Die theoretische Neugierde räumte der Tradierung das Feld, der Drang zur Forschung und zur geistigen Konfrontation versiegte, die Lust über die Grenzen zu blicken und sich auch um Fremdes zu bemühen, verschwand. Was blieb und was blühte, war Philologisches im weitesten Verstand des Wortes, freilich auch dieses primär auf Tradierung eingestellt. Ohne Zweifel hätte diese Philologie die Aufgabe wahrnehmen können, der Theologie hermeneutische Hilfe zu leisten, sie tat es auch bis zu einem gewissen Grad bei der Interpretation biblischer Texte. Aber es scheint, als hätte man an eine Hermeneutik philologischer Natur etwa den Kirchenvätern gegenüber kaum gedacht und dafür keine Philologie in Anspruch genommen. Sie hätte auf diesem Gebiet auch wohl wenig zu leisten vermocht, nicht zuletzt deshalb weil diese Philologie – was verständlich ist – wenig Sinn z. B. für semantische Entwicklungen hatte. Erst recht konnte man diesen Sinn dann auch von den Theologen nicht verlangen. Und so kam es – dies wenigstens einer der Gründe – daß die Theologen in Kürze das große Kapitel christlicher Literatur des 2. und 3. Jahrhunderts aus ihrem Traditionsschatz und ihrem Bewußtsein strichen, weil die Terminologie dieser großen Väter kaum noch jener entsprach, die von den Konzilien des 4. und 5. Jahrhunderts fixiert worden war. Diese Terminologie als Stadium einer Entwicklung im Sinne größerer Differenzierung zu betrachten und damit die frühere undifferenzierte als sui iuris gelten zu lassen und einzubauen, kam nicht in den Sinn. Dies hätte einen Begriff von „Entwicklung" zur Voraussetzung gehabt, um den sich die Theologen der damaligen Zeit ebenso wenig kümmerten wie die Philologen.

Irgend jemand kopierte noch 1056 die „Zwölfapostellehre", aber gelesen hat sie außer dem Kopisten kaum jemand, und wenn, dann wußte er nichts mehr damit anzufangen. Das Werk mußte 1873 neu entdeckt werden. Von den Exegesen der Herrenworte des Papias von Hierapolis kennt Byzanz nur die paar Fragmente, die Eusebios in sein Werk aufgenommen hat. Selbst der große Irenaeus entging diesem Schicksal nicht. Die „Entlarvung der falschen Gnosis" kennen wir vollständig nur in einer lateinischen Fassung, und seine Darstellung der apostolischen Verkündigung wird zwar von Eusebios erwähnt, aber übriggeblieben ist nur eine alte armenische Version. An Byzanz ging der Text sozusagen spurlos vorüber. Das noch vorhandene Werk des großen Origenes ist ein Trümmerhaufen, wenn auch die Trümmer noch so imponierend sind. Dies nur ein paar Beispiele aus vielen. Die vielzitierte Paradosis, die kontinuierliche Bezugnahme auf die gesamte altkirchliche Tradition macht sozusagen einen Sprung über zwei Jahrhunderte. Mit diesem Sprung aber verbaute sich die byzantinische Theologie, die sich doch immer wieder und mit Emphase auf die „Väter" berief, die Möglichkeit der Kenntnisnahme früher, sehr vielfältiger und ausbaufähiger Ansätze und nicht zuletzt die Befruchtung durch ein theologisches Denken, das viel stärker Ausdruck der lex orandi war als die späteren Ansätze, und das in der liturgischen Gemeinschaft einen kongenialeren Zielpunkt sah als in der akribischen Formel, weil sie noch nicht in der Lage war, „wahre Frömmigkeit" total mit richtiger Lehrmeinung zu identifizieren. Die byzantinische Theologie versuchte es nur ganz selten, einen Ausgleich zwischen älterer und neuerer Lehrmeinung herbeizuführen, nachdrücklich vielleicht überhaupt nur einmal – wenn man vom sogenannten „palamisme mitigé" absieht – als es galt, die Terminologie Kyrills von Alexandreia gegenüber den Formeln von Chalkedon wieder zu Ehren zu bringen. Der Ausgleich glückte meines Erachtens bestenfalls in der Ausprägung eines bestimmten Christusbildes und nicht auf dem Felde theologischer Konkordanz.

Ein zweites Moment, das auf die Entwicklung der byzantinischen Theologie nicht ohne Einfluß blieb, ist das Fehlen einer permanenten, mit hoher Autorität ausgestatteten Instanz, die man als kirchliches magisterium bezeichnen könnte. Natürlich gab es die ökumenischen Konzilien, die sich diese Autorität zuschrieben, und sie lösten ihre Aufgaben vom 4. bis zum 8. Jahrhundert mit wechselndem Erfolg. Doch schon im 9. Jahrhundert ist man sich über die Ökumenizität der damals gehaltenen Synoden nicht mehr recht im Klaren, und in der Folgezeit verschwinden sie überhaupt, es sei denn, man dächte noch an das Florentinum 1438/39 und nicht an den Unstern, der über ihm waltete. Es gab gewiß gelegentlich „Generalsynoden", aber keine konnte sich als ökumenisch durchsetzen. In den späteren byzantinischen Jahrhunderten haben dann die Patriarchen so etwas wie ein universelles kirchliches Lehramt für sich beansprucht. Doch zu praktischen Folgerungen führte dies kaum und ein Einfluß dieses Anspruches auf die Theologie läßt sich m. E. überhaupt nicht feststellen. Natürlich wirkt sich die Autorität eines effektiven kirchlichen Lehramts auf die Entwicklung nicht selten hemmend aus, da es den Pluralismus der Lehrmeinungen nicht liebt und das Hausbackene dem Experiment vorzieht. Andererseits kann es eine Wirkung ausüben, die sich etwa so beschreiben läßt: Es rückt durch die amtliche Definition und Abgrenzung einmal Erreichtes stärker ins Bewußtsein und schafft damit für jeden theologischen Denker eine Ausgangsbasis, auf die er sich zunächst einmal verlassen kann, ohne mit seinen Überlegungen nochmals ab ovo beginnen zu müssen. Er braucht auf diese Ausgangsbasis erst wieder zurückzukommen, wenn er seine ihm sicher erscheinenden Schlußfolgerungen an ihr messen will. So aber kennt die Geschichte der byzantinischen Theologie nur selten Abschnitte in ihrer Entwicklung, die organisch auf dem vorausgegangenen aufbauen; sie versucht vielmehr immer wieder alles von Anfang an zu erfassen, um damit nicht selten hinter dem zurückzubleiben, was eine vorausgegangene Epoche schon erreicht hat. Als Beispiel ließe sich anführen die Behandlung der Bildertheologie in der frühen Komnenenzeit, gemessen an der Kontroverse des 8. und beginnenden 9. Jahrhunderts. Zwar versagen sich die Theologen der späteren Epoche die Emphase jener der klassischen Ikonodulie, aber die versuchsweise Begriffsklärung eines Joannes von Damaskos oder eines Patriarchen Nikephoros war offenbar wieder vergessen und was an ihre Stelle gesetzt wurde, wirkt rückständig.[1] Ein zweites Beispiel: die Frage nach dem berühmtberüchtigten Filioque als Zusatz zum Glaubensbekenntnis. Was hier manche Theologen des 13. und 14. Jahrhunderts anzubieten haben, bleibt weit hinter den Einsichten etwa eines Theophylaktos von Ochrida in die „Umweltbedingtheit" der Formulierungen zurück.[2] Und was Patriarch Photios in einem Schreiben an den Papst Nikolaus über lokale und ethnische Differenzen im kirchlichen Brauchtum ausführt und einsichtig begründet,[3] ging an seinem Amtsnachfolger Michael Kerullarios offenbar spurlos vorüber.

Mit diesem Fehlen eines Lehramtes hängt zusammen das Fehlen theologischer Schulen im doppelten Sinne des Wortes, als Ausbildungsstätten sowohl wie als Gruppen mit gleichen methodischen Grundvorstellungen, die über größere Räume und längere Zeiten hinweg ihren bestimmenden Einfluß ausüben. Um bei letzterem zu beginnen: Man spricht sehr gern von einer alexandrinischen oder einer antiochenischen Schule in der Patristik und auch in den späteren Jahrhunderten. Dahinter stehen wenigstens für eine beschränkte Zeit wohl auch konkrete „Ausbildungsstätten"; aber im großen und ganzen scheint mir der Ausdruck „Schule" einer gewissen Mißbräuchlichkeit nicht zu entbehren; denn häufig handelt es sich um kaum mehr als eine gewisse Prävalenz von Grundstimmungen, für die Alexandreia oder Antiocheia bald nur noch vage Etiketten abgeben, etwa Bevorzugung des Textes und seiner Literarinterpretation gegenüber spiritueller Deutung usw. Dann wäre ja noch so mancher „Schulgegensatz" zu erwähnen, z.B. im Verständnis der Theologia im mystischen Sprachgebrauch, der Gegensatz zwischen pseudo-dionysianischer und evagrianischer Deutung, oder der Gegensatz florilegistisch – argumentativ, oder Argumentation einerseits und hymnisches Theologiekonzept andererseits. Kurz: es handelt sich doch mehr um Mentalitäten als um Schuleigenheiten. Ganz abgesehen davon, daß sich auch für das Gegensatzpaar alexandrinisch – antiochenisch bald nichts mehr von jenem über Generationen sich erstreckenden Lehrer-Schülerverhältnis nachweisen läßt, das zur Schulbindung notwendig zu sein scheint. Am ehesten könnte man in Byzanz von einer Schule sprechen, wenn man an die Reihe Psellos – Ioannes Italos. – Eustratios von Nikaia usw. denkt; und dann im Palamitenstreit im 14. Jahrhundert, allerdings eher auf der Seite der Palamiten selbst als auf der ihrer Gegner, die von sehr verschiedenen methodischen Ansatzpunkten ausgingen. Etwas Vergleichbares etwa mit der Schule der Franziskaner oder mit der von St. Viktor oder von Laon ist in Byzanz nur mit einem Exzeß von Anstrengung dingfest zu machen. Die Folge davon ist naturnotwendig ein etwas diffuser Charakter dieser Theologie. Ihre vorhandene Geschlossenheit ist anderer Natur als die einer Schule oder speist sich aus anderen Quellen.

Was die theologische Schule als Ausbildungsstätte anlangt, so ist darüber in jüngster Zeit nicht wenig geschrieben – allerdings wenig gelesen worden. Es überrascht jedenfalls den Nichtbyzantinisten zu hören, daß das staatliche oder staatlich geförderte Schulwesen, soweit man ihm etwas emphatisch das Wort Universität zubilligt, keine Institution kennt, die man mit demselben Recht eine „theologische Fakultät" nennen könnte. Nur: es ist nun einmal so und kein Historiker mit Gewissen kann es ändern. Bleibt der Ausweg in Richtung kirchlicher oder kirchlich protegierter theologischer Hochschule – gangbar und mit Vergnügen begangen! Man nennt an erster Stelle die berühmte theologische Schule Alexandreias. Freilich, der Streit um ihren eigentlichen Charakter (Volkshochschule, Katechenschule oder – wie man es neuerdings ausgedrückt hat – Führungsakademie?) brennt immer noch, wenn auch auf kleiner Flamme. Jedenfalls muß sie als vorbyzantinisch bezeichnet werden und somit hier außer Betracht bleiben. Mit wirklichen theologischen, wenn auch vielleicht nur bibelexegetischen Schulen haben wir es in Edessa und in Nisibis zu tun. Damit stehen wir an den äußersten Rändern des Reiches und zum Teil schon außerhalb seiner Grenzen. Und wir stehen auch an der Grenze der griechischen Sprache. Die Lebensdauer von Edessa betrug kaum mehr als zwei Generationen. Dann mußte die Schule auf persisches Gebiet nach Nisibis ausweichen. Eine theologische Hochschule in Konstantinopel aber, etwa als Patriarchalakademie zu charakterisieren, gehört in das Gebiet der Legende. Auch Alexios I. Komnenos hat keine solche Akademie geschaffen, jedenfalls ist in seinem oft zitierten Dekret[4] mit keinem Wort von der Organisation eines akademischen Lehrbetriebs durch das Patriarchat die Rede. Was sich an Schule in einem örtlichen Zusammenhang mit Kirchen Konstantinopels nachweisen läßt, geht im allgemeinen ganz offensichtlich über den Unterricht in den klassischen Fächern der „allgemeinen Bildung" profaner Natur in Byzanz nicht hinaus, sie schließen Theologie als Fach nicht mit ein. Trotzdem darf nicht übersehen werden, daß diesen Schulen eine gewisse, wenn auch bescheidene Rolle in der Ausbildung künftiger Theologen zukommt. Die Fächer der „Allgemeinbildung" (um damit die „ἐγκύκλιος παιδεία" der Byzantiner sinngemäß wiederzugeben) umfaßten eben auch die Anfangsgründe der aristotelischen Logik, und dies wahrscheinlich nicht selten in einer Zurichtung, die auf die dogmatische Terminologie der großen Konzilien Rücksicht nahm. Einige Vorstellungen von einem solchen Lehrbetrieb kann man sich bei der Lektüre der Διδασκαλία παντοδαπή des Michael Psellos machen.⁵ Damit bekam der Schüler ein erstes Instrumentarium für die Behandlung theologischer Fragen in die Hand – und das Unglück ist nur, daß manche von ihnen es für das einzige hielten und damit glaubten, Dogmatik und Theologie schlechthin im Griff zu haben.

So bleibt für eine weitere Ausbildung in der Theologie zunächst der Selbstunterricht, die Lektüre, wie sich aus einer ganzen Anzahl hagiographischer Texte schließen läßt, oder, wenn auch nicht immer und unmittelbar auf dogmatischem Gebiet, die Liturgie mit ihren in früheren Zeiten umfangreichen Lesungen aus den Vätern, besonders aus Joannes Chrysostomos. Und schließlich ist das private Lehrer-Schülerverhältnis in Rechnung zu ziehen. Im Ganzen bedeutet dies zunächst doch nur wieder sehr individuelle, unkoordinierte Ansätze, mit all den defizitären Folgen für System- und Schulenbildung.

Daß es dabei zu keiner Herausbildung eines Standes kommen konnte, der sich mit Theologie identifizierte, ergibt sich von selbst. Die Klerikerbildung, so weit sie den kanonischen Vorschriften überhaupt entsprach, beschränkte sich auf ein Minimum religiöser Kenntnisse. So gibt ein Kanon etwa den weihenden Bischöfen die Vorschrift, ihre Weihekandidaten, seien es Priester oder Bischöfe, auf die wichtigsten Synodalbeschlüsse aufmerksam zu machen, also eine Art kurzgefaßter Instruktion unmittelbar vor der Weihe.⁶ Kanon 2 des Jahres 787 verlangt von den zu weihenden Bischöfen die Kenntnis des Psalters und die Bereitschaft, sich in die Lektüre der Hl. Schrift und der Kanones zu vertiefen. Selbst Justinian verlangt in Novelle VI,6 nicht mehr, als daß ein Bischof niemand weihen dürfe, der nicht lesen und schreiben könne, da der Kandidat ja die liturgischen Gebete lesen müsse und auch sich mit den Kanones zu befassen habe. Kurz: von einer Ausbildung in Theologie als solcher ist überhaupt nicht die Rede. Und so konnte sich innerhalb des Klerus kein Standesbewußtsein herausbilden, das auf eine gemeinsame Sonderkenntnis eines relevanten wissenschaftlichen Gebietes über die byzantinische Allgemeinbildung hinaus zurückzuführen gewesen wäre. Theologie ist, wenn überhaupt Privileg, keines des Klerus. Und rechnet man mit etwa 600 Byzantinern die sich, uns namentlich bekannt, mit theologischer Schriftstellerei befaßt haben, so entfallen davon ziemlich genau 100 auf den Laienstand, also ca. 14 Prozent. Bezeichnenderweise interessieren sich davon keine 50 für die eigentliche Dogmatik. Erst seit der Komnenenzeit und besonders während der palamitischen Kontroverse verbessert sich dieses Verhältnis. Unter diesen Laientheologen sind die Kaiser mit nicht weniger als elf Namen vertreten, leitende Minister und hohe Beamte mit 37, kleinere Beamte, Grammatiker, Rhetoren usw. mit 39. Wahrscheinlich ist der Anteil der Laien insgesamt sogar größer, denn in dieser kleinen Statistik bleiben ca. 50 Namen unberücksichtigt, von denen uns jede Berufsangabe fehlt. Da bei einem theologischen Schriftsteller die Berufsbezeichnung Mönch, Kleriker oder Bischof das Naheliegende ist, kann man wohl auch diese fünfzig mit einiger Reserve zu den Laien zählen.

2. Systematik und Polemik

Nachdem in populären Darstellungen des Byzantiners dieser gern als ein Mann, erpicht auf dogmatische Finessen und Spitzfindigkeiten geschildert wird, jedenfalls sozusagen als „anima naturaliter theologica", sei hier noch ein wenig mit Statistik fortgefahren, – einer Statistik, die allerdings mit Unsicherheitsfaktoren genug behaftet ist, nicht nur weil die Ränder der literarischen Genera unscharf sind, sondern auch weil die „gemischte Persönlichkeit" und das „gemischte Oeuvre" allzu oft auftreten und eine Zuteilung erschweren. Grob geschätzt dürfte sich der Anteil der Schriftsteller, die sich mit Theologie befaßten, gemessen an der Gesamtzahl der byzantinischen Literaten doch auf nicht mehr als etwa $2/5$ belaufen. Versucht man, dieses Verhältnis etwa auf Grund der überlieferten Handschriften zu kontrollieren, also vom Werk und nicht vom Autor auszugehen, und setzt man dabei die Crux der Miscellanhandschriften einmal außer Rechnung, so ergibt sich etwa bei Durchsicht des Katalogs der griechischen Escorial-Handschriften, daß auf ca. 210 mehr oder weniger rein theologische Handschriften eine Zahl von ca. 330 Handschriften kommt, die man als Laienhandschriften bezeichnen könnte. Ca. 30 liturgische Handschriften sind hier selbstverständlich nicht in Rechnung gesetzt. Eine solche Statistik täuscht allerdings, denn die Kataloge umfassen ja auch die gesamte in der Bibliothek gespeicherte klassische Literatur, wobei die Frage nach den Interessen der humanistischen Sammler auftaucht, d. h. ob sie kunterbunt alles aufkauften, was in griechischen Lettern geschrieben war, oder sich doch stärker auf Klassisches konzentrierten. So ergibt die Statistik, was den Escorial betrifft, daß auf die mehr als 300 profanen Handschriften doch nur etwa 50 treffen, die ihrem Inhalt nach als byzantinisch bezeichnet werden können. Völlig wertlos ist die Statistik damit nicht, denn die verbleibenden 250 Handschriften verraten eben doch weit gestreute Interessen, die wenig mit Theologie zu tun haben. Doch zurück zu den Schriftstellern selbst: Die Statistik besagt, daß von den weiter oben genannten ca. 600 theologischen Schriftstellern, die sich ausschließlich oder eben auch mit Theologie befaßt haben, nur ca. 200, d. h. 33 Prozent, ganz oder teilweise als Dogmatiker bezeichnet werden können. Dies der Durchschnitt. Der Anteil der Dogmatik ist bezeichnenderweise relativ hoch in der Periode der monophysitischen Streitigkeiten (45%), doch kommt diese hohe Zahl vielleicht nur daher, daß in dieser Periode z. B. das kanonische Recht noch kaum eine Rolle spielt und auch die liturgische Dichtung nur mit ganz wenigen Namen, allerdings von höchstem Rang, vertreten ist – zwei Sparten der theologischen Schriftstellerei also, die später eine Vielzahl von Schriftstellern beschäftigen werden. Am höchsten ist der Prozentsatz der Dogmatiker in der letzten Phase der byzantinischen Geschichte (51%), als der palamitische Streit und die Kontroverse mit den Lateinern zahlreiche Repetitionen längst Gesagtens hervorriefen. Den Tiefstand bedeutet die Epoche der Komnenenkaiser mit 13% Dogmatikern. Wer hatte wohl schon Lust, sich mit der skurrilen Dogmatik eines Kaisers wie Manuel I. anzulegen?

Was die Mönche anlangt, so beläuft sich ihr durchschnittlicher Anteil an der theologischen Schriftstellerei insgesamt auf 31 Prozent. Nur ca. 24 Prozent davon wagen sich auf dogmatisches Gebiet. Die Hauptlast der Dogmatik stellt die ganze byzantinische Zeit hindurch eben doch die etablierte Hierarchie, darunter allerdings auch nicht wenige Bischöfe und Patriarchen, die aus dem Mönchsstand kommen. Die Diakone bleiben ihnen gegenüber in der Minderzahl, auch die Diakone der Hagia Sophia; und Presbyter treten überhaupt nur vereinzelt auf.

In diesem Zusammenhange muß wohl auch darauf hingewiesen werden, daß selbst die bedeutendsten Dogmatiker der griechischen Kirche sich selten auf Dogmatik beschränkt haben, ja daß ihr übriges Oeuvre oft umfangreicher ist als ihr dogmatisches. Bei Maximos dem Bekenner z. B. macht das dogmatisch-polemische Schrifttum zur Monotheletenfrage nicht viel mehr als ein Drittel seiner theologischen Gesamtschriftstellerei aus, während zwei Drittel der Exegese der Bibel und der Väter sowie der mystischen Theologie gewidmet sind, welch letztere freilich auf einer sehr gründlichen dogmatischen Basis aufruht. Und selbst wenn man bei Joannes von Damaskos sowohl die „Sacra Parallela" wie den Barlaam-Roman wegläßt, macht die dogmatische Schriftstellerei nur die Hälfte seiner Gesamtproduktion aus. Photios, abgestempelt als der Antilateiner schlechthin: Läßt man die Bibliothek beiseite, ebenso seine Briefe und alles, was sich ohne Sicherheit an seinen Namen gehängt hat, so sind der antilateinischen Polemik nicht mehr als vier Prozent seines Gesamtwerkes gewidmet.

Zur Materie selbst: Was hat es mit den 33% Dogmatikern im Gesamt der theologischen Literaten auf sich? Das auffälligste Merkmal ist das starke Zurücktreten der theologischen Systematik oder auch nur der dogmatischen Monographie zugunsten der Polemik. Sicher wirkt hier das hellenistische Erbe nach, der mit der Lust am Wort verbundene Streit um das Wort. So sind „Summisten" in Byzanz äußerst spärlich gesät. Der Größte unter ihnen ist Joannes von Damaskos mit seiner „Quelle der Erkenntnis".

Freilich ist nicht einmal diese Summe ein Gesamtsystem der christlichen Theologie. In den letzten Abschnitten verläßt ihn die ordnende Kraft ganz sichtlich, und eine auch nur einigermaßen vollständige Sakramentenlehre fehlt. Aber der Versuch abzurunden durch die Beigabe eines Abschnittes über die Häresien und eines weiteren mit einer auf Theologie getrimmten Dialektik bleibt doch bemerkenswert. Bemerkenswert aber auch der ausdrückliche Verzicht das Autors, Eigenes zu sagen. Man wird dies nicht wörtlich nehmen, aber auch nicht rein als Rhetorik abtun können. Ein „Warum" gegenüber Glaubenssätzen, mit dem Zweck, sie unter dem Licht einer ratio theologica zu beleuchten, begegnet nur in bescheidenen Ansätzen. Joannes ist Kompilator großen, allerdings auch souveränen Stils. Auswahl, Auslassungen, Zwischenbemerkungen usw., d. h. die Behandlung der Tradition verraten eine besonnene Überlegenheit. Die ungeheuer große handschriftliche Überlieferung läßt vermuten, daß die „Quelle der Erkenntnis" tatsächlich zum Handbuch der byzantinischen Theologen geworden ist; doch scheint die Benützung außerordentlich eklektisch geblieben zu sein.

Über die Χιλιόστιχος θεολογία des Leon Choirosphaktes[7] um die Wende zum 10. Jahrhundert und über das enzyklopädisch-theologische Werk des Neilos Doxopatres[8] im 12. Jahrhundert kann hier kaum geurteilt werden, da beide Texte noch unediert sind. Immerhin läßt sich über das letztere so viel sagen, daß der Autor neben Gotteslehre, Christologie und Soteriologie – das sind die ersten Bücher, die auch handschriftlich nachweisbar sind – auch über den Glauben, über Kult, über den Nutzen der Bibel und über Theodizee und Eschatologie handeln wollte, um schließlich die Evangelien zu kommentieren und über Häresien und Konzilien zu sprechen. Wir wissen nicht, ob es dazu gekommen ist – wahrscheinlich nicht.

Will man die Πανοπλία δογματική („dogmatisches Rüstzeug") des Euthymios Zigabenos hier nennen, eines Mönchs in Konstantinopel unter den ersten Komnenen, so muß man sich auf die ersten Kapitel beschränken, denn die große Masse des Werkes hat es nur mit Polemiken gegen die Häretiker aller Kategorien zu tun: es ist eine häresiologische Summe und keine dogmatische. Dasselbe gilt dann auch von der Ἱερὰ ὁπλοθήκη (heilige Waffenkammer) des Andronikos Kamateros, die ohnedies nicht mehr sein will als eine Neuauflage des Zigabenos, was auch von dem Θησαυρὸς τῆς ὀρθοδοξίας (Schatz der Orthodoxie) des Niketas Choniates um die Wende zum 13. Jahrhundert gilt.

Einen interessanten Neuansatz bringt Joannes Kyparissiotes im 14. Jahrhundert mit seiner Τῶν θεολογικῶν ῥήσεων στοιχειώδης ἔκθεσις[9], bestehend aus einer methodischen Einleitung und 10 Dekaden Text. Er will apophatische und kataphatische Theologie verbinden und versucht dies in einer Art Konkordanz zwischen Dionysios Areopagites und Maximos Homologetes. Doch Theologie ist für ihn im strikten Wortsinn Gottes- und Trinitätslehre. Es handelt sich also um keine Gesamtdarstellung des christlichen Glaubens.

Sieht man von kürzeren Exposés ab, deren Aufzählung zu weit führen würde, so ist damit wohl das Wichtigste genannt, was sich an dogmatischer Systematik aufzählen läßt. Keines der Werke reicht an die Architektonik der großen westlichen Summen heran (um vom Umfang ganz zu schweigen); denn kein byzantinischer Theologe versucht die Integration eines ganzen philosophischen Systems. Die Gründe hierfür brauchen hier nicht mehr zur Sprache gebracht werden. Dies macht auf der einen Seite einen gewissen Vorzug dieser Theologie aus, weil die Nähe zu Schrift und Vätertradition unmittelbarer gegeben ist. Es bedeutet aber andererseits eine Schwäche, da ja auch diese Theologen auf das dialektische Argument nicht einfach verzichten können und deshalb gezwungen sind, stark eklektisch vorzugehen. Damit aber werden die philosophischen Begriffe aus einem Gesamtsystem herausgerissen und verlieren ihre Tiefenschärfe.

Wie gesagt, spielt sich der größte Teil des dogmatischen Theologisierens auf dem Boden der Polemik gegen die Häretiker ab, eine Polemik die den Gegner als Person kaum jemals schont, und als Christ überhaupt nicht, und der es nie um das Verständnis des Grundanliegens religiöser Natur seitens des Gegners geht, wie sie denn auch in beklemmender Eintönigkeit hundertmal Gesagtes variationslos wiederholt. Aber hier liegt eben die Bedeutung dieser antihäretischen Polemik für das, was ich an anderer Stelle die politische Orthodoxie genannt habe. Das absolute Univok der theologischen Darstellung religiöser Erfahrung wird zementiert; die Begriffe werden eingeschnürt in einem Bezugssystem, das mehr klappert als klingt – und der Gnade wird nicht mehr gedacht. Noch dazu schwelgt diese Polemik in einem Reduktionsverfahren, das jeden schüchternen neuen Gedanken sofort auf einen Archi-Häretiker, Areios, Sabellios oder Eunomios z. B. zurückführt und ihn damit a priori in die Nähe „klassischer" Verwerflichkeit bringt. Der Spielraum theologischen Denkens wird damit immer enger, die Lust, es überhaupt zu versuchen wird grausam abgewürgt, weil hinter jedem Satz eines Polemikers weniger die Kraft des Gedankens steht als vielmehr die Drohung mit dem kirchlichen Anathem und mit der gesellschaftlichen Ächtung. Daraus aber ergibt sich zwingend, daß jeder, der trotzdem als Theologe zur Feder greift, in der repetitio die Mutter seiner Studien sieht und mit dem Wort des Joannes von Damaskos „ἐρῶ ἐμὸν μὲν οὐδέν"[10] (ich sage nichts aus Eigenem), nicht nur sich zur Tradition bekennt und zugleich seiner Bescheidenheit Ausdruck verleiht, sondern auch jene Sicherungen einbaut, ohne die der orthodoxe Kurzschluß nur noch schneller erfolgen würde. Am sichersten ist das Florileg: man stellt einen konziliar abgesicherten Lehrsatz an die Spitze und belegt ihn nicht mit eigenen gedanklichen Vollzügen, sondern mit einer Serie von Zitaten aus renommierten Väterschriften. Man braucht sich dabei über deren Tragweite nicht allzu viele Gedanken zu machen, – die Hauptsache ist die Vielzahl, die „nubes testium".[11]

Man hat den Versuch gemacht, den stark polemischen Charakter der byzantinischen Theologie dahingehend zu interpretieren, daß hiermit hinter einer starken, ja gefährlichen Abgrenzung die Substanz des Dogmas als Interpretation des Heils sich umso ungehinderter religiös auswirken könne. Es ließen sich dafür sogar Aussagen byzantinischer Theologen zitieren. Doch die Frage bleibt offen, ob dies mehr als Rechtfertigung eines rüden polemischen Tons gelten soll oder als echtes Verständnis für die Voraussetzungen, von denen die religiöse Verwirklichung dogmatischer Lehren abhängt. Denn besieht man sich die am öftesten wiederholten und am stärksten betonten dogmatischen Lehrsätze, dann stellt sich generell die Frage nach der Möglichkeit eines „real assent". Doch darüber wurde schon an anderer Stelle gehandelt. Vielleicht kam den religiösen Aspirationen der Byzantiner ihr dogmatischer Formelschatz da am meisten entgegen, wo sich die dogmatische Antithese mit der rhetorischen zum Hymnus verband; vielleicht liegt gerade hier die theologische Bedeutung des reichen Hymnenschatzes, den byzantinische Dichter mit religiöser Erfahrung und dogmatischem Wissen der Liturgie geschenkt haben. Dabei ist eines der wichtigsten Wirkinstrumente die sogenannte „communicatio idiomatum" und zwar in emphatischer Verkürzung. Es geht dabei darum, daß die Eigentümlichkeiten (ἰδιώματα) der menschlichen und der göttlichen Natur Christi, kommunizierend in seiner göttlichen Person, mit geradezu forciertem Überschwang zum Austausch gebracht werden, ohne daß ein absicherndes „insofern als" noch angebracht und der Bezugspunkt der Kommunikation noch genannt würde, vorgebildet im klassisch-joanneischen „Und das Wort ist Fleisch geworden", nachvollzogen im Begriff „Theotokos", zum dogmatischen Schibbolth erhoben mit dem „Einer aus der Trinität hat gelitten" usw. Das nächste wichtige Formprinzip, diesem ersten verwandt, ist die auch ohne communicatio idiomatum mögliche antithetische Sprechweise in allem, was mit Fragen der Menschwerdung und der Naturen Christi zusammenhängt. Dies alles muß dem stark ausgeprägten „rhetorischen" Empfinden der Griechen in hohem Maße entsprochen haben; wie anders wäre es sonst denkbar, daß einer dieser Hymnen aus dem sechsten Jahrhundert heute zum „Stille Nacht" des griechischen Volkes geworden ist.

Abstrakter und ohne die Konkretisierung im Hymnus zu berücksichtigen: Der Dogmatik als solcher und wie sie schriftlich fixiert ist kommt wohl nur selten eine religiös aktivierende Bedeutung zu. Und wenn, dann steht sie meist im Dienste der Rechtfertigung eines religiösen fait accompli. Nicht weil es eine präexistente Lehre von einer Realdistinktion zwischen Gottes Wesen und seinem Wirken gegeben hätte, kamen die athonitischen Hesychasten zur Überzeugung, in ihren Lichtvisionen das göttliche, unerschaffene Taborlicht zu sehen, sondern weil sie, überwältigt von ihrer psychosomatischen Erfahrung, es zu sehen glaubten, kam ihnen Gregorios Palamas mit seiner Realdistinktion zu Hilfe. Und es waren nicht die Theologen des Bilderkultes, welche die Ikonenverehrung zur Blüte brachten; ihre Aufgabe war es vielmehr, diesen Kult trotz aller entgegenstehenden Überlieferung zu rechtfertigen. Daß sie es mit Emphase taten, so wie Palamas die Hesychasten mit Emphase rechtfertigte, beweist nur wieder einmal, daß die „lex orandi" als Basis der Dogmatik sich vitaler erweist als die rein rationale Deduktion.

Freilich bedeutet gerade die Theologie der Bilderfreunde eine endgültige Infragestellung der Theologie im herkömmlichen Sinn überhaupt. Sie stellen nicht ohne Nachdruck die „Belehrung" durch das im Bilde Dargestellte über das belehrende Wort, weil der Erkenntnisvorgang bei der Bildbetrachtung ohne Intermedium zur „Autopsie" führe und damit jene Irrtümer ausgeschlossen seien, die mit der Aufnahme des Wortes gegeben seien. Die „fides ex auditu" sinkt in eine nachgeordnete Position ab, die kirchliche Tradition der frühen christlichen Jahrhunderte wird ohne mit der Wimper zu zucken, entscheidend relativiert.

Das zwingt zu einer längeren Parenthese: Würde man den Versuch machen, alle jene Punkte zu addieren, wo die Byzantiner ähnlich verfahren, d. h. die παράδοσις (Tradition) verlassen, käme man wahrscheinlich zu überraschenden Ergebnissen. Wie es denn ganz allgemein gesprochen, problematisch wird, wenn man versucht, die vielbemühte „Tradition" nach ihrem wirklichen Inhalt zu befragen, nach ihren materiellen und zeitlichen Grenzen, oder gar wenn man eine Antwort auf die Frage geben will, wie man mit Divergenzen in der Tradition fertig zu werden versuchte. Der Sichtungsprozeß war auch hier bis zu einem gewissen Grad dem einzelnen überlassen, und eine Methodik, die allgemein anerkannt worden wäre, wurde sehr selten versucht. Zu argumentieren, wie es geschah, ein Kirchenvater habe in einem gewissen Zusammenhang eben nur „ἐκ τοῦ παρήκοντος", so nebenbei, gesprochen, blieb dann ohne jede Bedeutung, wenn der Gegner statt des „Nebenbei" ein „Betont" gegeben sah.[12] Kritik an der Tradition? Gelegentlich macht sie sich auf eine fast melancholische Weise Luft, wenn etwa Joannes Mauropus im 11. Jahrhundert in einem Epigramm klagt, ob denn wirklich Kyrillos von Alexandreia immer recht haben müsse, ob damit nicht Theodoretos Unrecht geschehen sei – jenem Theodoretos, dessen Schriften gegen Kyrillos das ökumenische Konzil von 553 feierlich verurteilt hatte![13] Aber das liegt weit ab von einem Revisionsversuch der Dogmengeschichte, wie er gerade angesichts des genannten Konzils am Platze gewesen wäre. Und wenn der kritische Kopf, der Michael Glykas gewesen ist – kritisch weil er über aller Theologie nie auf den gesunden Menschenverstand vergaß – den Vätersprüchen oft noch so kühl gegenübersteht, so kam es damit doch zu keinem „Sic et non", welches die Frage nach dem Wert der Tradition grundsätzlich zur Debatte gestellt hätte. Man muß die spätesten byzantinischen Jahre abwarten, bis es Georgis Scholarios wagen kann, selbst große Kirchenväter mannigfacher Irrtümer zu zeihen, etwa Gregorios Thaumaturgos einen Sabellianer zu nennen und Dionysios von Alexandreia einen Arianer.[14] Dogmatik bleibt gefährlich, auch in den Augen der Byzantiner selbst. Ich weiß nicht, ob dieser Aspekt genügend gewürdigt wird, wenn man ein Urteil über diese Theologie wagt. Damit ist doch wohl eine außerordentlich bedeutsame Aussage über diese Theologie gemacht. Die Theologen selbst lösen ja ihre Lehren nicht etwa aus dem religiösen Bezugsfeld, sie verstehen sich als Interpreten des Heils und als Wegweiser zum Heil, aber sie intellektualisieren diesen Weg auf eine Weise, die auf den allgemeinen Heilswillen, der in der Offenbarung Ausdruck findet, fast vergessen läßt.

3. Der Weg der Dogmatik

Hier einen Gang durch die byzantinische Dogmatik versuchen, heißt damit sich auf gefährliche Pfade begeben; denn die Blickrichtung bleibt notwendig subjektiv und die verallgemeinernden Aussagen werden dadurch gefärbt. Wenn es aber in unserem Zusammenhang darum geht, diese Dogmatik nicht isoliert zu betrachten, sondern sie abzutasten auf ihre Bedeutung für das gesamte Leben in Byzanz, das sie doch normieren wollte, dann empfiehlt es sich vielleicht, eine Art „religiöser" und nicht nur theoretischer Dogmengeschichte zu versuchen. Unter einem solchen Gesichtspunkt kann man wohl sagen, daß in der Abfolge der großen Konzilien, welche die Marksteine der dogmatischen Entwicklung bilden, für einige Jahrhunderte eine Entwicklung vom Konkreten zum Abstrakten feststellbar ist, wenigstens was die Auswirkungen anlangt. Das Konzil von Nikaia 325 gab den Gläubigen nicht nur Formeln, sondern mit den Formeln handfeste Anhaltspunkte für ihre Frömmigkeit. So zweideutig dem eingeweihten Theologen der Ausdruck ὁμοούσιος (gleichen Wesens) erscheinen mochte, konkret ausgedrückt und interpretiert, bedeutete er eben doch, daß damit die Gottheit Christi, des Logos, der zentralen Figur des Glaubens, abgesichert war, daß er gleichwesentlich dem Vater war, „Licht vom Licht, wahrer Gott vom wahren Gott". Und die übermächtige Logos-Theologie des Athanasios von Alexandreia, der aufging in der Verteidigung der nizänischen Formel, entwickelte daraus eine Vergottungslehre, die darin bestand, daß mit der Gottheit des menschgewordenen Erlösers auch der Gläubige die Chance und Garantie der Vergottung besaß, eine Chance, die für den spätantiken Menschen ja auch in anderen geistigen Bereichen eine ungeheure Rolle spielte. Adoptianismus allein genügte nicht mehr.

Das Constantinopolitanum von 381 brachte diese Lehre zum Abschluß, nachdem sich der Arianismus – scheinbar – totgelaufen hatte. Für den Dogmenhistoriker und für den Byzanzhistoriker erhebt sich allerdings die Frage, wieso sich die Opposition gegen Nikaia hatte generationenlang halten können. Die immer noch vorhandene Zweideutigkeit des Begriffes „Wesen" (οὐσία) allein, kann wohl nicht als ausreichender Grund angegeben werden, denn dazu war genug des Klärenden gesagt und geschrieben worden. Eine befriedigende Antwort wird sich kaum finden lassen. Daß mit jeder oder fast jeder dogmatischen Position in dieser Zwischenzeit nicht selten auch eine kirchenpolitische verbunden war, die der dogmatischen nicht immer zum Vorteil gereichte, läßt manches verstehen, aber doch nicht alles. Vielleicht spielte ein nicht zu unterschätzender Biblizismus eine gewisse Rolle, das Vertrauen in das Neue Testament, in dem sich so viele Stellen finden, die adoptianistisch klingen, d. h. auf einen von Gott besonders begnadeten und geführten und schließlich zu göttlichen Höhen erhobenen Menschen hindeuten. Doch die Befürworter des Nicaenums hatten es nicht allzu schwer, aus demselben Buch Texte herauszuheben, die für ihre Lehre sprachen. Sollte es sich um den Gegensatz zwischen jenen handeln, die sich mit der unleugbaren Conditio humana abfanden und im Menschen Christus Führer und Modell auf ihrem mühseligen Weg zu Gott durch leidvolle Erfahrung sahen, und jenen anderen, die „brûlant les étappes", mit der Vorwegnahme der Vergottung in Christus jene sittliche Garantie bekamen, die ihnen den Weg der Erfahrung erst begehbar zu machen schien? Oder um den Unterschied zwischen spätantiker rationalistischer Mentalität und ebenso spätantiker Flucht ins Mysterium? Wie immer: die letzteren obsiegten. Und Konstantinopel gab ihnen 381 noch mehr. Es nahm sich das dürre Bekenntnis von Nikaia „καὶ εἰς τὸ ἅγιον πνεῦμα, und an den Hl. Geist" vor und erhob den Geist, wenn nicht im Wort so doch der Sache nach in dieselbe Homousie wie einst das Nicaenum den Sohn. Es verklärte diesen Heiligen Geist zu einem Prinzip christlichen Lebens und gab damit den Anstoß zu einer Gnadenlehre, die in Byzanz stärker als im Westen von dieser göttlichen Person und ihrem unmittelbaren Wirken und weniger von einem Habitus-Denken bestimmt war, wobei allerdings die Verschiedenheit der Akzente stärker ist als die Verschiedenheit in der Sache.

Dann 431 Ephesos. Es hatte es bereits mit den ohne ausgeklügelte philosophische Terminologie nicht mehr faßbaren Fragen der anthropologischen Eigenart des Gottmenschen zu tun, und ist denn auch prompt daran gescheitert. Man versuchte die Subjekts-Einheit Christi zu bestimmen, ohne damit begrifflich fertig zu werden. Aber als konkretes Ergebnis für die Geschichte des Glaubens und mehr noch für die Geschichte der Frömmigkeit blieb die Tatsache, daß der Mutter Jesu feierlich das umstrittene Prädikat „Gottesmutter" (Theotokos) ohne jede Einschränkung zugesprochen wurde. Im zweiten Brief Kyrills an Nestorios wird dieses Prädikat noch nuanciert, sozusagen als „façon de dire" dargestellt, worüber sich Zusätzliches sagen ließe, aber in seinen berühmten Anathematismen, die doch wohl integraler Bestandteil der Konzilsakten sind, wird jeder Angriff auf diesen Terminus, und damit wohl auch jeder Präzisierungsversuch, schlankweg mit dem Bann belegt. Das Problem der communicatio idiomatum, mit welcher kraft der Subjektseinheit Christi menschliche und göttliche Eigenschaften zum Austausch gebracht werden, kündigt sich in aller Schärfe an, ja es wird sozusagen von Christus auf Maria übertragen. Aber Theotokos setzte sich durch und trat einen Siegeszug ohne gleichen an. Es rückt Maria in eine Sphäre, die dem Wunsch des Gläubigen nach Vergottung noch weiter entgegenkommt, weil er nun in Maria eine Fürsprecherin von besonderer Potenz hat, die selbst die Widerstände ihres göttlichen Sohnes zu überwinden weiß, wie wir aus zahlreichen hagiographischen Berichten ersehen können. Der byzantinischen Frömmigkeit erwuchs aus Ephesos ein außerordentlich starker Antrieb, eine neue Garantie.

Doch es blieb das begriffliche Problem der Subjektseinheit in Christus. Die „Orientalen" und Kyrill von Alexandreia hatten sich darüber in Ephesos überworfen. Erst das Jahr 433 brachte eine einigermaßen mühsame Einigungsformel. Die Antiochener, führend Theodoret von Kyrrhos und im Hintergrund Theodoros von Mospueste († 328), hingen am biblischen Christusbild, vor allem an den Aussagen über sein menschliches Leben mit seinen Schwächen und Enttäuschungen; die „Eigenständigkeit" seiner Menschheit durfte nicht angetastet werden, ohne daß man darüber auf seine Gottheit vergessen hätte, auch wenn ihnen der begriffliche Terminus für die Einigung nicht recht gelingen wollte. Kyrillos aber, auf den Spuren der Logostheologie des Athanasios, stellte seine ganze Lehre auf eben diesen Logos ab. Eine Zweiheit in Christus, wie immer verstanden, bleibt ihm unbegreiflich, und so glückt es ihm kaum, die Eigenheit der menschlichen Natur im konkreten Christus zu bewahren. Zwar spricht er von zwei Naturen, die Christus theoretisch zukommen, aber in der konkreten Verwirklichung des Menschgewordenen bleibt nur noch die eine, die göttliche Natur übrig. Er bedient sich dabei einer Formel, die er für athanasianisch hält, obwohl sie häretischen Ursprungs ist: μία φύσις τοῦ λόγου σεσαρκωμένη, *eine* fleischgewordene Natur des Logos". Die Unionsformel von 433 spricht von einer ἕνωσις, einer Vereinigung der beiden Naturen und dem Resultat dieser Vereinigung: „*ein* Christus, *ein* Sohn, *ein* Herr." Kyrillos stimmt sogar dem Ausdruck „ἀσύγχυτος ἕνωσις, unvermischte Einheit" zu, was immer er sich dabei gedacht haben mag. Jedenfalls ist die Formel keine eindeutige Lösung. Man konnte sich bestenfalls damit zufrieden geben, hätte es vielleicht auch gesollt. Philosophisch aber drängte das Problem auf eine Lösung. Dies ist sogar ohne ein Abgleiten in eine „Verphilosophierung" der christlichen Lehre verständlich angesichts der Tatsache, daß nach Kyrills Tod 444 Verfechter seiner Lehre von jeder Unterscheidung zwischen Natur und Person absehend, wie sie das Jahr 433 ganz leise insinuiert hatte, die Dominanz der göttlichen Natur verabsolutierten und damit die μία φύσις-

Formel Kyrills ins Extrem steigerten – das also, was man gemeinhin Monophysitismus nennt. Resultat des Widerstandes ist die große Synode von Chalkedon im Jahre 451. Es kann nicht überraschen, daß dieses Konzil die gefährliche Formel Kyrills, die zwei Jahre vorher in Ephesos mit Brachialgewalt durchgesetzt wurde, im Interesse begrifflicher Eindeutigkeit ausschaltete, um dann allerdings zu einem komplizierten System aus Bejahung und Verneinung, aus Einerseits und Andererseits zu kommen. Christus: vollkommen in seiner Menschheit, vollkommen in seiner Gottheit, wahrer Gott und ebenso wahrer Mensch, gleichwesentlich mit dem Vater, gleichwesentlich mit uns, ein und derselbe in zwei Naturen, aber unvermischt, unveränderbar und unteilbar; Einheit, aber ohne Aufhebung der Unterschiede der Naturen, die sich zusammenfinden in einem πρόσωπον und in einer Hypostase, ein und derselbe Gott, Logos, Herr, Christus. Mit anderen Worten: wollte man die Angabe „ein Christus" definitorisch erfassen, so bot Chalkedon die Begriffe Prosopon und Hypostasis an. Dies aber setzte ein ganz bestimmtes, verengtes Verständnis beider Begriffe voraus. Prosopon etwa bedeutete noch bei Basileios die Rolle des Schauspielers, und bei Athanasios nicht viel mehr als „Gestalt" (μορφή) und was ὑπόστασις anlangt, so hatte es noch Kyrill unterschiedslos wie φύσις (Natur) verwendet. Kurz: das Bindeglied blieb schwach und war außerdem mit so vielen Kautelen umgeben, daß ein „real assent" zur Gesemtdefinition schwer vorstellbar war. „The Chalcedonian definition, balanced and positive as it was, lacked the soteriological, charismatic impact" (J. Meyendorff). Lapidar, einprägsam und religiös erregend dagegen das einfache kyrillische Eins! Eine fleischgewordene Natur!

Es kam, wie es kommen mußte. Offenbar hatten zahlreiche Anhänger Kyrills sich in Chalkedon mit der dort getroffenen Definition abfinden lassen, ohne darüber die Formeln Kyrills aufzugeben. Wenn nun bestimmte Kreise Chalkedon mit einer Verwerfung dieser Formeln gleichsetzten, so ergab sich für ihre Anhänger die Notwendigkeit, sie nachdrücklich neben die Definition von Chalkedon als gleichberechtigt und mindestens gleich wertvoll zu schieben. Manche dachten wohl auch daran, damit die Monophysiten wiederum der Reichskirche zuführen zu können, was eine Täuschung war, weil diese in Chalkedon puren Antikyrillianismus sahen. Jedenfalls setze eine lebhafte prokyrillische Propaganda ein, die sich der verschiedensten Mittel bediente. Eines davon war das liturgische Trisagion, nun mit einem sogenannten „theopaschitischen" Zusatz versehen: „Heiliger Gott, heiliger Starker, Heiliger Unsterblicher – der für uns gekreuzigt worden ist" oder die einfachere Formel: „Einer aus der Trinität hat gelitten". Die Ambivalenz springt in die Augen. Wer nicht mittat, kam selbst bei aller Treue zu Chalkedon in den Verdacht, es mit den Nestorianern zu halten. Schließlich tagte das unselige zweite Constantinopolitanum 553. Theodoros von Mopsueste verfiel dem Kirchenbann und der damnatio memoriae, obwohl er in seiner Heimat als Heiliger verehrt wurde und zeit seines Lebens niemand etwas an seiner Lehre auszusetzen gehabt hatte. Konstantinopel, unter dem willkürlichen Druck Justinians stehend, verdammte nicht nur eine Lehre, sondern einen großen Mann. Verurteilt wurden auch jene Schriften Theodorets, in denen er sich mit Kyrillos auseinandergesetzt hatte. Ein gesundes Hängen an der Bibel und ihrer wörtlichen Exegese wurde über Bord geworfen – es wäre für Byzanz für immer verlorengegangen, hätten die Verfasser von Katenen zu einzelnen Büchern der Bibel nicht doch noch bedeutsame Exegesen dieser beiden Theologen in ihr Werk gerettet. Für die dogmatische Entwicklung jedenfalls war ihr Beitrag verloren. Guten orthodoxen Glaubens konnte man die Bibel nur noch lesen, wenn man einen Abriß der Konzilsdekrete neben das Buch legte und dementsprechend das, was die Bibel zu sagen hatte, in irgend einem „geistigen" Sinn umdeutete.

Die Monophysiten, die starr auf einer Verwerfung des Chalcedonense beharrten, waren auch mit Konstantinopel nicht zu gewinnen. Dies aber wirkte sich auch politisch aus. Es scheint, daß die persische Okkupation von Teilen Kleinasiens, von Syrien, Palästina und Ägypten im beginnenden 7. Jahrhundert mit der Reichsfeindlichkeit der Monophysiten rechnen konnte. Kaiser Herakleios konnte mit den Persern fertig werden, doch wie sollte es politisch weiter gehen, wenn Häresie und Reichsfeindlichkeit sich gegenseitig zu bedingen anfingen! Es waren nicht unrenomierte Vertreter der chalzedonesischen Orthodoxie, die in Christus von einer einzigen Energie gesprochen hatten. Patriarch Sergios, ein Freund des Kaisers, nahm solche Formulierungen willig auf und offensichtlich guten Gewissens, denn ihm ging es nicht um eine Naturenlehre, sondern um den einen Christus. Vielleicht konnte die Monophysiten auf diese Weise besänftigt werden, wo doch einer ihrer Protagonisten, Severos von Antiocheia, mit allem Nachdruck erklärt hatte, was Christi Wollen und Wirken betreffen, so könne hier unter keinen Umständen von einer Zweiheit gesprochen werden. Weder den Gewährsmännern des Patriarchen Sergios noch ihm selbst ging es darum, die definierte Lehre von den zwei Naturen zu untergraben. Was gemeint war, war eine Aussage über den konkreten, historischen Christus; es ging um das was die hohe Autorität des Ps.-Areopagiten ϑεανδρικὴ ἐνέργεια, (gottmenschliches Wirken) genannt hatte. Aber die dogmatische Tragödie ließ nicht auf sich warten, – Tragödie deshalb, weil hier ein religiöses Anliegen mit einem begrifflichen verwechselt wurde, und weil die Begriffe selbst von den verschiedenen Seiten verschieden eingesetzt wurden. Die Gegner des Sergios argumentierten mit dem aristotelischen „agere sequitur esse", d. h. sie sprachen von einem Naturvermögen und mußten deshalb der Zwei-Naturen-Lehre entsprechend in Christus konsequent zwei Wirkvermögen unterstellen. Hier also Grundvermögen und dort konkretes Wirken. Hier Ontologie und dort Existenzlehre. Sergios ließ sich belehren und einigte sich mit Sophronios, dem Patriarchen von Jerusalem, seinem

Gegner, auf den Ausgleich „Ein und derselbe wirkende Christus" (εἷς καὶ αὐτὸς ἐνεργῶν). Dabei hätte es sein Bewenden haben können. Aber nun bot der Papst Honorius in aller Unbedarftheit die Ersatzformel „una voluntas" an, und wiederum glaubte Sergios einen Ausweg gefunden zu haben, weil er diese voluntas mit seinem εἷς ἐνεργῶν identifizierte. Aus dem Monenergismus wurde der Monotheletismus, der Streit begann von neuem und wieder redete man mit Emphase an einander vorbei. Schließlich war es Maximos der Bekenner, der die Ausgleichsformel der Patriarchen Sergios und Sophronios als eine gute Lösung bezeichnet hatte, der das ganze Problem terminologisch abhandelte und weitgehend aristotelisch klärte – philosophisch von großem Interesse, für das religiöse Anliegen des Sergios aber doch mehr oder weniger belanglos, denn – um auf die religiöse Wertung zurückzukommen – ein „real assent" hatte davon kaum etwas. Für ihn konnte nur der εἷς καὶ αὐτὸς ἐνεργῶν von Belang sein. Aber die Anatheme lagen längst jederzeit griffbereit und jedermann griff zu, von den Kaisern bis zu den kleinen Bischöfen. Das monophysitische Problem aber blieb ungelöst, ja bald davon unberührt, weil der Arabersturm ihre Kirche der byzantinischen Einflußnahme endgültig entzog.

Es scheint, als hätte die dogmatische Theologie der Byzantiner mit dem Monotheletenstreit sich selbst erschöpft, als gäbe es nichts mehr, worüber sich streiten ließe. Aber der Schein trügt.

Zwei Generationen nach dem Konzil von Konstantinopel, das 680/81 die Lehre von den zwei Energien und zwei Willen endgültig zum Dogma erhebt, bricht der ikonoklastische Streit aus, und auf den ersten Blick könnte man meinen, die Dogmatiker hätten wieder zu ihrer Aufgabe, der Deutung der lex orandi, zurückgefunden. Doch der Schein trügt noch ein zweites Mal. Dies zu behaupten, ist völlig unmodern, denn die Ikone genießt heute wohl nicht weniger Bewunderung und (Pseudo-)Verehrung als im 8. und 9. Jahrhundert. Nur sollte man es in aller Nüchternheit sehen: Wenn man sich an die verläßlichen Quellen hält und nicht allen möglichen unbewiesenen und unbeweisbaren Hypothesen vom Ursprung des Ikonoklasmus naiven Glauben schenkt, dann geht es den ersten fälschlich sogenannten Bilderfeinden um ein einleuchtendes Anliegen der Seelsorge. Läßt man sich herbei, unvoreingenommen unsere Quellen anzuhören, die uns von der Expansion des Bilderkultes im 6. und 7. Jahrhundert berichten, dann kann man dieses Anliegen verstehen. Hier wucherte ein sinnliches Verehrungsbedürfnis, eine Sucht nach Zeichen und Wundern, die naturnotwendig die klassischen sakramentalen Heilsanstalten und die sittlichen Anliegen der Kirche in den Hintergrund drängen mußten. Was daran altes griechisches Erbe ist und was nicht, muß hier methodisch notwendig außer Betracht bleiben, denn was hier zur Sprache steht, ist primär nicht die Frage nach dem Fortleben des Hellenismus in der christlichen Welt, sondern die Frage nach der inneren Konsistenz und Folgerichtigkeit der christlichen Theologie in Byzanz.

Die Bischöfe Kleinasiens gingen zunächst korrekt vor; sie berichteten dem Patriarchen Germanos, der nicht ganz ohne Verständnis für sie war, aber doch wohl glaubte, Rücksicht auf Bestehendes nehmen zu müssen und deshalb ihr Vorgehen schließlich verurteilte. Die Bischöfe ließen sich offensichtlich nicht belehren, und es entsprach auch damals kaum dem Usus, daß sich ein Metropolit, wie der von Ephesos z. B., vom Patriarchen allzu viel einreden ließ. Aber der Kaiser mischte sich ein und erließ nach einigem Zögern Dekrete, welche den Bilderkult schlechthin verdammten. Und nun setzt eine der vehementesten Kontroversen ein, die Byzanz je gesehen hat. Sie zu beurteilen, wird dadurch erschwert, daß wir fast nur die Schriften der Bilderfreunde und nur Spärliches von den Bildergegnern kennen. Daß auch sie über kurz oder lang, wenigstens ihre kaiserlichen Protagonisten, das Kind mit dem Bad ausschütteten, kann kaum bezweifelt werden. Bei den Bilderfreunden fällt besonders auf, daß das seelsorgerliche Anliegen der Kleinasiaten, die wuchernde Wundersucht kaum gesehen, jedenfalls kaum behandelt wird. Auf eine vollkommen inkommensurable Weise – wir wissen nicht, welche Seite damit begonnen hat –, wird die Frage nach dem Bilderkult zu einer christologischen Frage hochstilisiert und dementsprechend bewirft man sich mit dem Vorwurf des Nestorianismus oder des Monophysitismus und was sich an älteren Häresien in den Katalogen findet. Diese pseudo-christologische Argumentation wurde nicht zuletzt dadurch ermöglicht, daß die Ansätze zu einer reinlichen Scheidung zwischen ontologischem Bildcharakter und Kunstbild in den Anfängen stecken geblieben sind, und daß sie dort, wo sie gemacht wurden, nicht folgerichtig auf die Kontroverse Anwendung fanden. So konnte die Aussage des Apostel Paulus, der Sohn sei ein Abbild (εἰκών) seines himmlischen Vaters dazu verwendet werden, für die Legitimität des Bilderkultes zu zeugen, weil man ja sonst auch Christus den ihm gebührenden Kult verweigern müßte, was doch selbst den Gegnern nicht einfallen könne. Archetypisches, Archaisches bricht auf, – ein Bereich, in dem man außerstande ist zwischen Bild und Abbild wirklich zu unterscheiden, sie wirklich als wesensverschieden hinzunehmen. Und damit geraten diese Theologen, z. B. Theodoros Studites, manchmal sogar in die Gefahr, so etwas wie eine hypostatische Union zwischen Christus und seiner Ikone zu unterstellen.

Nicht weniger wichtig scheinen mir zwei weitere Bestandteile dieser Theologie der Bilderfreunde zu sein. Einmal: das Bild wird zum Sakrament schlechthin. Joannes von Damaskus z. B. unterläßt es, so weit ich sehe, in seinen Bilderreden so gut wie ganz, den Vorrang der Sakramente vor dem Bilderkult zu betonen, besonders den Vorrang der eucharistischen Liturgie. Zu behaupten, dies sei nicht sein Thema gewesen, wäre in einem solchen Zusammenhang ein schwächliches Alibi. Wenn er in seiner Dogmatik von der Eucharistie spricht, unterläßt er es keineswegs, von den moralischen Voraussetzungen zu sprechen, von denen die Wirkung des Sakraments abhängt; in seinen Bilderreden aber prägt er den lapidaren und einsamen Satz: „Εἶδον εἶδος θεοῦ τὸ ἀνθρώπινον καὶ ἐσώθη μου ἡ ψυχή. Ich sah das Bild Gottes in Menschengestalt und meine Seele ward gerettet".[15] Es geht weniger um gewisse sittliche Kautelen, die wohl auch Joannes nicht aus dem Auge verloren hatte, es geht um eine Emphase, die den Blick für Wesentlicheres im christlichen Bekenntnis nur verschleiern kann.

Dann aber überrascht ein zweites nicht mehr: Patriarch Nikephoros gibt, was Heilswirksamkeit anlangt, dem Bild, der Ikone, eindeutig den Vorzug vor dem Wort Gottes und dem Wort der kirchlichen Verkündigung. Aus der „fides ex auditu" wird eine „fides ex visu". Der Gläubige wird von ihm geradezu gedrängt, sich nicht mehr auf das Wort zu verlassen, das einen komplizierten Perzeptionsprozeß voraussetze und jedem Mißverständnis preisgegeben sei, und dafür die reine, irrtumslose und unmittelbare Gnosis im Bild zu suchen.[16] Gibt sich damit die byzantinische Theologie selbst auf? Wir wissen nicht was im Patriarchen vorging. Ist es das Eingeständnis eines Spätgeborenen, der sich darüber klar ist, wie weit die byzantinische Dogmatik schon in Formeln erstarrt ist, wie wenig religiöses Empfinden sie noch aktualisieren kann, eben weil sie den Inhalt ihrer Lehre dermaßen in ein engmaschiges Begriffsnetz gespannt hat, daß ihr das Atmen nur noch schwer fällt? Oder ist er der Mann der Kirche, der Mann einer politischen Orthodoxie, die den Formelschatz, an dem und mit dem sich die Loyalität des Byzantiners gegenüber Kirche und Staat kontrollieren läßt, keiner Diskussion preisgeben will, die nur zum Schaden dieser Loyalität gereichen könnte? Das Factum jedenfalls bleibt bestehen und die Folgen ergeben sich zwangsweise.

Das Christentum will Glaube für die Millionen sein; so kann es religionsphänomenologisch nicht ausbleiben, daß damit ein reiner Spiritualismus, wie er – vielleicht – in der Frühzeit des Christentums die Regel war, nicht über Jahrhunderte aufrechterhalten werden konnte. Außerdem ist die Vereinnahmung der sinnlichen Sphäre in die religiöse Ausdruckswelt aus dieser Phänomenologie überhaupt nicht wegzudenken; erst recht nicht im Christentum, das durch sein Grunddogma von der Menschwerdung Gottes nicht nur den Geschichtssinn beansprucht, sondern auch den Gesichtssinn, die Sinne überhaupt. Daß die Theologie der Bilderfreunde dieses Anliegen vertreten hat, ist ihr Verdienst, und daran kann die vorausgegangene Kritik nichts ändern. Kaiserliche Verfechter des Bildersturmes haben mit ihren Exzessen ohne Zweifel mit die Verantwortung zu tragen für die Extreme auf der anderen Seite. Es muß auch angemerkt werden, daß die Bildertheologen, einmal in Verve, en passant auch andere Lehren vertieft haben, an denen die Theologie sonst schüchtern vorüberging, z. B. eine Theologie der Materie. Von ihren Verdiensten aber hatten die Theologen auch ihren Gewinn. Sie beließen den Massen der Gläubigen ein weites Feld für den Ausbruch ihrer Gefühle, ihrer Sehnsüchte und ihres unaufgeklärten Glaubens, das selbst für den Gebildeten auf die Dauer in der orthodoxen Dogmatik nicht mehr oder doch nur mit einem Kraftakt zu finden war. Der einfache Mann wäre durch diese Dogmatik schon sprachlich überfordert worden; und wenn in der Spätantike ein Kirchenvater erklärt, man gehe in einen Laden und höre statt von Brot oder Fleisch von Substanz und Natur sprechen, so sollte dies nicht täuschen. Ähnlich sprachen die Leute vor einiger Zeit von Einsteins Relativitätstheorie. Dieses weite Feld eines emphatischen Ikonenkultes wurde von der politischen Orthodoxie vereinnahmt und diese gab damit mehr Heimatgefühl als mit jeder Dogmatik oder mit jeder hochgeschraubten politischen Ideologie.

Doch, wie gesagt, die Folgen für die Dogmatik selbst blieben nicht aus. Man könnte sie einen Erschöpfungszustand nennen. Vielleicht ist gerade der Bilderstreit geeignet, das Gemeinte zu verdeutlichen. Im Jahre 787 trat das zweite Konzil von Nikaia zusammen, um den Bilderkult zu restaurieren und als Glaubenslehre herauszustellen. Patriarch Tarasios, ehemals kaiserlicher Kanzler und auf den neuen Posten erhoben, weil man in dieser Situation einen Mann des Ausgleichs mit politischer Erfahrung brauchte, leitete das Konzil. Er ließ die Bischöfe reden, soviel sie wollten, und drückte am Ende eine Definition durch, die ganz den Stempel seiner Nüchternheit trägt. Von den emphatischen Hyperbeln der vorausgegangenen Kontroverse kaum noch ein Wort. Der Bilderkult ist erlaubt, es ist ein relativer Kult. Das genügte. Die nüchterne Substanz der Kontroverse wird abgeschöpft und in eine faßbare Formel gebracht. Wie mir scheint, veranlaßte Tarasios dies aus Rücksichtnahme auf die durchaus ungeklärte Situation und auf das immer noch vorhandene Potential des Ikonoklasmus; vielleicht auch aus theologischer Einsicht. Aber der Vorgang bleibt doch paradigmatisch. Die byzantinische Theologie „erregt sich" jedes Jahrhundert einmal, sie gerät dabei in einen polemischen Eifer, der kaum noch vor Übertreibungen zurückschreckt. Nach einiger Zeit klingt die Erregung ab und ein Extrakt der Kontroverse wird abgeschöpft, signiert und deponiert. Stellt es sich als notwendig heraus, die Frage nochmals aufzunehmen, dann greift man auf diesen Extrakt zurück, repetiert und betont ihn, gedenkt aber nicht mehr der Emphase, der Implikationen und Nuancen von einst. Ein neuer gedanklicher Ansatz, Anpassung etwa an eine neue Situation wird selten versucht. Manchmal hat es den Anschein, als wisse man nur noch Vages über die früheren Vorgänge. Die ikonoklastische Kontroverse bedeutet nicht den Anfang dieser Entwicklung. Man kann diesen Anfang etwa ins 6. Jahrhundert datieren, wobei es besonders bezeichnend ist, daß gerade damals der Siegeszug des theologischen Florilegs beginnt, das ja geradezu der literarische Ausdruck dieser Einstellung ist. Doch noch einmal zum Bilderstreit: In der zweiten Periode wird nochmals versucht, die alte Emphase zu reaktivieren, ja sie zu überbieten. Zeugen dafür Theodoros Studites und der Patriarch Nikephoros, doch seit der Mitte des 9. Jahrhunderts flacht dieser letzte

Elan völlig ab. Es wurde schon darauf hingewiesen, wie armselig es sich ausnimmt, was die Theologen auf beiden Seiten anzubieten haben, als unter Alexios I. der Streit um die Bewertung der Ikonen nochmals aufzubrechen droht. Auch später wird eine nach all den Kontroversen nun abgeklärte Bildertheologie nie mehr versucht. Wo vom Thema die Rede ist, handelt es sich um Kataloge von Häresien, die Byzanz irgend einmal bedroht haben; hier wird dann auch des Ikonoklasmus gedacht und einfach die Definition von 787 ins Gedächtnis zurückgerufen. Selten daß die eine oder andere Nuancierung versucht wird. Vielleicht ist es doch auch bezeichnend, wie z. B. Kaiser Manuel II. auf die Einwürfe eines Muhammedaners zu unserem Thema antwortet, – ein Kaiser, der im übrigen sich in theologischen Fragen sehr wohl auskennt und ein abgeklärtes Urteil hat. Genau besehen unterscheidet sich der Bilderkult bei Manuel nur wenig von der Verehrung, die man dem Bild einer lieben Persönlichkeit erweist![17] Gewiß aber hat dies alles mit der ungeheuren Verbreitung und Intensivierung des Ikonenkultes bei Groß und Klein nichts zu tun. Sie bedurften dazu keiner Neuformulierung der Theologie, wenn hier Theologie überhaupt gefragt war.

Für die Formalisierung der Dogmatik ist einer der sprechendsten Belege die bald nach dem Bilderstreit ausbrechende Kontroverse über den Zusatz zum Glaubensbekenntnis, d. h. über die Lehre vom Heiligen Geist, von dem das Nicaeno-Constantinopolitanum einfach konstantierte: „der vom Vater ausgeht", was im Westen abgeändert wurde in ein: „der vom Vater und dem Sohne (filioque) ausgeht". Die Kontroverse war zunächst eine Frage der Liturgie und der kirchlichen Disziplin. Das Konzil von Ephesos (431) hatte verfügt, es sei nicht gestattet, ein anderes Glaubensbekenntnis zu formulieren als das nizänische, (das in Wirklichkeit bereits zum abgeänderten Nicaeno-Constantinopolitanum geworden war!). Wie sollte man dies interpretieren? Kyrillos von Alexandreia z. B. sah darin keine Beschränkung für spätere Synoden, auch nicht für seine eigenen Formulierungen, sondern nur eine Abwehr privat-zweifelhafter Neuformulierungen.[18] Die Synoden haben dementsprechend gehandelt und in Abständen modifizierte und erweiterte Symbole vorgelegt. Photios dagegen argumentierte, daß der westliche Zusatz den alten Vätern Unrecht tue und sie der Unwissenheit zeihe. Wenn er anzunehmen scheint, daß kein vorausgegangenes Konzil den westlichen Zusatz in irgend einer Form decke, so entging ihm, daß Patriarch Tarasios auf dem Konzil von Nikaia 787 ein Bekenntnis vorgelegt hatte, in dem es hieß, daß „der Geist vom Vater *durch* den Sohn (δι' υἱοῦ) ausgehe".[19] Niemand hatte widersprochen und ein Papst hat kurz darauf dieses Bekenntnis gutgeheißen. Natürlich sprach für die Opposition des Patriarchen Photios die Tatsache, daß sich der Westen für seinen Zusatz auf keine Synode berufen konnte und daß dieser Zusatz außerdem das alte Bekenntnis doch vom Standpunkt einer akribischen Dogmatik her gesehen wesentlich veränderte. Doch es blieb nicht beim Disput um die Legitimität des Zusatzes; Photios war bereit – nicht immer mit demselben Nachdruck – in diesem Zusatz eine Häresie zu sehen. Und damit entstand eine Kontroverse, die sich über Jahrhunderte hinzog und die einer politisierenden Orthodoxie endlich das Mittel an die Hand gab, Rom des Irrglaubens zu zeihen. Sehr gut begründet waren die Einwände gegen den Westen kaum. Wenn auch abgesehen von der Confessio Tarasii die Ostsymbole keinen solchen Zusatz kennen, so kann sich Photios doch auf die früheren Theologen griechischer Sprache, darunter hochgepriesene Väter, kaum richtig verlassen. Schon Athanasios liegt auf einer Linie, die derjenigen der Lateiner entspricht;[20] erst recht Kyrillos mit seiner Formel „δἰ ἀμφοῖν . . . ἐκ πατρὸς καὶ υἱοῦ, („aus beiden, aus dem Vater und dem Sohn")[21] und die Formulierung des Tarasios δι᾽ υἱοῦ entspricht nicht nur dem Denken des Maximos, sondern findet sich auch in der Expositio des Joannes von Damaskos.[22] Daß ein parataktisches καὶ ἐκ mehr und mehr abgelehnt wurde, hängt mit der methodischen Verengung des Begriffes ἀρχή, Prinzip, zusammen, derzufolge man im Osten erklärte, ἀρχή, genauer gesagt πρώτη ἀναίτιος ἀρχή, das erste unverursachte Prinzip, könne in der Trinität nur der Vater sein; ein solches Prinzip widerstrebe jeder Verdoppelung. Wenn im übrigen Photios von den Nuancen der früheren griechischen Theologen keine Kenntnis nimmt, so kaum mala fide. Es wird auch sonst immer wieder deutlich, daß er zwar ein vorzüglicher Philologe war, in der Geschichte der Dogmatik seiner Kirche aber nicht immer bestens Bescheid wußte. Auf seine Weise aber steht er doch völlig in der Entwicklungslinie der griechischen Trinitätslehre insofern, als er den Ansatz immer bei den göttlichen Personen sucht und nicht wie der Westen bei der gemeinsamen Wesenheit. Was allerdings die älteren Stellen mit καὶ ἐκ oder διά betrifft, so half er sich und halfen sich die meisten seiner Nachfolger mit der Unterscheidung zwischen dem ewigen Ausgang des Geistes und seiner „missio ad extra", seiner Aussendung in die Heilsgeschichte. Durchaus nicht immer ohne exegetische Willkür deutete man dann alle Stellen, die von einer Beteiligung des Sohnes sprachen, auf diese heilsgeschichtliche missio. Auf der Seite der westlichen Gegner war meist auch nicht mehr exegetische Einsicht festzustellen. So redet man immer wieder aneinander vorbei; und keine der beiden Parteien wollte einsehen, daß sich der Ansatz der anderen systemimmanent ebenso verteidigen ließ, wie der eigene. Lauthals redete man von Häresie, der Osten noch häufiger als der Westen, der doch über die Kontroverse hinaus immerhin noch im Besitz einer augustinischen Trinitätslehre war, die der Trinitätsmystik offen stand. Monoton dagegen das immer wiederkehrende östliche „e patre solo", das inhaltlich in den seltensten Fällen weiter aktiviert wurde. Da und dort bedeutete die Formel kaum noch mehr als ein Lippenbekenntnis zur politischen Orthodoxie, abgelegt immer dann, wenn eine politische Wende es angemessen erscheinen ließ. Es ist immerhin bezeichnend, daß sich in der noch zu behandelnden letzten Welle der dogmatischen Entwicklung in Byzanz, im Palamismus, diese mühsamen Formeln plötzlich als völlig überflüssig erwiesen. Das Gegenteil behaupten, heißt, in Parenthese weitertradierte und da und dort „erwähnte" Formeln des Palamismus zum Kern der Sache erheben. Man kann dies spekulativ im Nachhinein tun, die Frage, die zu beantworten wäre, ist, ob es die Palamisten getan haben.

Im übrigen muß zugestanden werden, daß offenbar auch einigen denkenden Byzantinern es schien, als werde die Kontroverse weit überzogen, vor allem, als bringe sie religiös nichts ein. Der eine oder andere von ihnen, der Philosoph Georgios z. B., ein Korrepsondent des Demetrios Kydones[23] oder Akropolites[24] plädierten dafür, die Kontroverse fallen zu lassen und sich auf das Bekenntnis des in der Schrift Ausgesagten zu beschränken. Diese Vorschläge vom Tisch zu wischen, weil sie von Leuten kommen, die an sich mit der orthodoxen Dogmatik gelegentlich auf dem Kriegsfuß standen, wäre vorschnell. Theologisch gebildet genug waren auch sie, und wahrscheinlich besaßen sie gegenüber ihren zeitgenössischen Dogmatikern ein Wissen von den Grenzen der Theologie.

Besieht man sich die verschiedenen, oft mit einem unverhältnismäßig großen Aufwand an Synoden und Konferenzen behandelten dogmatischen Fragen aus der Zeit Kaiser Manuels I., so kann man mit gutem Willen und viel nachhinein getätigter Spekulation auch hier so etwas wie eine Neuüberprüfung der dogmatischen Tradition aus dem 5. und 6. Jahrhundert feststellen. Vielleicht geschieht damit der Sache aber doch ein wenig zu viel an Gerechtigkeit. Nüchtern betrachtet scheinen mir diese Kontroversen nur zu zeigen, wie sehr man in die Verlegenheit kommen konnte, wenn man unvoreingenommen die Bibel las und sie dann zu messen hatte an den Resultaten einer Dogmatik, die den Beschluß von Chalkedon mit dem Formelschatz Kyrills angereichert hatte. Es besagt einiges, daß z. B. der berühmte Text „Der Vater ist größer als ich", über den man damals stritt – übrigens als Resultat eines Imports aus dem Westen – nicht weniger als fünf Interpretationsweisen fand, und daß schließlich die simpelste davon konziliare Anerkennung einheimste, vielleicht doch nur, weil der Kaiser hinter ihr stehen zu müssen befand.[25] Jedenfalls bleibt wiederum nur ein einziger Ansatzpunkt, gleichgültig wie vertretbar die anderen waren.

Einen unerwarteten Impetus bekam die byzantinische Dogmatik erst wieder mit dem Palamismus. Trotz aller Ansätze, die diese Lehre in der Tradition sucht, bedeutet sie doch einen neuen Anfang ganz eigener Art, Abkehr sozusagen von dem ins Unendliche ausgezogenen Streit um christologische Fragen und Rückkehr zur Lehre vom einfachen Gott, dem Gott der Mystiker. Etwa hyperkritisch ausgedrückt: Der Palamismus braucht kaum eine Trinitätslehre mit ihren diffizilen Unterscheidungen zwischen gemeinsamem Wesen und eigenständigen Hypostasen, so wenig er eine christologische Anthropologie benötigt. Er ist angetreten, um eine mystische Erfahrung zu unterbauen und zu verteidigen, die sich selbst an der dogmatischen Theologie

vorbeientwickelt hat. Da man die Artikulation der vorgegebenen mystischen Erfahrung der besonderen hesychastischen Gottesschau nicht mehr in
Zweifel zu ziehen wagt, weil das Mönchtum als Träger dieser Erfahrung
tabuisiert ist, sehen sich die Palamiten gezwungen, die bescheidenen philosophischen Fundamentalsätze der byzantinischen Gotteslehre aufs Spiel zu
setzen und in die Gottheit reale Unterschiede einzuführen. Sie haben ohne
Zweifel ein Gespür für das Ineffabile, das Unsagbare, aber fast desavouiren
sie dieses Gespür wieder, wenn sie es doch wieder mit Unterschieden etiket-
tieren, die notwendig der philosophischen Kritik ausgesetzt sind, weil sie
selbst die Unterscheidungskriterien doch wieder aus der Philosophie beziehen. Der Palamismus bedeutet letzthin die Unvereinbarkeit eines Theologisierens mit Hilfe philosophischer Begriffe mit einer Theologie, deren Er-
kenntnisprinzipien in der mystischen Erfahrung liegen. Im Grunde geht es
in diesem Streit um die Frage, welche Theologie *allein* Daseinsberechtigung
hat, die traditionelle dogmatische oder die mystische. Und wieder einmal
zeigt sich die fundamentale byzantinische Unfähigkeit zur Ambivalenz der
Mittel, angesichts eines angesteuerten Ziels, das seiner Natur nach nur in
der Annäherung erfaßt werden kann.

   Auf Traditionsgebundenheit bedacht, suchen die Palamiten zunächst
trotz allem ihre Lehre von der realen Unterscheidung zwischen Gottes Wesen und seinen Wirkungsweisen (Energien) bei den älteren Vätern nachzuweisen. Sie finden auch manches, was sich für ihre Zwecke verwenden läßt,
besonders Aussagen in der kirchlichen Hymnik; aber in nicht wenigen Fällen quälen sie die Texte ohne Rücksicht auf ihren Zusammenhang für sich
zurecht. Schließlich entgeht es ihnen selbst nicht, daß sie im Grunde Neuerer sind. Und nun erklären staunenswerter Weise gerade die Athosmönche[26]
(in ihrem „Tomos Hagioreitikos"), sie repräsentierten eben eine neue Phase
der Offenbarung, eine Art Zeitalter des Heiligen Geistes. Insofern ist der
Palamismus eine der radikalsten Phasen im theologischen Denken der Byzantiner – vielleicht eine Art Sammlung sehr intimer Kräfte, der Rückzug in
ein geistliches Bollwerk, mit dem die Zukunft eben doch überdauert werden
kann, wie gefährlich im übrigen die Provokation westlichen scholastischen
Denkens für die byzantinische Orthodoxie sein oder gewesen sein mag.

   Dieser Provokation ist auf jeden Fall noch mit einem Wort zu gedenken.
Sie fällt zeitlich, nicht aber ursächlich, mit der palamitischen Bewegung zusammen; sie beruht sozusagen auf einem Zufall, den Übersetzungen hoch-
scholastischer Texte, vor allem der Summen des Thomas von Aquin durch
Demetrios Kydones. Mit dem Palamismus stößt sich diese Scholastik in der
Frage nach der Dialektik in der Theologie. Die Dialektik ist es ja, welche
die Scholastik zunächst kennzeichnet und von früheren Epochen abhebt; an
ihr muß sich zunächst wenigstens jedes Pro und Contra orientieren, und sie
ist zugleich der entscheidende Faktor, wenn es um die Konfrontation mit
der palamitischen Unterscheidung von Wesen und Wirken in Gott geht. Der

Einbruch der Scholastik, sogar vom Hof zunächst gefördert, brachte das ungeklärte Verhältnis der byzantinischen Theologen gegenüber der Philosophie vollends in Aufruhr. Es genügte nicht mehr, da oder dort Abstriche oder Zugeständnisse zu machen, sondern es ging um grundsätzliche Entscheidungen, denen man sich bisher mehr oder weniger verweigert hatte. Die Entscheidung wurde wesentlich erschwert durch das System der politischen Orthodoxie, die sich in Abkapselung gegenüber allem Fremden, schließlich in der Diskriminierung der lateinischen Rechtgläubigkeit und in der Angst vor römischen Primatsansprüchen äußerte. Verfechter der lateinischen Scholastik gerieten leicht in den Verdacht, an der heimischen Tradition, an den inneren Gesetzen der byzantinischen Gesellschaft Verrat zu üben, auch wenn das, was sie verfochten, im Grunde durch tausende von Fäden mit eben der griechischen Tradition verbunden war. So mancher dieser Verfechter mußte denn auch für seinen „Verrat" schwer bezahlen. Trotzdem kann nicht geleugnet werden, daß die Diskussion um den Standpunkt und die Methode der orthodoxen Theologie damals beachtliche Auftriebe bekam. Einen der wichtigsten Beiträge lieferte Barlaam von Kalabrien, ein echter Byzantiner, was immer ihm seine palamitischen Gegner vorwerfen mochten. Er war kein Herold der lateinischen Theologie, obwohl er sie einigermaßen kannte. Thomas von Aquin macht er den Vorwurf eines übertriebenen Rationalismus.[27] Zwar schließt er den Syllogismus in der Theologie nicht aus, aber er will ihn nur gelten lassen, wenn sämtliche Prämisse der Offenbarung entnommen sind.[28] Ihn des Agnostizismus anklagen, wie es geschehen ist, bleibt m. E. frivol, wenn nicht absurd. Er ist sich darüber klar, daß jede theologische Kontroverse unter allen Umständen zum Scheitern verurteilt ist, wenn zwischen den Parteien nicht jene letzte Übereinstimmung (ὁμόνοια) vorhanden ist, die allein aus dem gemeinsamen religiösen Glauben kommen kann. Palamas, der ursprünglich dem Syllogismus naiv gegenübergestanden war, konnte gegen die Schlüssigkeit Barlaams, seines ersten Gegners, kaum aufkommen. Man plänkelte hin und her, bis sich Palamas zum radikalen Rückzug auf die mystische Erfahrung entschloß. Doch er hielt nicht durch; fast scheint es, als habe er diesen Rückzug immer dann praktiziert, wenn er dem Gegner das Wort aus dem Munde nehmen wollte. Dann war der das Taborlicht schauende Mystiker der einzige, der überhaupt ein Recht hatte, von Gott zu sprechen.

Die Bedeutung des Demetrios Kydones beruht zunächst einmal darauf, daß er in seinen Apologien[29] mit völliger Klarheit die Schattenseiten im System der politischen Orthodoxie darlegt, um so den Weg für eine rationale Bewältigung der Schwierigkeiten zwischen Ost und West zu ebnen. Er wie sein Bruder Prochoros haben aber nicht nur Scholastiker übersetzt, sondern die thomistische Methode ihren Gegnern, aber auch Barlaam gegenüber, von einer Reihe von Mißverständnissen freigemacht. Georgios Scholarios schließlich war es, der die Sachfragen wohl am klarsten gesehen und am eindeutigsten formuliert hat. Mit ihm hebt eine Adaptation der Scholastik an, die für Byzanz tragbar war und das Eigene in keiner Weise preisgab. Er war stark genug, Lateinerfreund im Sinne der Annahme ihrer wissenschaftlichen Methoden zu sein, ohne Byzanz einen Augenblick zu vergessen. Im großen und ganzen aber hat Byzanz die Scholastik abgelehnt. Das war sein unbezweifelbares Recht, und prima vista war es für die Erhaltung des Systems der politischen Orthodoxie auch notwendig. Sieht man in der Scholastik mehr als eine Frage der theologischen Methode, anerkennt man sie als einen der großen Aufbrüche der Menschheit auf dem Weg zur gezügelten Ratio, so hat sich Byzanz ihre Ablehnung erkauft mit dem Verzicht auf Teilhabe an der Ausformung des modernen Geistes.

Diese letzte Periode brachte auch einige neue Aspekte in das Verhältnis der Byzantiner zu ihrer Tradition theologischer Art, genauer gesagt zu ihrem Verhältnis gegenüber den alten Kirchenvätern. Daß Palamas in ihrer Interpretation nicht ohne Gewalttätigkeit vorging, wurde schon erwähnt. Der Vorwurf ist nicht modernen Ursprungs, auch einer seiner ehemaligen Freunde, Gregorios Akindynos machte ihn. Dieser Unzufriedenheit verdanken wir wahrscheinlich einen der besten byzantinischen Beiträge zur Hermeneutik der Väter, den sich jeder Teilnehmer an der palamitischen Kontroverse hätte gesagt sein lassen sollen.[30] Er geht aus von der wesentlichen Bruchstückhaftigkeit jeder Rede von Gott, er verweist auf die Unterschiede der literarischen Genera, deren sich die Patristik bediente, etwa daß eine hymnische Formulierung anderen Gesetzen folge als der theoretische Traktat, und er betont mit besonderem Nachdruck den historischen Zusammenhang, den Bezug einer Aussage etwa zu einer ganz bestimmten zeitgebundenen Polemik. Seine Interpretationshinweise sprechen vom Vergleich des Sprachduktus ein und desselben Kirchenvaters an verschiedenen Stellen seines Werkes, von der Möglichkeit des Vergleichs mit ähnlich gestimmten Autoren. Und seine letzte Instanz ist der „sensus ecclesiae".

4. Mystische Systeme

Wenn es zum fast totalen Sieg des Palamismus in der byzantinischen Welt gekommen ist, so wohl in erster Linie deshalb, weil seine Anhänger immer wieder auf eine Tradition mystischer Theologie zurückgreifen konnten, die sich Seite an Seite, aber selten davon Kenntnis nehmend, mit der dogmatischen Theologie entwickelt hatte.

Am Anfang steht, wie immer, Origenes. Sein Denken ist primär kosmisch. In einer Pyramide des Seins steht an der Spitze der höchste, selbstgenügsame Gott, die Monas, die sich in einer späteren geschichtlichen Stufe als Trias, als Dreiheit, offenbart, eine Gottheit, die keinen Augenblick ohne schöpferische Energie gedacht werden kann. Dieser Tätigkeit verdankt eine

Welt reiner Geister ihren Ursprung, die in Ruhe und Glück die Erkenntnis der Monas genießen, bis einen Teil von ihr jener κόρος, jene Übersättigung am Glück erfaßt, der sie zum Abfall treibt. Zur Strafe verbannt sie Gott in die eigens für diesen Zweck und nur für diesen Zweck geschaffene Materie; je nach der Tiefe des Falles wird diese Materie immer gröber, bis zu jenem Stadium, in dem aus dem gefallenen Geist der Mensch wird. Der Mensch ist der Geist im Zustand der Strafe, und der Fall der Geister ist der Beginn der κίνησις, der Bewegung. Aionen verstreichen, neue Geister fallen ab, suchen sich zu erheben und fallen wieder zurück. Aber über dem gesamten kosmischen Geschehen waltet Gottes οἰκονομία, seine Vorsehung, der zufolge schließlich alles Gefallene wieder zurückfinden soll in die Ruhe und in die Monas. Diese ἐπιστροφή, die Rückkehr, ist dementsprechend die einzige wirkliche Aufgabe, die auch dem Menschen gestellt ist. Vermittler dieser Entmaterialisierung, dieser Rückkehr, ist Gottes Logos, der sich von der Materie überschatten läßt und gleichsam Mensch unter Menschen wird und durch sein Beispiel den Weg zurück weist. Erste Stufe dieser Rückkehr ist die πρᾶξις d. h. die Askese, die Beherrschung der Leidenschaften, die dazu führt, daß alles Leibliche sozusagen abgestreift wird und der Mensch zum „Pneumatiker" wird, bis er schließlich völlig vergeistigt, von Gottes Herrlichkeit überströmt wird; – wenn auch mit der Wiederholung des Falles gerechnet werden muß.

Man wird Origenes kaum gerecht, wenn man das System, das hier sehr kurz und fragmentarisch umrissen wurde, als festgefügt, unveränderlich und letzthin gültig betrachtet. Origenes macht Versuche, Essays, und ist wohl nie endgültig. Nicht weil es ihm an Kraft des Gedankens fehlte, sondern weil er als „Erfahrener" genau die Grenze der Formulierungen von Erfahrung kennt und diese eher als Hilfen denn als System gewertet wissen will. Daß Origenes, sozusagen im Gewande des Euagrios 553 endgültig dem kirchlichen Bannstrahl verfiel, hängt eben mit dem engen Begriffsfeld von „Dogmatikern" zusammen, denen es nicht mehr in den Sinn kam, religiöse Werte in der experimentellen Formulierung des 3. oder 4. Jahrhunderts auch noch im 6. gelten zu lassen. Doch weder Origenes noch Euagrios waren mit einem Konzilsbeschluß aus der Welt zu schaffen, auch nicht aus der byzantinischen!

In der Tradition des Origenes steht einer der großen kappadokischen Väter, Gregor von Nyssa, Mitglied zwar der kirchlichen Hierarchie, jedoch wohl mehr nolens als volens. Sein wirkliches Interesse war ganz den großen Fragestellungen des geistigen Aufstiegs gewidmet – und hier ist er genialer Fortsetzer des Meister Origenes. Er weiß, daß der natürlichen Gotteserkenntnis enge Grenzen gezogen sind, die kaum über ein „daß" hinauskommen. Der Mensch kann Ewigkeit immer nur als Dauer erfassen und Sein aus sich immer nur als oberste Stufe seines eigenen kontingenten Seins, und Gott bleibt die „hoffnungslose Schönheit". Mit jeder Annäherung rückt

Gott ferner. So wird auf dieser Stufe seines Denkens die κίνησις, die Bewegung, zum eigentlichen Zustand des Menschen, ja sogar zu seinem Glück. Die ἐπιθυμία, das Begehren, reißt ihn immer weiter, denn der Weg durch die Naturbetrachtung, die θεωρία φυσική, die Betrachtung also der rationes des Schöpfers in Schöpfung und Heilsgeschichte, offenbart zwar nur die reine Existenz Gottes und nichts von seinem Wesen, aber der Mensch erfährt dabei, was im Hohen Lied Salomonis so ausgedrückt ist: „Der Geliebte streckte seine Hand durch die Mauerritze und mein Inneres erbebte von der Berührung". In letzter Linie sieht Gregor den Gewinn all seines Suchens im Suchen selbst. „Finden besteht im Suchen, und immer weiter suchen, dies ist der Genuß dessen, was man sucht".[31] Die mystische Gottesschau besteht in der Sehnsucht nach ihr, und das Quälende des ewigen Suchens wird kompensiert durch das Glück, das im Fortschreiten als solchem liegt, weil dieser Fortschritt nicht nur neue Erkenntnis bringt, sondern getragen wird von der Kraft der steigenden Liebe, der ἐρωτική δύναμις. Der ferne und immer ferner rückende Gott ist zugleich nahe, er ist in Christus Mensch geworden und offenbart damit unendlich viel von seinem Wesen – hier ist Wahrheit. Denn das wirklich Seiende, das ist das Leben; dieses ist die Wahrheit, die nicht in Wissen übersetzt werden kann.[32] So bleibt Gregors Mystik in einer merkwürdigen Ambivalenz von Nähe und Ferne, Bewegung und Ruhe; ja Ruhe und Bewegung sind identisch. Maximos der Bekenner wird in einem anderen Zusammenhang von der Hoffnungslosigkeit dieses „Dahingetragen werden" (ἀεὶ φέρεσθαι) sprechen. Aber Gregor dekretiert nicht ein Weltschicksal wie Origenes, sondern spricht vom Mystiker hier in dieser Welt. Und seine Antinomie ist nicht dogmatisch zu verstehen, sondern als Ausdruck einer Erfahrung die allen Mystikern gemeinsam ist, nämlich der fast absoluten Nähe des Nichts im Zustand höchster Versenkung in Gott.

Enger als Gregor von Nyssa bleibt sein Zeitgenosse Euagrios aus dem Pontos auf der Spur des Origenes,[33] nur daß er am kosmischen Geschehen wesentlich weniger interessiert ist als sein großer Meister. Euagrios formt aus dem ägyptischen Mönchtum, das gewiß seine Ideale hatte, aber sich schwer tat, sie zu artikulieren, wenigstens teilweise eine selbstbewußte Gruppe an den äußersten Rändern der byzantinischen Gesellschaft mit festumrissenen Ansichten vom Wesen des Menschen und seinen besonderen Aufgaben. Für ihn wie für Origenes ist die Welt dreigeteilt: hier die heilige Monas der Gottheit, die sich nur im Glauben als Trias offenbart, dort das Reich der Materie und dazwischen das Reich der Geister, zu dem seinem Besten nach auch der Mensch gehört. Die Monas ist charakterisiert und definiert durch die absolute Bewegungslosigkeit (οὐ κινεῖται); die Bewegung ist das Wesen der Sünde und des Abfalls von dieser Monas. Durch den Abfall verliert der Geist (νοῦς) die Einheit seines Wesens und wird zum Opfer der Dreiheit: νοῦς, ψυχή (Seele) und σῶμα (materieller Leib) mit dem Ergebnis einer besonderen παχύτης, was man etwa mit Schwerfälligkeit übersetzen könnte, einer Verengung des Bewußtseins auf das den Sinnen unmittelbar Gegebene. Der Weg der Rückkehr zur Einheit ist die wirkliche Aufgabe des Menschen. Er beginnt mit der πρᾶξις, dem asketischen Tun, der Läuterung für höhere Erkenntnis, die über das Sinnliche hinausgeht, eine Bewußtseinserweiterung, mündend in die ἀπάθεια, die Leidenschaftslosigkeit, und die vollkommene Freiheit des Geistes. Diese Freiheit hat zur Frucht die Liebe, die ἀγάπη, die Euagrios gelegentlich mit der ἀπάθεια gleichsetzt. Diese Liebe ist ein merkwürdiger Punkt in dem System. Fast möchte man annehmen, es sei eher eine Liebe zu erhöhter Erkenntnis, als eine affektive Gottesliebe, wie sie Gregor von Nyssa charakterisiert hat. Aber vielleicht tut man Euagrios damit unrecht, der sich in einem Sprachsystem bewegt, das ihm kaum erlaubt, den Vorwurf des Intellektualismus aus dem Wege zu gehen, obwohl angesichts seiner Charakteristika des νοῦς, des eigentlich geistigen Prinzips, von Intellekt allein zu sprechen ihm nicht gerecht würde. Jedenfalls scheint diese Liebe kein christlicher End- und Zielpunkt zu sein, wie bei Basileios, ja von einer Weltöffnung ist überhaupt nicht die Rede. Vielleicht liegen hier die Gründe, warum in Byzanz die „Welt" und das Mönchtum, da wo letzteres evagrianischselbstbewußt ist, so radikal auseinanderfallen.

Erfolg der Leidenschaftslosigkeit ist die „Nacktheit des Geistes", der Zustand des Friedens und – das große Stichwort für alle Zukunft – die ἡσυχία, die Ruhe. In diesem Zustand ist der strebende Mensch befähigt, die θεωρία φυσική aufzunehmen, die nichts mit weltlicher Wissenschaft zu tun hat, auch wenn sie sich im Materialobjekt mit ihr trifft. Sie ist dem rein rationalen Denken nicht zugänglich, sondern nur einer höheren, gereinigten Einsicht. Letztes Ziel ist aber auch diese Theoria nicht, sondern die „Theologia" in einem spezifischen Sinn, die höchste Stufe der Gotteserkenntnis, identisch mit der wesenhaften Gnosis (γνῶσις οὐσιώδης); es ist eine Schau ohne Begriffe und damit auch ohne jedes „Erkenntnisbild" und trifft unmittelbar auf das Wesen Gottes. Jede andere Erkenntnis wäre unvollkommen, weil mittelbar. Der nackte Geist wird ausgefüllt vom überwältigenden Licht der Trinität. Er bedarf dazu keiner Ekstase. Der menschliche νοῦς selbst wird zum „Ort Gottes". Diese Erkenntnis verklärt den Menschen und bringt ein äußerstes Maß an Glückseligkeit mit sich. An dieser Stelle kann sich auch die sonst so „intellektualistische" Sprache des Euagrios mit der bisherigen Terminologie nicht mehr begnügen, und er führt, um zu verdeutlichen, was er meint, „Sinne des Geistes" ein. Man hat seine Mystik deshalb des Sensualismus geziehen, völlig zu Unrecht, weil man nicht gesehen hat, daß es sich hier um nichts anderes als um eine Aporie der Sprache handelt und er nur verdeutlichen will, was er ansonsten mit dem einzigen Terminus πληροφορία (Erfüllung) benennen kann. In dieser letzten Stufe kommt dann auch die Christologie des Euagrios zu Worte – jene Christologie, die unter anderem zu seiner synodalen Verurteilung geführt hat. Die Rolle Christi ist die einer causa exemplaris im Aufstiegsprozeß. In der wesenhaften Erkenntnis der Trinität treffen sich Exemplar und Nachfolger: der verklärte Mystiker steht jetzt Gott gegenüber in demselben Verhältnis, wie der verklärte Christus gegenüber dem Vater. Der Gedanke an eine Wesensgleichheit liegt nahe, und die Bezeichnung der vollendeten Mystiker als Isochristen tut nichts, um ihn abzulenken.

Schon die θεωρία φυσική führt den Menschen in das Reich der Himmel. Die Gnosis der Trinität aber, „koextensiv mit der Substanz des Geistes und seine Unsterblichkeit transzendierend":[34] dies ist das Reich Gottes selbst. Das Jenseits mag eine letzte Verfestigung eines solchen Zustandes bringen. Erreichbar ist er schon hier.

Man mag bei Euagrios Pantheismus unterstellen und hat es getan. Man wird es in der Geschichte der Mystik immer wieder auch anderen gegenüber versuchen. Gewonnen ist damit nichts, weil jeder Mystiker gerade dann, wenn er von seinem letzten Erlebnis reden will, einfach an der Sprache und ihrer Unzulänglichkeit scheitert und scheitern muß. Das grandiose Pathos dieser Mystik ist unverkennbar, ihre Gefährlichkeit für den emsigen Dogmatiker verständlich. Aber Euagrios wollte gewiß kein Dogmatiker sein, sondern eine Erfahrung zum Ausdruck bringen. Und wenn er damit weitere Absichten verband, dann nicht Eingriffe in die Ordnung des Diesseits oder gar des Staates und der Gesellschaft, sondern einzig und allein die Anleitung des elitären Einzelnen, des Mönches oder dessen, der sich nicht mit der Welt befassen wollte, damit er wisse, wonach es zu streben gilt und wo die Vollendung liegt.

Das Nachwirken durch die ganze byzantinische Periode ist unverkennbar, auch wenn spätere Lehrer des geistlichen Lebens eher selektiv damit umgingen. Dies konnten sie mit umso größerem Recht, weil Euagrios selbst seine Lehre teilweise in jene Centurien gefaßt hatte, die allein schon von ihrem Aufbauprinzip sowie von der jeweils künstlerisch unvollständigen Abrundung des einzelnen Gedankens her sich nicht so sehr als strenges System, denn als gedankliche Anstöße verstehen ließen.

Ist Pseudo-Dionysios Areopagites der Kritiker des Euagrios, der Verfechter der Institutionen, der Repräsentant der byzantinischen Gesellschaft und ihrer Standards? Manches spricht dafür. Aber man darf nicht übersehen, daß im System seiner Hierarchien nichts Weltliches, kein Staat und selbst kein tabuisierter Kaiser einen Platz hat. Wenn er eine Institution vertritt, dann einzig und allein die kirchliche Hierarchie. Den Aufstieg kennt auch er, nur hat er es nicht das geringste mit „sozialer Mobilität" zu tun. Es handelt sich um reine Theologie, und diese Theologie ist, fast möchte man sagen, genuiner als jene eines Gregor von Nyssa oder Euagrios, weil er primär vom „attraktiven" Gott und nicht vom strebenden Menschen spricht, von Emanationen und Erleuchtungsreihen. Auch bei ihm steht an der Spitze eine göttliche Monas. Unter ihr eine Emanations-Trias: Weisheit, Macht und Friede, in einer Art zwischenweltlichem Dasein. Darauf folgen die neun Chöre der Engel und auf diese die Stufen der kirchlichen Hierarchie bis hinab zum Laien, wobei der Mönch jedenfalls weit unter den Priester zu stehen kommt. Dem System dieser Ausgänge und Emanationen entspricht ein ebenso sorgfältig gestaffeltes System der Erleuchtungen, derart, daß das göttliche Licht von Stufe zu Stufe nach unten schwächer wird, d.h. jede Stufe nur partiell an der Erleuchtung der übergeordneten Stufe teilhat. Die Transzendenz Gottes ist absolut, und wie der Einzelne, an seine hierarchische Stufe gebunden, weiter kommen soll, also gerade das, was Euagrios so heftig vertrat, bleibt zunächst unbeantwortet. Daß sich hier der Gedanke an die spätantike ständische Bindung aufdrängt, ist verständlich. Freilich kann man im Sinne des Areopagiten argumentieren, daß angesichts der unendlichen Distanz Gottes selbst vom höchsten Rang der Engel, die Abstände zwischen den einzelnen hierarchischen Stufen irrelevant werden. Außerdem betont der Areopagite ebenso stark wie die Ferne Gottes seine Nähe, d.h. den unmittelbaren Zugang von jeder hierarchischen Stufe zu eben diesem Gott. Und noch dazu sollte man über seinen Hierarchien den kleinen Traktat über die mystische Theologie nicht übersehen, wo von den Hierarchien kaum noch die Rede ist.

Es scheint nicht, als sei die dionysische Mystik den Byzantinern leicht schmackhaft zu machen gewesen. Sie sahen in ihrer Hierarchie, wie sie leibte und lebte, nur selten eine enthusiastisch-mystische Institution; sie zogen es vor, sich den Weg des Heils von jenen „pneumatischen Vätern" lehren zu lassen, die nicht unbedingt zur Hierarchie gehören mußten, ja sich von dieser Hierarchie oft genug bewußt distanzierten und sicherlich eher evagrianisch als dionysisch dachten. Vielleicht liegt die Bedeutung des Dionysios, was Byzanz betrifft, weniger auf dem Gebiet der Mystik als auf einem anderen. Der Verfasser, doch wohl ohne Zweifel Petrus Fullo,[35] einer der streitbaren Protagonisten des Monophysitismus, scheint ein Kirchenmann gewesen zu sein, der in Stunden der Besinnung das „Unreligiöse" der dogmatischen Kämpfe und Kampfmittel seiner Zeit spürte und darüber hinaus die Würdelosigkeit des Episkopats seiner Zeit. Vielleicht wollte er mit seiner negativen Theologie neue Maßstäbe setzen und sozusagen die gesamte dogmatische Terminologie relativieren; vielleicht auch mit seinen Hierarchien den Klerus der Zeit zurückverweisen auf seine wirklichen Aufgaben.

Große Systeme werden nicht selten in kleiner Münze weitergegeben, und nicht selten sind diese kleineren Münzen Bestandteile und Aufbauelemente für neue imponierende Systeme. Sie zu berücksichtigen empfiehlt sich bei einer Übersicht über die byzantinische Mystik ganz besonders. Diese kleineren Bausteine stellen sich nicht selten als Weiterentwicklungen des asketischen Systems dar, das Basileios von Kaisareia für seine Mönche formuliert hat.[36] Schon für ihn ist der Mönch der Christ mit Vorzug und im koinobitischen Leben des Gehorsams und der Unterordnung vollzieht er die Ideale der Martyrer nach. Die integrale Beobachtung der Gebote ist für ihn Anfang und Ziel zugleich, die πρᾶξις sozusagen das Ganze. Wenn hier überhaupt von Mystik geredet werden kann, dann höchstens bei seiner Lehre von der „Erinnerung an Gott" (ἡ περὶ θεοῦ ἔννοια), die in eine Art ständigen Betens mündet. Die Gehorsamslehre des Basileios findet eine besondere Ausprägung bei einigen Palästinensern des 6. Jahrhunderts, wo sie zu einer zukunftsträchtigen Doktrin von der Notwendigkeit eines charismatisch begabten Seelenführers und des Gehorsams gegenüber diesem geistlichen Vater ausgebaut wird. Ruhe (ἡσυχία) ist auch für diese Mönche ein begehrenswerter Zustand, und nur in ihr ist Kontemplation möglich. Diese ἡσυχία ist weniger ein Endzustand, der durch die Übungen der Praxis errungen wird, als vielmehr eine Belohnung für die Tugend des Gehorsams. Und was die „Erinnerung an Gott" angeht, jenes Gefühl der ständigen Nähe Gottes, so pflegen und empfehlen sie dafür bereits als bestes Mittel jene Monologia, das Jesusgebet, die später so berühmte Formel: Κύριε Ἰησοῦ Χριστέ, ἐλέησόν με (Herr Jesus Christus, erbarme dich meiner). Aber noch steht diese Formel nicht über, sondern neben der Psalmodie.

In der Auseinandersetzung mit den Messalianern, die gerade vom „ständigen Beten" ihren Namen bekamen, außerdem aber auch der sinnlichen Erfahrung der Begnadigung besondere Bedeutung beimaßen, entwickelte um dieselbe Zeit Diadochos von Photike die schillernde Lehre von der αἴσθησις νοερά, einem geistigen Organ des Fühlens, von besonderer Wichtigkeit für die Unterscheidung zwischen echten und falschen Begleitphänomenen des mystischen Erlebnisses. Ich sage: eine schillernde Lehre, denn sie ist manchen Mißverständnissen offen und sie wurde in der Folge auch zur Genüge mißverstanden.

Verbunden werden die verschiedenen Elemente wieder einmal durch Joannes Scholastikos vom Berge Sinai, nach dem Titel seines Buches „Klimax" meist Joannes Klimakos genannt – ein Werk, das in Byzanz immer und immer wieder gelesen wurde und auch weit in den Balkan hinein wirkte. Der größte Teil dieses Buches ist der Praxis gewidmet, und es ist besonders typisch für ihn, daß er im Gegensatz zu manchen Extremisten die höheren Stufen der „Theologia" nicht für absolut notwendig hält: die Klimax wird zum Buch für alle. Das, worin die Praxis mündet, ist die ἡσυχία, die große Ruhe, die sich in einer „Unbesorgtheit" (ἀμεριμνία) äußert und im immerwährenden Gebet, das wie bei Euagrios keine Phantasievorstellungen und kein logisches Schlußfolgern („Meditation", λογισμοί) kennt, gleichgültig ob es sich um gute oder schlechte Gedanken- und Phantasiebilder handeln mag. Darauf zu achten, wird eine ganz besondere Tugend, mit einer reichen Terminologie ausgestattet: Bewahrung des Geistes, Bewahrung des Herzens, Nüchternheit (νῆψις) usw. Je reiner das Gebet, desto schneller nähert es sich der Monologia, der einfachen Anrufung des Namens Jesu. Von der eigentlichen Theologia, der höchsten mystischen Stufe, redet Joannes nur flüchtig, wie er auch kaum auf die „physische Theorie" zu sprechen kommt. Die Theologia ist für ihn ein raptus zum Herrn (ἁρπαγὴ πρὸς κύριον) bestehend in einer überwältigenden Lichtvision, in welcher der Geist sich selbst erkennt und zugleich die Mysterien Gottes zu schauen bekommt.

Systematischer als Joannes Klimakos geht Maximos der Bekenner vor. Seine besondere Begabung ist es, daß er die origenistischen und evagrianischen Ansätze zwar aufnimmt und zu seinem Aufstiegsschema macht, sie aber stark der chalkedonensischen Orthodoxie annähert. Bei ihm gibt es keinen Zweifel mehr darüber, daß die Materie ebenso aus Gottes ursprünglichem Schöpferwillen stammt wie die Welt der Geister, daß sie also nicht Frucht des Abfalles ist. Der Mensch, aus Leib und Geist bestehend, ist von allem Anfang an so gewollt und geplant. Das zweite ist, daß die chalkedonensische Christologie in dieser Mystik einen beherrschenden Platz einnimmt, und zum dritten umfaßt dieses System auch die Kirche und schirmt sich nicht peinlich gegen die Außenwelt ab. Der Mensch in seinem Urzustand ist auf die große Harmonie angelegt: er repräsentiert als letztes Werk der Schöpfung die Union aller denkbaren Elemente und aller „Extreme der Schöpfung", Geistiges und Sinnliches, Himmlisches und Irdisches, Paradies und Welt, Mann und Weib. Das Wesen der Ursünde des Menschen besteht darin, daß sie diese Synthese zerreißt, weil sein Vermögen zu „geistiger Lust" denaturiert und nur noch auf Sinnliches gerichtet ist. Damit sind Leid und Tod in die Welt gekommen. Der Sinn der Menschwerdung des Logos besteht darin, daß damit ein anderes Leid, ein ungerechtfertigtes und ein anderer Tod, ein unbegründeter (weil keine böse Lust vorausgegangen ist), Leid und Tod der Menschheit wieder aufheben. Um jeden Schein zu vermeiden, bedurfte es dazu eines mit Geistseele und wahrem Körper Mensch gewordenen Gottes. Im Kreuz ist dem Streben des geistlichen Menschen eine neue Möglichkeit geboten, die Gottvereinigung zu erreichen. Das Aufstiegsschema selbst folgt, wie schon gesagt, dem evagrianischen. Stärker aber als bei Euagrios wird betont, daß die ἀγάπη, die Liebe, nicht nur Abschluß der Praxis ist, sondern den weiteren Höhenflug bis zur Theologia mitbegleitet. Sehr viel ernster vor allem als alle Nachfolger nimmt Maximos die Stufe der „physischen Theorie", die er zu einer universalen Betrachtung von Natur, Geschichte und Offenbarung erweitert. Die Vollendung ist wieder echt evagrianisch: Entschiedener zwar als Euagrios setzt er die Vollendung des „Gottesreiches" ins Jenseits, doch teilweise ist uns diese Fülle, dieses πλήρωμα schon hier zugänglich. Dieses Gottesreich ist jedem Zeitbegriff entzogen, es ist schlichthin über dem zeitlichen Ablauf (οὐκ ἔστιν χρονικῆς συστολῆς)[37] und in actu besitzen es alle, die im Geiste leben. „Geschichtlichkeit" beginnt mit dem Abfall des Menschen von Gott, und sie bewegt sich ihrer Natur nach in Richtung auf das Nichts. Doch in der Inkarnation des Logos wird diese κίνησις wieder aufgefangen, mit ihr ist die Erfüllung vorweggenommen. Echte Geschichte im Sinne der Vollendung des Heils vollzieht sich dann für Maximos nur noch zwischen dieser ersten Parusie des Logos und einer zweiten in der Transfiguration auf dem Berge Tabor, letztere eine Parusie in Geist und Gnosis;[38] die Parusie am Ende der Zeiten bleibt in einer merkwürdigen Irrelevanz.

In der Reihe der byzantinischen Mystiker Symeon dem Neuen Theologen gerecht werden, ist nicht leicht. Er ist sprachlich so sehr Enthusiast und unterscheidet sich gerade darin so sehr von Maximos und noch mehr von Euagrios und dessen kühler Glut, daß es oft unmöglich erscheint, aus seinen begeisterten Aussagen, Hyperbeln und schroffen Akzenten den nüchternen Kern herauszuschälen. Vielleicht liegt seine Bedeutung darin, daß er über Diadochos von Photike hinausgehend Elemente der messalianischen Geistigkeit aufnehmend, allem spürbar und sinnlich Erfahrbarem einen Platz einräumt, den Euagrios nicht gekannt und Maximos kaum gebilligt hätte. Doch was heißt bei Symeon sinnlich erfahrbar? Die Metaphorik seiner Sprache gebraucht das sinnliche Bild fast ununterbrochen, aber nicht selten wird ein „im Geist" oder dergleichen angefügt, das die Metapher als solche wieder erkenntlich macht. Und dann wieder eine krasse Ausdrucksweise, die jede Metapher hinter sich läßt. So gebraucht er Sätze, die sich fast wörtlich bei den Messalianern wiederfinden, etwa: „Wie eine Frau ganz genau weiß, daß sie schwanger ist, weil sich das Kind unter ihrem Herzen regt, und wie sie sich immer darüber klar ist, daß sie es in sich trägt, so erkennt auch derjenige, der Christus gestaltet in sich trägt, seine Bewegungen und Erleuchtungen."[39] Es gibt offenbar Gnade und es gibt sie spürbar. Ja die sinnliche Erfahrung der Gnade als einer geistigen Potenz gehört notwendig zum Vorhandensein der Gnade. So kann die Taufe für den Mystiker nicht genügen; den wahren Geistbesitz garantiert sie nicht. Doch was heißt bei Symeon Mystiker? Im Grunde muß die Erfahrung der Gnade jeder herbeiführen, der gerettet werden will, und wer der Meinung ist, die Taufgnade genüge, ist ein Irrlehrer.[40] Aber wer alle Gebote beobachtet, wer die „Praxis" übt und damit zur ἀπάθεια, der Gelassenheit kommt, kann dieser Erfahrung teilhaftig werden, auch wenn er kein Mönch ist. Allerdings: spürt er von der Gnade nichts, dann besitzt er sie auch nicht. Um aber diesen Zustand zu erreichen, bedarf es auf jeden Fall eines Führers, eines geistlichen Vaters, dem absoluter Gehorsam zu leisten ist.

Das alte Schema des Aufstiegs bricht trotzdem immer wieder durch, wenn auch mit Verlagerung der Akzente. Bei der Praxis z. B. spielen Tränen eine besondere Rolle. Noch nie sei es gehört worden, daß eine von der Sünde beschmutzte Seele ohne Tränen gerettet worden sei.[41] Über die Naturbetrachtung, die θεωρία φυσική, spricht Symeon nur selten, und dies ist bezeichnend, weil sein System wenig Geduld kennt und möglichst ohne viel

Zwischenwerk die große letzte Schau erreichen will. Diese Schau allein ist wahre Theologie; ihr gegenüber ist die konventionelle, rationale Theologie eher Verrat an Gott und seinen Geheimnissen, jedenfalls vermag sie keine wirkliche Erkenntnis zu vermitteln. Maximos machte den genialen Versuch, Mystik und chalzedonensische Dogmatik zu vereinigen, Euagrios ging der Schultheologie aus dem Weg, Symeon verdammt sie. Seine Theologia ist Gottesschau im diesseitigen Leben, sie ist Gnade, aber sie läßt sich vorbereiten, und fast hat es den Anschein, als würde die συνέϱγεια, das menschliche Mitwirken, notwendig mit dieser Schau belohnt. Diese Schau ist Lichtvision und es fehlt nicht an Vergleichen, die an das Taborlicht der Verklärung Christi denken lassen, jedenfalls mündet sie immer wieder in die Sichtbarkeit des verklärten Christus. Christus aber wäre nicht das Licht der Welt, könnte man ihn nicht mit begnadetem Auge auch wirklich wahrnehmen. Diese Visionen sind die Vollendung, die Wiedergeburt und die Garantie der Gotteserkenntnis.

Die Hesychasten des 14. Jahrhunderts werden immer wieder Symeon für sich in Anspruch nehmen und als Kronzeugen zitieren. Für die palamitische Theologie als solche kann er kaum in Anspruch genommen werden, und er ist kaum der Verfasser jener Gebetsmethode, die unter seinem Namen geht. Aber die große Ungeduld und das Lichterlebnis verbinden ihn doch eng mit den Hesychasten auf dem Berge Athos. Nur sollten wir endlich zugeben, daß wir über diese Athoniten herzlich wenig wissen. Gregorios Palamas zu ihnen zu rechnen, ihn mit ihnen zu identifizieren, weil er sich so nachdrücklich und erfolgreich für sie eingesetzt hat, möchte ich nicht wagen. So umfänglich seine Schriften sind, so wenig wirklich eigene Erfahrung scheint mir aus ihnen zu sprechen. Abgesehen davon waren seine Theorien über den Unterschied zwischen Gottes Wesen und seinen Energien kaum das Hauptanliegen jener einfachen Mönche, die auf dem Heiligen Berg ihrer Schau lebten. Dabei wäre es falsch zu unterschlagen, daß Palamas als Theoretiker der Mystik doch nicht nur an „das" Taborlicht denkt. Und selbst dabei ist es interessant, wie die Emanationsmystik des Ps.-Areopagiten wieder zu Ehren kommt. Aber die große Kontroverse über den theologischen Hintergrund der hesychastischen Gebetsmechanik hat dazu geführt, daß die Lichtvision, die angebliche Schau des Taborlichtes fast das einzige ist, was man über diese Mystik zu vermerken weiß. Vielleicht gewinnt man ein reicheres und der Wirklichkeit näher stehendes Bild, wenn man einen der Väter dieser Mystik frägt, der den Kontroversen noch fernsteht und der sich um keine theologische Rechtfertigung bemüht hat: Gregorios Sinaites. Dann aber fällt doch auf, daß dieser Mann in einer Schrift, die offensichtlich für Anfänger bestimmt ist, vor den visionären Begleitumständen des hesychastischen Gebetes nachdrücklich warnt: „Siehst du bei deinem Werk ein Licht oder ein Feuer in dir oder außer dir oder ein sogenanntes Bild Christi, so nimm es nicht an, sonst erleidest du Schaden."[42] Seiner Meinung nach kann nur beim vollkommenen Mystiker hier und da „ein leichter Lichtschimmer"[43] sichtbar werden, von Christus her, der im Herzen wohnt und im Geist aufleuchtet. Von einem Vergleich mit dem Taborlicht keine Rede! Die hesychastische Gebetsweise spielt bei ihm ohne Zweifel eine beherrschende Rolle, d. h. die ständige Wiederholung des Jesusgebetes verbunden mit einer ganz bestimmten Konzentrations- und Atemtechnik, die zu einer völligen Entleerung des Geistes von jedem Phantasie- und jedem Gedankenbild führen muß, um Gott Platz zu machen; aber er läßt daneben dem liturgischen Psalmengebet durchaus und offensichtlich auch für den Vollendeten seinen legitimen Platz, wie ja für ihn auch die völlige Nacktheit des Geistes anscheinend nur jeweils ein vorübergehender Zustand sein kann.

Diesen Nuancen gegenüber sind die tradierten Texte über die hesychastische Gebetsmethodik gerade keine Meisterwerke mystischer Theologie.[44] Nicht selten wird das „meditative Beten", das in etwa der alten θεωρία φυσική entspricht, auf eine Weise desavouiert, daß es nicht einmal mehr als Zwischenstadium von einigem Wert zu sein scheint. Und im eigentlichen Stadium des hesychastischen Betens sind die Lichterscheinungen nicht etwa begleitende „Begnadigungen", sondern das eigentliche Ziel. Das liturgische Beten aber bleibt höchstens dem Anfänger gegönnt. Im Grunde handelt es sich um eine Methodik, die man als Trainingsanleitung unbesehen hinnehmen könnte. Man kann es aber dann nicht, wenn man sich um einen Gesamtzusammenhang der byzantinischen Theologie bemüht, weil diese Methoden sich eben auch theologisch äußern. Es geht um eine Gebetsanweisung, die keiner dogmatischen Christologie und keiner Trinitätslehre bedarf, auch wenn gelegentlich an sie erinnert wird; eine Methode, für welche der intensive byzantinische Ikonenkult und die gesamte Ikonenfrömmigkeit logischer Weise nur ablenkend wirken können und für die das monastische Gemeinschaftsleben seinen Sinn verliert, weil die extreme Situation des geistlichen Individualismus sich damit nicht verträgt; das liturgisch bestimmte Leben bleibt vor der Schwelle; im Grunde genommen bedeutet Hesychasmus, so wie ihn die Verfasser dieser Methoden verstehen, einen Ausbruch aus der dogmatischen und liturgischen Orthodoxie der vergangenen Jahrhunderte. Nicht daß er nicht auch schon früher feststellbar wäre, aber erst jetzt im 14. Jahrhundert setzt er sich fast absolut und betrachtet sich als den allein gültigen Ausdruck der Orthodoxie.

Nur sollte man nicht glauben, ganz Byzanz sei von dieser mystischen Welle fasziniert gewesen, aus dem Byzantiner sei endgültig ein Hesychast geworden. Davon kann nicht die Rede sein und es ist m. E. die böse Schuld moderner Literatur, solche Bilder an die Wand gemalt zu haben. Zunächst: was Byzanz bewegte, war nicht so sehr die hesychastische Mystik als vielmehr der Palamismus, d. h. oberflächlich besehen eine bestimmte dogmatische Gotteslehre; nicht Mystik also, sondern ein theologisch-ideologischer

Überbau. Und selbst dabei handelt es sich nicht um eine Kontroverse rein theologischer Natur: Gesellschaftliche Gegensätze, die Kämpfe der Dynastien der Palaiologen und Kantakuzenen gegeneinander, kirchenpolitische Rivalitäten, mönchisches Selbstbewußtsein, Antilatinismus, Opposition gegen die humanistischen Bildungsgüter: all dies wird hier verwoben zu einem dichten Netz von Gegensätzen, die mit theologischen Parolen ausgetragen werden. Und die Opposition artikulierte sich nicht nur gegen die Sonderlehren des Palamas, sondern gegen die Verabsolutierung der hesychastischen Gottesschau ganz allgemein. Denn – und hier sei eine sehr hohe Autorität zitiert – „je sais bien qu'entendre n'est pas „contempler", mais voir l'est encore beaucoup moins, ne l'est pas du tout."[44a]

Was bei dieser Methode entschieden zu kurz kam, war die klassische Stufe der θεωρία φυσική, die Stufe der Humanisten, darf man wohl sagen, Weltbetrachtung, Geschichtsbetrachtung und Versenkung in die sakramentalen Heilsvorgänge. Die Anhänger des Palamas verstehen sich darauf und versteifen sich darauf, den christlichen Humanismus als heidnisch angekränkelt in Mißkredit zu bringen. Aber diesem Humanismus erstand ein Apologet, den man weder der Lateinerfreundlichkeit noch des Agnostizismus noch der Mystikfeindlichkeit zeihen konnte: Nikolaos Kabasilas. Von ihm werden christliche Heilsgeschichte und christliches Heilsgeschehen in einer Weise bestimmend für die Mystik, wie seit Maximos kaum mehr. Der Gegensatz zum Hesychasmus ist unübersehbar und überhörbar, und es wirkt trostlos, aus ihm trotzdem einen Palamiten machen zu wollen, weil er gelegentlich für seinen Onkel Neilos zur Feder griff. Sein System ist getragen vom Gedanken an ein umfassendes Corpus Christi mysticum, dessen Haupt, der Herr, eben als Haupt seines Leibes allen Gliedern Anteil an seinem eigenen Besitz gibt. Der Besitz ist durch die Taufe vorweg garantiert, aber man dringt immer tiefer in ihn ein in Richtung auf totale „Verchristung" durch die intensive Teilnahme am sakramentalen Leben der Kirche. Nichts charakterisiert seinen Platz in der Geschichte besser als seine Lehre vom sichtbaren Reich Gottes. Für Euagrios und Maximos bestand es in der mystischen Schau der Trinität, für Kabasilas in der Eucharistie: „Das, was den Menschen im Jenseits Freude und Glück verschafft, nennt es meinetwegen den Schoß Abrahams oder das Paradies oder das Reich Gottes selbst: dies alles ist nichts anderes als dieser Kelch und dieses Brot!"[45] Der Weg in dieses Gottesreich impliziert bei Kabasilas alles, was bei den Hesychasten zu kurz kommt, vor allem die gedankliche Meditation in ihrer ganzen Breite, die von den Hesychasten so verachteten θεωρία φυσική, aber auch die Imagination, die liebevolle Versenkung in alle Phasen des irdischen Lebens Christi und der dieses Leben nachvollziehenden Liturgie und darüber hinaus die Meditation über die Schöpfung Gottes. Kabasilas gibt dem geistigen Leben wieder eine Heimat in der Kirche selbst, und er rettet das Humanum vor einem Auseinanderbrechen in die Divergenz zweier Wahrheiten.

5. *Via media*

Dieser Gang durch die byzantinische Theologie mußte sich auf einige ausgewählte Stationen beschränken und notgedrungen vieles beiseitelassen. Die Frage drängt sich auf: Gibt es denn zwischen einer mehr und mehr erstarrenden Dogmatik, die sich mit Lust um Formeln ambivalenter Natur streitet, und den großen Systematikern des geistlichen Aufstiegs, die an dieser Dogmatik vorbei sinnieren, keine Zwischentöne, eine Theologie für den religiösen Hausbedarf des einfacheren Byzantiners und für seinen „weltlichen" Alltag? Eine Theologie, die an den bescheidenen Bedarf der Nichteingeweihten denkt? Bevor eine solche Frage zufriedenstellend beantwortet werden kann, müßte die theologische Byzantinistik noch viel arbeiten und anders als bis jetzt. Vielleicht kämen wir dann, wenn die Fragen richtig gestellt werden, doch zu etwas wie einer „Religionslehre" der Durchschnittsbyzantiners, die ein gutes Stück über den „Kleinen Katechismus" hinausgeht und sich doch nicht in spekulativen Höhen verheddert oder in grandiosen geistlichen Systemen verliert. Vielleicht kämen hier Namen zu Ehren wie etwa der des Michael Glykas, der uns eine Sammlung von Briefen hinterlassen hat, 95 an Zahl,[46] zum Teil an Kleriker oder wißbegierige einfache Mönche gerichtet, zum Teil an Männer des öffentlichen Lebens, aber auch an Prinzen und Prinzessinnen. Der Briefschreiber antwortet auf Aporien des Durchschnittschristen, die ein wenig in der Bibel gelesen oder ein Wort der Liturgie aufgenommen haben und nicht ganz damit fertig geworden sind. Er hat für jede Frage Verständnis, er steigt nie auf ein hohes dogmatisches Podest, sondern versucht mit gesundem Menschenverstand, auch unter Ausblick auf Geschichte und Naturgeschehen, „plausibel" zu bleiben. Und nie droht er mit Bann und Anathem. Er weiß auch, daß Mystik nicht die Sache jedermanns ist. Von einer anderen Seite her käme dann vielleicht auch Joannes Mauropus zu Ehren, auch wenn wir außer seinen Hymnen an Theologischem nur einige Predigten besitzen. Aber er, der wie kein zweiter Theoretiker einer christlichen Rhetorik ist, weiß diese Rhetorik so einzusetzen, daß die Technik völlig im Hintergrund bleibt, er geht Hyperbeln und Wortschwall, wo nur immer, aus dem Weg und hinterläßt uns damit religiöse Exhorten, die offensichtlich zum Ohr *und* zum Herzen seiner Hörer vordrangen. Die Heiligen, die er preist, auch die Theotokos, bleiben immer Menschen, Vorbilder in Reichweite, und werden nicht einfach in die ferne Vergottung entrückt.

Vielleicht bekäme hier auch der Patriarch Photios ein neues Gesicht. Man tut ihm doch Unrecht, mißt man ihn nur an seiner Kirchenpolitik und seiner Polemik. Enzyklopädisch-philologisch hoch gebildet, bringt er in die Theologie etwas von jenem Verständnis für das einfache Wort der Bibel zurück, das allzu viele allzu schnell der Allegorese opferten. Er tut es nicht, um Theologie in Philologie aufzulösen. Das beweisen seine Amphilochiana, die mit diesem Rüstzeug tausend Schwierigkeiten des religiösen Verstehens beheben wollen. Daß er ein Prediger war, der zwar seine rhetorische Bildung nicht vergessen mochte, aber darüber erst recht seine Hörer nicht vergaß, sei nur noch am Rande erwähnt. Von Nikolaos Kabasilas war schon die Rede. Als letzter sei Kaiser Manuel II. genannt. Grund dafür die Tatsache, daß selbst die sonst so unglaublich inhumane dogmatische Polemik der Byzantiner gelegentlich auch anders kann.[47] Seine Streitgespräche mit einem Muhammedaner lassen trotz vieler Anleihen bei seinen Vorgängern neue Töne vernehmen. Er geht auf seinen Gegner ein und hört ihm zu; er läßt ihn wirklich zu Wort kommen und seine Position in extenso darlegen. Und Manuel macht den Versuch, ihm gerecht zu werden, er läßt sich Zeit für die Antwort und die Antwort hält Sache und Person auseinander.

*
* *

Will man eine Gesamtbewertung der byzantinischen Theologie versuchen, so kann diese hier nur in einem „byzantinischen Rahmen" erfolgen. Eine sogenannte objektive Bewertung etwa der byzantinischen Mystik steht und fällt mit der Bewertung jeder Mystik schlechthin, d. h. mit der Frage, ob man jener Menschenklasse Glauben schenken will, die in ihren Berichten mit einem unüberhörbaren Ton innerer Gewißheit behaupten, die Wirklichkeit hinter dem Schleier der Dinge gefunden zu haben. Die letzte Einheit, auf die sie gestoßen zu sein glauben, wird nach Zeit und Kultur verschieden benannt. Daß es für die byzantinischen Mystiker der Gott ihres orthodoxen Glaubens war, ist selbstverständlich, auch wenn niemand übersehen kann, daß dieser Gott des orthodoxen Mystikers nicht allenthalben dieselben Züge aufweist wie der Gott der orthodoxen Dogmatik. Für den gläubigen Byzantiner kann es keinen Zweifel über die Berechtigung und über den Wahrheitsgehalt der mystischen Erfahrung generell geben. Daß diese Erfahrung in Byzanz einen so breiten Raum einnimmt, beruht auf einer besonderen Einstellung zur Vita contemplativa des Byzantiners im allgemeinen, von der an einer anderen Stelle die Rede ist.[48] Jedenfalls bestimmt diese Mystik in einem hohen Maße das Eigenleben einer Gruppe oder Kaste der byzantinischen Gesellschaft, die, angetreten mit der Parole der Verweigerung der Teilnahme am Leben der „Welt", sich hier ein positives Gegenbild und eine positive Zielvorstellung geschaffen hat. Daß sich diese Systeme neben der dogmatischen Theologie, ja auf weite Strecken an dieser Dogmatik vorbei, entwickeln konnten und nur vereinzelt und selektiv davon Kenntnis nehmen, wurde schon des öfteren angedeutet. Vielleicht aber darf man noch einen Schritt weitergehen und unterstellen, daß sich in diesen Systemen eben das Ungenügen an einer formalisierten Dogmatik äußert, daß sie den Versuch darstellen, das Religiöse der Offenbarung zu aktivieren, das die Dogmatik nicht mehr zu aktivieren imstande war. Dieses Unvermögen der orthodoxen Dogmatik wurde nun schon öfter behauptet. Man kann es mir als unbewiesen vorwerfen. Aber ein solcher Vorwurf kommt sicher nur von einer Seite, die es unterlassen hat, ein paar Dutzend dogmatisch-polemischer Traktate der Byzantiner zu lesen und zu überdenken. Ist der Vorwurf wirklich unbewiesen? Hier steht ein Problem der Methode zur Debatte, das für jedes Feld der eigentlichen Geistesgeschichte Geltung behält: die Unterscheidung nämlich zwischen dem, was eine Zeit wirklich aus einem Lehrsatz gemacht hat, der ihr zur Verfügung steht, und dem, was sie hätte daraus machen können, wenn sie sich weiter bemüht hätte. Dieses versäumte „hätte" mag der moderne Theologe und Religionswissenschaftler nachholen, aber es schlägt für Byzanz selbst nicht mehr unmittelbar zu Buche. Für den Historiker kann nur in Frage kommen, was Byzanz mit seinen dogmatischen données wirklich gemacht hat, inwieweit es sie religiös verflüssigt hat, und da bleibt nur das Urteil: aufs Ganze gesehen herzlich wenig. Worüber der Byzantiner religiös aufgeklärt werden wollte, das war kaum der Unterschied zwischen Wesen und Energie und kaum der Unterschied zwischen einem ersten einzigen Prinzip und einem Prinzip im übertragenen Sinne; das waren vielmehr – und darauf ist in einem anderen Zusammenhang noch zurückzukommen[49] – Fragen des Schicksals, der Vorsehung, kurz der Theodizee. Und diesen Fragen verweigern sich die Dogmatiker, von einzelnen Ausnahmen abgesehen, fast vollständig, so wie Byzanz ja kaum eine Moraltheologie entwickelt, die über eine mehr oder weniger statische aristotelisch konzipierte Tugendlehre hinausgeht. In der mystischen Literatur ist unendlich viel davon die Rede, aber sie war als Ganzes nicht für den Laien konzipiert. Eine „Nachfolge Christi" für den Weltmenschen schrieb nur Kabasilas. Die Hagiographie versuchte auf diesem Feld gelegentlich einiges, doch zumeist entrückte sie ihre Heiligen allzu rasch in eine Sphäre unnachahmbarer Vollkommenheit, die den mühseligen Aufstieg, seine Stationen und Gefahren usw. kaum zur Darstellung brachte. Es entstanden Ikonen, Lebensläufe von Heiligen, die auf den einfachen Byzantiner wohl denselben Eindruck gemacht haben wie die epischen Lieder von Helden mit unirdischen Kräften; er geriet ins Staunen und freute sich am Erstaunlichen, aber diese Menschen gehörten nicht mehr seiner Welt an.

Für Mönche und ihre Adepten ließ die unfruchtbare Dogmatik ein weites Feld offen, um eine Théologie du coeur zu schaffen und aus simplen Prämissen des Glaubens heroische Folgerungen zu ziehen. Aber der Durchschnittsbyzantiner ging leer aus. Vielleicht erklärt sich daraus seine den Kenner überraschende „Weltlichkeit". Man hatte ihn ausgeschlossen; daran änderten die best gedrechselten Predigten nichts. Und er betrug sich dementsprechend.

VI. Das Mönchtum

Das byzantinische Mönchtum gehört zu den pittoresken Versatzstücken, wenn byzantinisches Leben für den modernen Betrachter inszeniert werden soll. Man holt weit aus und die Verallgemeinerung ist bindendes Stilprinzip. Nach den einen gelangt der „kirchliche Apparat" schon im 6. Jahrhundert in die Hand der Mönche, die monastische Bewegung bemächtigt sich sogar der „Universitäten", Byzanz ist schon im 6. Jahrhundert „vermöncht". Von Beweislast wird nicht gesprochen. Andere gehen in die Statistik, sammeln alles, was irgend einmal für ein paar Tage eine Kutte getragen hat und kommen damit zu imponierenden Zahlen und einer bestechenden „Bevölkerungskrise". Sie reihen Kloster an Kloster nebeneinander auf, übersäen das staatliche Territorium mit einer Unzahl von Abteien, die der naive Leser unversehens mit den mächtigen Prälaturen des westlichen Mittelalters gleichsetzt. Wo eine Hand schreibt, entsteht ein Scriptorium, und wo zwei Codices nachweisbar sind, eine Bibliothek.

Man käme wohl zu reinlicheren Ergebnissen, würde man von einer solchen unbedarften Quantifizierung zunächst Abstand nehmen, jede Verallgemeinerung zurückstellen und zunächst einmal nüchtern Klöster und Mönche entsprechend der Quellenlage zu kategorisieren versuchen. Es würde sich dann sehr rasch herausstellen, daß dieses Mönchtum alles eher als homogen ist und daß sich deshalb nur in seltenen Fällen Verallgemeinerungen durchführen lassen, die besagen: *die* Mönche, *die* Klöster. Als erste Überlegung drängt sich auf, daß es in Byzanz keinen „Orden" gibt, so wie man diesen Begriff heute in der Monastik versteht, das bedeutet: keinen einheitlichen durch ins Detail gehende Regeln durchorganisierten klösterlichen Verband mit konkreten Lebensaufgaben und allgemein verbindlicher Lebensweise. Die Bezeichnung Basilianer ist irreführend, wenn nicht falsch. Sie entstand im mittelalterlichen Westen, wohl auf Grund der lobenden Erwähnung einer „Regula s. Patris Basilii" in der Benediktinerregel. Eine solche Regel im engeren Verstand des Wortes gibt es aber nicht. Basileios verfaßte allgemein gehaltene, d. h. nicht allzu sehr ins Detail des täglichen Lebens gehende, asketische Vorschriften für seine Mönche, die allerdings zu einer beliebten Lektüre in den byzantinischen Klöstern wurden, ohne darüber zur „Klosterregel" im technischen Sinne des Wortes zu werden. Im allgemeinen verfaßte jeder byzantinische Klosterstifter am liebsten seine eigene Regel, auch wenn er dabei nicht selten auf eine vorhandene ältere und bewährte, etwa die des Studiu-Klosters, zurückgriff. So stellt genau besehen jedes byzantinische Kloster eine unabhängige Individualität dar. Gewiß machen sich auch klösterliche Verbände bemerkbar, aber entweder handelt es sich dabei um Gruppierungen, die dadurch entstanden, daß die kirchliche Oberbehörde, z. B. der Patriarch von Jerusalem, hier und dort einen Abt zum Patriarchatsbevollmächtigten für eine Gruppe von Klöstern machte, oder dadurch daß der Abt eines Klosters den „Sprecher" nach außen für eine verstreute Siedlung von Koinobien, Zellen und Einsiedeleien abgab. Eine daraus hervorgehende Vereinheitlichung der Lebensweise in diesen Gruppen läßt sich über Äußerlichkeiten hinaus kaum nachweisen. So stellen die Klöster im Reich eine Vielzahl von Typen dar, einheitlich im Leitbild idealer Weltentsagung, aber breit gefächert im praktischen Konzept der Verwirklichung dieses Ideals. Dieser breiten Fächerung entspricht auf der anderen Seite eine mindestens ebenso große Unterschiedlichkeit der Mönchstypen auch in ein und demselben Kloster.

Warum und unter welchen Umständen wird man in Byzanz Mönch? Im Vollsinn des Wortes heißt nach byzantinischer Auffassung Mönch werden, sein ganzes Leben Gott weihen, den weltlichen Lebensformen völlig entsagen und zwar in erster Linie auch räumlich, im Mönchtum einen exklusiven Beruf fürs Leben ergreifen. Letzteres bedeutet, daß der Idealtyp von jenen Mönchen dargestellt wird, die diese Lebensform von früher Jugend an ergriffen und stabil am selben Ort bis zum Lebensende durchgehalten haben. Mag sein, daß es zahlreiche solcher Mönche gab. Doch der Eindruck drängt sich bei Lektüre zahlreicher Mönchsviten auf, daß viele den klösterlichen Beruf erst relativ spät, nach Ehe und öffentlicher Amtsführung ergriffen haben, ja daß es eine starke Schicht gab, die man als Rentnermönche bezeichnen könnte. Als Beispiel für einen späteren Klostereintritt sei genannt Athanasios, der Gründer der Großen Laura auf dem Athos, der sich vorher längst einen Namen als Schulleiter in Konstantinopel gemacht hatte, oder auch Theophanes der Bekenner, der vor seinem Klostereintritt verheiratet war und im Staatsdienst gestanden hatte. Zwei prominente Standesvertreter unter hunderten! In diesen Zusammenhang gehört nicht nur der verwitwete Mönch sondern auch und vor allem die verwitwete Nonne. Zahlenmäßig ebenfalls ins Gewicht gefallen sein dürften jene Byzantiner, die sich kurz vor ihrem Tod als Mönche einkleiden ließen, um ihr Seelenheil in letzter Stunde sicherzustellen. Mag bei all den genannten Kategorien eben das erwähnte Seelenheil eine bestimmende Rolle gespielt haben, so gibt es darüber doch nachweislich eine große Gruppe von solchen, für welche das Kloster Zufluchtsstätte und Sicherung vor äußerer, materieller Bedrängnis wurde. Dazu gehört Flucht vor dem Steuerdruck, Flucht vor dem Militärdienst usw. Manch kleiner Bauer überließ seinen verschuldeten Hof einem Kloster, „kaufte" sich damit sozusagen dort ein und konnte hoffen, relativ unbehelligt weiterleben zu können. Wichtig in dieser Gruppe der Asylmönche sind die Kaiser, die hohen Würdenträger und Magnaten. Nicht wenige von ihnen wurden entthront und gestürzt. Sie wichen in ein Kloster aus, freiwillig

5. Illustration einer naturkundlichen Handschrift (Dioskurides)

6. Vom Hintergrund abgelöste Elfenbeinfiguren

oder gezwungen, um einem schlimmeren Schicksal zu entgehen. Die Mönchsschur sicherte sie, allerdings nicht immer, vor der Wut der Gegner und sie disqualifiziert sie nach einer verbreiteten Ansicht für einen neuen Griff nach Krone und Macht. Nur selten gelingt die Rückkehr in die Welt, etwa dem Höfling Michael Psellos, aber die wieder errungene Stellung bleibt fragwürdig und wird in Frage gestellt. Gelegentlich trifft man auf Mönche in sehr weltlichen Positionen, z. B. als Flottenkommandeure oder Finanzbeamte. Nach kanonischem Recht ein unerträglicher Zustand, aber Tatsache. Und schließlich sei noch jener gedacht, für welche das Mönchtum Vorstufe für das Bischofsamt bedeutet. Die Dauer ihres Mönchtums ist nicht ohne weiteres als apriori befristet anzusehen, immerhin dürften nicht wenige von ihnen eine feste Zusage für die spätere Promotion gehabt haben. Etwas außerhalb des Rahmens, weil primär auf die Klostervorstandschaft bezüglich, sind jene Herren zu erwähnen, die aus ihrem Landgut oder Stadtanwesen ein Kloster machen und sich darüber hinaus als dessen Abt installieren mit den Mönchen als einer Art Gefolgschaft oder Hintersassen. Die Gründe können sehr wohl rein wirtschaftlicher Natur sein aber auch ein Mixtum compositum aus wohl dosierter Weltflucht und perennierendem Prestigedenken.

Die Folgerungen drängen sich auf: Es hat wenig Sinn, jene Weltleute, die sich in letzter Minute „bekehrten", in eine Statistik der byzantinischen Mönche und ihres Machtpotentials einzubringen. Jedenfalls haben sie keinen Platz im Mönchtum als einer wie auch immer die byzantinische Gesellschaft bestimmenden Schicht. Bei den späteren, aus dem Mönchtum hervorgegangenen Bischöfen ist genau zu unterscheiden – besser: wäre genau zu unterscheiden, wenn es immer möglich wäre – zwischen jenen, die sich mit festen Zusagen oder Hoffnungen in der Tasche einer Art pflichtmäßigem geistlichen Exercitium, für Monate oder auch Jahre, unterzogen, ohne die Absicht zu bleiben, und jenen, die ohne solche Gedanken ins Kloster gingen und dann eben doch wieder herausgeholt und auf ein Bistum erhoben wurden. Was abgedankte Kaiser und gestürzte Politiker betrifft, so ist es nicht auszuschließen, daß manche von ihnen sich mit ihrem neuen Stand abfanden und in die neue Lebensform hineinwuchsen. Andererseits wird es kaum angehen, dies zu verallgemeinern. Die Lakapenoi-Kaiser gaben geraume Zeit den Gedanken an Gegenrevolution nicht auf, und selbst ein Mönchskaiser wie Joannes VI. Kantakuzenos konnte durch Anachorese allein nicht befriedigt werden, wie vorzüglich er auch sonst den Mönch spielte. Er bleibt auf beträchtliche Zeit auch in der Kutte eine Art Mitregent und Berater der Palaiologen. Weder er noch die Lakapenoi, um nur sie als Beispiel zu nennen, machen gute Figur in einer Mönchsstatistik. Und selbst wenn einige unter den abgedankten Kaisern und Magnaten sich mit ihrem Stand abfanden, bleiben Einschränkungen, die auch für jene „echten" Mönche gelten, die aus freien Stücken, aber spät, nach einer öffentlichen Karriere oder eben einem intensiven weltlichen Leben das Ordenskleid genommen haben: Mönchtum als Stand verlangt eine eigene Mentalität und diese Mentalität bedarf des Trainings, damit die Gesamteinrichtung des Lebens und Tuns nach ganz bestimmten, nur diesem Stand eigenen Vorstellungen von Welt, Wert und Dasein, nach mönchischen Leitbildern also, erfolgen kann. Wer nach langen Lebensjahren als Bauer einem Kloster aus wirtschaftlicher Not seinen Hof übereignet und Mönch wird, hat wohl solche Leitbilder nicht im Auge, und ob er je gewillt ist, ihnen zu folgen, bleibt die Frage. Und so bleibt ebenso psychologisch zweifelhaft, ob sehr viele der Männer, welche die halbe Zeit ihres Lebens in der „Welt", am Hof, in Ämtern und Würden verbracht hatten, nun in ihrem Klosterleben mit dieser ihnen zunächst doch fremden Mentalität fertig wurden oder auch nur fertig werden wollten. Nichts hindert uns, sie trotzdem als Mönche zu bezeichnen. Doch anders sehen die Dinge aus, wenn die Frage zur Debatte steht, in welchem Grad die byzantinische Welt „vermöncht" war. Das Gemeinte sei an einem Beispiel verdeutlicht. Manche dieser Spätmönche treten trotz ihres Abschiedes von der Welt gelegentlich doch noch an die Öffentlichkeit etwa durch ein Geschichtswerk, eine Chronik und dergleichen. Beispiel Joannes Zonaras. Es war wohl die Ungnade des Kaisers, die ihn zuletzt veranlaßte auf der Insel Glykeria Mönch zu werden. Aller Wahrscheinlichkeit nach schrieb er dort sein Geschichtswerk. Besieht man es sich näher, so wird klar, daß hier immer noch der erfahrene Politiker, der Mann der Öffentlichkeit, Repräsentant einer Oberschicht spricht, der die Denkkategorien des staatlichen Lebens und Handelns genau kennt und mit ihnen pragmatisch die Geschichte und ihre Abläufe betrachtet und kritisiert. Hier spricht keine mönchische Mentalität. Zonaras ist nicht weniger „weltlicher" Historiker als Prokop und Meilen von der Mönchschronik des Georgios entfernt. Es wäre meines Erachtens absurd, sein Werk unter der Rubrik „Mönchsliteratur" einzureihen. Dies gilt nicht nur von ihm sondern von den meisten fälschlich so genannten „Mönchschroniken". Michael Psellos gar mit seinen philosophischen, historischen und enzyklopädischen Schriften hier einzureihen – es ist tatsächlich geschehen – verrät wenig Scharfsinn. Die Episode seines Aufenthaltes auf dem bithynischen Olymp haben selbst Zeitgenossen eher satirisch als ernsthaft zur Kenntnis genommen.

Auf die späteren Bischöfe sei noch mit einem eigenen Wort eingegangen. Aufs Ganze gesehen habe ich den Eindruck – mehr als ein Eindruck kann es nicht sein –, daß der Episkopat im allgemeinen von Gedankengängen bestimmt war, die wenig mönchisch waren. Ein Patriarch wie Photios hatte für die Mönche kaum viel übrig – freundliche Briefe an einige Mönche reichen nicht aus, um das Gegenteil zu beweisen. Und er hatte Grund für seine Einstellung. Dasselbe gilt von einem Metropoliten wie Eustathios von Thessalonike. Und der hohe Patriarchatsklerus von Konstantinopel, dem Eustathios entstammt, hat es m. E. wohl verstanden, eine Unterwanderung durch die Mönche zu unterbinden. „Der kirchliche Apparat" konnte von den Mönchen nie vereinnahmt werden, weil er mit den Patriarchen, von denen eine Anzahl aus dem Mönchtum stammt, nicht identifiziert werden kann. Es ist interessant festzustellen, daß das Mönchtum bis zum 8. Jahrhundert auf dem Patriarchenstuhl kaum vertreten ist. Erst mit dem 9. und 10. Jahrhundert mehren sich die Fälle und genau in dieser Zeit beginnt der Patriarchalklerus der Hagia Sophia zu einer Art selbstbewußtem Gegenspieler des Patriarchen zu werden. Nikephoros ist einer der ersten. Zunächst war er Kanzler der Kaiserin Eirene. Wahrscheinlich 796 verließ er den Hof, Mönch aber scheint er erst kurz vor Antritt des Patriarchats geworden zu sein. Sein Geschichtswerk entstammt sicher der Zeit vor dem Mönchtum, das pure Episode bleibt, was immer es für ihn persönlich bedeutet haben mag. Als Patriarch hat er sich für den Bilderkult eingesetzt, aber mit dem politisierenden Mönchtum des Theodoros Studites kann er keinesfalls identifiziert werden. Von ihm trennte ihn nicht nur die Kirchenpolitik kurz vor Ausbruch der zweiten Phase des Ikonoklasmus, sondern ganz generell seine Einstellung zur kirchlichen „Ökonomie", die völlig unstuditisch und wahrscheinlich überhaupt unmönchisch ist. Erst in der Spätzeit verändert sich die Lage. Typisches Beispiel der Patriarch Athanasios um die Wende zum 14. Jahrhundert. Er hat lange Zeit in den verschiedensten Klöstern und Einsiedeleien verbracht und die Turbulenz seiner Amtsführung läßt den Mönch nie vergessen. Es gelingt ihm offenbar nie, mit einer Großstadt zurechtzukommen oder gar sich in das politische Leben des Reichs hineinzudenken. Er bleibt der intransigente Anachoret und Moralist auch auf dem Patriarchenstuhl.

Auch zu jenen Mönchen, die man mit Fug als Vollmönche betrachten darf, gilt es, einige einschränkende Bemerkungen zu machen, d. h. es gibt Schattierungen zu beachten. Es ist wohl eine allgemeine gesellschaftsgeschichtliche Erscheinung, daß Quantität in Qualitätsveränderungen sich niederschlagen kann. Wenn ich auch viele Angaben über Mönchszahlen für weit übertrieben halte, so läßt sich doch kaum leugnen, daß die Mönche aller Kaliber höchst zahlreich waren. Je stärker sie aber in einer Gesellschaft vertreten sind, desto weniger homogen bleiben sie und desto nachhaltiger schieben sie sich aus den Rändern der Weltflucht in den weltlichen Alltag. Damit aber verwischen sich die Unterschiede in der Lebenshaltung und Abnutzungserscheinungen machen sich bemerkbar: viele richten sich jetzt nachdrücklich nach den Standards der Weltleute, die ihnen entgegenkommen und denen sie sich anpassen. Das bedeutet: Vermönchung gerät in ein unmittelbares Verhältnis zur Verweltlichung, anders ausgedrückt: der Grad der Vermönchung der Gesellschaft und des öffentlichen Lebens läßt sich in keine treffende Relation zur Zahl der Mönche mehr bringen. Maximos Planudes etwa ist theoretisch unter die Mönche einzureihen; als Repräsentant seiner Zeit aber möchte man ihn doch eher und besser als gelehrten „abbé" bezeichnen, eher dem Bezirk des Geistreichen als dem des Monastischen zugehörig. Die byzantinische Vermönchung im „Straßenbild" mag davon unberührt bleiben, Vermönchung als soziales Phänomen aber gerät ins Schwanken.

Gegen die hohen Mönchszahlen, die gelegentlich errechnet werden, sei nicht viel eingewendet – im Grunde sind sie ebenso unsicher wie alle übrigen demographischen Angaben über die byzantinische Bevölkerung und ihre Schichten. Stellt man aber einen Vergleich mit dem mittelalterlichen Westen an, so kann man sich des Eindrucks nicht erwehren, daß dort Lebensgestaltung, Bildung, Architektur, Kunst und Gewerbe stärker und stilbildender von den Mönchen beeinflußt sind als im Osten. Zentren wie Corbie oder Fulda oder gar Cluny hat Byzanz nie ähnliches entgegenzustellen. Dies bedarf der Erklärung.

Einer der wichtigsten Gründe scheint mir folgender zu sein: Die westlichen Mönche, aus einer Zeit stammend, in der Männer wie Cassiodor und Boethius bewußt die noch vorhandene klassische Bildung kompendienartig zusammenfaßten, brachten in die Welt der ausgehenden Völkerwanderung und des beginnenden Mittelalters, was von antikem Wissen, antiker Technik und antiker Bildung noch vorhanden war; sie wurden die Lehrer der neuen Völker und Stämme, sie rodeten und kultivierten, brachten ihnen Ackerbau und Viehzucht bei und verfügten souverän und zunächst allein über die Sprache, das Latein, ohne die es keinen Zugang zu den Quellen der Bildung gab. Damit erreichten sie für geraume Zeit eine stilbildende und damit dominierende Stellung in der mittelalterlichen Gesellschaft. Diese Voraussetzungen fehlten im Osten völlig: die Wissens- und Bildungstradition war nie abgerissen und sie war in keiner Weise ein Privileg des Klerus oder gar der Mönche. Es gab keinen kulturellen Neuanfang. Damit hängt dann wohl auch zusammen, daß byzantinische Klostergründungen selten, wenn überhaupt, zu jener Permanenz und zu jener stabilisierenden Institutionalisierung fanden, wie sie etwa für die großen, über Jahrhunderte einflußreichen Reichsabteien des Westens so charakteristisch ist. Als Rodungsklöster, als missionarisch-kolonisatorische Stiftungen oder von vornherein als politischer Schwerpunkt gegründet, entwickelten sie sich zu selbständigen, die Umgebung prägenden und beherrschenden Institutionen, die kraft ihrer auch durch die rationalen Grundsätze der Regula s. Benedicti bestimmten Eigengesetzlichkeit, Generationen und Jahrhunderte überdauerten und damit selbst langen Jahren des Niedergangs oder der politisch-wirtschaftlichen Kaltstellung trotzen konnten. Die Ansätze im Osten, wie sie sich da und dort in Ägypten, Palästina und Syrien zeigen oder doch andeuten, kleine Zentren etwa innerhalb einer Welt von Beduinen, Asyle an einer Wüstenstraße oder klösterliche Randsiedlungen in der Nähe einer Großstadt wie Alexandreia, haben keine lange Geschichte, denn die islamische Eroberung dieser Kernlande des Mönchtums reduziert die Bedeutung dieser

Gründungen sehr bald auf ein bescheidenes Maß; jedenfalls können sie bald nicht mehr auf das Konto des Klosterlebens innerhalb der byzantinischen Reichsgrenzen gesetzt werden. Bald waren aber auch Mönchszentren auf dem Reichsboden, z. B. der Berg Latros bei Milet, durch Piraten und durch Razzien der Reichsfeinde so gefährdet, daß ihr Einfluß nicht mehr allzu weit reichte. Schließlich mußte vor dieser Bedrohung sogar der bithynische Olymp, eines der bedeutendsten Zentren im 8. Jahrhundert, allmählich kapitulieren. Doch es geht nicht nur um die Gefährdung von außen. Bedenkt man, daß auf der konstantinopolitanischen Synode von 536 die Vorsteher und Vertreter von 68 Klöstern der Hauptstadt unterschrieben,[1] daß man aber alle Schwierigkeiten hat, auch nur ein paar von ihnen im 7. Jahrhundert noch wirklich am Leben zu finden, um von Ausstrahlung und Wirksamkeit ganz zu schweigen, dann genügt der Hinweis auf die Gefährdung von außen nicht mehr. Unter den genannten Klöstern finden sich gewiß solche, die man als „Nationalklöster" bezeichnen könnte, Klöster etwa der Ägypter, der Syrer, der Bessen usw.; sie mögen mangels Zuzug infolge der islamischen Okkupation ihrer Heimat allmählich eingegangen sein. Aber dabei handelt es sich höchstens um ein schwaches Dutzend. Warum verschwinden die übrigen? Ich glaube, hier muß als Grund das fast völlige Fehlen der „stabilitas loci" genannt werden, jener Bindung des einzelnen Mönches an sein Kloster, die Benedikt mit Nachdruck für das klösterliche Gelübde in seiner Regel vorschreibt, zusammenhängend damit aber auch eine gewisse Willkür in der Errichtung von Klöstern und eine ebenso große Willkür in ihrer Auflösung. Man hat den Eindruck: Irgend jemand reist nach Konstantinopel, er hat einen Namen als Mann des Geistes, er sammelt Adepten um sich, ein Kloster ist entstanden!. Und „Irgendjemand" signiert nun als Abt. Dann reist er wieder ab oder er stirbt, die Adepten zerstreuen sich in alle Winde und vom Kloster ist nicht mehr die Rede. Und man reist sehr gern wieder ab. Man konnte dies spirituell begründen mit der „peregrinatio religiosa", der asketischen „Heimatlosigkeit", man darf aber wohl auch den ausgeprägten Individualismus des Byzantiners anführen, der sich mit der Unterordnung unter einem Abt, der ὑποταγή, nur schwer zurechtfand. Der Ortswechsel, unter welchem Vorwand auch immer, war dann das geeignetste Mittel, mit dieser Schwierigkeit fertig zu werden. Die Synoden schärften zwar die stabilitas loci immer wieder ein, doch es tat dem Heiligkeitsgrad keines byzantinischen Mönches von Rang und Namen Abbruch, wenn er sich um diese Kanones nicht kümmerte. Man ist Mönch zunächst für sich ganz allein, man ist Pilger, wenn nicht gar „gyrovagus".

Die Stationen des oben erwähnten Patriarchen Athanasios als Mönch sind Thessalonike, der Athos, Jerusalem, der Latros, der Auxentiosberg, Galesios und Ganos und nochmals der Athos. Christodulos, der Gründer des Theologosklosters auf der Insel Patmos macht Station auf dem Latros und auf Kos, und dann erst kommt es zur patmischen Gründung. Die letzte

Station ist auch diese Insel nicht, sondern Euboia. Wiederum nur zwei unter Hunderten!

Unter solchen Umständen kann es nicht überraschen, daß es das Koinobion, das Kloster mit Gemeinschaftsleben, in Byzanz nicht leicht hatte.

Dem pachomianischen Gemeinschaftsgedanken in Ägypten stand von allem Anfang an mächtig und werbekräftig das ägyptische Einsiedlerwesen gegenüber, aber auch jene locker aneinander gereihten Mönchsbehausungen, Lauren genannt, in der jeder für sich den Tag verbrachte und Gemeinsamkeit durch Nähe ersetzt wurde. Das System der palästinensischen Lauren enthält zwar Gemeinschaftsbezüge und eine gewisse Annäherung an koinobitische Ideale, wenn aber etwa nach 743 aus der berühmten Laura des Euthymios ein Koinobion wurde, dann deshalb, weil die arabischen Überfälle ein Zusammenrücken notwendig und nützlich machten. Neben dem Koinobion des Theodosios, sicher dem berühmtesten in Palästina, steht die Laura des Sabas, und ihr gehört die Zukunft. Der nachdrücklichste Verfechter und Theoretiker des koinobitischen Ideals war Basileios, der Metropolit von Kappadokien; aber es will uns kaum gelingen, seine Gründung weit über seinen Tod hinaus eindeutig sicherzustellen.

Das Mönchtum in seiner eremitischen, aber großteils auch in seiner koinobitischen Form, war neben, wenn nicht außerhalb der hierarchischen Kirche entstanden und verspürte nur selten, wenn überhaupt, das Bedürfnis sich in die institutionelle Kirche integrieren zu lassen. Die Beziehungen zum Klerus kann man als kühl bezeichnen. Die großen Meister der Wüste standen dem theologischen Bemühen der Zeit skeptisch gegenüber, und es gab welche unter ihnen, die sogar vor der Lektüre der Bibel warnten. Die Mönche warben nicht um die Kirche, aber mit der Zeit warb die Kirche um die Mönche; sie konnte nicht anders. Die ungeheure Attraktivität dieser Lebensweise, die Besucher und „geistliche Touristen" in jeder Menge anlockte, konnte der Kirche auf die Dauer zur Gefahr werden, jedenfalls das Ansehen der Hierarchie im geistlichen Bereich auf ein Minimum herabdrücken. Andererseits waren hunderte von Mönchen naiv genug, vom Interesse der Hierarchie an ihnen geschmeichelt zu sein – und sich von ihr mißbrauchen zu lassen. Es beginnt jenes trübe Kapitel der Kirchengeschichte, in dem potente Hierarchen Scharen von Mönchen mit sich auf die großen Synoden verfrachten und dort als Claqueure und pressure groups einsetzen. Einmal in dogmatische Ekstase versetzt, waren sie dann nicht mehr zu halten. Den Bischof Flavian z. B. verprügelten sie auf der Synode von 449 derart, daß er wenig später seinen Verletzungen erlag. Bischof Eustathios von Sebaste und der große Basileios machten den Versuch, in ihren Diözesen den asketischen und manchmal sehr ambivalenten Radikalismus einzudämmen, die Virtuosität der Tugendübung auf ein erträgliches Maß herabzusetzen und vorab in der koinobitischen Lebensform die Überschaubarkeit und Kontrollierbarkeit der Mönche zu gewährleisten. Auf höchster Ebene aber war es erst das

Konzil von Chalkedon (451), das die Verhältnisse zwischen Mönchtum und hierarchischer Kirche grundsätzlich zu regeln trachtete.² Jede Klostergründung soll nun der Erlaubnis des Bischofs bedürfen, die Klöster selbst unter seiner Kontrolle stehen und mit der Freizügigkeit der Mönche soll es ein Ende haben. Dies mag einigen Erfolg gehabt haben, z. B. in Palästina, wo wir zwei Patriarchalkommissaren für das Mönchtum begegnen. Aber die enthusiastische und einigermaßen wildwüchsige Bewegung war damit nicht unter Kontrolle zu bringen, sofern Chalkedon überhaupt auch die Anachoreten erreichen wollte. Justinian I. konnte auf die Situation jedenfalls nur mit allerhöchstem Unmut reagieren, und so tat er alles, um die Mönche zu reglementieren und sie an die Kirche und damit an den Staat zu binden.³ Die Normalform des Klosters ist für den kaiserlichen Gesetzgeber dementsprechend das überschaubare Koinobion oder doch die festgefügte und organisierte Laura, wo die Mönche gemeinsam wohnen, schlafen, essen und das Stundengebet und die Meßliturgie feiern. Um eine gewisse Auslese unter den Kandidaten zu treffen, führt er vor der Gelübdeablegung ein dreijähriges Noviziat ein. Aber an der eremitischen Bewegung kommt auch er nicht ganz vorbei. So gestattet er innerhalb der Umfriedung des Koinobions eine beschränkte Zahl von Einsiedlerzellen. Es hat zunächst den Anschein, als dürfe es kein freies Eremitentum mehr geben, doch ich glaube es handelt sich hier nur um Regelungen für die Städte und für geschlossene Siedlungen. Was fernab von der großen Welt in der Wüste vor sich ging, ließ er wohl seines Weges gehen. Die Synode in Trullo wandelt in den Spuren des Kaisers;⁴ aber das Koinobion hatte es immer noch schwer und Justinian war längst tot. Es war wohl gerade die Zeit des Bilderstreites, vor allem die Periode der Mönchsfeindschaft unter Kaiser Konstantin V., daß die Mönche wieder in mehr Freiheit und Verborgenheit Zuflucht suchten, da wo sie sie eben gerade fanden, und daß damit der Anachoret, die lockere, jederzeit verlegbare Mönchssiedlung usw. wieder ihren Platz fanden. Erst zu Ende der ersten Phase des Bilderstreites findet die koinobitische Idee wiederum eine exemplarische Verwirklichung, bezeichnender Weise durch konstantinopolitanische Aristokraten mit ausgeprägtem Familiensinn: durch Platon und seinen Neffen Theodoros, den Studiten. Es zeigt sich sofort, daß auch in Byzanz ein Abt mit einem durchorganisierten, gefolgschaftstreuen Kloster im Rücken mit erhöhtem Nachdruck bestimmend auf das öffentliche Leben wirken kann. Studiu ist eine Art Renommierkloster der Byzantinistik geworden: Endlich werden Handschriften kopiert, wird Pergament fabriziert und werden Klassiker überliefert. Um so bemerkenswerter die Kürze der kontrollierbaren Blüte. Das Kloster Studiu selbst ist alt. Von seiner Gründung im Jahre 463 bis auf Theodoros Studites im 9. Jahrhundert kennt man die Abtei sozusagen nur vom Hörensagen. Und nach dem 9. Jahrhundert tröpfelt sie mühsam durch die Zeiten. Für das 9. Jahrhundert haben wir noch eine fast lückenlose Reihe der Äbte, dann werden die Abstände zwischen den Namen immer größer, und in den letzten Jahrhunderten schieben sich zwischen einzelne auftauchende Namen ganze Generationen der Anonymität.

Der nächste bedeutsame koinobitische Ansatz erfolgt in der zweiten Hälfte des 10. Jahrhunderts auf dem Berge Athos, der damals beginnt, sich in den monastischen Vordergrund zu schieben, mit der Großen Laura (trotz der Bezeichnung ein Koinobion) des Athanasios Athonites, ein Modell nach dem sich zunächst weitere Athosgründungen richteten. Gegen Ende des Reiches aber werden nicht wenige dieser Koinobien sozusagen von innen heraus, durch das System der sogenannten „Idiorrhythmie" aufgelöst, d. h. durch eine Aufsplitterung der Gemeinschaft in kleine und kleinste Grüppchen, die nach eigenem Gutdünken leben und vor allem sich selbst versorgen. Der Abt, mit dem ein Koinobion steht und fällt, wird überflüssig und verschwindet nicht selten ganz. Die Anachoreten und besonders die Hesychasten unter ihnen, deren Desinteresse an Gemeinschaft und Liturgie sozusagen systemimmanent ist, tragen den Sieg davon.

Die großen kaiserlichen und aristokratischen Gründungen in der Hauptstadt nach dem Bilderstreit und besonders im 12. Jahrhundert gehören, so viel sich sehen läßt, zur Kategorie der Koinobien; so etwa das Hodegetria-Kloster oder das Pammakaristoskloster oder das des Pantokrator. Aus verschiedenen Gründen drängt sich der Eindruck auf, als habe es sich hier um Stiftungen gehandelt, in denen eine ganz bestimmte, nicht allzu große Zahl von kaiserlichen Pensionären ihr Dasein sorglos verbrachte. Dagegen spricht nicht etwa das dem Pantokratorkloster angegliederte Hospital mit seinen „modernen" Einrichtungen, denn hierbei handelt es sich offensichtlich um eine kaiserliche Gründung, die nicht von den Mönchen des gleichnamigen Klosters betrieben wurde, sondern von Fachkräften. Merkwürdig bleibt auf jeden Fall, wie schwach die Spuren sind, die diese Klöster hinterlassen haben.

Es ist nun allerdings nicht Aufgabe des Historikers, ein Urteil darüber zu fällen, was mönchischer oder gar christlicher ist, das Koinobion oder die Anachorese. Er kann höchstens zur Feststellung kommen, daß die Schwäche des Koinobions im Osten das Mönchtum eines Gutteils jener Wirkungsmöglichkeiten beraubte, mit denen die westlichen Abteien so gut umzugehen wußten.

Sollte damit, wie es meist der Fall ist, eine Abwertung gemeint sein, dann müßte man sich ernsthafter, als es meist geschieht, die Frage stellen, woher die Wertmaßstäbe stammen. Es sei einmal, wenn man so will mit aller Ironie, die Frage gestellt: Aus welcher Bedarfsanalyse heraus, an welchen Idealen messend, verlangt der Historiker, wenigstens implicite, immer wieder vom byzantinischen Mönch Bildung, und beklagt er es, wenn sie nicht vorhanden ist? Was ist der Grund, warum ein byzantinisches Kloster, wenn seiner lobend Erwähnung getan werden soll, ein Scriptorium, eine Bibliothek besitzen soll, warum ein Mönch Codices kopieren und klassische Autoren zu überliefern hat und warum er junge Leute in die Schule nehmen soll? Es ist wohl nicht zu leugnen, daß hier einfach eine, wenn auch idealisierte mittelalterlich-westliche Welt den Maßstab liefert, ohne daß bedacht wird, daß es die spezifisch westliche Ausgangslage der Völkerwanderungszeit war, welche die Benediktiner in diese erzieherische Rolle drängte – von der im übrigen in der Regula s. Benedicti nichts zu lesen ist –, daß aber eine ähnliche Ausgangsposition, wie schon angedeutet, in Byzanz ganz einfach nicht vorhanden war. Die Schicht jener, die sich der angeführten Aufgaben annahm, war in Byzanz gewiß nicht schmäler als im Westen, nur waren es nicht in erster Linie die Mönche. Eine gesunde historische Methode sollte dieses Mönchtum mangels eines „sozialen Beitrags" nicht abwerten, bevor sie nicht die byzantinische Gesellschaft als ganzes befragt hat, was sie denn von den Mönchen erwartete. Wollte diese byzantinische Gesellschaft denn einen „nützlichen Beitrag" der Mönche auf den zitierten Gebieten? Und wenn nicht auf diesen Gebieten, welche sozialen Leistungen sonst erwartete sie von ihnen? Gewiß nicht solche in der Form eines meßbaren Beitrags materieller Art à la Brutto-Sozialprodukt. So will mir wenigstens scheinen, weil ein solcher Beitrag, besser eine solche Beitragserwartung eine Leistungsgesellschaft voraussetzt, die in Byzanz kaum gegeben war. Vielleicht läßt sich folgendes sagen: Die byzantinische Gesellschaft sah die soziale Leistung des Mönchtums in der geistigen Signalwirkung einer unterstellten idealen mönchischen Lebensweise für den Byzantiner in der Welt, und sie hat sich im allgemeinen damit begnügt. Worin man diese Signalwirkung des näheren sah, soll noch zur Behandlung kommen. Die Frage ist zunächst, wie weit verbreitet eine solche Ansicht war, wie groß der Anteil derer, die sich damit zufrieden gaben; dazu kommt als zweite Frage, in welcher Richtung sich Kritik am Mönchtum, wenn vorhanden, äußert. Die erste Frage muß stehen bleiben; sie ist kaum zu beantworten, wie wir ja auch in anderen ähnlich gelagerten Fällen kaum jemals zu einer brauchbaren statistischen Approximation kommen, da es die Quellenlage nicht erlaubt. Zur Beantwortung der zweiten Frage läßt sich wenigstens einiges anführen. Zunächst zwei grundsätzliche Überlegungen aus dem Anfang und dem Ende des byzantinischen Zeitalters: Gregor von Nazianz, Kirchenvater und Bischof, schwankt zwischen dem Ideal der Anachorese und einem mehr tätigen Leben in der Kirche. Seine Liebe zu den heiligen Büchern scheint ihm mit der äußersten Weltverneinung nicht vereinbar zu sein. Im βίος πρακτικός, im tätigen Leben sieht er die Möglichkeit, für den Nächsten zu wirken und ihm von Nutzen zu sein, auch wenn man für die eigene Persönlichkeit damit nur Unruhe und Sorgen einheimst. Von einem solchen Nutzen für die Gemeinschaft könne beim Anachoreten kaum die Rede sein; dafür gewinnt er seinen eigenen Seelenfrieden. Allerdings betrachtet Gregor eine solche abgeschiedene Lebensweise als φίλτρον στενόν, etwas wie ver-

engte Selbstliebe.[5] Gregor persönlich weiß sich zeit seines Lebens nie endgültig zu entscheiden. Tausend Jahre später, kurz vor dem Fall Konstantinopels und Mistras' steht der Philosoph Georgios Gemistos Plethon. Beitrag
zum Leben der Gesellschaft heißt bei ihm λειτουργεῖν τῷ κοινῷ; gerade ein
solcher Beitrag wird von den Mönchen seiner Meinung nach nicht geleistet.
Sie geben zwar vor, „philosophisch" zu leben, in Wirklichkeit aber sind sie
unnütze Drohnen und Schädlinge der Gesellschaft. Plethon mißt die Mönche seiner Zeit interessanter Weise an den Idealen jener alten Klostergrün-
der – vielleicht hat er Basileios im Kopf –, die der Arbeit im Kloster einen
entscheidenden Wert beigelegt haben. Von diesem Ideal sei nichts mehr vorhanden.[6] So radikal diese Kritik auch ausgefallen ist, für unsere Fragestellung muß sie methodisch doch relativiert werden, weil Plethon nicht, wie
andere Kritiker, das Mönchtum im Rahmen anerkannter Standards des byzantinischen Lebens sieht, sondern zugleich mit den Mönchen auch diese
Standards entschieden in Frage stellt.

Zwischen diesen Polen gibt es gar nicht so wenig weitere Kritik am Er-
scheinungsbild des Mönchtums. Konzilskanones, Theologen, Moralisten
und Satiriker befassen sich damit. Interessant etwa Niketas von Paphlagon,
der einem Mönch schreibt, wenn er wirklich Mönch sein wolle, so solle er
schweigen und seine Sünden bereuen und sich nicht in Sachen mischen, die
über das Verstehen eines Mönches hinausgehen, nämlich die Theologie und
ihre Geheimnisse![7] Und wenn Eustathios von Thessalonike es beklagt, daß
die Mönche ihre Bibliotheken und Bücher verkommen lassen, so ist auch
dies kaum im Sinne eines „gelehrten Programms" für die Beschäftigung im
Kloster zu verstehen, sondern nur ein Punkt unter vielen, welche die bedau-
ernswerte Verrohung in den Klöstern dokumentieren, wo es um kaum mehr
gehe als um ein bequemes Leben.[8]

Die Mehrzahl der Vorwürfe aber bleibt in diesem Rahmen. Die Mönche
mischen sich allzu viel in weltliche Geschäfte. Immer wieder verlassen sie
die Einöde, treiben sich in den Städten herum, wo sie doch nichts zu suchen
haben, pflegen gefährlichen Umgang mit Frauen, kümmern sich nicht um
die stabilitas loci und sind vor allem geld- und besitzgierig über die Maßen.
Selbst das Amt als Beichtväter mißbrauchen sie, um aus ihren Schäflein
Geld herauszuholen und dementsprechend die auferlegte Buße zu bemessen.
Der ungebildete Mönch – so Nathanael Bertos – sei in diesem Punkte immer noch schlichter und weniger gierig als der „bessere" Mönch.[9]

Sichtet man diese Kritik, so ergibt sich im großen und ganzen, daß sie
darauf abzielt, die Mönche zurückzuverweisen auf das Ideal der Anachorese, der Weltferne und der Trennung von der übrigen Gesellschaft, dem festen Verbleiben in der einmal gewählten klösterlichen Gemeinschaft. Das
aber bedeutet: die Kritik argumentiert nicht im Sinne Plethons, in der Richtung also auf einen meßbaren materiellen Beitrag zum Leben der Gemeinschaft. Freilich ist zu beachten, daß diese Kritik fast ausschließlich aus kleri-

kalen oder klerikal bestimmten Kreisen kommt, wenn nicht von den Mönchen selbst. Das rüde Erwerbsleben der Klöster als solcher, ihr mit der Zeit immer höher werdender Anteil am Grundeigentum z.B. taucht in dieser Kritik kaum auf, da sich der kritisierende Klerus hier selbst mit hätte einschließen müssen. Die Prozesse, die wir aus späterer byzantinischer Zeit kennen, in denen Weltleute sich gegen die Machenschaften von Klöstern wenden, mit denen sie ihnen ihr bißchen Grundbesitz abjagen, sprechen eine andere Sprache, und es darf angenommen werden, daß es sehr viel mehr solcher Klagen gab, als uns die Akten wissen lassen. Die Skrupellosigkeit der Klöster in diesem Punkt scheint bemerkenswert gewesen zu sein. Freilich unterschied sie sich kaum von der Skrupellosigkeit der weltlichen Großen, d. h. wir haben es mit einem allgemeinen Problem der byzantinischen Agrargeschichte zu tun und weniger mit der Frage, inwieweit die theoretischen Ideale des Mönchtums kritisiert wurden.

Wenn nun, wie wir sehen werden, dieses theoretische Ideal des Mönchtums Kontemplation ist, und dies anerkannt wird, dann kann sich eine Kritik an der Beschäftigung der Mönche nicht einfach darauf beschränken, sie auf diese Kontemplation zurückzuverweisen, weil jeder halbwegs einsichtige Byzantiner wahrscheinlich gewußt hat – warum: wird sich noch ergeben, – daß es im kontemplativen Leben naturnotwendig Pausen gibt, Phasen, in denen die gesteigerte Leitung der geistigen Konzentration auf höchste Werte nicht durchgehalten werden kann, sondern eine Abwechslung eintreten muß. Hier nun läßt sich an die Frage, ob die byzantinischen Mönche sich literarisch-wissenschaftlich betätigen sollen, nochmals anknüpfen. Gregor von Nazianz z.B. hält, wie es scheint, bis zu einem gewissen Grad das kontemplative Ideal in der Anachorese mit musischer Beschäftigung für unvereinbar. Synesios wird es kurz darauf anders sehen. In seinem „Dion" macht er es den christlichen Mönchen geradezu zum Vorwurf, daß sie die notwendige Atempause zwischen den Phasen der Kontemplation nicht mit musischer Beschäftigung ausfüllen, sondern glauben, Körbe flechten zu sollen. Er argumentiert mit der Affinität, die seiner Meinung nach zwischen literarisch-musischen Dingen und dem Ideal der Kontemplation besteht.[10] Vermutlich unterliegt er dem Irrtum, die ἡσυχία, die innerste, auf das Göttliche gerichtete Sammlung des christlichen Mönches sei identisch mit seinen eigenen auf klassischen Bildungsgütern gründenden metaphysischen Aspirationen. Die großen Psychologen des anachoretischen Daseins aber haben immer erklärt, daß sich diese mönchische Sammlung in jeder Weise mit manueller Betätigung verbinden lasse. Erst die spätbyzantinischen Hesychasten erwecken den Anschein, als sei gewollte „Untätigkeit" die Voraussetzung ihrer Gottesschau. Theoretisch jedenfalls, d. h. von der Theorie der spätantik-christlichen und mittelalterlichen Mystik her, läßt sich die Frage nicht entscheiden, wo die größere Affinität zur Kontemplation gegeben ist. Und wenn die Beschäftigung in den Pausen wirklich und verbindlich Beschäftigung mit Kodex und Literatur, mit Erziehung und Unterricht sein sollte, hätte dies Mönche vorausgesetzt, die mit einer entsprechenden Vorbildung ins Kloster gekommen sind. Solche Mönche aber bildeten im byzantinischen Reich gewiß eine Minderheit.

Hier sei zur Illustration des Gemeinten ein Exkurs über jene Benediktiner gestattet, die sich den größten Namen in der Geschichte der gelehrten Studien gemacht haben, d. h. die französischen Mauriner. Der große Inspirator dieser ihrer Studien, Dom Claude Martin – nicht nur nebenbei ein Sohn der berühmten Mystikerin Marie de l'Incarnation – empfiehlt diese Studien keineswegs um ihrer selbst willen oder weil sie sich für einen Mönch als solchen geziemen; er will sie betrieben wissen, um die Pausen zwischen dem Höhenflug der Kontemplation und zwischen den liturgischen Verrichtungen mit einer geistigen Tätigkeit auszufüllen, die insofern der Kontemplation zugeordnet werden kann, als ihre Materie, die Kirchenväter, geeignet ist, den Anschluß an die Kontemplation jeweils sehr rasch wieder finden zu lassen. Aber die Priestermönche, denen Dom Claude dies ans Herz legt, waren alle bestens erzogen in den Humaniora des grand siècle, d. h. sie brachten alle Voraussetzungen für ein solches Studium mit.

Die byzantinischen Mönche haben ihrerseits ihre Pausen ebenfalls und nicht allzu selten mit Lesen und Studium der Väter ausgefüllt oder Codices kopiert. Andere freilich haben ihren Kohl begossen oder vielleicht Ikonen gemalt. Eine programmierte Zwischenbeschäftigung konnte es nicht geben, weil kein gemeinsames Bildungsniveau vorhanden war. Vielleicht darf in diesem Zusammenhang der Versuch gemacht werden, sich ein byzantinisches Durchschnittskloster vorzustellen, so verwegen dies auch sein mag: Dann waren vielleicht von 50 Insassen 7 oder 8 schon in früher Jugend ins Kloster aufgenommen worden. Aus ihrem Dorf oder der kleinen Stadt haben sie vielleicht sogar einige Kenntnisse im Lesen und Schreiben mitgebracht, aber im Kloster konnten sie sich bald überzeugen, daß dies nicht viel zu bedeuten hatte. 30 andere: vielleicht waren sie ein halbes Leben lang als einfache Matrosen oder als Fischer auf See gefahren, vielleicht haben sie der Armee den Rücken gekehrt und halb Pilger halb Landstreicher, eine sichere Bleibe gesucht; vielleicht waren auch Bauern unter ihnen, die ihren verschuldeten Hof mehr oder weniger freiwillig dem finanzkräftigen Kloster überlassen hatten. Der verbleibende Rest mag aufgeteilt werden zwischen Ruhestandsmönchen, Pensionären mit einem Anspruch auf einen ruhigen Platz im Kloster, etwa weil sie zur Familie des Stifters gehörten oder einen kaiserlichen „Freiplatz" ergattert hatten, und einigen, die eine höhere Bildung genossen hatten und nun auch im Kloster noch nach einem Buch griffen, vielleicht sogar nach einem Klassiker, der sich dahin verirrt hatte oder den sie mitgebracht hatten. Wahrscheinlich kann man sich eine solche klösterliche Gemeinde gar nicht bunt genug gewürfelt vorstellen, und wahrscheinlich gab es kaum eine Basis der Verständigung über die gemeinsame

Plattform der Regel und des geordneten Tagesablaufes hinaus. Weder Bildung noch Unbildung im Kloster können verallgemeinert werden, aber es fehlt, was vermutlich den meisten westlichen Abteien eigen war, ein gemeinsames Niveau, eine relative Gleichrichtung der Interessen und Standards in all den Fragen, die von der Klosterordnung selbst nicht umfaßt wurden. Vielleicht liegt auch hier ein Grund dafür, daß das byzantinische Koinobion durch das System der Idiorrhythmie so unschwer ausgehöhlt werden konnte.

Dieses Mönchtum, so anonym es in seiner Masse immer wieder wirkt, so entmutigend es mit seinem Obskurantismus, mit seinem blindwütigen Widerstand gegenüber den besten kirchenpolitischen Absichten in Erscheinung tritt, weist doch auch Vertreter auf, die zur geistigen Spitze gehören. Wer immer ein Gespür hat für den rücksichtslosen und gewagten Steilflug des Gedankens kann Euagrios Pontikos gegenüber kaum gelassen bleiben. Er ist kaum weniger faszinierend als Origenes selbst, und wenn man von diesem gesagt hat, er rage wie ein gewaltiges Bergmassiv in die Wolken, so gilt dies von Euagrios kaum weniger. Man könnte ihn lieben, stünde er nicht so unendlich fern. Lieben aber kann man jenen Joannes Moschos, auf dessen „Geistlicher Wiese", einer Anekdotensammlung über die Mönchsgrößen seiner Zeit, längst all jene Fioretti aufgeblüht sind, die wir ansonsten Francesco d'Assisi vorbehalten; – ein Erzähler von hohen Graden, der es versteht, der Wüste ihren Charme abzugewinnen und im erschreckend abgemagerten Gesicht des Asketen das menschliche Lächeln zu entdecken. Beherrschend dann Maximos der Bekenner, als Deuter der Väter, als besonnener „Origenist" mit einem äußerst nuancierten Verhältnis zu diesem Urvater der christlichen Theologie, als selbständiger Denker und als mystisch Erfahrener zugleich. Die scharfe dogmatische Formulierung in den Disputen der Zeit hindert ihn nicht daran, auch und mit Nachdruck „das Wort in der Schwebe" zu gebrauchen und sich mit ihm an die logisch nicht mehr erfaßbare Welt der religiösen Erfahrung heranzutasten. Selbst stilistisch wird er damit dem Gegenstand auf eigenartige Weise gerecht. Er ist ja, neben Euagrios Pontikos, einer der großen Künstler der Zenturie, jener Hundertschaften geistlicher Aperçues (Apophthegmata), in denen vom mystischen Aufstieg ganz allgemein, von seinen psychologischen Voraussetzungen und Behinderungen und von seiner Vollendung die Rede ist. Ein Gedanke wird gefaßt und prägnant formuliert, und schließlich doch offen gelassen. Der nächste nimmt den vorausgegangenen auf, variiert ihn und transzendiert ihn, und schließlich entsteht eine Kette, die nicht nur logisch verläuft, sondern auch antinomisch, weil sich die Erfahrung nur polarisiert wiedergeben läßt. Joannes von Karpathos, Thalassios und so manch andere Könner auf diesem Gebiet der Zenturien und Kenner auf dem Feld, dem diese Zenturien gewidmet sind, könnten neben Maximos genannt werden.

Dann auf dem Scheitelpunkt der byzantinischen Geschichte Symeon der

Neue Theologe. Man kann ihm unmöglich gerecht werden mit den Kategorien peinlicher Orthodoxie, weil sie nicht seine Denkkategorien sind. Soweit er sich ihrer doch bedient, muß er scheitern. Er steht unter dem Eindruck eines Erlebens von Licht und Gnade – was ist das eine, und was das andere? – das ihn derartig überwältigt, daß sein Denken zwischen hier und Jenseits, zwischen leiblich und geistig nicht mehr zu unterscheiden vermag. Aber er besitzt auch eine Weite des Geistes, die sich allen mitteilen und allen sein Evangelium verkünden möchte, das da besagt, des Mönches Weg sei nicht rein mönchisch, sondern stehe allen offen, wenn sie sich nur entschließen können, sich wegzugeben. Sein Enthusiasmus entsetzte die Dogmatiker unter seinen Zeitgenossen, seine Devotion kümmerte sich um kein hergebrachtes Kloster- und Kirchenreglement und das Überschäumen seiner Gedanken kann nicht einmal der „ordinäre" politische Vers in gemessene Bahnen leiten.

Auch Gregorios Sinaites könnte und sollte man nennen. Man hat ihn den Vater der hesychastischen Mystik auf dem Athos genannt; er kennt die hesychastische Gebetstechnik und propagiert sie, er kennt auch die Lichtvisionen – und doch bleibt immer ein Stück Skepsis: er hat Angst vor dem Raptus seiner Adepten, vor ihren zu raschen Erfolgen. Er ist der Mann des Beginns, er initiiert eine Bewegung, obwohl er ihre Gefahren nicht verkennt und obwohl sie ihm aus der Hand zu gleiten droht. Daß man sich bald darüber die Anathematismen an den Kopf werfen würde – diese Erfahrung blieb ihm erspart.

Diese Namen sind gewiß nicht die einzigen, die Erwähnung verdienen. Aber wenn neben ihnen und neben den mönchischen Rabaucken der Kirchengeschichte, neben jenen, die mit ihrer Kutte und ihrem langen Bart in der Welt ihre Geschäfte betrieben, tausende anonym und geschichtslos durch die Jahrhunderte gehen, dann vielleicht in vielen Fällen doch deshalb, weil sie ihr Ideal der Weltabgeschiedenheit, wie immer man es ex post beurteilen mag, ernst genommen haben, d. h. sich selbst treu geblieben sind. Trotz aller Kritik muß der Historiker auch hier zum alten Grundsatz stehen: In dubio pro reo.

Doch zurück zur Frage nach der Bedeutung dieses Mönchtums in den Augen der byzantinischen Gesellschaft, so weit sie sich nicht an den Perversionen, an Äußerlichkeiten und Mißbildungen stieß, sondern dem Kern gerecht zu werden versuchte. Dann aber kam dem Mönchtum in den Augen zahlreicher Byzantiner eben doch der nicht zu leugnende Nimbus des „Eigentlichen", wahrer Vollendung und Idealität zu. Erklärt sich dies mit der „Jenseitsbezogenheit" als signum distinctivum der Orthodoxie insgesamt, damit also, daß man in den Mönchen und ihrer Lebensführung eine Vorwegnahme des erhofften jenseitigen Leben sah? Meines Erachtens wäre ein solcher Schluß etwas voreilig, weil diese Jenseitsbezogenheit zunächst unter Beweis gestellt werden müßte. Theoretisch wäre dies nicht allzu schwierig, doch in der Praxis sehen die Dinge meist anders aus. Doch diese Bemerkung sei nur vorläufig. Vielleicht ist es richtig, zunächst ganz im Diesseits zu verbleiben und sich dort umzusehen. Es war schon in einem anderen Zusammenhang vom Verhältnis des alten Christentums zur Philosophie die Rede, einer Philosophie, die sich auch im heidnischen Bereich durchaus noch nicht ausschließlich als abstraktes spekulatives Denken verstand, sondern als Lebensweisheit. Dieser Lebensweisheit stellen die frühen Christen die „Torheit des Kreuzes" als die wahre Weisheit gegenüber, und sie begründen den Vorrang dieser ihrer Weisheit mit dem existenziellen Einsatz, den sie dafür bezahlen: der echte Philosoph ist der Martyrer, der mit seinem Blut Zeugnis ablegt für die christliche Wahrheit. Die Zeiten der Verfolgung und der Martyrer gingen dahin, aber eine neue Gruppe von Christen versucht angesichts einer Kirche, die beginnt, sich der Welt anzupassen, mit neuen Mitteln den alten existenziellen Einsatz: die großen Eremiten und Mönche. Bald sind sie die wahren christlichen Philosophen, ja die Philosophen schlechthin. Doch dabei bleibt es nicht. Es setzt eine Entwicklung ein, die zu einer eigenartigen Annäherung hellenistischer Vorstellungen und Mönchsphilosophie führt. Der Byzantiner, dem geistige Werte am Herzen lagen und der sich über Lebensführung Gedanken machte, bildete sehr früh eine Idealvorstellung heraus, die stark mit analogen Einstellungen des späten Hellenismus zu tun hat. Ohne Umschweife wird der βίος θεωρητικός, das kontemplative Dasein, zur höchsten, allein erstrebenswerten Lebensform erklärt. Diese Art von Vita contemplativa fächert sich weit auseinander, sie kennt eine ganze Skala verschiedenartiger Ansprüche und Ziele vom musischen Dasein, das sich bukolisch an den stilistischen Feinheiten der griechischen Klassiker delektiert und sie gelegentlich nachzuahmen sucht, sich um das Auf und Ab des politischen Geschehens und des Alltags kaum kümmert und selbstzufrieden dem „Geistigen" allein seine Aufmerksamkeit schenkt, bis zum Fernziel einer meditativen Versenkung in das letzte intellektuelle Eine schon im hiesigen Leben – Gnosis also, wenn man darunter vor allem jenes Vertrauen versteht, das die nach ihr benannten älteren Systeme der Kraft des menschlichen Intellekts zuschrieben, Gnosis vielleicht auch in einer parallel dazu verlaufenden Bindung des Ethos an den intellektuellen Fortschritt, Gnosis aber auch, vielleicht auch Neuplatonismus oder Synkretismus im Schema von Abfall und Rückkehr, von Bewegung und Ruhe. Es ist eine Schau, eine θεωρία des gereinigten Intellekts, die in einer besonderen Beziehung zu den λόγοι als ihrer Vorstufe steht, das musische Tor zur eigentlichen Kontemplation. Λόγοι mit Literatur zu übersetzen, wäre korrekt, klänge es in diesem Zusammenhang nicht zu „säkular" und unmusisch, denn die göttlichen Musen sind es, die allein jene Literatur garantieren, die fähig ist, der Kontemplation dieser Art als Basis zu dienen. Jedenfalls hat hier die ästhetische Freude ihren Platz neben dem Raptus des reinen Geistes, und selbstverständlich ist die ἀταραξία, die leidenschaftslose

Gelassenheit, Voraussetzung, zu deren Erlangung ein materiell abgesichertes Dasein den besten Beitrag liefert. Das Vorzeichen einer solchen Art von Kontemplation ist und bleibt durch die ganzen byzantinischen Jahrhunderte hindurch variabel: es kann christlich sein, es kann rein philosophisch sein, es hängt ab von den Voraussetzungen und den Variationsfähigkeiten des Adepten. Beschrieben kann sie immer nur werden als eine Leerform, als ein Schema und nicht als wirklicher Inhalt, der ja nur in der Confessio bis zu einem gewissen Grad zum Ausdruck kommen könnte. Wie immer man dieses Ideal im einzelnen mit Inhalt gefüllt haben mag, wie oft es auch bloße Aspiration oder leeres Schema geblieben sein mag – gepriesen wurde es allewegs durch das ganze byzantinische Jahrtausend und in Zweifel gezogen nur selten. Hier nur ein besonders charakteristischer Hymnus aus der Feder des Philosophen Joseph († ca. 1330: „Der Theoretikos hat sich besonders und ausschließlich dem Logos verschrieben. Wer eines solchen Lebens gewürdigt ist, hat Gott erreicht und schreitet auf den Berg der Gnade, auf Sion zu. Mit reinem Auge sieht er von dort herab auf das kleinliche Treiben der Menschen und auf ihre Plackereien. Er preist sich selbst glücklich und bildet für die anderen eine Quelle des Glücks. Er ist der Gelassene. Der Politikos aber, der Mensch in der Öffentlichkeit, bleibt zumeist dem niederen Teil seiner Seele verhaftet und findet nicht den reinen Weg zum Logos. Zuweilen leistet er Lobenswertes, aber das wirklich Gute, das ὄντως ἀγαθόν erreicht er nie."[11] Wer sich diesen Text genau ansieht, wird bezweifeln, ob es sich um den Ausdruck christlich-mystischer Erfahrung im klassischen Sinn des Wortes handelt; der Weg wird nicht bis zum Letzten eingehalten, wo er im Schweigen endigen müßte, und man wendet sich zu rasch um, damit die Distanz nach unten gemessen werden kann. Der im Text enthaltene Ausschließlichkeitsanspruch eines isolierten Standes ist zugleich verräterisch für das soziale Minus; kurz, das Zitat beweist die nicht ganz zu leugnende Fragwürdigkeit des Ideals. Natürlich kann man mit der Entwertung des politischen Einsatzes in einem autokratischen System argumentieren; doch damit würde man, wie immer im einzelnen das sogenannte autokratische System in Byzanz zu bewerten ist, generell das Postulat nach Politik unterbewerten. Eher doch scheint es sich um das Verweilenwollen in halkyonischen Tagen zu handeln, um ein elitäres Sichabsetzen von den praktischen Erfordernissen des Lebens in einer staatlichen Gemeinschaft, die den banausischen Alltag am liebsten einer unterprivilegierten Klasse überließ. Wie dem auch sei: auf der anderen Seite dieses Fragenkomplexes steht das Mönchtum. Noch hat es die Aufmerksamkeit der Welt kaum auf sich gelenkt, da dringt in das ägyptische Mönchtum, nicht zuletzt durch den eben erwähnten Euagrios Pontikos, eine Richtung, die das geistliche Leben der Einsiedler in ein System bringen möchte. Nicht daß Euagrios mit griechischer Philosophie oder genauer gesagt neuplatonischem Gedankengut pur cru operiert hätte; aber er orientierte sich am großen Origenes, dessen kosmisches System er für die Mönche sozusagen privatisierte. Die Prävalenz des Intellekts, besser gesagt des νοῦς, ist unbestreitbar, und die christliche Liebe hat ihren Platz – scheinbar wenigstens – auf einer bescheidenen Rangstufe. Am Anfang steht die Gelassenheit, die philosophische Ataraxia. Aber wiederum geht es um den Abfall vom Ur-Einen und die Rückkehr, um Bewegung und Ruhe, und dies alles so radikal verchristlicht, daß das Christentum fast schon wieder herausdividiert werden kann, jedenfalls das gleichzeitige christliche Dogma in den Hintergrund verwiesen wird. Der Aufstieg ist so ungestüm, daß ein bukolisch-musisches Darumherum keine Rolle mehr spielen kann. Mit dieser Mystik kann keinesfalls das ganze Mönchtum identifiziert werden, wahrscheinlich war nur eine kleine Minorität damit vertraut, aber es artikuliert sich mit dieser Mystik da am klarsten, wo es auf die gebildete säkulare Schicht in Byzanz trifft. Und wenn diese Mystik oder wenigstens einzelne ihrer Sätze im 6. Jahrhundert auch unter das Verdikt der dogmatischen Orthodoxie gerieten, im großen und ganzen blieben sie unangetastet, weil die Orthodoxie zwar Sätze aber keine religiöse Erfahrung verurteilen kann. Da dieses System von Weltflüchtigen getragen wurde, denen man das faktische Erlebnis ohne weiteres zutraute und zuschrieb, wurde es auch für die Gebildeten in der Welt bedeutsam, die hier ihr eigenes Ideal des musisch-beschaulichen Daseins einigermaßen wiederzufinden und zwar religiös verklärt wiederzufinden glaubten, was nicht selten ein Mißverständnis gewesen sein dürfte. Man konnte jedenfalls das eigene Ideal damit rechtfertigen und mit der Aura des Einmaligen und Exklusiven umgeben. Aber den gebildeten Aspiranten auf literarische Kontemplation konnte es nicht verborgen bleiben, daß die bei den Mönchen unterstellte Kontemplation im Idealfall mit einer total darauf eingestellten äußeren Lebensform, der Negation aller Weltlichkeit zusammenging. Mit anderen Worten: der Mönch verwirklichte das kontemplative Ideal wesentlich radikaler als der Kontemplative in der Welt. Er mußte sich also daran messen und messen lassen und innerhalb seines Rahmens die Approximation suchen. Damit aber bekam das Mönchtum eine Art von Signalwert auch für den Gebildeten in der Welt, aber auch eine Art von Grenzwert – eines Grenzwertes, der dann eben in die Grenzbezirke des säkularen Lebens gehört und nur, insofern er Grenzwert ist, „dazugehört". Es ist eine Integration in die byzantinische Gesellschaft, die zugleich desintegriert, eine Vereinnahme, die zugleich ausschließt – vielleicht eine der größten Selbsttäuschungen, denen der geistig orientierte Byzantiner unterliegt, weil dem Wesen nach sein Ideal mit dem der Mönche eben doch nicht identifizierbar ist.

Jenseits – um auf diese Frage zurückzukommen – ist zunächst wenigstens überhaupt nicht gemeint, weder bei den Weltleuten, noch auch bei den Mönchen. Wenigstens zu letzteren ein paar diesbezügliche Anmerkungen: Für Euagrios etwa ist das „Himmelreich", worunter sich der Durchschnittsbyzantiner wohl ein Leben im Jenseits vorstellte, identisch mit jener „Gelassenheit" (ἀπάθεια), die den Geist befähigt, die Transparenz der Schöpfung für die „rationes" aller Dinge in Gott zu erfassen; mit Jenseits hat dies nichts zu tun und unter „Gottesreich" versteht er die Gnosis der Trinität selbst, „koextensiv mit der Substanz des Intellekts", – eine Erkenntnis, die zwar im Jenseits ihre letzte Stabilisierung erreicht, aber schon im Diesseits realisierbar ist. Für Maximos den Bekenner sind die höchsten geistlichen Erlebnisse eine „Parusie" des Herrn, die ebenfalls schon im Diesseits vorweggenommen werden kann. Der Zeitbegriff wird völlig transzendiert, das Erlebnis ist völlig „unzeitlich", aber „diesseitig" in der Heilsgeschichte. Was für das Jenseits bleibt, darüber wird selten in mehr als dürftigen Andeutungen gehandelt.

Grenzwert ist das Mönchtum und zugleich Wert von hohem Ansehen aber auch für das christliche Leben schlechthin in einer anderen Beziehung, die nun tatsächlich mit Tod und Jenseits zu tun hat. Ist der Mönch der vollkommene Christ, und ist er dies kraft seines Standes – dies die ständig wiederkehrende Simplifikation – dann ist er seines jenseitigen Heils sicher. Der Mensch in der Welt und ihren Versuchungen kann sich dessen durchaus nicht sicher sein, ja nach der Vollkommenheitstheorie des Basileios des Großen ist ihm das Heil fast unmöglich, weil der von ihm geforderte „heroische" Tugendgrad in der Welt so gut wie nicht zu verwirklichen ist. So bleibt der Mensch in der Welt aus Schwäche, aus Vergnügen, aus Pflicht oder nur eben, weil er in sie geworfen ist. Aber wenn es dem Ende zugeht, tut er gut daran, einen Standeswechsel vorzunehmen und auf dem Sterbebett spätestens oder im hohen Alter den Mönchsstand zu ergreifen, das „Gewand der Engel" überzuziehen. Dann kann er damit rechnen, daß ihm diese „zweite Taufe" das Heil garantiert. Das Mönchtum „steht zur Disposition" für einen späteren Gebrauch. Es ist – nochmals sei es unterstrichen – Grenzwert, und zwar so sehr, daß der Mönch, dem man auf der Straße begegnet, mit all seinen Fehlern und Verfallserscheinungen, aber auch mit seinen asketischen Heldentaten kaum noch zählt. Was zählt ist, daß Mönchtum vorgegeben ist als Dauermahnung, um auf die Heilssicherung im letzten Augenblick nicht vergessen zu lassen. Nur in Parenthese: damit erklärt sich wohl auch die zu vermutende weitgehende Indifferenz der Byzantiner gegenüber den Fehlleistungen einzelner Mönche!

Der Mönch ist schließlich der Seelsorger des Byzantiners in der Welt. Allzu wörtlich braucht dies nicht genommen zu werden, etwa als scheide der Weltklerus in diesem Punkt völlig aus, aber im großen und ganzen dürfte es richtig sein. Von der Bedeutung des mönchischen Ideals in der letzten Lebensstunde her erklärt sich dies ohne weiteres. Man darf aber auch annehmen, daß der einfache Klerus in Lebenshaltung, Erwerbsleben und materiellen Gepflogenheiten und Befangenheiten so eng mit der Bevölkerung verstrickt war, daß man ihm für ernstere seelische Angelegenheiten nicht mehr jene Distanz zutraute, die nun hier einmal erwünscht ist. Was diese kleinen Verflechtungen auf dem Dorf bewirkten, das taten im höheren Klerus in den Städten und vor allem in Konstantinopel gesellschaftliche und politische Verbindungen und Gruppierungen. Daß der Druck der Grundherrschaft reicher Klöster auf dem Land zu starken Antipathien und Aversionen führte, ist uns bekannt. Doch wurde schon darauf hingewiesen, daß es in einem byzantinischen Kloster kaum eine einheitliche Plattform gemeinsamer Einstellung zu Fragen des täglichen Lebens außerhalb des Klosters gegeben haben dürfte. Dies erleichterte es jenem Mönch, der sich nicht um Wirtschaft und um Vermehrung des Landbesitzes kümmerte, sondern dem das religiöse Leben der Hintersassen am Herzen lag, sich vom Gebahren der Äbte und Ökonomen zu distanzieren, und erleichterte es den Hintersassen, sich an ihn mit ihren Nöten zu wenden. Entscheidend für das Zurücktreten des Weltklerus aber ist die byzantinische Vorstellung von der Beichte als Sakrament. Im Grunde gab immer die moralische Qualität des Beichtvaters, ob nun nur unterstellt oder vorhanden, den Ausschlag, was immer Patriarchen oder Synoden dagegen sagen wollten: der echte Beichtvater, der das volle Vertrauen verdient, ist der Geistträger, der Enthusiast; ob er die kirchlichen Weihen hat oder nicht, spielt eine geringe Rolle. Ex professo aber ist der Mönch der Geistträger. Gerade Symeon der Neue Theologe hat diese Lehre mit Nachdruck vertreten, und unter dem falschen Autorennamen Joannes von Damaskos konnte sein Traktat darüber auch jene ansprechen und gläubig stimmen, für die Symeon denn doch zu enthusiastisch war.[12]

Ein weiteres – und wiederum aus byzantinischer Sicht, was immer ein moderner Historiker darüber denken will. Es ist an anderer Stelle die Rede von der politischen Orthodoxie gewesen als einem konstitutiven Element des gesamten byzantinischen Lebens. Eine der großen Provokationen dieser Orthodoxie war ihre Infragestellung durch die römische Kirche, die nun eben doch und insgeheim auch für die Byzantiner die „mater omnium ecclesiarum" war, eine Provokation, die in späterer Zeit im Rücken die wirtschaftliche Übermacht jenes Landes zur Verfügung hatte, in dem der Papst seinen Sitz hatte. Sich dieser Provokation zu beugen, schien immer wieder politisch opportun, etwa wenn es um Hilfe gegen die Seldschuken oder Osmanen ging. Die Kaiser waren bereit, sich mit Rom zu arrangieren, der eine eher, der andere später. Fast immer hat die Kirche, haben die Patriarchen solche Versuche sabotiert. Aber es scheint, als habe sich diese hierarchische Front langsam und bis zu einem gewissen Grad aufweichen lassen. Dies zeigt sich deutlich zur Zeit, als Kaiser Michael VIII. mit Rom über die Kirchenunion verhandelte und sie schließlich zum Abschluß brachte. Die dogmatische Opposition, die sich dagegen artikuliert, wird durch so gut wie keinen Bischof, dafür aber fast ausschließlich durch Mönche repräsentiert. Sie konnten damit umso eher die Massen gewinnen, weil sich diese Opposition mit jener der kleinen Leute und des niederen Klerus im restlichen kleinasiatischen Besitz des Reiches verband, die sich gegen den Palaiologen als einen Usurpator richtete und den Verlust der Bedeutung Nikaias nach der Wiedereroberung Konstantinopels 1261 nicht verschmerzen wollte. Von da ab sind die Mönche im besonderen Maße Hort der Orthodoxie, was sie früher nicht gewesen waren. Und jetzt hegt man sie und hätschelt sie, vor allem auf dem Berge Athos, fast wie einen Naturpark, besser wohl einen Nationalpark, auf dem dann manches wachsen und wuchern darf, was früher kaum möglich gewesen wäre. Beweis der Hesychasmus. Mit dieser großen Bewegung rückt der Athos und was immer sich ihm anschließt, wieder voll in den kontemplativen Rang der echten „Philosophie". Und dieser echten Philosophie zuliebe, scheut man sich nicht, die Orthodoxie neu zu definieren. Die Mönche selbst können es sich erlauben, was früher nur einer Synode zustand, nämlich einen dogmatischen „Tomos" zu veröffentlichen, dessen Inhalt einem konservativen Orthodoxen unlösliche Aufgaben stellte: aber man löste sie eben dann doch zugunsten der Mönche, weil sie unantastbar geworden waren. Es ging ja auf die Dauer, angesichts der lebensgefährlichen Bedrohung der Existenz, nicht mehr so sehr um das im einzelnen dogmatisch Richtige, als vielmehr um die Erhaltung jenes Lebensgefüges, das nun eben die politische Orthodoxie darstellte, um ein vaterländisches Erbe, um ein letztes Sichaufbäumen gegen unbezahlte Nachgiebigkeit angesichts der Forderungen jener, die ihre Hilfsbereitschaft in ein Junctim mit religiösen Forderungen brachten. So mögen die Hierarchen 1439 neuerdings ein Unionsdekret unterschreiben – es bleibt in der Heimat fast ohne Folgen, weil sich dort eine Mönchskirche konstituiert, die eines Patriarchen entbehren kann.

Einige Aspekte dieses Mönchtums, die besondere Kritik hervorgerufen haben, bedürfen noch kurzer Bemerkungen. Man hat behauptet, das rapide Anwachsen der Mönchsgemeinschaften habe den Bevölkerungsstand des byzantinischen Reiches schwer geschädigt und eine demographische Krise ausgelöst, bedingt durch den Ausfall des Nachwuchses. Diese Massen von Mönchen hätten ganze Familien zerstört und die produktive Bevölkerung mächtig reduziert. Es ist nicht leicht, zu solchen Behauptungen kritisch Stellung zu beziehen. Daß der Byzantiner zu einigermaßen verläßlichen Zahlenangaben ein gebrochenes Verhältnis hat, ist bekannt: aus fünfundfünfzig werden leicht hundert und aus hundert ebenso leicht tausend. Man sollte auch nicht übersehen, daß die hohen Zahlen von Mönchen, die immer wieder angegeben werden, meist aus dem Mund von Lobrednern des Mönchtums stammen, die auf ihre enkomiastisch-amplifizierende Weise den ungeheuren Erfolg der monastischen Bewegung zelebrieren wollen. Trotzdem bleibt wohl die Tatsache bestehen, daß die Mönche einen nicht unbeträchtlichen Teil der Reichsbevölkerung ausmachten. Bevölkerungskrise? Wir wissen von solchen Krisen in Konstantinopel z. B. im 6. und wiederum im 8. Jahrhundert. Die Quellen, so weit ich sie kenne, führen die Krise auf die Pest und nicht auf das Mönchtum zurück. Daß Kaiser Konstantin V. die

Eheschließung von Mönchen mit Nonnen erzwang, mag auf Wahrheit beruhen, doch dürfte der Grund keineswegs bevölkerungspolitisch gewesen sein, sondern der Wunsch des Kaisers, das Mönchtum in seiner Substanz zu treffen. Ob die Maßnahmen nicht weniger Kaiser vor der Periode des Ikonoklasmus, mit denen sie beträchtliche Massen von Slaven, aber auch anderen Stämmen in Kleinasien ansiedelten, wo also genug Siedlungsgrund freigelegen haben wird, mit der Anachorese, dem Weglaufen der ursprünglichen Bevölkerung von Haus und Hof zu tun hatte, dürfe schwer zu erweisen sein. Die lange persische Okkupation des Territoriums, die arabischen Razzien usw. werden genug Menschen auch ohne monastische Hintergedanken zur Flucht bewogen haben, und die neuen Siedler waren nicht zuletzt als Wehrsoldaten gedacht, d. h. die Absicht, der Landwirtschaft aufzuhelfen, muß nicht das Erstbestimmende gewesen sein. Jedenfalls bleibt die Flucht ins Kloster als Ursache unbestimmt und ich jedenfalls kann sie aus den Quellen nicht überzeugend belegen. Daß die monastische Bewegung viele Familien auflöste und zerstörte, darüber kann nach den Berichten der Mönchviten kaum ein Zweifel bestehen. Eine andere Frage ist, inwieweit damit ein spürbarer Produktionsrückgang verbunden ist. Denkbar wäre, daß es sich auf das Steueraufkommen ausgewirkt hat. Doch sollte man hier nicht allzu frisch-fröhlich von modernen volkswirtschaftlichen Vorstellungen ausgehen. Es ist denn doch die Frage zu stellen, wie es mit dem Rücklauf der Steuergelder in die Volkswirtschaft bestellt war oder in welchem Ausmaße das Steueraufkommen dazu diente, die Wohlfahrtseinrichtungen des Staates zu finanzieren. Wenn z. B. von verschiedenen Kaisern Steuergelder wieder in klösterliche Kanäle zurückgeleitet wurden, so waren dabei neben geistlichen Beweggründen doch da und dort auch solche der Wohlfahrt mitbestimmend, etwa um Rentnerplätze zu finanzieren oder staatliche Wohlfahrtsinstitute, die in den Händen von Mönchen lagen, zu erhalten. Wie viel an Steuergeld darüber hinaus überhaupt nicht volkswirtschaftlich angelegt wurde, sondern zur Erhöhung des Lebensstandards des Hofes und der herrschenden Klasse diente – darüber könnte man jedenfalls nachdenken. Es soll hier keineswegs geleugnet werden, daß die mönchische Bewegung sich demographisch auswirkte. Was allein gesagt werden soll, ist, daß man sich über Ausmaß und Grad kaum eine annähernd präzise Vorstellung machen kann. Noch dazu wurde schon darauf hingewiesen, daß wahrscheinlich viele Byzantiner ein Kloster erst dann aufsuchten, wenn sie ihr bevölkerungspolitisches Soll schon erfüllt hatten; und nach Lage der Quellen ist es nicht einmal frivol anzunehmen, daß gelegentlich dieses Soll auch nach dem Klostereintritt noch verbessert werden konnte.

Mit dieser ganzen Frage hängt auch die andere nach dem klösterlichen Grundbesitz zusammen. Das Problem des Besitzes in „toter Hand"! Wiederum wäre eingangs auf das Verhältnis der Byzantiner zu Zahlenangaben zu verweisen – dazu aber auch auf das gebrochene Verhältnis mancher By-

zantinisten zu eben diesem Komplex. Woher man wissen will, daß schon im
7. und 8. Jahrhundert ein Drittel des gesamten Bodens im Besitz der Kirche
und der Klöster war, ist mir schlechterdings unerfindlich, auch wenn es in
der Sekundärliteratur noch so oft wiederholt wird. Aufschluß über bedeutenden klösterlichen Grundbesitz erhalten wir urkundlich nicht vor dem
Ende des 9. und dem beginnenden 10. Jahrhundert. Aber auch hier fehlt
jede Art von Zahlenangaben, die sich ökonometrisch verwenden ließen. Die
Konfiskationen solchen Klosterbesitzes oder seine Zweckentfremdung unter Kaiser Konstantin V. dient nicht der Ausbalancierung des wirtschaftlichen Gleichgewichts oder der Verhinderung jener wirtschaftlichen Nachteile, die mit der „toten Hand" verbunden sind, sondern fast immer militärischen Zwecken unmittelbar, bzw. der Bereitstellung von Geld für die Kriege
des Kaisers. Wie immer man zu Klöstern eingestellt sein mag – es ist eine
historische Tatsache, daß sie außerordentlichen staatlichen Maßnahmen der
Geldbeschaffung durch ihre ganze Geschichte hindurch weniger Widerstand
entgegenzusetzen vermögen als privatwirtschaftlicher Besitz. Und daß die
Geschichte der Säkularisationen mit verschwindenden Ausnahmen in diesen
wirtschaftlichen Bereich gehören, ist eine schlichte Tatsache. Daß der Klo-
sterbesitz im Laufe der Jahrhunderte in Byzanz immer größer wurde, läßt
sich dann doch dokumentieren. Wie kam es dazu? Ohne Zweifel, wie groß
die Habsucht der Klöster auch gewesen sein mag, wie wenig zimperlich sie
sich beim Erwerb gezeigt haben mögen, geht ein sehr beträchtlicher Teil
dieses Besitzes eben doch auf freiwillige Schenkungen etwa der Kaiser und
Kaiserinnen und hoher Adeliger zurück. Man würde den innersten Drang
der Byzantiner, sich ein ewiges Heil durch fromme Stiftungen einigermaßen
zu sichern, verkennen, würde man den Gründen, die sie in ihren Stiftungs-
urkunden angeben, einfach keinen Glauben schenken. Die Klöster werden
wahrscheinlich kräftig dabei mitgeholfen haben, diesen Drang des frommen
Byzantiners zu stärken, aber er bleibt auch ohne dies ein historisch zu ver-
wertendes und zu berücksichtigendes Factum, um das wir nicht herumkom-
men. Die Prosperität der byzantinischen Klöster steht in engster Beziehung
zur allgemeinen, auch den Laien eigenen byzantinischen Weltanschauung.
Wurde dadurch die Wirtschaft geschädigt, so fällt die Verantwortung zu
einem hohen Prozentsatz eben doch den Stiftern, den Kaisern selbst und den
hohen Adeligen und Reichen zu. Was aber die Schädigung der Wirtschaft
anlangt, so fällt mir, ohne daß ich von wirtschaftlichen Dingen viel
verstünde, doch ein Widerspruch auf. Auf der einen Seite betont man,
wahrscheinlich mit Recht, die Habsucht der Klöster, die mit allen erdenklichen Mitteln ihren Grundbesitz mehrten, und erklärt auf der anderen Seite,
sie hätten den Boden derartig vernachläßigt, daß sich „früher fruchtbare
Gebiete in Wüsteneien" verwandelten. Damit hätten die Klöster die Landwirtschaft ruiniert. Theoretisch mag man sich das Sammeln von Grundstük-
ken um der Grundstücke willen vorstellen, die man dann brachliegen läßt,

aber eben besitzt; auch in dem bloßen Besitz liegt ein besonderes Vergnügen. Besieht man sich aber die Urkunden, so ergibt sich doch eindeutig, daß das Kloster mit einem Grundbesitz immer auch die Leute erwarb, die bisher diesen Besitz bearbeitet hatten, als Eigentümer oder häufiger noch als Paröken eines anderen Herren. Der Erwerb eines solchen Grundstückes brachte dem Kloster ipso facto auch die Arbeitskraft dieses Paröken und damit den Ertrag des Grundstückes. Und aus den genannten Urkunden ergibt sich mit aller Deutlichkeit, daß die Klöster nicht gewillt waren, diesen Ertrag zu vernachlässigen oder gar zugunsten des Paröken auf ihn zu verzichten. Die Klöster verstanden sich auf ihr Geschäft, und der Überschuß der Erträge kam gewiß auf den Markt, d. h. er floß in den wirtschaftlichen Haushalt des Reiches. Es gibt keinen Grund, der zur Annahme berechtigte, die Wirtschaftlichkeit der Klöster sei geringer gewesen oder dem allgemeinen Güterumlauf weniger zugute gekommen als die der gleichzeitigen Pronoiare und sonstigen Großgrundbesitzer. Jedenfalls glaube ich nicht, daß die fatale wirtschaftliche Lage des Reiches in der Spätzeit ausschließlich oder auch mit besonderem Vorzug den Klöstern zuzuschreiben ist. Venedig etwa und andere italienische Handelspartner haben sich seit dem 12. und erst recht seit dem 13. Jahrhundert derart viele Vorzugsrechte von den Kaisern einräumen lassen, daß auch eine Säkularisation des gesamten Klosterbesitzes daran nicht viel geändert hätte. Würde man allerdings glauben, damit sei eine Apologie des klösterlichen Besitzstandes in Byzanz ganz generell gemeint, so wäre dies ein großes Mißverständnis! Wer im Namen von hohen Idealen antritt und aus dieser Identifikation mit transzendenten geistlichen Bezirken sein Prestige bezieht, hat auch vor der Geschichte Verpflichtungen. Das allzu Menschliche als Milderungsgrund muß bestimmt in Betracht gezogen werden, nur kann es nicht durch dick und dünn in Anspruch genommen werden. Doch verallgemeinernd läßt sich sagen: Legt man an das byzantinische Mönchtum „innerbyzantinische Maßstäbe" an, so gehört es wesentlich zu dieser Welt. Vieles was davon dem spezifisch westlichen Betrachter nicht passen will, selbst wenn er auf dem Boden einer christlichen Weltanschauung steht, erweist sich im byzantinischen Rahmen als durchaus verständlich. Und was selbst innerhalb dieses Rahmens anstößig bleibt, beruht zumeist auf einer merkwürdigen Interferenz der byzantinischen Gesellschaft und Öffentlichkeit mit einer Lebensform, die diesem Interesse nicht gewachsen ist.

VII. Bemerkungen zur byzantinischen Gesellschaft

Wir sind, glaube ich, von einer Geschichte der byzantinischen Gesellschaft, die wirklich diesen Namen verdient, noch weit entfernt. Dies sowohl aus materiellen wie aus methodischen Gründen. Mehr als einige Überlegungen zum Thema Gesellschaftsstruktur können hier nicht angeboten werden. Zunächst ein methodisches Problem. In der modernen Gesellschaftsgeschichte spielt die Frage eine große Rolle, auf welchem sozialen Hintergrund, welchen ökonomischen Zwangslagen zufolge, Stände und Staaten ihre besonderen Ideologien aufbauen und ihre Theoriekritik betreiben; die Frage, inwieweit und ob überhaupt ideologische Parolen als autogenes Produkt abstrakten Denkens betrachtet werden können, ob es nicht im Grunde nur darum geht, bestehende gesellschaftliche Machtverhältnisse im nachhinein zu rechtfertigen oder gesellschaftliche und wirtschaftliche Forderungen und Absichten – chronologisch von vornherein, logisch aber eben auch aposteriori – mit einem theoretischen Anspruch zu umgeben, um die politische Zielsetzung eingängiger zu machen. Daß solche Fragen heute mehr und mehr auch die Byzantinistik bewegen, ist klar zu sehen. Und gerade weil man auf unserem Studiengebiet lange Zeit „Geistesgeschichte" so gut wie unabhängig von der gesellschaftlichen Lage ihrer Vertreter als reine Gedankenkomplexe abgehandelt hat, wäre es pure Bequemlichkeit, wenn nicht Schlimmeres, sich der neuen Fragestellung mit dem Vorwurf, es handle sich schlicht um eine Mode, zu entziehen. Sich zu fragen, wer denn die Leute waren, die sich als Propagandisten der byzantinischen Kaiseridee betrachteten, ist nicht Diktat einer Mode, sondern ein Postulat der byzantinischen Geschichte schlichthin. Nach dem, was hier schon über die politische Orthodoxie gesagt worden ist, bedarf es wohl kaum eines eigenen Hinweises, daß unter dem Gesichtspunkt Ideologiekritik auch die byzantinische Dogmengeschichte nicht ausgespart werden kann.

Nun sollte man sich freilich davor hüten – und damit komme ich zu meinem methodischen Problem –, jede ideologische Aussage dogmatisch als Ausfluß konkreter sozio-ökonomischer Verhältnisse abzustempeln, ohne den Beweis dafür anzutreten, auch wenn ein solcher Beweis vielleicht nur bis zu einer Konvergenz von Wahrscheinlichkeiten gerät. Heute wird von dieser Beweislast selten gesprochen, der kausale Nexus wird vielmehr fast immer als Dogma unterstellt. Dies ist verständlich, denn, was die Neuzeit betrifft, so ist dieser Nexus fast immer mit Händen zu greifen. Faschistische Ideologien z.B. werden heute nicht von Träumern im grünen Gras ausgedacht, um Stoff für die Konversation beim Picknick zu liefern, sondern um

radikal mit der Krise des bürgerlichen Mittelstandes, in die man selbst geraten ist, fertig zu werden – oder wie immer man sonst Faschismus definieren
will. Die Präsidialdemokratie der Fünften Republik ist ohne Zweifel nicht
das Produkt einer abstrakten politischen Gedankenführung, sondern primär
zugeschnitten auf die Algerienkrise und den mutmaßlichen Erretter aus dieser Krise. Und wenn eine Kirche wie die russisch-orthodoxe ihr Wesen und
ihre Ziele immer neu zu definieren versucht, so handelt es sich kaum um
abstrakte Ekklesiologie, sondern zu einem guten Teil um den Versuch der
Existenzsicherung hic et nunc.

Doch gilt, was von der Gegenwart behauptet werden kann, für alle Zeiten? Für den Historiker erhebt sich das Problem der spezifischen Mentalitäten und geistigen Grundeinstellungen vergangener Epochen und damit ganz
allgemein die Frage, ob man sich, im Gegensatz zu den Erfahrungen mit der
modernen Zeit, Epochen denken kann und muß, die sich der „Ideologiebil-
dung" viel abstrakter hingegeben haben, ohne Motivierung durch soziale
und ökonomische Verhältnisse, oder – wenn davon mit motiviert – diese
Ausgangsposition weit hinter sich gelassen haben. Hält man – hypothetisch
– das byzantinische Zeitalter für eine solche Epoche, dann kann man jedenfalls die wirtschaftliche oder gesellschaftliche Motivation für die Ideologie-
bildung nicht unbewiesen an den Anfang der Argumentation stellen. Der
Nachweis dieser Motivation ist dann notwendig belastender als in den
neueren Zeiten. Diese erhöhte Beweislast kann dazu führen, daß gelegentlich auf die genannte Motivation überhaupt verzichtet werden muß, weil sie
pure Vermutung bleibt – was allerdings nicht selten Schuld der Quellenlage
sein kann, oder aber, daß die Motivation in einer tieferen Bewußtseins-
schicht gesucht werden muß, als sie oberflächlicher Materialismus anzubieten hat.

Kann man Byzanz als eine solche Epoche bezeichnen? Dazu zunächst eine
Überlegung ganz allgemeiner Natur. Schon in der Einleitung zu diesem Buche wurde darauf hingewiesen, daß Byzanz als Erbe des Hellenismus von
diesem auch die exzessive Lust am Wort und am Kampf mit dem Wort, die
„Logomachia" übernommen und angestrengt weitergepflegt hat. Doch ehr-
licherweise ist einzuräumen, daß das Etikett „Logomachie" aus der Feder
der Literarhistoriker stammt, und zwar von Literarhistorikern, denen die
„gesellschaftliche Relevanz" der hellenistischen und byzantinischen Literatur in einem hohen Grade gleichgültig war. Logomachie zu konstatieren
und es dabei zu belassen, könnte somit das Ergebnis der harmlosen Naivität
von gestern sein. Die Logomachen jedenfalls nehmen ihr Geschäft außerordentlich ernst, und selbst bei bestem Willen kann man es nicht übersehen,
daß auch Autoren, die ohne Zweifel zu diesen Wortspielern und Wortfech-
tern gehören, hier und da zum Wort greifen und zugleich mit ihrem Spiel an
die soziale Wunde geraten. Das spielerische Epigramm des Palladas von
jener Grammatikertochter, die ein Neutrum gebiert: ist es nur Spiel der

Katachrese mit dem Begriff „Geschlecht" oder – und zugleich? – verräterische Extrapolation des Ungenügens an rein nachvollziehender, nicht aus sich schöpferischer Philologie? Daneben gibt es freilich die rabulistische Zänkerei, der man selbst unter heroischem Aufwand auf den ersten Blick keinen Bezug zur täglichen Wirklichkeit der Zänker und ihrer Umwelt nachweisen kann. Doch Vorsicht ist am Platz. Vielleicht können nur eben wir Heutigen keinen solchen Bezug mehr entdecken, weil wir die Umwelt zu schlecht kennen und die Zeugnisse uns so „nackt" unter die Augen kommen. Vielleicht ist eben der „gesellschaftliche Bezug" nicht auf jener platten Oberfläche zu finden, auf der man sich gewöhnlich bei derartigen Fragestellungen bewegt. Ich möchte dies mit aller gebotenen Vorsicht Selbstdarstellung und Selbstbehauptung einer „Kaste" nennen, der es nicht um die „anderen" und nicht um irgend eine evidente wirtschaftliche Misère oder dergleichen geht, auch nicht um die oberflächliche Rechtfertigung eines Standes, sondern um die Profilierung eines Selbstverständnisses, um den Nachweis der Bedeutung des zu Worte kommenden Einzelnen innerhalb der Kaste. In zweiter Linie allerdings geht es dann nicht nur um das Ansehen des Einzelnen in der Kaste, sondern ebenso sehr um das Ansehen der Kaste innerhalb der Gesellschaft, und mit dem Ansehen drittens um finanzielle Interessen und damit um den eigenen ökonomischen Fortbestand, der bis zu einem gewissen Grad von solchen abhängt, die nicht zur Kaste gehören. Der ökonomische Bezugspunkt ist nicht das Erstgemeinte, aber er ist mit eingeschlossen. Die Vehemenz, mit der diese Profilierung betrieben wurde, hatte zur Folge, daß die logomachischen Spielmodelle der Kaste auch außerhalb der Kaste übernommen wurden und zwar gerade von Mitgliedern jener Kreise, von denen die Kaste schließlich lebte – was die gesellschaftliche Bedeutung der Kaste selbst nur heben konnte. Dies aber ist nicht denkbar ohne eine Affinität der Mentalitäten. Darauf wird noch zurückzukommen sein. Jedenfalls kann unter dem Etikett Logomachie mehr stecken als das oberflächliche Urteil von Literarhistorikern, nämlich eine zwar differenzierende, aber doch mehreren gesellschaftlichen Schichten eigene Liebe zum Wort und zur „Theorie", zunächst mehr um der Theorie willen als um eines in Frage stehenden sozialen Substrats willen.

Zu diesen allgemeinen Bemerkungen einige byzantinische Exempla. Wer sich in die wüsten Kontroversen vertieft, die um die Wende zum 10. Jahrhundert zwischen den Literaten Konstantinos Rhodios und Theodoros Paphlagon ausgetragen wurden,[1] dem wird es kaum gelingen, dahinter mehr als Zank und Streit innerhalb einer Gruppe zu entdecken, wo jeder jedem Feind ist, weil jeder nur das Verlangen kennt, sich selbst darzustellen. Die Gesellschaft als solche soll nicht in Bewegung gebracht werden noch geht es um die Rechtfertigung des Bestehenden oder um eine Utopie für die Zukunft. Der Konkurrenzkampf um mutmaßliche Mäzene kann nicht von vorn herein ausgeschlossen werden, die vorhandenen Angaben reichen aber kaum aus, um hier die Motivation des Streites zu entdecken. Gegenstand des Streites ist z. B. die Frage, ob es zur Zeit, in der sich die beiden Autoren Grobheit um Grobheit an den Kopf werfen, noch Männer gebe, die man als gelehrt und weise im Sinne der aus der Antike übernommenen Standards bezeichnen könne. Hinter dieser Frage kann man das große Problem der kulturellen Mission der Byzantiner entdecken. Aber auch darüber keine Andeutung! Und wer sich die Mühe macht, die Kontroverse wirklich durchzulesen, wird eine solche hintergründige Rechtfertigung bald fallen lassen. Aber die Rechtfertigung des eigenen Daseins dieser Literaten ist doch kaum zu übersehen, d. h. das soziale Anliegen dahinter ist nicht völlig zu verkennen, der Versuch, die Nichtigkeit des eigenen Treibens in eine größere Perspektive einzuordnen. Denn wenn der Paphlagonier die Existenz solcher weiser Männer leugnet, vernichtet er nicht etwa sich selbst, sondern konstatiert er ein Vacuum, das Aufgabe wird.

Ein weiteres Beispiel trägt zunächst einen ganz anderen Charakter: es geht um dogmatische Theologie und damit um die Frage, ob und wie weit hinter solchen Kontroversen die ideologische Selbstbehauptung der Orthodoxie vermutet werden darf. Es handelt sich um jene Ketzereien, die Jean Gouillard als „hérésies des didascales", als Professorenkontroversen bezeichnet hat. Zur Debatte stand zum Beispiel das Wort Christi: „Der Vater ist größer als ich" oder der Satz der Liturgie: „Derselbe ist es, der opfert und der geopfert wird".[2] Für Öffentlichkeit war gesorgt: Synoden tagten, Pamphlete erschienen, das Kaisergericht trat zusammen und der Kaiser selbst griff in die Kontroverse ein. Die Dogmenhistorie kann den Versuch machen, hier in irgend einer Form eine erneute Abklärung jener Christologie zu entdecken, die man in Chalkedon 451 definiert, bald aber durch die Wiederaufnahme der Formeln des Kyrillos von Alexandreia wieder aufgeweicht hatte. Der Versuch ist gemacht worden, aber er wird wenigen einleuchten. Wollte man den Begriff Sozialcharakterologie einführen und als Unterbegriff den gesellschaftlicher Mentalitäten, so ist kritisch gesprochen zwischen den Theologen des 12. Jahrhunderts und den Streithähnen um die Wende zum 10. Jahrhundert kaum ein Unterschied zu entdecken. Eine kleine Gruppe hoher Kathedralkleriker, dem Trend des komnenischen Zeitalters entsprechend nun stark an „scholastischen" Fragen interessiert, materiell in der Lage, diesen Interessen in Ruhe intensiv nachzugehen, beruflich im übrigen kaum ausgelastet, sucht nach Mitteln der Selbstdarstellung und der Rechtfertigung ihres sozialen Anspruchs. Tiefenschärfe bekommt der Streit erst auf dem Hintergrund jener umfassenden Provokation, der sich die klassische Orthodoxie in diesem Zeitalter etwa seitens bogomilischer, paulikianischer und „euchitischer" Strömungen ausgesetzt sieht. Um nur einen Gesichtspunkt herauszugreifen: hinter den provozierenden Strömungen steht immer wieder der Rückgriff auf die schlichte Botschaft des Evangeliums, an der die politisierte Hierarchie der Kirche gemessen wird. Die

Schwierigkeiten der Dogmatiker aber leiten sich wenigstens teilweise aus derselben Quelle her, d. h. – à propos „der Vater ist größer als ich" – sie sehen sich im Zwiespalt zwischen „adoptianistisch" anmutenden Äußerungen des Neuen Testaments, einer dynamischen Christologie also, wenn der Ausdruck nicht mißverstanden wird, und jener Statik, die mit den Definitionen von Chalkedon verknüpft ist.

Nur: da ihnen die dogmatische Finesse ebenso sakrosankt bleibt wie ihren orthodoxen Gegnern, kommt es zu keinem Ausbruch aus den Banden der politisierten Orthodoxie, die Angelegenheit bleibt „systemimmanent": die Wildenten fliegen hoch über den Hinterhof und die „didascalen" schlagen schüchtern mit den Flügeln.

Als eines der besten Beispiele für die Schwierigkeiten, die mit dem methodischen Prinzip, das eingangs beschrieben wurde, verbunden sind, kann man wohl den byzantinischen Bilderstreit ansehen. Der ökonomische, aber auch der politische Erreger des Streites ist in sehr verschiedenen Richtungen gesucht worden. Gelgentlich hat man die mönchische Opposition gegen die bilderstürmenden Kaiser in den Vordergrund geschoben. Durch die Beseitigung der Bilder hätten die Klöster eine wirtschaftliche Schwächung erfahren, die sie nicht hinnehmen wollten. Dazu ist zu allererst zu bemerken, daß sich ein mönchischer Widerstand bedeutsamer Art in der ersten Phase des Streites unter Kaiser Leon III. überhaupt nicht feststellen läßt, sondern erst in der späteren Regierungszeit seines Sohnes Konstantin V.; und auch da wird nie wirtschaftlich argumentiert. Letzteres freilich kann nicht überraschen. Wie soll der wirtschaftliche Schaden der Klöster für den Historiker eruierbar sein? Wegfall des Erlöses durch die von Mönchen produzierten Ikonen? Wir wissen über eine ins Gewicht fallende Ikonenproduktion durch die Klöster in dieser Epoche überhaupt nichts, was auf irgend eine Weise quantifizierend in Rechnung gestellt werden könnte, so wie wir auch nicht wissen, ob die Herstellung von Ikonen mehr oder weniger in der Hand von Mönchen lag. Verloren die Mönche indirekt an Einkommen, etwa dadurch, daß der Zustrom der Wallfahrer zu den von den Mönchen gehüteten wundertätigen Ikonen ausblieb und damit auch die Spenden für die Klöster zurückgingen? Es dürfte kaum gelingen, auch nur ein Dutzend Klöster der damaligen Zeit als frequentierte Wallfahrtsorte auszumachen. Mit anderen Worten: Methodisch ist uns nur eine Aussage erlaubt: Unterstellt man, daß die Klöster vom Ikonenkult als Produzenten von Ikonen oder als Hüter von Wunderbildern auch wirtschaftlich profitierten – und diese Unterstellung ist nicht apriori von der Hand zu weisen – dann ist die Annahme legitim, daß ihr Kampf um die Bilderverehrung nicht mit ihrer religiös-theologischen Überzeugung *allein* erklärt werden muß, – einer Überzeugung, die ebenso wenig apriori ausgeschlossen werden darf. Über das Gewicht beider Motivationen im Gesamt ist keine Aussage zulässig, die nicht ihrerseits mit einem methodisch nicht haltbarem Apriori arbeiten würde. Nicht übersehen werden darf, daß auch in späteren Phasen des Streites nur ein Teil der Klöster und der Mönche als ikonodul bezeichnet werden kann; das gilt selbst von den Studiten in Konstantinopel.

Ein anderer Gesichtspunkt ist militärischer Natur. Ablehnung der Bilderverehrung vor allem bei den Thementruppen Kleinasiens, die gerade in dieser Ablehnung so etwas wie eine Garantie ihres Kampfgeistes gesehen hätten. Nicht zuletzt hätten wir hier den Ausdruck eines Ost-West-Gegensatzes: hier die bilderfreundliche hellenische Welt, dort eine dem Hellenismus indifferent gegenüberstehende, durch alle möglichen häretischen Strömungen für den Bildersturm prädestinierte Mentalität. Um es vorwegzunehmen: Der Einfluß häretischer Strömungen auf die Entstehung des Bilderstreites, etwa der Paulikianer oder Monophysiten, aber auch der Einfluß der Muhammedaner, ist bis heute reine Hypothese, die gegenüber den historisch belegten Nachrichten nicht in den Vordergrund geschoben werden darf. Was sich hier an Legenden gebildet hat, ist längst als Ausgeburt der Polemik nachgewiesen. Daß aber die Themen-Armeen die eigentlichen Träger des Ikonoklasmus gewesen seien, ist eine Verallgemeinerung, deren Berechtigung vor nicht allzu langer Zeit, hoffentlich für immer, widerlegt wurde.[3] Die Parteinahme geht vielmehr quer durch die Themen. Ikonoklasmus als Voraussetzung für kriegerische Schlagkraft und militärische Erfolge? Dazu läßt sich gewiß einiges aus den Anfängen des 9. Jahrhunderts beibringen, doch sollte man nüchtern genug sein zu sehen, daß es im Tiefsten nicht der Ikonoklasmus war, der angerufen wurde, sondern das große Vorbild der militärischen Erfolge und der kriegerischen Tatkraft des Kaisers Konstantin V., der nun eben („zufällig") Ikonoklast gewesen war, gemessen an der Schwäche der Kaiserin Eirene, die – ebenso „zufällig" oder auch nicht – Verehrerin der Bilder war, und ihrer unmittelbaren Nachfolger, die weder kalt noch warm waren. Daß in der „Heerespsychologie" aus dieser Zufälligkeit ein Kausalnexus wurde, leuchtet ein. Über die Hintergründe der ideologischen Kontroverse ist damit keine Aussage zu machen. Wir bleiben – faute de mieux – auf die nüchterne These angewiesen, daß es Kreise in der Kirche gab, denen der vorhandene Bilderkult eine Abweichung von den christlichen Idealen zu sein schien und daß sich einige Kaiser mit ihrem Anliegen solidarisierten. Das über die ursprüngliche Kontroverse gestülpte christologische Problem bleibt rein sekundär, so sehr es auch der Mentalität der byzantinischen Kontroverstheologie entspricht. Was die Kaiser im einzelnen motivierte, dieses politische Hasardspiel zu wagen, bleibt ein schwieriges Problem. Die Konkurrenz zwischen Kaiserbild und Christusbild mag sie hier und dort mitmotiviert haben, doch sollten wir nicht vergessen, daß auch die byzantinischen Kaiser gegenüber dem Virus der theologischen Kontroverse um ihrer selbst willen nicht immun waren, aber auch, daß man auch ihnen Verständnis für ein religiöses Anliegen nicht absprechen darf.

Trotz aller Einschränkungen: es gibt wohl auch in Byzanz da und dort den klaren Fall, in dem eine Ideologie eindeutig das soziale und ökonomische Anliegen oder den politischen Bedarf verrät. Die Herrscherideologie ist der klassische Fall. Doch wahrscheinlich kann hier auch die bogomilische Bewegung genannt werden. Nur sollte man sich die Dinge nicht allzu einfach vorstellen, etwa: Der arme, unterdrückte Landarbeiter entschließt sich, seinem Herrn den Dienst zu verweigern; angesichts seines dürftigen materiellen Potentials für eine solche Fronde sucht er in der Bibel nach einer die byzantinische orthodoxe Gesellschaft beeindruckenden Hilfe. Er entdeckt prompt die Sätze vom „Herrn dieser Welt", der kein anderer als der Teufel sein kann, und macht daraus ein dualistisches System, mit dem er in den Kampf ziehen kann. Wir müssen doch wohl mit einer langwierigen Verzahnung von Umständen, Einfällen und Anstößen rechnen, mit Knicken in der Entwicklung, mit einem selektiven Verfahren gegenüber den möglichen Argumentationsreihen usw., bis es dann zum Bogomilismus kommt. Das apriori und das aposteriori läßt sich im nachhinein logisch säuberlich konstatieren, aber diese Logik ist nicht immer die Logik des historischen Prozesses.

Ein einziger, selten herausgehobener Streitpunkt dieser Zeit scheint mir mehr auszusagen, aber die Initiative liegt jetzt bezeichnenderweise nicht bei den Klerikern der Hagia Sophia, sondern bei Kaiser Manuel I. Leider fehlen die Aktenstücke, aber aus dem Bericht des Niketas Choniates[4] läßt sich entnehmen, daß sich der Kaiser an der orthodoxen Abschwörungsformel stieß, die denjenigen vorgelegt wurde, die sich vom Islam zum Christentum bekehrten. Diese Formel enthielt ein explizites Anathem gegen den Gott Muhammeds. Manuel wollte diesen Satz gestrichen wissen. Die Synode sträubte sich eine ganze Zeit, doch schließlich einigte man sich auf ein Anathem gegen Muhammed und seine Lehren. Manuel sah in der ursprünglichen Formel einen Stein des Anstoßes für alle Muhammedaner, die an einen einzigen Gott glaubten, wie die Christen auch. Wie konnte man diesen Gott verdammen? Es sind wahrscheinlich politische Erwägungen, die einen Kaiser veranlassen, die dogmatische Auflage, welche die Kirche in das System der politischen Orthodoxie eingebracht hatte, in Frage zu stellen. Die neue Formel dient ohne jeden Zweifel einer auch sonst bei Manuel feststellbaren Tendenz zur „Entspannung".

Nimmt man alles zusammen, so läßt es sich nicht von der Hand weisen, daß die These vom „ideologischen Überbau" auch auf die byzantinische Gesellschaft anwendbar ist, auch wenn die Beweislast drückend bleibt. Ebenso bleibt aber zu betonen, daß die Liebe zur „Theorie" in Byzanz stark genug ist, um mit ihr allein so manches ideologische Gefecht zu erklären, dessen sozialer Bezug darüber nicht völlig geleugnet zu werden braucht, dann aber in tieferen Bewußtseinsschichten gesucht werden muß.

*
*   *

Im Folgenden geht es um den Aufbau der byzantinischen Gesellschaftspyramide. Es scheint, als ließe sie sich verhältnismäßig einfach zur Darstellung bringen: Unter der eindeutigen Spitze, dem Kaiser, eine „herrschende Schicht". Man mag sie Adel nennen, so lange man sich der Vieldeutigkeit dieses Begriffes bewußt bleibt und kein besserer zur Verfügung steht. Dann jene breitere Schicht, welche die Byzantiner selbst als μέσοι bezeichnen, d. h. als „die Mittleren", und schließlich die misera plebs. Ist ein byzantinischer Schriftsteller besonders snobistisch eingestellt, kann es vorkommen, daß er zwischen Mittel- und Unterschicht keinen Unterschied mehr macht, d. h. beide unter dem Begriff „die Menge", „der Haufen" usw. zusammenfaßt. Doch wo präziser vorgegangen wird, bleibt die Unterscheidung zwischen Mitte und Unten durchaus gewahrt.

Längst weiß man natürlich, daß in diese horizontale Schichtung vertikal verlaufende Pfeile einzuzeichnen sind, um jene gesellschaftliche Mobilität zum Ausdruck zu bringen, die sich nicht auf eine Osmose zwischen den angrenzenden Bereichen der einzelnen Schichten beschränkt, sondern nicht selten radikal die Bereiche durchstößt: bestes Beispiel nicht wenige Kaiser, die den Weg nach oben aus dem sozialen Nichts heraus antraten.

Doch damit ist es kaum getan. Wenn Vertikal und Horizontal bereits vergeben ist, dann bleibt es wichtig, noch schräge Linien einzuzeichnen als Ausdruck von gesellschaftlichen Bindungen eigener Art, die mit den Eigenheiten der sozialen Zugehörigkeit zu einer bestimmten Klasse nicht zu erfassen sind, andererseits aber so viel Eigenleben aufweisen, daß es nicht genügt, sie als allgemeine, gemeinsame Charakteristika aller Schichten ein und derselben Gesellschaft abzutun, etwa als gemeinsame, so gut wie allen Byzantinern eigene Mentalitäten – Geisterglaube, Fatalismus usw.

Dazu am besten ein Beispiel: Weiter oben wurde vermerkt, daß der literarische Spieltrieb der sich gelehrt gebenden Kaste nicht ohne Einwirkung auf jene soziale Oberschicht blieb, von der diese Kaste lebte. Dies bedarf der Verdeutlichung. Wenn hier die Rede von einer Kaste ist, so selbstverständlich nicht im Sinne endogamer Generationsgebilde, auch nicht ohne weiteres im Sinne der „bis zur äußersten Konsequenz fortgeschrittenen Gestalt eines Standes", sondern – etwas leichtfertig vielleicht – im Sinne einer Gruppe, die mit Standeskategorien allein nicht faßbar ist, sondern sich durch ein alle Standesunterschiede zurücklassendes Selbstbewußtsein unterscheidet: in unserem Falle heißt dies: in allen übrigen Angehörigen der Stände und Gruppen die „Banausen" sieht. Vom Beruf her ist also diese Kaste nicht homogen. Kleriker gehören zu ihr, auch Mönche, Schulmeister, kaiserliche kleine Beamte und Sekretäre, „freiberufliche" Philologen usw. Was sie zusammen hält, ist also nicht ihr Beruf und die berufliche Interessenlage, sondern eine höhere Einheit des Sich-berufen-fühlens, gipfelnd in Literatur und literarischer Betätigung. Von einer solchen Gruppierung in Byzanz zu sprechen drängt sich auf, denn sie bestimmt nicht nur das „intellektuelle Leben" in Byzanz, sondern sie stellt ein Politicum von hohen Graden dar, weil sie jenen Monopolanspruch auf klassische Bildung und Gesittung repräsentiert, der immer wieder außenpolitisch verwertbar wird und zur Verwertung kommt. Sie garantiert einen Teil jener Exklusivitätsansprüche, auf denen das imperiale Selbstbewußtsein beruht.

Andererseits gibt es Männer in der byzantinischen Gesellschaft, deren soziale Stellung und Lebensstil durch ganz andere Kriterien maßgeblich bestimmt werden, etwa durch den alten „Adel" der Familie, durch hohe und höchste Posten in der Reichsverwaltung und am Hof, durch Patriarchat oder Metropolitenamt, ja durch die kaiserliche Würde. Und doch nehmen viele von ihnen in vollen Zügen teil am literarischen Betrieb der Kaste und dies nicht nur sporadisch, in der Retraite oder im Verstand eines „hobby", sondern mit einer Intensität, die für das Gesamt der literarischen Produktion nicht weniger ins Gewicht fällt als das Schaffen der Kleinen, der Berufsliteraten. Nicht wenige Durchschnittsgebildete auch der höchsten Stände wollen nicht einfach nur gebildet sein, sondern diese Bildung auch literarisch unter Beweis stellen, und sie widmen diesem Bemühen kaum weniger Zeit als ihrem „Beruf". Das literarische Lebenswerk z. B. des Theodoros Metochites, von Beruf Staatskanzler des Kaisers Andronikos II., eines steinreichen „Aristokraten", kann es an Umfang ohne weiteres mit dem des Berufstheologen Palamas aufnehmen. Kaiser Theodoros II. Laskaris steht mit seiner literarischen Produktion aus der Kronprinzenzeit kaum seinem Schulmeister Nikephoros Blemmydes nach, und der hohe Kleriker und nachmalige Metropolit Eustathios von Thessalonike ist schon dem Umfang seines Oeuvre nach – um von der Wissenschaftlichkeit ganz abzusehen – gleichgewichtig mit dem vielschreibenden Berufsphilologen Joannes Tzetzes. Läßt man die wissenschaftliche Qualität in diesem Zusammenhang beiseite, so kann behauptet werden, daß der intellektuelle Ductus dieser sozial hochstehenden Schreiber sich kaum von dem der kleinen Leute aus der Kaste unterscheidet.

Vielleicht läßt sich hier mit jener soziologischen „Schichtungstheorie" arbeiten, die, wenn auch in anderer Bandbreite, Wolfram Eberhard[5] entwickelt hat, wonach in einer Gesellschaft neben Scheidungen in Gruppen, die im Grunde auf ein durch eine Herrschaftsschicht aufgestelltes Prinzip zurückgehen, das heißt neben Ständen und Klassen im engeren Sinne des Wortes, besondere Schichtungen festzustellen sind, deren Gemeinsamkeit darin besteht, daß sie unabhängig von der durchaus vorhandenen ständischen Zugehörigkeit, im Grunde auch ohne wirklich gemeinsame ökonomische Interessen, in einem für sie bedeutungsvollen sozialen Kontakt stehen, der auf einer Gemeinsamkeit von Sonderinteressen beruht, deren Intensität größer ist oder sein kann, als der Kontakt mit der eigenen ständisch-sozialen Klasse und der eigenen Berufsgruppe. Eberhard hat ausgehend von Frühstufen der sozialen Schichtung eine dieser Gruppen die „Schicht der Denker" genannt, oszillierend zwischen Hofnarr und Philosophen. Byzanz ist keine Frühstufe mehr und der Hofnarr mag in diesem Zusammenhang abtreten. Aber auch in Byzanz können wir von einer berufsunabhängigen Schicht von Literaten sprechen, die durch alle sozialen Schichten geht. Gesellschaftsgeschichtlich hat die Herausarbeitung einer solchen Schicht natürlich nur dann Sinn und Bedeutung, wenn sie über gewisse Gemeinsamkeiten der Interessen, wie sie auch in anderen Kulturen zu beobachten ist, hinausreicht. In Bayern erschien in der Biedermaierzeit einmal ein Musenalmanach, an dem Seine Majestät, Ludwig I., dessen Kultusminister von Schenk und ein „echter" Dichter, Friedrich Rückert mitarbeiteten. Das sind Zufälligkeiten und keine Schichtenbildungen. Die Literatenschicht in Byzanz aber macht Gesellschaftsgeschichte und Kulturgeschichte. Ihr ist es zu verdanken, daß mönchischer Obskurantismus immer wieder in seine Grenzen verwiesen wurde, sie ist es, mit der die Intellektuellen des Westens im Gefolge der Kreuzzüge und der italienischen Unterwanderung des Reiches Kontakt aufnehmen, sie ist es, welche die klassischen Bildungsgüter gegen manche Widerstände über ein ganzes Jahrtausend bewahrt, so wie sie die Urbanität der byzantinischen Gesellschaft gegenüber den ignoranten Haudegen aus der Provinz rettet. Sie ist es schließlich, welche dem italienischen Humanismus jene Impulse vermittelt, die unter dem Etikett „Platonismus" ihn erst wirklich zu sich selbst finden ließen. Das aber bedeutet, daß es sich hier um eine Schichtung handelt, die kraft ihrer Konstanz und Konsistenz in die byzantinische Gesellschaftspyramide eingebracht werden muß, wenn diese nicht ein unlebendiges Modell bleiben soll.

In diesem Zusammenhang stellt sich das Problem Kirche. Merkwürdig ist, daß die Byzantiner selbst, wenn die von Ständen sprechen, Kirche und Klerus nicht durchwegs miteinschließen. So kennt z. B. Michael Psellos in einer berühmten Stelle nur drei Stände, die Senatsklasse, die Armee und das Volk.[6] Es scheint, daß „Kirche" als institutioneller von einer ganz bestimmten „ordinierten" Gruppe repräsentierter, nicht auf lokale Verbände beschränkter Begriff es in Byzanz schwer hatte, sich durchzusetzen. Dazu ein paar Beispiele: Wir besitzen von Patriarch Nikolaos, der zeitweise auch die byzantinische Außenpolitik mitbestimmte, eine Briefsammlung von nicht weniger als 190 Nummern, gerichtet an alle nur denkbaren Kreise. Das Wort Kirche begegnet in diesen Texten an die fünfzigmal. Nicht selten bedeutet es die Kirchengemeinde der Stadt Konstantinopel, weitere Male die Hagia Sophia und verschiedentlich die Kirche anderer Städte, z. B. ein Ephesos, oder anderer Länder, z. B. Armeniens, oder schlichtweg irgend ein Kirchengebäude. Nie aber bedeutet es christliche Universalkirche oder auch nur Kirche des Ostens, Kirche im byzantinischen Reich als Pendant zu Staat oder dergleichen. Macht man dieselbe Probe nochmals 400 Jahre später, so dient uns als Modell der Briefwechsel des Patriarchen Athanasios mit Kaiser Andronikos II., dem Hof und den höchsten Behörden, Briefe also, in denen nach unseren Vorstellungen die Kirche als Institution, die Kirche des Klerus als festgefügten Standes zu Wort kommen müßte. Ca. 180mal taucht das Wort Ekklesia auf. 160mal bedeutet es nichts anderes als die Kirche in der Stadt Konstantinopel, einige Male ist es synonym mit Bistum und in den restlichen Fällen bedeutet es ein Kirchengebäude. Wiederum kein einziges Mal die Kirche als Pendant zum Staat, als geschlossene Formation der byzantinischen Gesellschaft. Man sollte daraus keine zu weitgehenden Schlüsse ziehen, denn es kommt nicht immer auf das Wort an. Aber die Notwendigkeit, von Vorstellungen von Kirche Abstand zu nehmen, wie sie die westliche Mediävistik anzubieten hat, drängt sich auf. Nimmt man dazu, was früher über eine mangelnde spezifisch theologisch-klerikale Ausbildung gesagt wurde, über den Mangel an spezifisch klerikalen Leitbildern, so dürfte der Mentalitätszusammenhang etwa zwischen den hohen Klerikern der Hagia Sophia und den einfachen Leutpriestern sehr gering gewesen sein. Die Eingliederung zudem der Kleriker, die zumeist verheiratet waren, in das soziale Gefüge ihres Dorfes, ihrer Kleinstadt oder ihrer adeligen Cercles in der Hauptstadt scheint größer gewesen zu sein, als das Zugehörigkeitsgefühl zu einer großen ständischen Gruppe eigener Art. So bleibt die Kirche als personal bestimmte eigene Schichtung in der byzantinischen Gesellschaft doch einigermaßen fragwürdig.

Bieten sich die byzantinischen Gefolgschaften und Klanverbände für diese Schichtungstheorie an? Daß derartige Verbände in hohem Maße das soziale Leben in Byzanz bestimmten, scheint keinem Zweifel mehr zu unterliegen. Die Belege fließen reichlich, und zwar von den Anfängen bis in die Spätzeit. Vieles, was sich von der Mobilität dieser Gesellschaft sagen läßt, hat hier sein fundamentum in re. Doch abgesehen von der „Wahrnehmung der Chance" wird man kaum ein übergreifendes Bezugssystem entdecken können, und gerade der Begriff „Chance" zeigt, daß es sich bei diesem Bezug um etwas ständig Wechselndes und Vorübergehendes handelt. Im Grunde sind es doch stark ökonomisch bestimmte Interessengruppen, und nicht mehr. Aus der Gesellschaftspyramide aber können sie doch nicht ausgeschlossen werden, gerade weil durch sie in der Tendenz jedenfalls die horizontalen Schichten immer wieder durchstoßen werden. Es handelt sich sozusagen um eine Anzahl von „Kleinpyramiden" innerhalb der großen sozialen Pyramide. In mancher Hinsicht drängt sich der Begriff Partei auf. Doch glaube ich, daß dieser Begriff dienlicher ist, um andere Formationen innerhalb der byzantinischen Gesellschaft deutlich zu machen, die nicht auf bloße Gefolgschaft reduziert werden können.

Natürlich sehe ich die Gefahr des Anachronismus. Definiert man mit K. O. Flechtheim Partei als eine mehr oder weniger auf freier Werbung beruhende, relativ festgefügte Kampforganisation, die innerhalb einer politischen Gebietskörperschaft mittels der Übernahme von Stellen im Herrschaftsapparat so viel Macht besitzt oder zu erwerben sucht, daß sie ihre ideellen und (oder) materiellen Ziele verwirklichen kann, dann ist der Begriff auf Byzanz nicht ohne weiteres anwendbar. Es fehlt bei den Gruppierungen, die ich im Auge habe, vor allem die festgefügte Kampforganisation, und es fehlt nicht selten der Wille, Stellen im Herrschaftsapparat zu besetzen. Vorhanden freilich sind ideelle und materielle Ziele, vorhanden auch der Wille, sie politisch und nicht nur auf theoretischer Ebene durchzusetzen. Zumindest sollen diese Ziele den Regierenden nahegebracht werden und soll durch Propaganda eine breitere Masse für diese Ziele erwärmt werden. Unterstellt man also als Minimum einer solchen Parteienbildung neben dem Programm die gesuchte politische Verwirklichung, dann läßt sich, wenigstens behelfsmäßig, der Begriff Partei vielleicht auch auf Byzanz anwenden; jedenfalls fällt mir kein besserer Begriff für das Gemeinte ein. Nun dieses Gemeinte:

Schon in der Einleitung[7] war die Rede von der Auseinandersetzung zwischen Libanios und Themistios im 4. Jahrhundert, von der Frage, ob es dem hellenistisch Gebildeten anstehe, sich aktiv und kooperativ in das römische Regierungssystem integrieren zu lassen. Forciert man die Frage nach dem dahinterliegenden Bildungsbegriff nicht allzu sehr, so schält sich das eigentliche Problem politischer Natur heraus: Die Partner der Auseinandersetzung sind sich darin einig, daß sie das römische Imperium, auch für den Osten, akzeptieren. Was sie trennte war das Reichskonzept: Für Libanios bleibt im Grunde die Polis, die „freie" hellenistische Stadt, der eigentliche Kern. Das Reich ist ein Verbund solcher Städte und die Reichsregierung hat sich im wesentlichen darauf zu beschränken, diese Freiheiten zu gewährleisten und die Verteidigung nach außen zu garantieren. Für Themistios geht es um die Symbiose zwischen den römischen Herrschaftsstrukturen, wie sie sich im römischen Recht und in der römischen Administrationsweise niedergeschlagen haben, mit den Werten der alten hellenistischen Polis- und Bildungs-Vorstellung. Der theoretische Streit von Gelehrten? Im Prinzip gewiß, aber die politische Ausweitung läßt nicht auf sich warten und sie tut sich kund in der Tatsache, daß sich die Kaiser selbst einmischen. Konstantios II. begleitet die „adlectio" des Themistios in den Senat von Konstantinopel, der sich bereits als römische Institution und nicht mehr als hellenistische Kurie versteht, mit einem Schreiben, in dem er diese Wahl als politisches Kompromiß und als politisches Programm hinstellt: Rom ehrt den griechischen Philosophen mit einer spezifisch römischen Würde, und der griechische Philosoph bringt in den römischen Senat die Werte griechischer Bildung und griechischen Wissens ein.[8] Themistios ist es also geglückt, sein Programm wenigstens für seine Person zu verwirklichen. Die Partei des Libanios hat die erste Schlacht verloren. Die Partei des Libanios – dies scheint eine vermessene Behauptung. Doch Libanios stand wirklich nicht allein und aus verschiedenen Reaktionen anderer Schriftsteller dürfen wir den Schluß ziehen, daß er eine nicht allzu kleine Gruppe von Vertretern des Hellenismus als seine Gesinnungsfreunde betrachten konnte. Doch auf Konstantios folgt Julian, der sich selbst als einen hellenistischen Philosophen versteht, zugleich aber die Feindschaft gegen die Politik des Konstantios zum Ausdruck bringt. Er will von einer Hereinnahme hellenistischer Vertreter des geistigen Lebens in die Regierungsaufgaben nichts wissen und erteilt Themistios eine dementsprechende Abfuhr.[9] Tatsächlich ist der Einfluß der „Hellenisten" auf seine Regierung gering gegenüber den „Römern", die er aus Gallien mitgebracht hat. Vielleicht ist gerade dies der Grund, daß nach seinem Tod die Ralliementpolitik wieder aufgenommen werden kann – der Hellenismus hat sich nicht allzu sehr kompromittiert. In den Kreisen, aus denen er kam, blieb Themistios offensichtlich isoliert. Aber es gab genug junge Leute, die aus der Enge der Polis entwichen und in den Reichsdienst gingen. Die alte hellenistische Polisidee und ihre Vertreter hatten ausgespielt; die Politik der Kaiser entschied im Sinne des Programms des Themistios.

Nur andeutungsweise sei darauf aufmerksam gemacht, daß die Frontstellung der Parteien, weit über die Frage nach dem Fortbestand hellenistischer Bildung hinausgehend, noch geraume Zeit bestehen blieb, daß der Begriff Imperium weiter umstritten war. Die Probleme spitzten sich unter den Theodosios-Söhnen um die Wende zum 5. Jahrhundert zu, und der Gegensatz konkretisierte sich in der Scheidung zwischen Germanophilen und Antigermanen. Und hier zeigte es sich, daß nicht nur die Intellektuellen, z. B. Synesios,[10] engagiert waren, sondern auch die Massen mobilisiert werden konnten, wie es die gewaltsame Vertreibung der germanischen Truppen aus Konstantinopel beweist.

Klassisch für die byzantinische Geschichte bleiben die sogenannten „Zirkusparteien". Nur bedarf dieser Begriff einer äußerst vorsichtigen Behandlung. Was in unserem Zusammenhang erwähnenswert bleibt, ist folgendes. Die verschiedenen Rennställe des byzantinischen Zirkus, nach Farben benannt, haben, was ganz natürlich ist, auch ihre sportlichen „Fans". Für sie sind Jokeys und Pferde das Leben, und sie nennen sich selbst nach den Farben der großen Konkurrenten im Zirkus die Blauen oder die Grünen. Aus der Konkurrenz zwischen den Farben wird unschwer – dies eine allgemeine Erfahrung – eine irrationale Konkurrenz der Fans unter sich, die über das Zirkusgeschehen hinaus ihren Lebensrhythmus bestimmt und sich in üblen Streichen oder blutigen Kämpfen äußern kann. Dies der harte Kern. Daß sich ein solcher Kern, einmal auf Auseinandersetzung fixiert, auch verwenden läßt, wenn andere Konkurrenzen ausgetragen werden sollen, läßt sich verstehen. Es kommt nur darauf an, daß die richtigen Männer im richtigen Augenblick mit den richtigen Parolen – und mit dem nötigen Geld – zur Stelle sind. Vorrang dabei hatten möglicher Weise jene Finanziers, die auch hinter den Rennställen standen, einflußreiche Männer, denen es nicht nur um die Rennen, sondern gelegentlich um höhere Politik ging. Das bedeutet nicht, daß die kleine Gruppe der blauen und grünen Fans damit zu

Trägern verschiedener politischer Programme wurden, sondern höchstens, daß sie sich für die Durchsetzung solcher Programme bereitfanden und einsetzen ließen. Eine kontinuierliche politische Linie in diesen Einsätzen ist kaum auszumachen, wenn auch vielleicht angenommen werden darf, daß die Grünen gewohnheitsmäßig leichter von den potenten Vertretern der Mittelklasse ins Gefecht geschickt werden konnten als von denen der herrschenden Schicht. Nachdem die Gruppierungen dann einmal da waren, ließen sie sich gelegentlich auch für Zwecke allgemeinen Nutzens einsetzen – wahrscheinlich froh darüber, sich damit von manchen Verdächtigungen reinwaschen und rein darstellen zu können. Eine Minderheit in der Bevölkerung stellten diese Blauen und Grünen wohl immer dar. Aber die Mobilität der mediterranen Großstadtbevölkerung brachte es mit sich, daß sich bei außerordentlichen Gelegenheiten ihnen größere Massen anschlossen und ihnen bei Verfolgung ihrer Ziele zuhilfe kamen. Parteiengeschichtlich gesprochen empfiehlt es sich also wohl, bei den Blauen und Grünen selbst nicht von politischen Parteien zu sprechen, wohl aber von Kadern, die sich für die Ziele politischer Gruppen effektiv einsetzen ließen.

Ein weiteres Beispiel aus der späteren Zeit des Reiches: Hier läßt sich eine Parteiengruppierung dingfest machen, von der die eine Gruppe die Bezeichnung „Λατινόφρονες" führt, d. h. Gesinnungsgenossen der Lateiner, Lateinerfreunde, wobei es sich um Sympathisanten für den Westen im allgemeinen handelt. Die Gegenpartei sei hier die der „Patrioten" genannt, – jedenfalls verstanden sie sich als solche. Wesentlich ist auch hier, daß die Anhängerschaften sich aus allen möglichen Kreisen rekrutierten und quer durch die sozialen Schichten gingen. Der Ursprung des Ausdrucks „Lateinerfreunde" liegt in den dogmatischen Auseinandersetzungen. Die Patrioten bezeichneten damit solche, welche in der viel umstrittenen Lehre vom Ausgang des Heiligen Geistes, in der Frage nach der Verwendung oder Nichtverwendung gesäuerter Brote in der Eucharistiefeier und in der Frage nach dem Lehr- und Jurisdiktionsprimat des römischen Papstes sich mehr oder weniger der Argumentation der westlichen Theologen beugten. Man könnte mit entsprechenden Einschränkungen zunächst von „theologischen Schulen" sprechen. Doch dabei blieb es nicht. Denn mit dem theologischen Problem hing das Problem der Union der orthodoxen mit der päpstlichen Kirche aufs engste zusammen, und spätestens seit Kaiser Alexios I. Komnenos hing von dieser Union die Frage nach westlicher Waffen- und Truppenhilfe für den Kampf gegen Seldschuken, Osmanen usw. ab. Gegen Ende der byzantinischen Epoche aber wird damit aus dem theologischen Problem über das Unionsproblem die Frage nach den Überlebenschancen des Reiches überhaupt. Und nicht einmal dies genügt, um die Scheidung der Geister klarzustellen. Die Lateinerfreunde waren jedenfalls gelegentlich zugleich die Vertreter einer kulturellen „apertura" der byzantinischen Welt, vor allem auf dem Sektor des Schul- und Bildungswesens. Die Argumente der Patrioten reichen vom dogmatischen Lehrsatz über rein politisch-taktische Erwägungen bis zu jenem Verdikt, das die Gegner des Verrates an heimischem Wesen und an heimischer Kultur zieht. Die Auseinandersetzung verläßt immer wieder den kirchlich-dogmatischen Boden, und wird im höchsten Grad politisch. Kaiser nehmen Partei, und zwar bald für jene bald für diese Gruppe; sie nehmen nicht nur Partei, sondern setzen immer wieder auch ihre Polizei ein. Patriarchen opponieren ihren Kaisern, Bischöfe ihren Patriarchen, und die Mönche allen zugleich. Die Spaltung geht z. B. quer durch die Familie des Kaisers Michael VIII., aber auch durch den hohen Kathedralklerus von Byzanz, und, wie wir aus der Geschichte der Lateinerherrschaft in Konstantinopel von 1204 bis 1261 wissen, auch durch die Massen der Bevölkerung. Es bilden sich Gefolgschaften und konspirative Verbände und immer wieder wird versucht, das Programm mit Gewalt durchzusetzen.

Natürlich gibt es zwischen Libanios-Themistios auf der einen Seite und den Gruppierungen um die Lateinerfreunde und Patrioten auf der anderen Seite andere Formationen, die in dieses Kapitel zu gehören scheinen. Dazu nur ein paar kurze Bemerkungen. Hier noch einmal ein Wort zum Bilderstreit. Die theologisch-pastorale Motivation zu Beginn scheint mir evident. Doch im Verlaufe des Streites werden die Parolen ohne Zweifel auch politisch mißbraucht. Diese politische Manipulation führt zu Auseinandersetzungen, die mit dem ursprünglichen Anliegen kaum noch etwas zu tun haben. Das Reichsregime kann sich dadurch bedroht fühlen und heftig reagieren. Wiederum geht der Riß durch alle Schichten: Hier klagt das Volk über die Verfolgung bilderfreundlicher Mönche, dort klatscht es Beifall, wenn einer dieser Mönche gemartert wird. In dem einen Kloster sind alle Mönche Bilderfreunde und wehren sich aktiv gegen die Ikonoklasten, dort nehmen die Mönche die ikonoklastische Politik widerstandslos hin. Der eine Hagiograph schildert seinen Heiligen als Helden aktiven Widerstands, der andere stellt uns einen Helden vor, der sich offensichtlich in beflissener Neutralität übt. Ein und derselbe Chronist setzt kaiserliche Niederlagen an der Front auf Konto ihres perversen Ikonoklasmus und berichtet zugleich von Truppenteilen, die gerade im bilderstürmenden Kaiser den Garanten des Sieges erblicken. Das erweiterte Programm, die aktive Einmischung der Regierenden, die Verteilung quer durch die Schichten – dies alles legt den Begriff Partei in jenem bescheidenem Sinn des Wortes, den ich vorgeschlagen habe, nahe.

Am häufigsten spricht die Byzantinistik schon heute von Parteien im 11. Jahrhundert und offeriert – gelegentlich etwas undifferenziert – eine Militärpartei und eine Partei der Zivilisten, die sich um die Bestimmung der Richtlinien der byzantinischen Politik aktiv bemüht hätten. Wenn wir den Begriff Partei so herabspielen, wie vorgeschlagen, läßt sich der Sprachgebrauch einigermaßen rechtfertigen. Aber dann beweist gerade dieses 11. Jahrhundert, was Gegner dieses Sprachgebrauchs offenbar übersehen haben, daß durchaus nicht jeder Militär zur Militärpartei gehören muß und nicht jeder zivile Amtsträger zur Partei der Zivilisten. Es beweist außerdem, daß der Parteiwechsel damals nicht seltener war als heute, eben weil nicht nur abstrakte Ideologie, sondern praktische Politik und nicht zuletzt der Eigennutz eine wichtige Rolle spielen. Und selbst ein engagierter „Militär" kann ruhigen Gewissens einen Kaiser seiner Partei mit zu Fall bringen, wenn er die Erwartungen, die man in ihn gesetzt hat, nicht erfüllen konnte oder wollte, – was bis zu einem gewissen Grad für Kaiser Isaak I. Komnenos zutreffen dürfte.

Doch abschließend sei es noch einmal betont: die Unterschiede zum modernen Parteiwesen dürfen unter keinen Umständen übersehen werden. Der Ausdruck wurde nicht gewählt, um illegitim Modernitätshascherei zu betreiben, sondern im Grunde nur „faute de mieux". Ich sehe keine Möglichkeit, die behandelten Gruppierungen unter dem Begriff Schichtung im Sinne W. Eberhards zu subsumieren, sie decken sich ebenso wenig mit Ständen oder rein sozial bestimmten Gruppen und sie lassen sich ebenso wenig als rein ideologisch bestimmte Gesinnungsfronten abtun, weil die praktisch-politische Implikation zu bedeutsam ist.

Schichtenbildung durchquert die soziale Gliederung, Parteibildungen können über Jahrzehnte und Jahrhunderte die Standesunterschiede überspringen, Gefolgschaften können an Parteiungen und Schichtungen partizipieren, Mischformen machen sich immer wieder bemerkbar – Leben und Handeln der byzantinischen Gesellschaft lassen sich nicht formalistisch definieren. Vielleicht ist das beste Beispiel für dieses manchmal fast chaotisch erscheinende Ineinander und Übereinander vor verschiedenen Gruppenbildungen der Streit um den Palamismus im 14. Jahrhundert, wenn man alle Randerscheinungen, Protuperanzen und Überlagerungen mit in Rechnung zieht. Sieht man also in diesem Streit nicht nur eine theologisch-spekulative Auseinandersetzung um das Verhältnis von Wesen und Wirken in Gott, so ergeben sich die verschiedensten Begriffspaare:

Theologische Palamiten	– Antipalamiten
Kantakuzenen und Anhänger	– Palaiologen und Anhänger
Antihumanisten	– Humanisten
Konservative	– Soziale Reformer
Lateinerfeinde	– Lateinerfreunde usw.

Dazu alles was rechts oder links von den Trennungsstrichen zu plazieren ist. So gut wie jeder Teilnehmer an der Auseinandersetzung läßt sich hier unterbringen; für Palamas selbst z. B. aber auch für einige andere gilt, daß er in allen fünf Punkten mehr oder weniger in die linke Gruppe gehört. Ähnliches taucht gelegentlich auf der rechten Seite auf. Doch im Grunde ist die Anordnung eine reine Abstraktion aus einer viel zu geringen Zahl von Fällen.

Was die Gruppen von oben nach unten und quer durchs Feld wirklich zusammenhält, ist, und auch dies nicht immer, das Begriffspaar Palamismus – Amtipalamismus, vorausgesetzt, daß man diese Begriffspaare möglichst stark formalisiert, d. h. ihres ursprünglichen Sinnes entleert. Kantakuzenos, der Kaiser, der natürlich auf die linke Seite gehört, ist ebenso wenig Antihumanist wie Nikephoros Gregoras auf der rechten Seite mit den sozialen Reformern und Revolutionären in Thessalonike und Thrakien sympathisierte. Demetrios Kydones ist Lateinerfreund, aber eher den Kantakuzenern als den Palaiologenfreunden zuzurechnen – jedenfalls geraume Zeit. Der Hof der Kaiserin Anna samt dem Patriarchen Kalekas, der durch Kantakuzenos hochgekommen ist, kann natürlich als „palaiologisch-orientiert" bezeichnet werden, aber auch hier kann nicht durchwegs und von Anfang an von Antipalamismus gesprochen werden. Die Parole Palamismus – Antipalamismus bleibt beherrschend, aber was sich an sie hängt, ist außerordentlich bunt gewürfelt und außerordentlich verschiedenartig motiviert. Die Auseinandersetzung schlägt sich nieder in Verschwörergruppen, in konspirativen „Bruderschaften" (φρατρίαι), die ihren Anhängern auch materiell massiv unter die Arme greifen. Pamphlete jagen sich ebenso wie Synoden und Pseudosynoden. Die Polizei wird eingesetzt, da und dort empfiehlt es sich außer Landes zu gehen usw. Die Parteibildung geht quer durch alle Stände und Schichten und selbst durch die Familien, wie z. B. im schon erwähnten Gegensatz zwischen Lateinerfreunden und Patrioten. Kein Argument ist zu billig, um den Gegner in Mißkredit zu bringen. Die Parteien sind da, aber die Trennungslinie verläuft teils in weichen, nachgiebigen Wellenlinien, teils in schroffem Zickzack. Die byzntinische Gesellschaft ist in voller Bewegung. Diese Bewegtheit mit der klassischen sozialen Schichtung zu koordinieren, wäre reine Illusion.

Dennoch sind die „klassischen" horizontalen layers vorhanden. Die Mobilität hebt eine gewisse Statik des gesellschaftlichen Daseins nicht einfach aus den Angeln. Die „herrschende Klasse" etwa verfolgt auch in einer Auseinandersetzung wie der für und wider den Palamismus ihre ganz spezifischen ständisch gebundenen Ziele, was immer ihre Ansichten über Wesen und Wirken Gottes sein mögen. Und die erfolgversprechende Bindung einfacherer Leute an den Patron einer Gefolgschaft geht in Byzanz reibungslos zusammen mit dem, was wir „dogmatische Überzeugung" zu nennen belieben, die aber, gestehen wir es uns doch ein, für viele Byzantiner durch generationenlangen Mißbrauch längst zur politisch verwendbaren und damit variablen Parole geworden ist. (Man sollte sich unter diesem Gesichtspunkt mit den Anschauungen eines „Intellektuellen", gemeint ist Barlaam von Kalabrien,[11] über die Relevanz der dogmatischen Unterschiede zwischen Ost und West befassen, die als Agnostizismus zu bezeichnen schlichtweg absurd ist). Und Orientierung pro oder contra Westen konnte dogmatisch ehrlich gemeint sein; aber dies schließt nicht aus, daß sich mit der theologischen

Überzeugung das wirtschaftliche Interesse des byzantinischen Kaufmannes oder Produzenten verbinden konnte. So liegt es zum Abschluß dieser Erwägungen nahe, trotz aller Relativierung, die sie sich gefallen lassen mußte, auch auf diese horizontal gestaffelte Gesellschaftspyramide mit einigen Sätzen einzugehen.

Unterstellt man, daß es kein absolutes Herrschertum gibt, daß vielmehr auch der „Autokrator" eines Stabes und darüber hinaus einer ganzen Gesellschaftsschicht bedarf, auf die er sich verlassen kann, so ist es berechtigt, in der byzantinischen Gesellschaftspyramide – der Pyramidencharakter ist zunächst nur das Ergebnis numerischer Verhältnisse! – die oberste Schicht unmittelbar unter der Spitze als die „herrschende Schicht" zu bezeichnen. Sie mit Adel zu identifizieren, besonders wenn man den Begriff Adel allzu rasch der westlichen Mediävistik entnimmt, ist äußerst gefährlich. Der Begriff Adel kann jedenfalls nicht apriori eingeführt werden. Wer bildet dann die herrschende Schicht? Als Zeno der Isaurier im Jahre 474 auf den Thron kam, tat er offenbar alles, um seinen isaurischen Klan und was an isaurischer Gefolgschaft vorhanden war, in die entscheidenden Positionen des Reichsregiments zu schleusen.[12] Manche von ihnen mögen im sprichwörtlich wilden Isaurien Männer von Ansehen und Rang gewesen sein, für Byzanz waren es „homines novi" mit Stallgeruch, keinesfalls Adel. Kaiser Basileios I. der Makedonier, ein Bauer aus dem heutigen Thrakien, besetzt nach seinem Regierungsantritt 867 alle wichtigen Stellen mit seinen fragwürdigen Kumpanen aus seiner Sturm-und Drangzeit. Auch hier fällt keinem Historiker ein, von Adel zu sprechen. Ebenso wenig bei den zahlreichen Familienmitgliedern des Kaisers Michael IV., die mit ihm im Jahre 1034 zu Macht und vor allem zu Geld kamen.[13] Noch im 13. Jahrhundert berichten die Quellen von Kaiser Theodoros II. Dukas Laskaris, er habe mit der unansehnlichen Familie der Muzalones und ihrem Anhang Leute ohne Adel mit den Regierungsgeschäften beauftragt.[14] Selbst noch unter Joannes VI. Kantakuzenos im 14. Jahrhundert findet man nicht allzu wenige Gefolgsleute, jedenfalls unter denen, mit deren Hilfe er die Usurpation vorbereitete, die nur auf harten und nicht selten krummen Wegen nach oben gekommen waren. Dies nur ein paar Beispiele, die sich leicht vermehren ließen. Inzwischen kennen wir das byzantinische Klan- und Gefolgschaftswesen gut genug, um annehmen zu dürfen, daß über die wenigen Namen hinaus, welche die Quellen ausdrücklich erwähnen, noch genug andere zu Amt und Würden kamen. Der Appetit des Klans mußte befriedigt werden, sollte sich der neue Herr nicht vom ersten Augenblick an eine Opposition heranzüchten – Gefolgschaftswechsel ist eine häufige Erscheinung! Diese Verschiebungen bedeuten in der Regel nicht einfach eine Vermehrung der herrschenden Schicht oder eine „Blutauffrischung" des alten Adels. Denn ebenso oft wie von solchen Neubesetzungen die Rede ist, wird berichtet, daß diejenigen, die bisher das Sagen hatten, radikal aus ihren Posten und aus ihren Einkünften geworfen wurden. Kaiser Anastasios strich 491 sämtliche Pensionen, deren sich die Isaurier damals noch erfreuten. Die Quellen nennen Zahlen zwischen (jährlich) 1400 bis 5000 Pfund Gold, was immerhin etwa 100000 bis 300000 Goldstücken entspricht.[15] Basileios hinwiederum zwingt die Anhänger seines Vorgängers Michael III. die „Spenden", die ihnen Michael widerrechtlich aus dem Staatsschatz gemacht habe, zu einem hohen Prozentsatz an ihn abzuführen. Die dabei gewonnene Summe betrug angeblich 2 Millionen Goldstücke.[16] Das aber bedeutet, daß mit dem Verlust der Macht auch der Verlust der materiellen Subsistenz, jedenfalls soweit sie der Position „Mächtiger" entsprach, gegeben war. Wer in Byzanz an der Macht war, besaß zumeist ein hohes Staatsamt oder ein hohes Kommando und zugleich den entsprechenden Hofrang, der in den Quellen nicht selten wichtiger erscheint als die Amtsbezeichnung. Will man hier von einem Hofadel sprechen, so mag dies angehen. Doch muß gesehen werden, daß diese Ränge zum einen nicht erblich waren, und daß sie mit dem Verlust des Amtes ebenfalls verloren gingen. Beim häufigen Wechsel der dünnen herrschenden Schicht ist also keine kontinuierliche Adelsbildung zu erwarten. Die herrschende Schicht ist auf lange Generationen ein Discontinuum. Zwar erstreckt sich die Herrschaft der „Makedonier" über fast zwei Jahrhunderte, aber infolge der dazwischen immer wieder auftauchenden Tutelarkaiser, die für minderjährige Sprossen des Herrscherhauses die Regierung führten, bleibt das Discontinuum doch die Regel. Erst mit dem Antritt der Komnenendynastie im späten 11. Jahrhundert verfestigen sich die Verhältnisse.

Freilich darf die Diskontinuität auch nicht überbetont werden. Ob die nachfolgenden Kaiser jeweils wirklich an alle von den Höflingen der abgetretenen Majestät angehäuften Reichtümer herankamen, darf bezweifelt werden. Mit Reichtum aber war der Wartestand zu überstehen, und selbst Angehörige der neuen Schicht waren dann durchaus bereit, „einzuheiraten". In anderen Fällen, etwa als Joannes I. Tzimiskes seinen Vorgänger Nikephoros Phokas ablöste, gab es zwar ebenfalls ein großes Revirement, aber die beiden Familien waren eng verschwägert, und was sich dann wirklich abspielte, kann wohl eher mit der Vorstellung von einer Karussellbewegung innerhalb eines großen Klan erfaßt werden. Ebenso gab es Situationen, in denen die neue Schicht so kurz an der Macht blieb, daß die Tür für die Vorgänger sozusagen noch offenstand. Dies gilt wohl für die Herrschaft Isaaks I.

Jede Adelsforschung in Byzanz vor dem 10. Jahrhundert hat mit der Schwierigkeit zu kämpfen, daß Familiennamen nur langsam auftauchen, sodaß sich die Kontinuität einer Familie, was den Besitz der Macht anlangt, nur schwer erweisen läßt. Aufs ganze gesehen aber hat man den Eindruck, daß sich die Familien im Dunstkreis der Herrschaft etwa seit dem 9. Jahrhundert doch einigermaßen konsolidierten, die herrschende Schicht verfestigt sich und man „gehört dazu", auch wenn man nicht gerade „am Ruder" ist. Ob mit dem Huhn oder mit dem Ei zu beginnen ist: jedenfalls geht die Konsolidierung Hand in Hand mit der Festigung des Begriffs und der Tatsache „Dynastie", d. h. es bleibt dabei, daß die herrschende Schicht in Konstantinopel jedenfalls auf den Herrscher orientiert ist und nicht eigentlich städtisches Patriziat darstellt, letzteres umso weniger, als sehr viele der „homines novi" aus der Provinz importiert werden, wo die Prätendenten ihre Hausmacht haben oder lange Zeit hatten. Der Begriff Adel drängt sich langsam auf, aber die Konturen werden nicht sehr deutlich.

Man könnte zunächst einmal von Senatsadel sprechen, denn hier besteht nicht nur rechtliche Vererbbarkeit sondern auch die Partizipation der Familie. Die Schwierigkeiten entstehen mit der Mißlichkeit des Begriffes „Senat" (σύγκλητος) und „Senatoriale" oder „Senator" (συγκλητικός). Der byzantinische Senat ist nicht mit dem alten römischen Senat gleichzusetzen. Er besteht als eine Art Kronrat aus den höchsten Amts- und Würdenträgern des Reiches und aus Männern, die der Kaiser von sich aus zu Senatoren ernannte. Das Prädikat „senatorial" genossen alle Familienmitglieder und es war vererblich, auch wenn keiner aus der Familie mehr in actu zum Kronrat gehörte. Die byzantinischen Quellen aber unterscheiden oft nur sehr undeutlich zwischen diesem ererbten Prädikat und der aktuellen Zugehörigkeit zum Rat. Überlegt man sich, daß die hohen Amtsträger sehr häufig mit dem Tod ihres Kaisers ausschieden, so kann bis zum 10./11. Jahrhundert auch hier die Kontinuität nicht allzu groß gewesen sein. Was dann blieb, war eben das vererbliche Prädikat, das aber weder eine Anwartschaft auf ein neues Amt oder auf eine Hofwürde mit sich brachte. Die Bedeutung dieser Senatorialen in der Erbfolge dürfte wesentlich davon abgehangen haben, ob der Senator selbst seinen Erben Besitz und Reichtum hinterlassen konnte oder nicht. Wir hören von den Quellen zwar immer von „largitiones" der Kaiser, die bei bestimmten Anlässen den συγκλητικοί gespendet wurden. Ob sie über die Familienangehörigen der Senatores in actu hinausgingen, scheint mir zweifelhaft.

Bleibt die Provinz. Es ist wohl nicht vermessen, hier alteingesessene Familien zu unterstellen, die seit Generationen in ihrem Bezirk den Ton angaben, ihn angeben konnten, weil sie fest auf ihren Gütern saßen, eine zahlreiche Klientel ihr eigen nannten und aus praktischen Gründen von den Kaisern dann auch immer wieder mit Gouverneursposten oder Kommandos an Ort und Stelle betraut wurden, was sie offenbar als ihr ganz natürliches Vorrecht betrachteten. Hier von Geburtsadel zu sprechen, bemüht zwar einige Analogien, scheint aber doch nicht ganz unangemessen. Ein einheitliches Bild vom byzantinischen Adel zeichnet sich freilich auch damit nicht ab, und es ist bemerkenswert, daß die byzantinischen Quellen in der Definition und Umschreibung der herrschenden Schicht erheblich schwanken. A. P. Každan[17] hat in seiner tiefschürfenden Untersuchung über die Zusammensetzung der herrschenden Schicht zwischen dem ausgehenden 10. und dem 12. Jahrhundert gerade auch dieses Problem behandelt. Vier Merkmale konkurrieren um den ersten Platz: Geburt, Funktion im hohen Staatsdienst – wozu auch die Hofwürden zu rechnen sind –, Reichtum und Ethos, letzteres verstanden nicht nur als Gesinnungsethos sondern auch als Leistungsethos. Schon im 11. Jahrhundert läßt sich zwischen Autoren scheiden, die in Reichtum und Staatsdienst die hervorragendsten Kennzeichen sehen, während andere Geburt und Ethos in den Vordergrund schieben. Im beginnenden 12. Jahrhundert zählt die edle Geburt an erster Stelle; Reichtum gilt nur in Verbindung mit einer solchen Geburt. Ende des 12. Jahrhunderts rückt die Geburt in den Hintergrund und es ist die hohe staatliche Funktion, die „adelt". Daß diese Schwankungen in der Beurteilung zum Teil die soziale Stellung und die Ambitionen der Autoren widerspiegeln, zum Teil aber auch die Veränderungen im politischen Gefüge, bedarf keiner Betonung. Ethos oder Verdienst, wie immer man es nennen will, ist ja wohl eher eine moralische als eine soziologische Kategorie. Und der Reichtum steht im Vordergrund, wo das naive Denken noch den Mut hat, sich auszudrücken. Daß Reichtum in der Regel „dazugehört", wenn man etwas sein und gelten will, scheint mir in der byzantinischen Gesellschaft eine unleugbare Tatsache zu sein, wie immer man ihn programmatisch einreiht, auch wenn es hier oder dort nicht mehr zum guten Ton gehört, davon zu sprechen. Der „Neureiche" allerdings steht in diesen Quellen nicht hoch im Kurs, aber bekanntlich erfreut er sich wohl eher der Verachtung jener, die schon reich sind, oder einmal reich waren, als der Armen. Doch was hat es mit der adeligen Geburt auf sich? Was bedeutet für den Byzantiner also der Begriff εὐγενής oder seine Synonyma? Der Hintergrund wird selten durchleuchtet, aber die Hypothese scheint nicht abwegig, daß „edelgeboren" nicht viel mehr bedeutet als die Herkunft aus einer älteren Familie, die sich schon lange bemerkbar gemacht hat, eben „notabel" ist, etwa infolge ihres Reichtums oder weil einige ihrer Mitglieder schon früher in hohen staatlichen Stellen gedient haben. Im Grunde bedeutet das Wort wohl kaum mehr als „kein Parvenu". Sicherstes Kennzeichen des Dazugehörens bleibt auf jeden Fall der hohe Staatsdienst und damit verbunden und manchmal identisch mehr und mehr die Zugehörigkeit zur kaiserlichen Familie. Allerdings darf gerade hier auch von einem erschlichenen Adel gesprochen werden. Jede eheliche Verbindung mit einer Familie, zu der, wenn auch in einem noch so entfernten Verwandtschaftsgrad etwa ein Komnene oder ein Palaiologe gehörte, verführte den Angeheirateten, sich neben anderen auch den Familiennamen Komnenos oder Palaiologos zuzulegen. Dies konnte sozial weiterhelfen, aber die Tatsache etwa, daß wir Dutzende solcher Palaiologen erwähnt finden, die in keiner kaiserlichen „Würde", in keinem Hof- oder Dienstrang auftauchen, ja da oder dort in völlig subalterner Stellung erscheinen, beweist vielleicht, daß hier der Bogen überspannt wurde, die herrschende

Klasse sich nicht dupieren ließ und der soziale Nutzeffekt gleich null war. Die Tatsache bleibt, daß ein noch so edel Geborener, ein noch so Reicher, eine noch so ethisch hochstehende Persönlichkeit ohne Amt oder Hofrang keine aktenkundigen Privilegien besaß, die nennenswert gewesen wären, und er sich nur auf das Gewicht seiner Geburt, seines Reichtums oder seiner sittlichen Autorität verwiesen sehen mußte, um etwas zu gelten. Daß er „galt" ist häufig zu beweisen. Sieht man deshalb vom „Hof- und Dienstadel" ab, so scheint mir für die ganze Schicht die Bezeichnung „die Angesehenen" in ihrer ganzen Ungenauigkeit genauer zu sein, als der Begriff Adel oder selbst der Begriff herrschende Klasse, die nur einen Teil dieser „Angesehenen" umfaßt. Er entspricht der Offenheit dieser Gesellschaft m. E. besser.

Hier verwischen sich dann auch die Grenzen zwischen „Adel" und Mittelschicht, für welch letztere die Byzantiner mit Vorzug den Ausdruck μέσοι benützen. Dahin gehören die größeren Kaufleute, Reeder, Besitzer von Fabrikationsbetrieben, mittlere Grundbesitzer usw. Erinnern wir uns der großen Revirements im Reichsdienst beim Regierungswechsel vor allem in den früheren Jahrhunderten und denken wir dabei an jene, die wenigstens teilweise um ihr Hab und Gut gekommen sind, dann müssen wir sie und ihre Nachkommen, denen kein come back gelang, wenn nicht im Proletariat, so doch in dieser Mittelschicht suchen. Damit kommt in diese Schicht ohne Zweifel eine stark politische Komponente, Opposition gegen die jetzt regierende Schicht, jedenfalls Ressentiment dagegen, – dies umso gefährlicher, als sie den „Apparat" der Herrschaft besser kannten und durchschauten, als die übrigen Mitglieder des Mittelbaues oder das einfache Volk. Es ist bezeichnend, daß nach neueren Erkenntnissen die sogenannte Zirkuspartei der Grünen, die öfter gegen den Herrscher auftrat als die Blauen, teilweise wenigstens unter der Führung dieser Mittelklasse antritt. Doch auch die Schicht an der Macht war, was ihre Betätigungsfelder außerhalb des Reichsdienstes anlangt, durch hundert Fäden mit der Mittelschicht und ihrer Erwerbstätigkeit verbunden. Der Vorgang ist ganz natürlich: Klan und Gefolgschaft eines Prätendenten aus der Provinz haben sich zur Gefolgschaft entschlossen, zumeist doch wohl kaum weil sie in ihrem Prätendenten den gottgewollten Herrscher sahen, sondern weil Materielles in Aussicht stand. Mit der Thronbesteigung rücken sie in Amt und Würden, sie werden δυνατοί, Mächtige. Sie werden besoldet und über die ordentliche Besoldung hinaus bieten sich tausend Möglichkeiten der Bereicherung durch Sporteln, die erhoben werden, oder durch den institutionalisierten Bakschisch, dem nach oben keine Grenzen gesetzt sind. Der Gewinn muß angelegt werden, der δυνατός, der Mächtige, ist jetzt zum πλούσιος, zum Reichen geworden. Der Einstieg in den Großgrundbesitz in der Provinz ist bis zum 10. Jahrhundert nicht leicht, also versucht man sich in Immobilien, in Handel und Gewerbe. Ich habe an anderer Stelle eine Reihe von Beispielen aus den

Quellen gesammelt und interpretiert, möchte mich also hier kurz fassen.[18] Ursprünglich scheinen die Senatoren ebenso wie die Kirche bei Geschäftsbeteiligungen steuerfrei gewesen zu sein. Doch Justinian I. hob dieses Privileg auf.[19] Er verbot z. B. auch den hohen Reichsbeamten ohne kaiserliche Genehmigung den Erwerb von Immobilien in der Hauptstadt.[20] Aber spätestens um die Wende zum 10. Jahrhundert hat man auf dieses Verbot gründlich vergessen. In diesem Jahrhundert ist die Unterwanderung der erwerbstätigen Mittelklasse durch die Oberschicht in vollem Gange. Man kauft sich als stiller Teilhaber in eine Steuerpacht ein, man erwirbt neben landwirtschaftlichen Grundstücken vor allem Mietshäuser. Man vermietet an Bäcker und Apotheker, man erwirbt sich Anteile an einer Badeanstalt oder an einer Parfum-Fabrik.[21] Das Privileg, Seidenstoffe und Salböl zu Vorzugspreisen, aber nur für den eigenen Gebrauch, zu erwerben wird ausgenützt, um größere Mengen an sich zu bringen, die man dann zum Marktpreis an den Mann bringt.

Spricht man von einer Klassenmentalität, so wird man gut daran tun, die Beamten der mittleren Kategorien und all die schwer zu definierenden Sekretäre, Notare, Chartulare und Grammatiker nicht zu dieser Mittelklasse zu zählen, denn in vielen Fällen standen sie schon in der Karriere und schielten deshalb sicher mehr nach den Standards der Oberklasse.

Wenn Angehörige der Oberklasse oder derer, die gern dazugehören möchten, von dieser Mittelklasse sprechen, so benützen sie, wie erwähnt, nicht selten den Ausdruck „μέσοι“ und unterscheiden sie damit vom einfachen Volk, der Unterklasse. Ebenso oft aber, wenn nicht öfter, machen sie zwischen beiden Klassen keinen Unterschied und sprechen promiscue von „Volk“, „Menge“, „Haufen“ usw. Das ist insofern richtig, als es sich in beiden Fällen um eine rechtlich „unprivilegierte“ Klasse handelt. Vom Standpunkt adeligen Selbstbewußtseins und kaiserlichen hierarchischen Denkens aus besteht eben kein Unterschied zwischen dem kleinen Kapitän eines Schifferbootes und einem Reeder, zwischen dem kleinen Krämer und dem Kaufmann und zwischen dem Schuster und dem Besitzer einer Schuhfabrik. Aber je größer der Besitz und die Rendite, desto „angesehener“ werden auch diese Leute der Mittelschicht, und dies auch bei den Vertretern der Oberschicht, soweit sie sich nicht snobistisch gebärden. Außerdem braucht man sie nötig, wenn immer der Luxus der Oberschicht und des Staates finanzieller Unterstützung bedarf. Sie dann zu hätscheln ist ein Gebot politischer Klugheit. Offenbar haben einige Kaiser des 11. Jahrhunderts gespürt, daß es schwer geworden war, zwischen den etablierten Angesehenen in den obersten Rängen und diesen Exponenten der Mittelschicht zu unterscheiden. Sie nobilitierten führende Männer des Mittelstandes in erheblichen Mengen, d. h. wohl, sie verliehen ihnen irgendwelche bescheidene Hofränge, deren es ja Dutzende gab, zum Mißvergnügen vor allem des alten Adels. In Parenthese: Vielleicht waren doch auch noch andere Gründe maßgebend: Gewitzt durch die Erfahrung mit dem geschlossenen Auftreten der nicht-adeligen Bevölkerung bei den zahlreichen Revolten des 10. Jahrhunderts, mögen sie sich die Führer bei diesen Revolten durch Nobilitierung verpflichtet haben, womit dann die Masse führerlos sich selbst überlassen bleiben sollte. Die Komnenen jedenfalls, Vertreter eines selbstbewußten „Geburtsadels" aus der Provinz, machten diese Privilegien bald wieder zunichte, nicht zuletzt mit dem hübschen Trick, daß sie die Hofränge neu ordneten, alte Ränge völlig dem Vergessen überließen und ganz neue einführten. Aber je prekärer im Laufe der nächsten Generationen die finanzielle Lage des Reiches wurde, desto stärker waren die Kaiser auf die Zahlungswilligkeit dieser Mittelklasse angewiesen, vor allem wenn Sonderleistungen geboten waren. Das brachte den „μέσοι" eine Art von Bewilligungsrecht ein, jedenfalls de facto, wie es die quasi-parlamentarischen Volksversammlungen unter Kaiser Joannes VI. Kantakuzenos beweisen.[22] Auch in der Provinz machte sich ein neues Selbstbewußtsein dieser Klasse bemerkbar. Wenn ich es recht sehe, dann ist der Kern der Revolten in Thessalonike gerade in einer nachdrücklichen Selbstdarstellung dieser Klasse beschlossen; die Liaison mit den unteren Schichten ist taktisches Manoeuver und zeitlich begrenzt.

Wie schon erwähnt, ist der Unterschied zwischen dieser Mittelklasse und der Unterschicht, dem ὄχλος schlechthin, nur nach Maßgabe des Besitzes und Ansehens feststellbar, nicht aber protokollarisch oder gar verfassungsrechtlich. Taglöhner und Bettler, Schausteller, kleine Fischer und Krämer, einfache Handwerker, Dienstpersonal und Sklaven gehören dazu. Sie im einzelnen auszusortieren, dürfte schwer fallen. Und ob es dem Sklaven wesentlich schlechter ging als dem Taglöhner mag man bezweifeln. Sklavenaufstände kennt Byzanz nicht, es sei denn man folgt einigen Byzantinisten, die aus einem entlaufenen Sklaven einen Aufstand herausdestillieren. Auch über den prozentualen Anteil der Sklaven an der Bevölkerung können wir keine Angaben machen. Soweit sich die Sklaven in den früheren Jahrhunderten aus arabischen Kriegsgefangenen rekrutierten und hier große Zahlen genannt werden, darf dies kaum in eine Statistik haltbarer Natur eingebracht werden, weil der Gefangenenaustausch fast Regel war, wenn auch oft erst nach geraumer Zeit.

Arm bis bettelarm dürfte das Hauptcharakteristikum der unteren Klasse sein. Viele waren Fürsorgempfänger. Diese Fürsorge war durchaus nicht allein Sache der Klöster, sondern der Staat nahm sich ihrer an, teils selbständig, teils indem er die Fürsorgetätigkeit der Klöster finanzierte, die Klöster also nur der verlängerte Arm des Staates waren. Natürlich trifft man auch auf private Stiftungen wohltätiger Natur. Von sich aus unterhielt aber auch der Staat Altenheime, Waisenhäuser, Krankenhäuser und Hospize für Heimatlose, finanziert durch Steuergelder. Die panes publici wurden zwar 608 abgeschafft, aber die Versorgung der Hauptstadt mit Lebensmitteln blieb eine der wichtigsten staatlichen Aufgaben, die mit großer Sorgfalt wahrgenommen wurde. Gewisse Höchstpreise für Grundnahrungsmittel, Mietersatz in Notzeiten, öffentliche Speisungen runden das Bild dieser Fürsorge ab. Freilich gilt dies alles zunächst für die Hauptstadt. Über die Provinzen wissen wir allzu wenig.

Was die politischen Interessen des armen Volkes anlangte, so dürften sie sich mit ihren allgemeinen materiellen Interessen gedeckt haben. Von Absichten, das System zu stürzen und etwa als Proletariat selbst die Macht zu ergreifen kaum eine Spur. Was sich für das 14. Jahrhundert in Thrakien und Makedonien an Bewegungen feststellen läßt, die in eine solche Kategorie gehören könnten, ist nicht ganz einfach zu deuten. Die chaotische Bürgerkriegssituation ist in erster Linie verantwortlich zu machen. Die herrschende Schicht mußte an verschiedenen Orten tüchtig Federn lassen, darüber kann kein Zweifel bestehen. Aber wenn man nach einem Programm sucht, dann findet man Spuren davon höchstens in Thessalonike, und hier scheint es doch ein typisches Programm einer stadtpatriotischen mittelständischen Gruppierung gewesen zu sein. In der Hauptstadt selbst hatte die Bevölkerung das Ventil der sogenannten Zirkusparteien und später das der Gilden. Daß das Proletariat als solches dabei jemals die Führung gehabt hätte, ist sicher unbeweisbar. Einzelne Übergriffe und Pogrome können nicht als Beleg dienen. Es ist ja auch interessant festzustellen, daß die teilweise in das Kleid von Tierfabeln gezwängten spätbyzantinischen Satiren, auch wenn sie vielleicht von relativ einfachen halbgebildeten „Clercs" verfaßt wurden, kein Mitleid mit der Armut von ihresgleichen kennen. Wer es zu nichts gebracht hat, ist eben dumm. Er hat – und dies scheint mir eine der wichtigsten Beobachtungen – eben seine Chance nicht wahrgenommen. Die Wegwendung von der allgemeinen Situation der Klasse hin zu den eigenen, individuellen Möglichkeiten und Chancen: Gradmesser der Mobilität einer Gesellschaft, soweit diese Mobilität nicht rein auf äußeren Zwängen beruht, sondern innerer Motor ist.

VIII. Der Glaube der Byzantiner

Soll hier vom Glauben der Byzantiner die Rede sein, dann im weitesten
Sinne des Wortes, den die englische Sprache mit dem Plural „believes" umfaßt, mehr oder weniger irrationale Überzeugungen also und Ansichten, die
aber den täglichen Habitus bestimmen, ob sie nun rational hinterfragbar
sind oder nicht. Natürlich kann die Frage nach dem Glauben eines Volkes
nicht ohne idealtypisches Verfahren angegangen werden, d. h. es ist ein em-
pirisches Vorgehen erforderlich, das nicht etwa die Summe der Merkmale
sämtlicher „gläubigen" Individuen, soweit sie Byzantiner waren, im Auge
hat, sondern eine gleitende Skala solcher Merkmale dieser gläubigen Gattung, die besonders charakteristisch sind, zusammenfaßt. Erfahrungsgemäß
und methodisch notwendig fällt dabei nicht wenig unter den Tisch. So soll
in unserem Zusammenhang gerade auch diesen Resten eine besondere Aufmerksamkeit gewidmet werden. Zum Glauben gehört der Aberglaube, ein
vielgeliebter Illegitimus, und dazu gehört auch der Irrglaube, nicht nur insofern er unbewußt den Glauben einsäumt, sondern auch insofern er sich als
Provokation des Glaubens entpuppt. Und wenn aus dem Glauben über die
religiösen oder sonstigen Überzeugungen hinaus ein Verhalten wird, weil
Anpassung an ein Glaubenssystem stattfindet, so steht auf der anderen Seite
der Nonkonformismus, die bewußte oder unbewußte Nichtanpassung. Damit sei im Sinne einer Vorbemerkung nur gesagt, daß hier dies alles unter
„Glaube" verstanden sein soll, eben weil sich dies alles nicht trennen läßt
und nur in diesem Gesamt die gläubige Verfaßtheit des Byzantiners sichtbar
wird oder doch sich einigermaßen verrät; denn die Unangepaßten sagen
über eine Gesellschaft nicht weniger aus als die Angepaßten und für die
Orthodoxie ist die Häresie ohnedies sogar im christlichen Verständnis eine
conditio sine qua non: „Oportet et haereses esse"! („Es muß auch Häresien
geben" 1. Korintherbrief 11, 19). Allerdings liegt es der Orthodoxie jeder
Art im Blut, den Ketzer und den Nonkonformisten in die Nähe der Minder-
wertigkeit zu rücken, und die Sekundärliteratur läßt sich von dieser Mentalität nicht selten hinters Licht führen. Dagegen sei nur ein Wort Augustins
zitiert: „Non putetis, fratres, quia potuerunt fieri haereses per aliquas par-
vas animas. Non fecerunt haereses nisi magni homines".[1] („Glaubt nicht,
meine Brüder, daß die Entstehung von Ketzereien einigen kleinen Leuten
zuzuschreiben ist. Ketzereien haben nur große Menschen hervorgebracht".)
Ketzer wie Nonkonformisten sind nicht selten konservativ. Sie hängen an
Denkansätzen, die einem eingleisigen Entwicklungstrend abhanden gekommen sind. Sie sind ebenso oft revolutionär, weil sie soziale Anliegen – und

darunter sind nicht nur materielle zu verstehen, – wieder aufnehmen, die man in der etablierten Gesellschaft nicht gern wahrhaben will oder allzu rasch einer ausgleichenden Gerechtigkeit im Jenseits überläßt. Eine Geschichte der Ketzereien in Byzanz begegnet größten Schwierigkeiten. Zwar ist hier eine solche Geschichte nicht beabsichtigt, aber die Schwierigkeiten bleiben dieselben auch für die bescheidenen Ziele dieses Buches. Die wichtigste ist der Trieb der byzantinischen Häresiologen zur Genealogie: Wenn sie auf einen Irrtum stießen, dann war es ihr Bestreben, ihn zurückzuführen auf eine der bekannten Größen der christlichen Ketzergeschichte in der alten Kirche. Auf dem Gebiet der Dogmatik mußten meist Areios, Sabellios oder Nestorios herhalten, auf anderen ging es zurück bis zu „Simon Magus" aus der Apostelgeschichte oder bis zu Mani und irgend welchen Gnostikern. Der zweite Schritt ist dann, daß irgend einem Häretiker des __. oder 12. Jahrhunderts all das angehängt und zugeschrieben wird, was die alten Häresiologen über den Erzketzer gesammelt hatten. Daß damit das Wollen und Meinen der Leute der Spätzeit nicht unerheblich verzeichnet werden konnte, leuchtet ohne weiteres ein.

Ein zweites: Natürlich gibt es in Byzanz das, was man jüngst „les hérésies nobles" (J. Gouillard) genannt hat, mit denen sich die großen Konzilien beschäftigt haben: Arianismus, Nestorianismus, Monophysitismus usw. Aber es gibt genug andere, die zunächst mit den strengen Sätzen der Dogmatik nichts zu tun hatten, sondern mit kirchlichem Leben und mit Lebensführung. Doch der dogmatische Furor veranlaßt die orthodoxe Polemik, auch solche Bewegungen dogmatisch abzustempeln, manchmal mit einigem Glück, manchmal scharf an der tatsächlichen Lage vorbei. Bemerkenswert ist, daß die Häretiker selbst – auch sie waren eben Byzantiner – dieses Spiel, nicht ohne Lust, mitmachten. Nur mit größter Mühe und einem stark verminderten Sicherheitsgrad kann dann das eigentlich kirchliche oder soziale Anliegen noch herausgeschält werden. Selbst der Staat macht ähnliche Versuche der dogmatischen Diskreditierung von Opponenten, so z. B. in den berühmten Auseinandersetzungen zwischen dem Sprecher des Kaisers Justinian und dem Volk im Hippodrom von Konstantinopel, in denen der „Mandator" die „Grünen" als Manichäer und sonst noch einiges beschimpft. Dabei ist noch Folgendes zu bemerken: eine antikirchliche Bewegung, die größere Kreise ergriff, etwa die Paulikianer, hatte zunächst wohl nicht allzu viel mit Dogmatik zu tun, eher mit Rückkehr zu „urchristlichen" Zuständen. Die orthodoxen Rechercheure, die bei diesen Häretikern Material sammelten, gerieten dabei offenbar an die verschiedensten Leute, und nach ihren Glaubensüberzeugungen befragt, antwortete jeder, wie er eben empfand, d. h. jeder offerierte dem Befrager seine eigene Ideologie, besser seinen eigenen ideologischen Überbau über das ursprüngliche Anliegen. So kamen denn häresiologische Resultate heraus, die, vergleicht man sie, den Anschein erwecken, als handle es sich um völlig verschiedene Bewegungen.

Ein drittes: Wenn ein Nonkonformist, ein Rebell, sich an die politische Ordnung wagte, dann konnte er auf der Klaviatur der ambivalenten politischen Orthodoxie spielen, das aber bedeutete, er konnte sein politisches Wollen auch dogmatisch formulieren, obwohl es mit Dogmatik gar nichts zu tun hatte. So etwa – vorausgesetzt, daß es ernst gemeint war – jene Offiziere des Kaisers Konstantin IV., welche verlangten, der Kaiser solle seine beiden Brüder an der Herrschaft beteiligen, und dies mit dem Slogan: „An die Dreifaltigkeit glauben wir: drei Herrscher wollen wir gekrönt sehen".[2] Es ging ihnen gewiß nicht um politische Theologie, sondern um handfeste politische Interessen.

Ein Viertes: Innerhalb der häretischen Bewegungen gibt es spezifische Entwicklungslinien. Eine solche Bewegung kann zunächst rein dogmatisch anheben, ohne politische Ambitionen; aber die Umstände bringen es mit sich, daß im Verlauf ihrer Geschichte sich doch auch politische Implikationen herausstellen. Oder eine Bewegung setzt rein kirchenpolitisch ein, wird aber dann auf dogmatischer Ebene weiterverhandelt. Beispiel für ersteres der Monophysitismus. Aber um mit letzterem zu beginnen: Im Bilderstreit redete man sich, kaum daß er ausgebrochen war, die Köpfe heiß, wer nun Nestorianer und wer Monophysit sei, – so heiß, daß die Argumente austauschbar wurden. Die Grundfrage aber lautete doch ganz einfach, ob es einen Mißbrauch mit dem religiösen Bild gebe, geben könne oder nicht. Was den Monophysitismus anlangt, so bedarf es zwar äußerster Vorsicht, aber einiges spricht doch dafür, daß diese Häretiker, die sich als die wirklichen Orthodoxen verstanden, vom klassischen Griechisch in dem sich im Regelfall die chalkedonensische Orthodoxie artikulierte, allmählich abrückten und im Interesse ihrer Mission sich der vom kulturellen Monopoldenken der hellenisierten Reichsbevölkerung verachteten Idiome der einheimischen Bevölkerung in Syrien und Ägypten bedienten. Dies mag dazu geführt haben, ja mußte wohl dazu führen, daß sich innerhalb des Reichsganzen ein ethnisches Selbstbewußtsein, das sicher schon in nuce vorhanden war,[3] neu formierte, ein Selbstbewußtsein, das sich sprachlich und literarisch ausdrükken konnte und damit an Intensität gewann. Dies war umso eher möglich, als sich die chalkedonensische Gegenposition auf die Dauer als „kaiserliche Orthodoxie" darstellte, sodaß der dogmatische und sprachliche Riß leicht als ein politischer gedeutet werden konnte. Ob man sich dessen jeweils bewußt war, und in welchem Grade, bleibt zunächst sekundär. Immerhin scheint sich diese mögliche politische Seite während der Okkupation der Ostprovinzen durch die Perser im 7. Jahrhundert und im nachfolgenden Arabersturm in fragwürdiger Treue zu Kaiser und Reich ausgewirkt zu haben.

All diese Schwierigkeiten müssen im Auge behalten werden und sie alle erschweren die Verwendung der Häresiologen in unserem Zusammenhange. Doch – wie schon angedeutet – es geht hier nicht um eine Ketzergeschichte, sondern um den Versuch, Haltungen und Lehren von Häretikern und „Abweichlern" als jene Endpunkte zu sehen, die sich im Extrem aus verschiedenen Glaubenshaltungen und Glaubenszweifeln des Durchschnittsbyzantiners ergeben, die sozusagen die Richtung anzeigen, in welcher sich der Zweifel und die Abweichung bewegen. Dabei sind die „noblen Häresien" von sehr viel geringerer Bedeutung, als was sich sonst an Sondermeinungen herausstellt.

Eine zweite Vorbemerkung gilt dem Nonkonformismus. Der Begriff entstammt der englischen Kirchengeschichte, und er bedeutet passiven Widerstand gegen eine besondere Art englischen Staatskirchentums und seines Ausdrucks in Gesetzgebung und liturgischer Agende, Schisma also im Höchstfall und weniger Häresie. Aber im Verlaufe der „Soziologisierung" theologischer Begriffe ist aus dem konfessionellen Nonkonformismus abweichendes Verhalten jeder Art gegenüber den sozialen Normen einer Gesellschaft geworden, schwankend zwischen Rebellion und Apathie, Reformtendenz und totaler Verweigerung. Er hat in unserem Zusammenhang seinen Platz, auch insofern er nicht mit Schisma oder Ketzerei identifiziert werden kann, weil gerade in Byzanz die Orthodoxie derart verhaltens- und lebensprägend war, daß man sich auch durch die nicht dogmatisch artikulierte Verweigerung in eine Distanz setzen konnte, welche die Orthodoxie traf und Gesellschaft meinte oder umgekehrt – ein Zwischenbezirk, mit dem die Hüter der Orthodoxie schwer zurecht kamen. Nicht mit wirklichem Nonkonformismus sollte man verwechseln, was im Grunde etwa nur modische Spielerei war; – so hatten die byzantinischen Sittenrichter es immer wieder mit Langhaarigen und dergleichen zu tun – oder was nur einfach am Rande des Establishments sich bewegt, obwohl selbstverständlich ein und dieselbe Ausdrucksform eines solchen Spiels am Rande auch vom echten Nonkonformisten für seine Zwecke verwendet werden kann.

Ohne Zweifel darf man zunächst eine Art wenn auch noch so vagen Konsenses von religiösen Glaubensüberzeugungen beim Durchschnittsbyzantiner unterstellen, entsprechend etwa den Artikeln des in der Liturgie laut rezitierten Glaubensbekenntnisses. Glaube ganz allgemein hat natürlich nur sehr teilweise mit Religion zu tun, aber so weit er mit ihr zu tun hat, ist der christliche Glaube in Byzanz der beherrschende. Wie weit gilt diese Aussage? Anders gefragt: wie weit ist Byzanz, formell wenigstens, wirklich christlich? Daß schon sehr früh in Konstantinopel Muhammedaner auftauchen, und sie angeblich schon im 8. Jahrhundert dort eine Moschee haben, hat nicht viel zu besagen. Es dürfte sich doch im allgemeinen um Bürger des Kalifats gehandelt haben, die auf Zeit in der byzantinischen Hauptstadt weilten, und nicht um Bürger des byzantinischen Imperiums. Wichtiger ist die Frage nach dem Weiterleben des Heidentums. So lange die Slaven noch nicht bekehrt waren oder so lange es noch den großen Fernhandel nach dem mittleren Osten gab, werden immer wieder Heiden das Reich durchzogen und da und dort Station gemacht haben. Aber wiederum handelt es sich nicht um Reichsbürger. Wie es insgesamt mit der Christianisierung der Reichsbewohner aussah, ist im einzelnen schwer zu sagen. Wir verfügen nur über punktuelles Wissen. A priori darf wohl angenommen werden, daß sich das Heidentum auf dem Lande und vor allem in den Grenzgebieten, etwa da, wo die afrikanischen Provinzen an die Wüste stießen oder am Unterlauf der Donau oder im Kaukasus und in Südrußland, sehr viel länger hielt als in den größeren Städten. Aber selbst in Thrakien, d. h. im Hinterland der Hauptstadt, scheint es um 400 noch Heiden genug gegeben zu haben. Erst recht ist man erstaunt, aus dem Munde des Joannes von Ephesos zu hören, er habe 542 von Kaiser Justinian den Auftrag bekommen, die Heiden in Kleinasien zu missionieren und er habe mit einigen Unterbrechungen etwa 30 Jahre auf diese Mission in den Provinzen Asien, Lydien, Phrygien und Karien verwendet. Seine Angaben über die Zahl der Bekehrungen schwanken zwischen 70000 und 80000.[4] Eine andere Frage ist die nach dem Heidentum in der politischen und intellektuellen Welt. Jedenfalls stehen noch im 5. Jahrhundert sogar einige Stadtpräfekten von Konstantinopel im Geruch des Heidentums. Und Tribonian, der große Jurist Justinians, gilt als Heide. Noch in der zweiten Hälfte des 5. Jahrhunderts formierte sich das Heidentum sogar politisch, um den Sturz Kaiser Zenons herbeizuführen.[5] Der Politiker an erster Stelle war der Magister Militum per Orientem Illus, von Konfession ein Orthodoxer, aber das geistige Haupt war der heidnische Philosoph Pamprepios. Der Fehlschlag der Revolte brachte eine scharfe Heidenverfolgung und unter den Betroffenen finden sich nicht wenige Philosophen. Malalas sowohl wie Prokop berichten schließlich von heftigen Verfolgungen der „Hellenes" durch Justinian. Senatoren, Grammatiker, Sophisten und Scholastikoi werden ergriffen und gefoltert. Dies um 546. Und noch 562/63 werden heidnische Priester aus Athen, Antiocheia und Palmyra dingfest gemacht.[6] Total christianisiert war das Reich im 6. Jahrhundert offenbar noch nicht.

In den nachfolgenden Jahrhunderten taucht der Vorwurf des Heidentums vor allem Literaten gegenüber immer wieder auf. Konstantin Sathas[7] hat Dutzende von Seiten dem Versuch gewidmet, durch alle Jahrhunderte hindurch in Byzanz eine heidnische Unterströmung nachzuweisen. Der Versuch in dieser Form und in dieser Verallgemeinerung muß als gescheitert betrachtet werden. Trotzdem bleibt die Frage, wie die Vorwürfe, die gemacht wurden, im einzelnen zu bewerten sind. In manchen Fällen handelt es sich um nichts anderes als um Anleihen bei der altgriechischen Philosophie, etwa bei Joannes Italos, die natürlich zu Lehren führen konnten, die der Orthodoxie widersprachen, etwa zur Anschauung von der Ewigkeit der Welt u. ä. In anderen Fällen mag man an eine Beschäftigung mit den heidnischen Bildungsgütern denken, wobei es sich auf der einen Seite um preziöse klassizistische Liebhabereien mit diesen entsprechender Redeweise gehandelt haben mag, auf der anderen Seite aber doch vielleicht um eine Versenkung in die mythische Welt, die mehr war als bloße Spielerei und für christliches Gedankengut keinen Raum mehr ließ. Hypothese ist dies alles; aber es scheint doch, daß die Möglichkeiten vorhanden waren, weil es sonst schwer erklärbar wäre, wie dann plötzlich gegen Ende des 14. und im Beginn des 15. Jahrhunderts mit Georgios Gemistos Plethon das Heidentum bewußt und ohne spielerischen Anstrich sein Haupt erhebt und zum Großangriff auf die konventionelle byzantinische Weltanschauung antritt. Wobei zu ergänzen ist, daß Plethon nicht der einzige ist, der für diese Zeit namhaft gemacht werden kann.

Trotz allem: typisierend darf mit dem christlichen Glauben als der beherrschenden Form gerechnet werden. Natürlich ist Glaube etwas anderes als das dogmatische System der Theologie. Theologie kann ein Glaubensbekenntnis vorbereiten, es kann es erläutern und absichern; je näher sie am Text der Offenbarungsschriften bleibt, desto mehr von ihr kann in das Bekenntnis eingehen. Die byzantinische Theologie blieb nicht sehr nahe am Text. Wie immer sie sich im einzelnen entwickelt hat – darüber ist an anderer Stelle gehandelt – dem religiösen „real assent" kam sie nicht sehr entgegen. Das hatte teilweise keine besonderen Folgen. Es gibt ja in einer religiös bestimmten Gesellschaft, die eine Dogmatik ihrer Glaubensüberzeugungen ausgebildet hat, offensichtlich eine Zone, die, im Glaubensbekenntnis formal artikuliert, widerspruchslos anerkannt wird, ohne daß das ja oder nein dazu im täglichen Leben auf eine Weise, die historisch faßbar wäre, sich fördernd oder hemmend bemerkbar machte (Ausnahmen sind die „noblen Häresien", von denen schon gesprochen wurde). Diese Glaubensartikel werden sicher auch in Byzanz vom Durchschnittschristen nicht weiter hinterfragt, sie verbleiben in einer majestätischen Unbegreiflichkeit, um die man sich kaum weiter kümmert. Angesprochen auf seine Gottesvorstellungen würde wohl jeder Byzantiner ohne Zögern mit den ersten Artikeln des liturgischen Credo kommen und damit ein Bekenntnis zur Trinität ablegen, auch wenn er völlig in Verlegenheit käme, müßte er dogmatische Präzisionen dazu abgeben. Diese Artikel bleiben für ihn im Bestfall ein hoher Wert, mit dem umzugehen höchste Sorgfalt erfordert, der aber nicht ohne weiteres für das tägliche Leben von Bedeutung ist. Daneben freilich stehen andere Glaubenslehren, die manchen Gegebenheiten des täglichen Lebens provozierend gegenüberstehen, weil diese Gegebenheiten andere Deutungsmöglichkeiten nahelegen. Hier wird nicht nur theoretische Zustimmung vorausgesetzt, sondern praktischer Glaube, – ein Glaube, der strapaziös werden und ins Gegenteil umschlagen kann. Denn nicht jeder ist diesen Forderungen gewachsen, nicht nur weil sie ein „sacrificium intellectus" voraussetzen, sondern weil sie an den Lebensnerv rühren, was nicht immer im Unglauben enden muß, sehr wohl aber in Ängsten, Zweifeln und Ausflüchten. Es handelt sich um das Problem, das Leibniz die „Theodizee" genannt hat, d. h. die Rechtfertigung Gottes gegenüber dem Übel und dem Bösen in seiner

Schöpfung, – ein Unterfangen, das in Byzanz umso schwieriger ausfallen mußte, weil der byzantinische Gottesbegriff, trotz Majestas Domini und Pantokratoridee, nicht weit genug von Anthropomorphismen entfernt war, um im „Ganz Anderen" das Problem sich selbst zu überlassen. Die orthodoxe Theologie konnte sich natürlich unter keinen Umständen dazu verstehen, den Ursprung des Übels auf ein vom guten Gott unabhängiges böses Urprinzip zurückzuführen. Physisches Übel läßt nach ihrer Lehre Gott nur zu, um damit höhere Zwecke zu erreichen, Strafe für Sünde, Prüfung, Hinwendung weg von der Materie zu geistigen Werten usw. Das Böse aber will Gott überhaupt nicht; er läßt es nur zu, weil er den Menschen mit freiem Willen ausgestattet hat, und der Mensch diesen freien Willen zur Sünde mißbraucht. „Gott weiß zwar alles voraus, aber er bestimmt nicht alles voraus": dies der Satz, der immer wiederholt wird. Gottes Verhalten zur Sünde ist die „Zulassung", nicht die Determination... Daß damit das Problem in keiner Weise gelöst ist, eben weil es unlösbar ist, hat frühestens Georgios Scholarios als Theologe darzustellen gesucht, aber radikal haben die Menschen in Byzanz längst vor Scholarios gewußt, daß es keine Lösung war. Der Gläubige, der mit den Formeln der Theologie, so weit sie ihm überhaupt bekannt waren, nichts anfangen konnte, rieb sich an diesen Problemen wund. Von diesen Sorgen erfahren wir in den dogmatischen Traktaten nur äußerst selten etwas, ein Beweis, wie weit sie sich vom religiösen Bedarf des Alltags entfernt haben. Aber wir kennen sie und damit die teilweise naive, teilweise bestürzende Fragestellung des einfachen Menschen aus einer ganzen Zahl von Serienwerken, Ἐρωταποκρίσεις (Frag-Antworten) genannt, die zwar nicht selten einem großen Kirchenvater zugeschrieben werden, aber doch meist die Verlegenheit oder ärmliche Beflissenheit des „kleinen Seelsorgers" gegenüber solchen Problemen verraten.[8] Da steht die simple Frage des Bibellesers: Wenn Gottes Schöpfung wirklich gut sein soll, warum unterscheidet dann das Alte Testament zwischen reinen und unreinen Speisen? Oder: Wie kann Gott den Teufel, das Schlechte also, vor sein Angesicht treten lassen, wie es im Buch Job heißt? Wie weit kümmert sich denn Gott um seine Schöpfung, in der es doch so vieles gibt, was sich mit seiner Vorsehung nicht vereinbaren läßt? Und wenn Gott doch alles vorausbestimmt, hat es dann noch Sinn, in Zeiten feindlicher Einfälle ins Land sich auf die Flucht zu machen? Gottes Güte: wie verträgt sich damit die Ewigkeit der Höllenstrafen? Und warum der plötzliche Tod, den angeblich Gott auch vorausbestimmt, womit dann keine Zeit zur Reue mehr gelassen wird? Und schließlich: Warum müssen unschuldige Kinder oft so grausig sterben? Es ist bezeichnend, daß solche und ähnliche Fragen große Teile dieser Literatur ausfüllen. Und man erkennt sehr leicht, daß die Allmacht und Fürsorge Gottes für die Welt immer wieder in Frage gestellt wird.

Dieselbe Problematik konkretisiert sich im Verhältnis der Byzantiner zur

Welt der Dämonen. Es gehört zu den interessantesten Fragen der Religionsgeschichte und der Religionspsychologie, wie sich im Christentum diese dämonische Welt in einem solchen Ausmaß halten konnte, wie sie in Byzanz auftritt, obwohl doch Christi Erlösungswerk nach allen Regeln der Dogmatik den Sieg über Tod und Teufel, über Unterwelt und Dämonen bedeutet. Vielleicht ist die Aussage gerechtfertigt, daß der christlichen Predigt die Entmythologisierung der heidnischen Welt nur sehr teilweise gelungen ist. Die Ungereimtheiten des Mythos in rationaler Beleuchtung für den Gebildeten zu enthüllen, war eine Aufgabe, die in der Spätantike kaum noch nötig war, jedenfalls leicht fallen mußte. Aber hier lag das Problem des Mythos gar nicht, sondern in der Mächtigkeit eines Weltbildes, das die Kräfte der Natur und die Wechselfälle des Lebens Mächten zuteilte, die einfach gegeben waren, ohne daß sie in eine entscheidende Abhängigkeit voneinander, in eine herrschaftliche Hierarchie gebracht werden mußten: Zwischenwesen, die einfach da waren und wirkten. Die Wirkungen waren täglich feststellbar, die Mächte dahinter schuf eine Phantasie mit einem ungeheuren Drang zur Personalisierung. Man fand sich mit der Welt ab, indem man ihre Ambivalenz anerkannte und sich darauf beschränkte, Kräfte als Hypostasen zu sehen, mit denen man sich einzeln auseinandersetzte, deren Namen man kannte, die man anrufen oder verfluchen konnte, im Hintergrund ein ehernes Schicksal ahnend, dem selbst die höchsten Götter unterworfen waren. Es gab also kein totalitäres überweltliches Verantwortungssystem, es gab – anders ausgedrückt – kaum ein Problem der Theodizee.

Dabei aber handelt es sich um festvertäute Grundvorstellungen der spätantiken Menschheit. Das Christentum konnte die Taue kappen und damit glauben, etwas Entscheidendes erreicht zu haben. Aber der Erfolg bestand nur darin, daß das alte Gedankengut nun richtungslos wie Treibholz zwischen den Ufern schwamm und sich da und dort verfing. Ohne Bild: Das Christentum ließ die mythischen Hypostasen am Leben und verdrängte sie damit in einen Bereich, den es als dämonisch anerkennen mußte, in den auch dem Christen vertrauten Bereich der gefallenen Engel, der Widersacher des Schöpfergottes, nur daß die alten Götter weniger anonym waren als die Engel; man kannte sie seit langem und es blieb dabei, daß man mit ihnen zu rechnen hatte. Diese geringe Folgerichtigkeit auf seiten der Mission erklärt sich wohl auch damit, daß eben auch die Missionare spätantike Menschen waren, denen die Entgötterung der sichtbaren Welt nicht leicht fiel.

Die Tatsache aber, daß die dämonische Welt vor allem in Mönchskreisen zu so ungeheurer Bedeutung kam, gibt Anlaß zu einer zweiten Überlegung. Der Eremit in der Wüste, von der Welt ausgesperrt, ihren Abwechslungen entzogen und ganz auf sich selbst und auch auf sein Innenleben zurückgeworfen, um das er sich früher kaum viel gekümmert haben mochte, sah sich nun Erlebnissen und Erfahrungen gegenüber, Bedrohungen seiner Geduld und seiner Durchhaltekraft physischer und psychischer Art, die er deuten wollte. Sie als psychische Phänomene zu erkennen, war ihm wohl kaum gegeben; und so projizierte er seine Erfahrungen nach außen: die Versuchung wird zum Versucher, zur Hypostase, die die pagane Naturgewalt ersetzt, die Wüste bevölkert sich nun mit neuen Dämonen. Und was vom Eremiten gilt, gilt schließlich vom gesamten Mönchtum. Das Mönchtum aber ist mitbestimmend für die Vorstellungen derer, die sich seiner Führung hingeben. Und da der Mönch schließlich sich als stärker als die Dämonen erweist, wächst ihm neues Führungspotential zu.

So baut sich ein dämonischer Gegenkosmos auf, der zu Gottes Rivalen im Kampf um die menschliche Seele wird. Die Dämonen sind überall: als abgewürdigte Götter hausen sie mit Vorliebe in alten Tempelruinen oder deren Umgebung, in Brunnen und Gemäuer. Sie schlüpfen in jegliche Gestalt, in Hunde, Schlangen, Schweine und Vögel. Aber auch als Engel erscheinen sie und als Menschen, besonders gern als schwarze Äthiopier und – selbstverständlich mit Lustgewinn, – als Frauen. Sie bedrohen nicht nur das Seelenheil, sondern auch Leben und Gesundheit. Sie sind immer zur Stelle und für alles verantwortlich. Gelegentlich finden sich Ansätze zu einer etwas subtileren Betrachtungsweise. Theophanes von Cerami[9] berichtet in einer Predigt von Leuten, die schlankweg behaupteten, eine Aktion des Teufels gebe es nicht, alle derartigen Vorkommnisse ließen sich natürlich erklären. Für Theophanes handelt es sich hier um Gottlose, d. h. für ihn ist der aktive Teufel das notwendige Korrelat zum Gottesbegriff. Allerdings predigt er auch gegen jene, die den Menschen mit Leib und Seele der satanischen Macht ausgeliefert wissen wollen; die Wahrheit liege in der Mitte. Andere, wie Michael Psellos, beschäftigen sich sozusagen wissenschaftlich mit der Dämonologie unter Einsatz aller Kenntnisse aus vorhandenen antiken Quellen. Was er sich persönlich denkt, ist schwer zu erfassen. Gelegentlich begegnen Sätze wie: „Nicht einmal der verrückteste Mensch kann eine körperliche Erscheinungsform der Dämonen unterstellen. Solche Erzählungen gehören in den Bereich der Fabeln und amüsanten Geschichten".[10] Aber Psellos gefällt sich auch als Hagiograph, und da kommen die Dämonen wieder zu allen Rechten und sind voll ausgelastet. Natürlich lehrt die Theologie, daß der Mensch imstande ist, mit jeder Anfechtung des Bösen fertig zu werden, denn er besitzt seinen freien Willen und darf auf Gottes Hilfe hoffen. Es scheint jedoch, daß die Byzantiner ihren Theologen hierin nicht immer voll und ganz Gefolgschaft leisteten. Das zeigen schon die Zweifel in der Frage-Antwort-Literatur. Auch Digenis Akritas und damit das unbeschwerte Singen und Sagen des Volkes ließe sich zitieren:[11]

Eines Tages begegnet er auf seinen Zügen einem verlassenen Mädchen. Die Leidenschaft überkommt ihn, doch eigentlich möchte er nicht sündigen. Aber:

Es kann nicht sein, daß Heu sich nicht am Feuer rasch entzündet.

Es kommt aber, wie es kommen mußte, und er vergewaltigt das Mädchen:

> Das Unrecht, das ich da getan, hat meinen Weg geschändet.
> Der Teufel war dabei am Werk und meiner Seele Leichtsinn.

Das klingt fast noch theologisch korrekt, aber er beeilt sich, Satan doch die Hauptverantwortung zuzuschieben:

> Der alte Widersacher, Herr des Dunkels und der Hölle,
> von je des menschlichen Geschlechts der eingefleischte Gegner,
> er brachte es dahin, daß ich auf Gott vergessen . . .

Wie immer man einzelnes beurteilen will: hier erheben sich jedenfalls widergöttliche Mächte, die das Vertrauen in Gottes eigene Allmacht und seine Fürsorge einigermaßen fragwürdig erscheinen lassen. Und da oder dort hat man sich wohl die Frage gestellt, ob es nicht tunlich sein könnte, nicht nur zu Gott, sondern auch zu diesen Mächten ein erträgliches Verhältnis herzustellen. Damit sind wir natürlich unter orthodoxem Standpunkt auf dem Feld der Ketzerei angelangt, und da die Häresiologen eifrige Sammler sind, gehen wir nicht leer aus. Die Frage, was mit ihren Berichten anzufangen ist, bleibt zunächst offen. So hören wir von den sogenannten Phundagiagiten in Kleinasien im 11. Jahrhundert.[12] Vielleicht erklärt sich ihr Name von dem Bettelsack, den sie trugen. Ein konstantinopolitanischer Mönch namens Euthymios weiß über sie zu berichten, sie seien hauptsächlich auf dem Dorf zuhause, hätten mit ihrer Propaganda allerdings auch in den Städten Erfolge zu verzeichnen. Ihr wichtigster Initiationsritus sei eine satanische Beschwörung (ἐπωδὴ σατανική), hier ohne Zweifel als Beschwörung des Satans zu interpretieren, eine Herabrufung auf die Häupter der Adepten, damit die Taufgnade entweichen könne. Zwar verehrten die Phundagisiten eine Trinität, aber das sei nicht die christliche, sondern wiederum eine satanische, und wenn sie auch das Vaterunser sprächen, so sei mit dem Vater doch nur wiederum der Teufel gemeint, der Schöpfer aller Dinge im Himmel und auf Erden. Als Mönche und Priester „verkleidet" durchzögen sie die Gegenden und scheuten vor keiner Strapaze zurück. Sie verhinderten die Ehe, beriefen sich dabei auch auf die Heilige Schrift, aber alles in heuchlerischer Absicht. Den Sakramenten stünden sie mehr oder weniger gleichgültig gegenüber.

Berücksichtigt man die bekannten Verfahrensweisen der byzantinischen Häresiologen, vor allem ihr Bestreben, von einem Punkt ausgehend ihren Opfern womöglich alles anzuhängen, was sie von Häretikern überhaupt wissen, geht man also vom methodischen Prinzip der Sparsamkeit aus, so darf man wohl annehmen, daß es sich um eine bäuerliche Bewegung handelte, die von einfachen Mönchen und Klerikern getragen wurde. Sie wollten sich mit dem Teufel arrangieren, und bedienten sich dazu irgend welcher besänftigenden Beschwörungen – über den Inhalt der Beschwörung weiß Euthymios überhaupt nichts. Die Interpretation des Trinitätsglaubens und des Vaterunsers durch Euthymios ist dann nur eine konsequente Weiterentwicklung – in seinem Kopf. Es wäre durchaus verständlich, daß sie beim kirchlichen Glauben und dem kirchlichen Gebet, sowie bei den Sakramenten blieben, wenn sie auch ihrem Verhältnis zum Teufel besonderen Wert beimaßen. Dann war natürlich für Euthymios auch ihr Trinitätsglaube teuflisch und ihre Sakramente ebenfalls. So zogen sie mit ihrem Schnappsack durch die Gegend, kleine Mönche aus dem Dorf, Popen ohne besondere Bildung, bestrebt, die Welt wieder in Ordnung zu bringen, Opfer einer allgemeinen verbreiteten Weltanschauung, die nicht sie erfunden hatten, aber mit der sie fertig werden wollten. Euthymios schreibt ihnen die Ansicht zu, der Teufel sei der Schöpfer dieser Welt. Also Dualismus der Prinzipien? Der Begriff Dualismus in diesem Zusammenhang ist so einfach wie vieldeutig. Und die Häresiologen haben eine Schwäche für ihn. Sprachen sie tatsächlich philosophisch von zwei Prinzipien? In der gedanklichen Einfachheit, welche ihnen zu eignen scheint, kann ja wohl auch die Unterstellung genügen, sie hätten vom Teufel als dem Herrn der Welt in ihrem jetzigen Zustand gesprochen. Und das Wort vom Herrscher dieser Welt, den die Exegeten nie mit Gott gleichgesetzt haben, steht ja in der Bibel. Von den orthodoxen Asketen selbst konnte man immer wieder und wenig nanciert vernehmen, daß diese Welt tatsächlich des Teufels sei!

Eine weitere Quelle zum häretisch entarteten Dämonenglauben scheint ein Traktat des Michael Psellos zu sein, ein Dialog,[13] in dem ein Timotheos über Teufelskulte in Thrakien berichtet. Psellos ist äußerst gelehrt, und die Forschung hatte keine allzu großen Schwierigkeiten, seine Angaben fast ausnahmslos in älteren Schriften ausfindig zu machen. Dies bedeutet an sich ja noch nicht, daß dem Bericht für die Zustände im 11. Jahrhundert geschichtliche Wirklichkeit abzusprechen wäre. Aber wenn geschichtliche Wirklichkeit, dann glaube ich doch nicht, daß der Traktat des Psellos für den „Glauben der Byzantiner" in Anspruch genommen werden soll. Es handelt sich meines Erachtens vielleicht doch nur um eine jener kulturgeschichtlichen Kuriositäten, die wir bis in unser Jahrhundert verfolgen können, um sexuelle Perversitäten, die mit der Hinzunahme einer Satansgestalt jenen pseudoreligiösen Nimbus bekommen, mit dem sich Perversitäten immer wieder zu umgeben suchen.

Abweichendes Verhalten, Nonkonformismus im weitesten Sinne des Wortes begegnet in Byzanz auf einer bestimmten Ebene sicherlich ebenso oft wie in anderen normierten Gesellschaften. Greifbar wird er uns besonders da, wo sich der Byzantiner nicht an die rituellen und verhaltensmäßigen Normen halten will, welche die Orthodoxie gesetzt hat. Die Kanones der Konzilien, die sich ja in erster Linie mit Mißbräuchen in der Kirche beschäftigen, sind eine der aufschlußreichsten Quellen, ebenso Dekrete der byzantinischen Patriarchatskanzlei. Unter den Kanones nehmen die des Konzils in Trullo (690/691) auf Grund ihrer Reichhaltigkeit den ersten Platz ein; sie erlauben es uns, eine ganze Reihe von Brauchtümern festzustellen, welche die Orthodoxie ablehnen zu müssen glaubte. Der Tenor der Kanones verrät, daß hier nicht theoretisiert wird, sondern in praxi geübte Bräuche aufs Korn genommen werden. Und da viele der Bestimmungen schon in wesentlich früheren Synoden auftauchen, ist anzunehmen, daß sich die Masse der Gläubigen wenig um ihre Einhaltung gekümmert hatte. Es ist nur natürlich, daß unter den Verboten die Treue zu alten, zum Teil ins Heidentum zurückreichenden Bräuchen eine besondere Rolle spielt, so charakteristische burleske Feierlichkeiten anläßlich der alten Kalenden und Brumalia, aber auch heidnische Schwurformeln, „schändliche Bilder", worunter wohl Darstellungen aus der Mythologie zu verstehen sind, usw. Immer noch – schon Joannes Chrysostomos hatte sich darüber erregt – liebt man es, an den Passah-Feiern der Juden teilzunehmen und ihre Mazen zu essen, so wie auch der jüdische Arzt offenbar immer noch dem christlichen vorgezogen wird. Immer wieder ist auch von Zauberei, Wahrsagerei und ähnlichen abergläubischen Praktiken die Rede. Schließlich werden auch alle möglichen Schaustellungen und Tänze verurteilt, offenbar soweit sie mit Aberglauben zu tun haben.

Die Kanones in Trullo wurden noch nach Jahrhunderten kommentiert. Aus dem Kommentar des Theodoros Balsamon etwa im 12. Jahrhundert läßt sich unschwer entnehmen , daß eine ganze Reihe der im 7. Jahrhundert getadelten Praktiken frisch-fröhlich weiterlebte. Die Gründe dafür sind wohl nicht von weit herzuholen. Welcher kleine Papas wußte schon Bescheid über Konzilsentscheidungen; und wenn, was sollte ihn veranlassen, in seine Gemeinde, der dieses Brauchtum offenbar ans Herz gewachsen war, Unruhe und Opposition zu bringen? Die großen Bischöfe auf den Konzilien – was wußten die schon von den kleinen Lustbarkeiten des byzantinischen Alltags, den wenigen fröhlichen Unterbrechungen des alltäglichen Trotts? Und hier und da ein wenig in die Zukunft sehen? Wahrscheinlich tat es auch der Papas selbst nicht ungern. Aber doch nicht nur der Papas allein. Es ist erstaunlich, wie weit verbreitet auch in den höchsten Kreisen die Praktiken der Mantik waren und was es sonst an zauberischen Krimskrams gab. Selbst die Kaiser machen hier keine Ausnahme und die Chronisten berichten darüber, ohne mit der Wimper zu zucken. Gelehrte wie Michael Psellos, Patriarchen wie Michael Kerullarios und Historiker vom Format eines Niketas Choniates waren überzeugt, daß an diesen Praktiken „etwas war". Kaiser Nikephoros I. lernt bei den Paulikianern, wie man mit einem revoltierenden Patrikios zurechtkommen kann.[14] Er läßt in einer Grube einen

Stier verbluten und zerreibt inzwischen ein Kleidungsstück des Verdächtigen in einer Mühle, wobei er Zauberformeln rezitiert. Kaiser Alexander, mehr oder weniger impotent geworden, läßt sich von Zauberern in den Hippodrom geleiten, wo sie Kerzen anzünden und vor den Statuen der Tierkreiszeichen, die mit den Gewändern des Kaisers bekleidet sind, Weihrauch abbrennen.[15] Dem großen General Alexios Axuch sagte man nach, er könne fliegen und durch die Wände in verschlossene Räume dringen.[16] Er wurde dafür in ein Kloster eingesperrt. Offenbar hielt Kaiser Manuel I., der ihn verurteilte, derartiges für durchaus möglich. Nicht weniger beliebt als Zauberei war die Wahrsagekunst. Besonders häufig ist der Fall, daß ein frommer Mönch oder ein Bischof einem Mann prophezeit, er würde Kaiser von Byzanz. Mehr braucht wohl im einzelnen nicht angeführt werden. Soll man wirklich von Nonkonformismus sprechen? Vielleicht genügt es, in all diesen abergläubischen Praktiken jene Randerscheinungen des Glaubens zu sehen, die immer wieder auftauchen, wenn das offizielle Dogma der Neugierde der Menschen und ihrer geistigen Schwäche allzu wenig Raum läßt. Natürlich gibt es immer wieder den barbarischen Exzeß, bei den Bewohnern von Pergamon etwa, als sie im Jahre 717 von den Arabern belagert wurden. Bevor sie zum Gegenangriff übergingen, kochten sie einen menschlichen Embryo und tauchten die Hände in die Brühe, um unangreifbar zu werden. Die Araber nahmen die Stadt trotzdem ein.[17] Und immer wieder wird auch vorgekommen sein, was Inhalt der berühmten griechischen Sage von der eingemauerten Frau des Baumeisters der Brücke von Arta ist. Mit einem expliziten Glauben an Gottes gütige Vorsehung aber haben all diese Dinge nichts zu tun.

In Konkurrenz zu dieser Vorsehung droht auch die Astrologie zu treten, eine der Hauptleidenschaften der Byzantiner. Orthodox, wie die Byzantiner doch immer wieder sein wollen, fanden sie in der Bibel, vor allem im Stern der Weisen aus dem Morgenlande oder in der Sonnenfinsternis beim Tode Christi, Ansätze, die stark genug waren, um ihnen Astrologie trotz allem geheuer erscheinen zu lassen. Und wenn man den Sternen die kausale Wirkkraft dem Menschen gegenüber absprach und sich auf ihre „hinweisende" Bedeutung beschränkte, dann war auch die Willensfreiheit gerettet. Man konnte dies und jenes zum Thema auch bei den Kirchenvätern finden. Im großen und ganzen scheint man sich auf diese Einschränkungen aber nicht immer besonnen zu haben, und generell war denn auch die Kirche gegen die Astrologie. Schon die Synode von Laodikaia im 4. Jahrhundert verbietet den Klerikern die Astrologie ohne Einschränkung, und Kaiser Konstantinos erläßt 336 ein Dekret dagegen, allerdings kaum aus theologischen, sondern aus politischen Gründen, d. h. um oppositionelle „Forschungen" nach einem neuen Kaiser oder nach der noch verbleibenden Regierungszeit des Kaisers im Amt zu unterbinden. Aber nicht nur die Praxis lebte vergnügt weiter, immer wieder treten die Theoretiker auf, die mit Nachdruck für die

Astrologie sprechen. So um die Mitte des 8. Jahrhunderts ein Astrologe, der aus dem Kalifat kommt und sich natürlich einen Philosophen nennt, ein gewisser Stephanos. Er will in Byzanz die Begeisterung für sein Fach neu entzünden, wo es Leute gäbe, die hier von Sünde sprächen. Astrologie sei bei allen Völkern verbreitet, und diejenigen Herrscher, die sich besonders mit ihr befaßt hätten, seien auch die siegreichsten geworden, ja fast Weltherrscher. Der Wink mit den Erfolgen islamischer Astrologie ist unverkennbar, und es dauert nicht lange, bis die „Kriegsastrologie" auch bei den Byzantinern zur bestens gehüteten Geheimwissenschaft wird. Astrologie ist fromm, weil sie die Vernunft gebraucht, um die Bewegungen am Himmel zu studieren, um daraus zu entnehmen, was an Schlechtem oder Gutem eintreten wird. Natürlich ist ihnen die Wirkung, die sie ausüben, von Gott verliehen, sie sind ein Produkt der göttlichen Vorsehung. Das Vorauswissen ist eine göttliche Eigenschaft. Er teilt sie nur jenen mit, die sehr fromm und tugendhaft sind, und jenen, die viel Mühe und Schweiß auf diese Wissenschaft verwenden.[18] Man sieht: der Astrologe stellt sich neben den von Gott begnadeten Propheten. Ein oder zwei Generationen später nennt ein Theophilos aus Edessa die Astrologie die Königin aller Wissenschaften, auch wenn noch so viele Führer der Kirche andere Ansichten predigten. Die Sterndeutung ist ein Weg zur Gotteserkenntnis, und die Bibel stützt diese Ansicht ab.[19] Dann überrascht es nicht mehr, wenn der ansonsten „aufgeklärte" Mathematiker Leon in der ersten Hälfte des 9. Jahrhunderts als Metropolit von Thessalonika auf der Kanzel die Gläubigen mit astrologischen Überlegungen beglückt, die der Bevölkerung ein nahes Ende einer Hungersnot glaubhaft machen wollen.[20] Kaiser Alexios I. schreibt zwar das schwindende Gottvertrauen in der Bevölkerung dem verheerenden Einfluß der Astrologie zu, aber eine seiner Schwägerinnen läßt sich von Theodoros Prodromos ein schönes Gedicht über diese fatale Wissenschaft widmen. Die Schlußverse, wie üblich, vorsichtig:

> „Für Götter, Beste, möchte ich die Sterne nicht halten,
> aber ich anerkenne den Schöpfer, der ihnen jegliche Kraft verliehen.
> Dies versichert auch Moses, der große Prophet".[21]

Vielleicht wollte Prodromos nur Geld für seine Verse und widmete sie deshalb einer vermögenden Dame. Aber der Enkel besagten Alexios' I., Kaiser Manuel I. Komnenos gehört zu den eifrigsten und begeistertsten Adepten. Natürlich versucht auch er die nötigen Kautelen gegenüber der Öffentlichkeit: die Sterne sind keine Götter, sie wirken nicht, sondern zeigen nur an. Aber dann kennt er keine Hemmungen mehr und wirft sich der Astrologie wie nur einer in die Arme. Das nahm man ihm übel, weniger wahrscheinlich, *daß* er Astrologie trieb als die Exzesse, die der Majestät wenig anstanden. Michael Glykas, der kleine Literat, machte sich über den Kaiser lustig und wahrscheinlich deshalb mußte er in den Kerker. Niketas Choniates legt seine Praktiken bloß, klugerweise erst nach seinem Tod. Aber schon vor diesem Tod verlangte die Kirche einen Widerruf, den Manuel auch leistete.[22]

Aber auch ohne den kaiserlichen Eclat hatte die Astrologie in Byzanz ihr bekömmliches Auskommen. Und noch im letzten Jahrhundert findet sie einen Verteidiger, Joannes Katrarios, der für sie durch dick und dünn geht und sich auch um entgegenstehende Passagen der Bibel nicht kümmert.[23]

Für die Astrologie konnte man hier oder dort noch die Bibel in Anspruch nehmen. Anders steht es um den Glauben der Byzantiner an die wetterwendische Tyche (das Glück). Doch warum soll davon hier gesprochen werden? „Glück haben", „kein Glück haben" – es sind Redensarten, die wohl auch ein strenger Dogmatiker in den Mund nehmen kann, ohne darüber auf die Vorsehung zu vergessen. Aber die Byzantiner sprechen zu oft und zu intensiv über die Tyche, als daß es nicht auffiele. Immer und immer wieder, wenn vom Leben die Rede ist, ist zugleich die Rede von der Tücke des Glücks, von seiner Unbeständigkeit und Launenhaftigkeit, von Tyche und Moira. In einem kleinen „Dramation" des 12. Jahrhunderts aus der Feder eines Michael Haplucheir, tritt die Tyche in Person auf:

> „Ich beherrsche die Erde und reiche bis zum Äther;
> Weit und breit im Umkreis ist mir alles untertan".[24]

Manches kann man zur Not als Sprachregelung hinnehmen, die durch den Klassizismus erzwungen ist. Aber es gibt einen byzantinischen Denker, Theodoros Metochites, der sich über den ganzen Fragenkomplex grundsätzlich geäußert hat. Mag er die Linien auch noch so weit ausgezogen haben, es kann doch dazu dienen, andere, weniger grundsätzliche Äußerungen, in einem eigenartigen Licht zu sehen. Für Metochites ist die Tyche die eigentliche Weltmacht. Seine eigene Karriere und ihre Rückschläge, aber auch die Rückschläge, die das verfallende byzantinische Staatswesen seiner Zeit hinnehmen muß, bilden den Hintergrund seiner Erfahrungen. Die Menschen hielten ihn für einen Liebling der Tyche, aber was sei er anderes als der Steuermann auf einem kenternden Schiff? Als Philologe und Historiker durchmustert Metochites die ganze antike Geschichte und kommt zu dem Ergebnis, daß es kaum einen Zug im Leben der Alten gebe, der nicht vom Walten der Tyche bestimmt sei und zwar von einem blinden Walten: Alkibiades, Demetrios Phalereus, Eumenes und alle Diadochen Alexanders, aber auch Marius, Sulla, Pompeius und Caesar werden in den Zeugenstand gerufen. Für Metochites ist jeder ein Narr, der die Unberechenbarkeit der Tyche nicht in seine Überlegungen miteinbezieht. Dann aber: Setze man die Hoffnung dagegen, so tausche man nur ein Trugelement mit einem anderen![25] Dies ist für einen Mann der Orthodoxie erstaunlich. Gewiß: Hoffnung etwa als vager Glaube, das Glück könne beständig bleiben oder das Unglück sich zum Guten wenden – kein Orthodoxer würde Metochites widersprechen. Aber hier an diesem Punkt, an dem jeder religiöse Orthodoxe nun doch auf die Hoffnung als eine „göttliche" Tugend zu sprechen käme, auf das Vertrauen in die Vorsehung, die schließlich doch alles zum Guten wenden wird, fällt es Metochites nicht ein, derartigen Gedanken auch nur den geringsten Raum zu geben. An einer anderen Stelle kommt er dann schließlich doch auf die Vorsehung zu sprechen.[26] Er tadelt es, daß die Byzantiner am Glauben an die Vorsehung nur dann festhalten, wenn es ihnen gut geht. Ändere sich die Lage, dann wüßten sie mit diesem Kapitel ihrer Theologie nichts mehr anzufangen, die Vorwürfe gegen die Vorsehung häuften sich und die Perspektive in Richtung auf das göttliche Mysterium gehe verloren. Das ist zunächst geradezu eine Bestätigung für das allgemeine Verhalten der Byzantiner zum Vorsehungsglauben, von dem die Rede war. Doch denkt Metochites auch hier nicht daran, nun den Vorsehungsglauben näher zu begründen und zu empfehlen. Er konstatiert nüchtern die Notwendigkeit dieses Glaubens und damit Schluß. Es ist, als schlüge nur für einen Augenblick sein orthodoxes Gewissen. Dies alles – hier nur eine kleine Auswahl – verrät, daß die Tyche für ihn mehr ist als eine Metapher oder eine banale Redensart. Sie ist eine Macht, die so, wie Metochites sie sieht, mit der Vorsehung kaum noch vereinbar ist – und Metochites muß dies gespürt haben. Die Vorsehung bleibt ein theologischer Grenzwert, sie wird nicht geleugnet, aber sie stellt keine religiöse Realität dar. Metochites liebt es, den Lauf der Welt mit einem großen Theater zu vergleichen. Es überrascht dann nicht mehr, wenn er im Dramaturgen und Inspizienten im Hintergrund eine ungenannte Größe vermutet, die, unheimlich und unentrinnbar, alle Züge der alten εἱμαρμένη, des Schicksals, trägt. Manchmal tritt an ihre Stelle einfach „die Zeit". Jeder Auftritt und jeder Abgang ist genauestens vorgeschrieben, und der Zuschauerraum steht ebenso unter dem Diktat dieser Macht wie die Schauspieler. Textbuch und Regieanweisungen gelten absolut. Nebenbei bemerkt: Nun wenn Metochites als Hagiograph auftritt, macht er aus Christus oder Gott schlechthin wenigstens den Zuschauer, der im Verborgenen die Großtaten seiner Heiligen verfolgt!

Natürlich weiß Metochites besser zu formulieren als tausend seiner Zeitgenossen. Aber es scheint nicht abwegig anzunehmen, daß seine Grundüberzeugung von „nicht wenigen" Byzantinern geteilt wurde. Doch es ist nötig darauf hinzuweisen: Wo immer von einer Skala der Abweichungen von orthodoxen Vorstellungen die Rede ist, fehlt die Möglichkeit einer Quantifizierung, sowohl einer absoluten wie auch einer relativen. Der Prozentsatz der Byzantiner, die „sprachlos" bleiben, ist außerordentlich hoch, wie immer in solchen Fällen. Und da die Aufsicht über die Orthodoxie streng war, darf angenommen werden, daß nicht nur jene „abwichen", von denen wir es genau wissen oder die es selbst sagen. Angaben der Häresiologen, wie „viele" oder „sehr viele" führen zu nichts. Ganz allgemein lehrt die Geschichte, daß Mißstände stärker zu Papier schlagen als das normale christliche Leben und Denken, über das kaum gesprochen wird. Vielleicht ist die wahrscheinlichste Hypothese die einer gewissen Polarität: Hier eine Handvoll über die Inhalte ihres Glaubens genau informierter und reflektierender Gläubigen, die aus ihrem Glauben das Beste machen, auch wenn da oder dort Zweifel auftauchen sollten; dort eine Handvoll ebenso informierter und reflektierender, die sich absetzen, teils schweigend, teils in vorsichtigen Formulierungen und teils in offener „Ketzerei". Dazwischen aber eine breite Masse, deren Mitte sozusagen in einem indifferenten Gleichgewicht schwebt, die aber an den Rändern wenigstens punktuell und nach Zeit und Gelegenheit verschieden stark von den Polen angezogen wird, wie von einem Vibrator von unterschiedlich erregender Kraft. Dann aber gehören Leute wie Metochites links von der Mitte gestellt, d. h. die Anziehungskraft des Gegenpols scheint beachtlich gewesen zu sein.

Es erhebt sich die Frage, ob das Mißbehagen an den Verhältnissen in der Welt, die Zweifel an Gottes Vorsehung usw. nicht auch hier und dort zu einem ontologischen Dualismus geführt haben. Aber vielleicht ist diese Frage in unserem Zusammenhang, wenn von den alltäglichen Glaubensüberzeugungen der Byzantiner die Rede ist, gar nicht so wichtig. Noch einmal sei an das erinnert, was schon über die Häresiologen gesagt wurde. Sie jedenfalls lieben es, Dualismus zu konstatieren, die Lehre also von zwei Prinzipien. Sie sprechen von einem absoluten Dualismus, also von zwei unabhängig von jeher bestehenden Prinzipien, einem guten und einem bösen, welch letzteres für die materielle Welt verantwortlich ist und damit für alles Böse schlechthin; aber auch von einem relativen Dualismus, wo das böse Prinzip durch den Abfall vom Guten entstanden ist. Mischformen aller Art sind denkbar, vor allem die Kollaboration zwischen Gut und Bös bei der Schaffung des Menschen aus Materie und Geist. Diese Theorien in allen Ehren. Und vielleicht gab es auch einzelne Häretiker, die sie pflegten. Merkwürdig bleibt doch, daß die wichtigsten byzantinischen Häresien, denen ein solcher Dualismus zum Vorwurf gemacht wird, allen voran der Paulikianismus und die Bogomilen, ganz gewiß nicht mit kosmogonischen Theorien und metaphysischen Weltdeutungen begonnen haben, sondern mit handfester Kritik an den kirchlichen und sozialen Verhältnissen ihrer Zeit; und dies gibt der Vermutung Raum, daß ihr Dualismus als ontologische Aussage sekundär ist. Streng formuliert ist er vielleicht nichts anderes als das Ergebnis der Systemfreudigkeit der Häresiologen, vielleicht nichts anderes als das Ergebnis entsprechender Fragen der orthodoxen Rerchercheure an die Nonkonformisten, die nach den Hintergründen ihrer Lehre befragt, die Unstimmigkeiten der Welt in einer Weise betonten, den Teufel oder sonst ein böses „Prinzip" derart in den Vordergrund schoben, daß die Anklage auf Dualismus mehr oder weniger folgerichtig erschien, ohne daß diese Antworten der

Nonkonformisten durch eine „offizielle Lehre" der Sekte voll abgedeckt gewesen sein muß. Besieht man sich die Substanz der verläßlichen Berichte über die Paulikianer, so drängt sich der Eindruck auf, daß es diesen Gemeinden um einen engen Anschluß an die einfache Botschaft des Neuen Testamentes, vorab der Briefe des Apostels Paulus ging. Wenn Paulus in Christus das Ende des Gesetzes sieht und im Evangelium die Botschaft von der Gnade, dann war das alte jüdische Gesetz außer Kraft und man konnte sich des Alten Testaments begeben. Das Resultat erscheint bei den Häresiologen als Verwerfung des Alten Testaments seitens der Häretiker. Aber sie gehen weiter und unterstellen ihnen die Annahme von zwei Gottheiten, einer guten, die den künftigen Aion beherrschen wird, und einer bösen, die für die materielle Schöpfung die Verantwortung trägt. Vielleicht steckt dahinter nicht mehr als die Unterscheidung, die schon in der alten Christenheit begegnet, eben zwischen Jahwe, dem Schöpfer des fragwürdigen Diesseits und dem Gott der Gnade, dem Vater Jesu Christi, d. h. vielleicht wird der Unterschied zwischen den zwei Aionen in Hypostasen zum Ausdruck gebracht. Der eigentliche Inhalt der paulikianischen Lehren ist jedenfalls mit diesem Dualismus, wie ihn die Häresiologen formuliert haben, nicht deckungsgleich. Wohl aber ziehen sie die letzten Folgerungen aus dem Mißvergnügen an der orthodoxen Kirche ihrer Zeit. Eben deshalb mag man sie als den äußersten Pol eines Mißvergnügens betrachten, von dem auch andere Byzantiner angezogen waren, wie noch zu zeigen sein wird: – Ketzergeschichte als Extrapolation religiöser Strömungen und Mentalitäten. In solchen Situationen der Unzufriedenheit mit der eigenen Kirche artikuliert sich der Nonkonformismus fast immer im Rekurs auf die Bibel, auf die einfachen Lehren des Evangeliums, die in so krassem Gegensatz zur Selbstdarstellung einer Staatskirche stehen. Es ist ja wohl eine Erfahrungstatsache aus der Kirchengeschichte, daß man nicht auf der einen Seite das Wort Gottes als allein seligmachend preisen und es zugleich den Gläubigen gegenüber unter Verschluß halten kann. Zum anderen: je „scholastischer" sich eine Theologie gebärdet, desto leichter kann es sein, daß sich barer Biblizismus gegen sie erhebt. Und mit der Scholastik wird dann auch alles abgelehnt, was sie rechtfertigt, und jede Institution, die sie trägt.

So ist es fast typisch, daß die Frau, die den späteren Paulikianerführer Sergios bekehrt, mit der Frage beginnt, warum er nicht die Evangelien lese, da er doch ein gebildeter Mann sei.[27] Worauf Sergios antwortet, es sei den Weltleuten nicht erlaubt, sie zu lesen; dies dürften nur die Priester. Auffällig ist, daß der orthodoxe Berichterstatter kein Dementi anbringt. Meines Wissens läßt sich ein solches Verbot der Bibellesung für den Laien in Byzanz in dieser strikten Form nicht nachweisen. Vielleicht liegt die Erklärung in der Tatsache, daß normalerweise der Laie die Bibel nur in strenger Auswahl zu hören bekam, d. h. nur jene Abschnitte, die als liturgische Lesung Verwendung fanden.[28] Wie immer: die Paulikianerin fährt fort: Jeder dürfe nicht nur, sondern müsse die Bibel lesen, eben weil Gott das Heil aller wolle. Und bei ihm gebe es kein Ansehen der Person, vor allem keine Vorrechte der Priester. Die orthodoxen Priester handelten mit dem Wort Gottes wie Krämer und der Laie erfahre durch sie davon nur eben so viel, wie sie für gut hielten. Aus dem weiteren Verlauf des Gesprächs, aber auch aus anderen Berichten erfahren wir dann vom besonderen Bibelverständnis dieser Sekte. Paulus, der Apostel, ist der Kronzeuge und seine Briefe die wichtigste Lektüre. Jeder ihrer Führer ist praktisch Stellvertreter des Apostels, mit seinem Charisma begabt; selbst ihre Gemeinden benennen sie nach den Kirchengründungen des Apostels. Alles, was sich in der nachapostolischen Zeit an Ritualismus herausgebildet hat, und was sich als Kirchenregiment gibt, wird abgelehnt. Ihre Liturgie besteht offenbar in Zusammenkünften zum einfachen Gebet. Hierarchie gibt es keine, abgesehen von wenigen Gemeindevorstehern, die offenbar keine Weihen besitzen. Kreuzesverehrung, Heiligenverehrung, Wunder usw., ebenso konsekrierte kirchliche Gebäude sind dem Verdikt verfallen. Haben sie auch alle Sakramente abgelehnt? Die Häresiologen behaupten es jedenfalls von der Taufe und der Eucharistie. Völlig sicher bin ich mir nicht, daß sie rechthaben. Vielleicht haben paulikianische Sprecher ihren orthodoxen Partnern darzulegen versucht, was sie hinter den Riten an tieferer Bedeutung sehen wollten, – dies etwa gerade gegen einen immer wieder begegnenden puren Ritualismus mancher Orthodoxer. Der orthodoxe Partner mag daraus geschlossen haben, daß sie vom Ritus überhaupt nichts hielten. Dies ist aber bei ihrem Paulinismus kaum vorstellbar. Etwas von einer „ecclesia spiritualis" steckt im Paulikianismus auf jeden Fall. Man kann dagegen sein militantes Gehabe anführen; aber schließlich haben die Byzantiner selbst ihn dazu gezwungen, abgesehen davon, daß nicht jeder der paulikianischen Führer mit diesem Kampfgeist einverstanden war. Es geht auch nicht an, sie als eine aristokratisch-ritterliche Sekte zu bezeichnen. Zwar hat sie gelegentlich „adelige" Führer, aber allen Nachrichten zufolge, die wir haben, setzte sie sich aus allen möglichen Kreisen zusammen, kann also kaum repräsentiv für eine Klasse in Anspruch genommen werden. Ebenso wenig geht es an, nur von einer armenischen Sekte zu sprechen. Wo immer ihre Anfänge gelegen haben mögen, so ist sie jedenfalls tief in den byzantinischen Raum eingedrungen und hat selbst in höfischen und Amtskreisen Verbreitung gefunden. Es scheint zu Nikephoros I. zu passen, wenn ihm Theophanes der Chronist besondere Neigungen zum Paulikianismus zum Vorwurf macht.[29] Ein paulikianischer Führer, Symeon, zur Zeit des Kaisers Justinian II. war ursprünglich zu den Paulikianern als kaiserlicher Kommissar geschickt worden, um sie zur Raison zu bringen. Er ließ sich dann von der Sekte bekehren. Karbeas, einer der großen Führer, war ursprünglich kaiserlicher Protomandator in der Armee des Theodotos Melissenos; und immer wieder hören wir von nicht wenigen Paulikianern in der kaiserlichen Armee. Mit anderen Worten: die Paulikianer gehören zur

„contre-verité" der byzantinischen Orthodoxie; sie stellen ein Extrem an Kritik am orthodoxen rituellen Leben dar, aber es darf angenommen werden, daß sie ihre Sympathisanten hatten. Analoges gilt wohl auch von den Bogomilen. Zur Analyse ihrer Lehren und ihres Anliegens folgt man wohl am besten dem Traktat, den der bulgarische Presbyter Kosmas gegen sie geschrieben hat.[30] Zwar gehört er in den bulgarischen Raum, aber dieses Bulgarien ist von Byzantinern besetzt und beherrscht; denn Kosmas hat mit ziemlicher Sicherheit bald nach 972 geschrieben, steht also den Anfängen der Häresie noch nahe. Außerdem schreibt er unbeeinflußt von Häresiologen, d. h. die Gefahr der Verzeichnung durch vorgefaßte Häretiker-Modelle ist kaum gegeben. Und nicht zuletzt fügt er seinen Angriffen auf die Ketzer lange Ermahnungen an die Orthodoxen an, die den Punkt, an dem die Häretiker mit ihrer Lehre angesetzt haben, besonders deutlich machen.

Für Kosmas sind die Bogomilen offenbar kleine Leute, Bauern, Taglöhner, dazwischen auch arme Priester, die sich besonderer Demut und Sanftmut befleißigen, immer im Hintergrund bleiben, ihr Gesicht verhüllen, nicht viel reden; was den stärksten Eindruck macht, ist ihr ständiges Beten, und damit gewinnen sie den Ruf frommer, einfacher Menschen. Doch dann das große Aber: dies alles verbirgt nur den Wolf im Schafspelz. Sie verachten Kreuz und Ikonen, sie lehnen die Verehrung der Gottesmutter ab, ebenso das Alte Testament, die kirchlichen Institutionen und Sakramente und vor allem die Hierarchie: „sie bellen wie Hunde gegen sie". Dies alles deckt sich mehr oder weniger mit dem, was man den Paulikianern vorwirft. Dann der Dualismus: Für die Bogomilen sei es der Teufel, der Welt und Menschen geschaffen habe und der Teufel, sie nennen ihn nach einem Bibelwort mit Vorzug Mamonas, ist der Herr der Welt, von dem das Neue Testament zu wiederholten Malen spricht. Kosmas läßt keinen Zweifel darüber, daß die Folgerungen, die sie aus dieser Lehre ziehen, sozialrevolutionärer Natur sind. Jedenfalls, so wieder Kosmas, lehnen sie als Folge des Kampfes gegen den Herrn der Welt alle Dienstleistungen denen gegenüber ab, die in dieser Welt sich als Herren geben und damit naturnotwendig diesem Mamonas dienen. Sie lehren ihre Anhänger, sich keiner Autorität unterzuordnen. „Sie schmähen die Reichen, sie hassen die Kaiser, sie machen sich über die Obrigkeit lustig und sie sind der Meinung, daß Gott diejenigen verabscheut, die für den Kaiser arbeiten. Sie raten jedem Knecht, seinem Herrn die Arbeit zu verweigern". Steht der Dualismus am Anfang? Es ist denkbar, ja sehr wohl denkbar, daß Kosmas hier systematisiert. Vielleicht stand eben der passive Widerstand gegen die Anforderungen der Feudalherren an ihre Abhängigen am Anfang, und die Begründung mit dem „Herr dieser Welt" stellte sich nachträglich ein, oder beide Ausgangspunkte konvergierten zur selben Schlußfolgerung. Der dogmatische Slogan als Slogan des Aufruhrs oder zumindest des passiven Widerstandes!

Es ist das Verdienst des Traktats des Kosmas, uns durch die daran ge-
knüpften Ermahnungen an die Orthodoxen klar zu machen, wie sehr das
kirchliche Leben und das Wirtschaftsleben der Zeit den Bogomilen Anlaß
zu ihrer Kritik gab und wie wenig manche auch in der Orthodoxie verbreitete Ansichten sich von denen der Bogomilen unterschieden. Manches mag
typisch „bulgarisch" sein, doch wer die Arbeits- und Feudalstruktur des
byzantinischen Reiches dieser Zeit einigermaßen kennt, wird eine Verallgemeinerung über Bulgarien hinaus durchaus für vertretbar halten, – und tatsächlich finden wir die Bogomilen in dieser oder jener Form bald auch in
den Kernlanden des Reiches – Opposition gegen die Orthodoxie, vielleicht
weniger insofern sie Glaubenslehre ist, als insofern sie Stütze des Wirt-
schafts- und Herrschaftssystems des Reiches zu sein vorgibt und sich
anmaßt.

Einen neuen Aspekt religiöser Einstellung der Byzantiner kann uns ein
Blick auf die Sekte der Messalianer oder Euchiten, also der „Beter" vermitteln. Theodoret von Kyros bemerkt, man könne sie auch Enthusiasten nennen,[31] und tatsächlich hat Byzanz diese Bezeichnung für sie immer wieder
verwendet. Über ihre ursprüngliche Lehre sind wir vielleicht zuverlässiger
unterrichtet als bei anderen Sekten, denn es hat sich herausgestellt, daß drei
Häresiologen zwischen dem 5. und 8. Jahrhundert den alten Katechismus
unabhängig voneinander benützt und teilweise ausgeschrieben haben. Es ist
sogar gelungen, einige dieser Zitate zu verifizieren.[32]

Die Messalianer interessiert keine Kosmogonie, keine Kirche und keine
Gesellschaft; sie sind ausschließlich mit sich selbst beschäftigt und ihr Ausgangspunkt ist keineswegs unkirchlich, nämlich die Erbsünde. Nur machen
sie daraus etwas Besonderes. Durch die Sünde der Ureltern findet das Böse
in jedem Menschen von allem Anfang an seinen Eingang, aber nicht nur als
eine Art Geneigtheit zur Sünde oder als Habitus oder dergleichen, sondern
als Hypostase (ἐνυποστάτως oder οὐσιωδῶς). In jedem Menschen wohnt
ein Teufel höchst persönlich. Dagegen hilft auch die Taufe nichts; sie vergleichen die Taufe mit einer Sichel, die zwar die Wucherungen des Unkrauts
beschneiden kann, an die Wurzeln aber nicht heranreicht. Auch die Eucharistie vermag wenig auszurichten. Das einzige Mittel, um den Teufel auszu-
treiben ist das ständige Gebet, entsprechend dem Herrenwort: „Betet ohne
Unterlaß!". Je heftiger und länger man betet, desto näher rückt die Stunde
der Befreiung. Wenn es so weit ist, dann geht der Teufel ab mit dem Auswurf oder der Spucke, und wer genau aufpaßt, kann es sogar sehen, daß er
wie ein Rauch oder ein Wurm aus dem Körper entweicht. Darauf aber erfolgt sofort die Einwohnung des Heiligen Geistes. Und wie man den Dämon
gespürt hat, spürt man auch ihn. Man empfängt ihn ἐν αἰσθήσει πάσῃ καὶ
πληροφορίᾳ –, d. h. in sinnlich erfahrbarer Gewißheit, so wie eine Frau den
Umgang mit dem Mann sinnlich erfährt und spürt. Nach dieser Einwohnung des Geistes sind die Messalianer ipso facto in einem Zustand völliger

Leidenschaftslosigkeit und Unverletzlichkeit und mit leiblichem Auge
vermögen sie die selige Trinität zu schauen (τοῖς τῆς σαρκὸς ὀφθαλμοῖς,
σαρκικῶς). Ebenso selbstverständlich ist, daß sie damit in die Zukunft sehen können und daß ihnen Visionen und Offenbarungen zuteil werden. Die
ethischen Folgerungen bleiben nicht aus: Man braucht weiter weder Sakramente noch asketische Übungen. Es ist dann auch nicht mehr einzusehen,
warum der Mensch arbeiten soll und warum er sich gegen alle Genüsse, die
das Leben hier bieten kann, sperren müßte. Wer die Folgerung gezogen hat,
daß damit auch jede Zügellosigkeit legitim sei, die Sektierer selbst oder die
Häresiologen, kann dahingestellt bleiben.

Am Anfang steht wohl jene Grunderfahrung, die sich in der Geschichte
der christlichen Frömmigkeit immer wiederholt, das Bedürfnis nach „Er-
weckung". Man kann dies innerhalb der konventionellen Lehre der Kirche
als enthusiastische Reaktivierung der Taufgnade bezeichnen, man kann sie
der Taufe gegenüber weit in den Vordergrund stellen, wie die Messalianer,
d. h. sie für heilsnotwendig erklären und die Taufe dementsprechend abwerten. Der krasse Materialismus, mit dem die Erbsünde-Folgen zur Hypostase
gemacht werden und die Sinnlichkeit, in der man die Einwohnung des Geistes erfährt, sind die Extremfälle des immer wiederkehrenden Verlangens
nach Sicherheit der Gnade. Das ständige Beten aber gehört in die Sphäre
jenes Biblizismus, der sich nach Möglichkeit an einer einzigen Schriftstelle
festklammert und aus ihr heraussaugt, was sie kaum zu geben vermag. Die
Messalianer haben kein Interesse daran, sich von der Kirche zu trennen; sie
können alle Riten und Bräuche nach Bedarf mitmachen, weil dies alles ein
ἀδιάφορον ist, indifferent bleibt. Daß Klöster, Mönchsgruppen und Einsiedeleien ihr bevorzugtes Missionsfeld waren, ist verständlich, weil sie die
Voraussetzungen für ihre Indifferenz gegenüber Arbeit, Liturgie, Kirche,
Disziplin am besten abzusichern vermögen. Gerade deshalb auch die ununterbrochene Folge messalianischer Phänomene in der byzantinischen Kirchengeschichte. Ihr Schrifttum schwächt allmählich allzu krasse Sätze ihres
ursprünglichen Katechismus ab. Die Taufe wird, wenigstens bis zu einem
gewissen Grad, wieder aufgewertet und es entwickelt sich eine Lehre, wonach der Heilige Geist schon bei Empfang dieses Sakraments der Seele ein-
wohnt, allerdings den Platz mit dem Teufel zunächst teilen muß, weil dieser
nun wirklich nur durch das ständige Beten zum Entweichen vermocht werden kann. Die Attraktivität der sektiererischen Lehren wird darüber nicht
geringer. Man wird diesem Phänomen um so eher gerecht, wenn man bemerkt, daß z. B. eine messalianische Homiliensammlung, welche die Lehren
in gemäßigterer Form anbietet – sie geht unter dem falschen Namen des
Mönchsvaters Makarios[33] – von einem der Begründer des deutschen Pietis-
mus, Johann Arndt, immer wieder begeistert gelesen wurde, so daß er sie
fast auswendig wußte, daß Gottfried Arnold sie ins Deutsche und der große
John Wesley ins Englische übersetzte. Erst recht war der „selige Makarios"

bei den byzantinischen Mönchen eine Lieblingslektüre, und seine Lehren tauchen immer und immer wieder auf.

Nach Abschluß des Bilderstreites, der per nefas zur christologischen Diskussion hochstilisiert wurde, kennt Byzanz kaum noch große dogmatische Bewegungen mit häretischem Einschlag. Was sich da im Umkreis des Patriarchats und des Hofes im 12. Jahrhundert an Disputen und Synoden abspielte, das war der Streit um die „hérésies des didascales" (J. Gouillard), dogmatische Exerzitien gut situierter Kathedralkleriker. Was aber spätestens seit dem 10. Jahrhundert immer und immer wieder aufbricht, was die Orthodoxie immer und immer wieder irritiert und da und dort auch wirklich gefährdet, das läßt sich nicht immer genealogisch, wohl aber den Phänomenen nach auf Gedankengänge und Vorstellungen paulikianischer, bogomilischer und messalianischer Natur zurückführen. Dabei ist es für unsere Zwecke hier völlig gleichgültig, welches Etikett uns die Häresiologen anzubieten haben: es geht ausschließlich um die Irritation.

Der Bogomilismus mag seinem Ursprung nach die Lehre kleiner Leute sein und der Messalianismus die Überzeugung ungebildeter enthusiastischer Mönche, aber die Bewegungen greifen über, z. B. auch auf den Hof. Es scheint z. B. daß der Sebastokrator Isaak, Bruder des Kaisers Alexios I., den Bogomilen nicht ohne Sympathie gegenüberstand. Warum wohl? Er wohnt einem fingierten Freundschaftsgespräch seines Bruders mit dem Führer der konstantinopolitanischen Bogomilen bei und erfährt damit ihre Lehren aus erster Hand.[34] Doch dieser Basileios scheint wohlweislich einen Punkt übergangen zu haben, daß nämlich nach seiner Vorstellung weltliche Herrschaftsstrukturen des Teufels sind. Um so wohlgefälliger konnte der Prinz die Kunde von der Hierarchiefeindlichkeit vernehmen. Es ist derselbe Isaak, der z. B. auch anläßlich des wiederaufgeflammten Bilderstreites die Gegner des Kaisers, der kostbare Ikonen für seine Kriegskassen konfisziert hatte, „Anbeter der Materie" gescholten hatte.[35] Abgesehen davon gibt es immer den Snob, der, ohne eine einzige seiner feudalen Lebensarten aufzugeben, sich als Marxist gebärdet. Aber auch Bischöfe werden des Bogomilismus oder Messalianismus verdächtigt, noch mehr natürlich Mönche. Die kirchlichen Prozesse häufen sich. Von den Phundagiagiten war schon die Rede. Psellos sucht die Euchiten und Satansanbeter in Thrakien. Patriarch Kerullarios – wollen wir Psellos glauben – läßt sich mit einer von berühmten Mönchen flankierten Seherin ein, die enthusiastische Prophezeiungen von sich gibt und von Erscheinungen des Täufers und der Gottesmutter lebt.[36] Ein Vertrauter des Kaisers Alexios, Traulos, angeblich vom Paulikianismus bekehrt und nun guter Orthodoxer, versagt schließlich dem Kaiser die Gefolgschaft und schließt sich den aufständischen Resten der Paulikianer um Philippupolis an, nimmt die Verbindung mit den „Skythen" (wahrscheinlich Petschenegen und Kumanen) auf und kämpft offen gegen das Reich. Bogomilen und Armenier, so berichtet Anna Komnene, seien zwar anderen Glaubens als die Paulikianer, in diesem Falle aber hätten sie sich mit den Aufständischen liiert.[37] 1092 macht das Patriarchat einem gewissen Neilos den Prozeß, dem es „trotz seiner Unbildung" gelungen war, Leute aus den besten Kreisen der Hauptstadt in seinen Bann zu ziehen. Es bleibt allerdings unsicher, wo er eingereiht werden kann; vielleicht kann man von einem enthusiastischen Evagrianismus sprechen, wie ihn das Konzil von 553 à propos „Isochristen" verurteilt hat, und dies vermischt mit dem einen oder anderen aus dem bogomilischen Katechismus. Immerhin leistet er Widerruf.[38] Kurz darauf muß ein Priester namens Blachernites vor das geistliche Gericht. Obwohl zum Klerus gehörig, habe er „schlecht von der Kirche gesprochen", den Verkehr mit den Enthusiasten aufgenommen und sich von ihnen anstecken lassen. „Viele" seien seine Anhänger gewesen, vor allem Leute aus den großen Familien der Hauptstadt.[39] 1140 entdeckt man die Schriften eines schon verstorbenen Mönches Konstantin Chrysomallos in den Händen von Äbten und Klostervorständen, „voll der Irrtümer der Enthusiasten und Bogomilen". Die Bücher werden verbrannt und hinfort soll keines mehr erscheinen dürfen ohne vorherige Prüfung durch das Patriarchat.[40] Kurz darauf denunziert der Metropolit des kappadokischen Tyana zwei seiner Bischöfe als Bogomilen. Nach ihrer Lehre – sie sind aus dem Mönchsstand gekommen und hätten sich die Bischofsweihe erschlichen – kann nur der Mönch, nicht aber der Laie auf das ewige Heil hoffen. Jeder hätte sich drei Jahre lang strengen Speisevorschriften zu unterwerfen, dann aber genieße er jede Freiheit. Die Verehrung des Kreuzes wird abgelehnt, sie weihen Diakonissen und konzelebrieren mit ihnen, sie zerstören die heiligen Ikonen und geben die Wundertaten des Erzengels Michael als Teufelswerk aus.[41] Kaum ein Jahr später ereignete sich der Fall des Mönches Nephon. Er ist von der inzwischen erfolgten kirchlichen Verurteilung der genannten zwei kappadokischen Bischöfe nicht begeistert und erzählt dies jedem, der es hören will. Der Rest der Kirche, offenbar der Hierarchie, bestehe ohnedies aus Irrgläubigen. Er wird als Bogomile verurteilt, nachdem er vor Gericht eine sehr offene Sprache geführt, die zwei Bischöfe nochmals als unschuldig bezeichnet und das Anathem gegen den „Gott der Hebräer" ausgesprochen hat.[42] Die Verurteilung Nephons erfolgte unter Patriarch Michael II. Dessen Nachfolger, Patriarch Kosmas, setzte ihn wieder frei, da er ihn für einen heiligen Mann hielt. Der Kaiser läßt Nephon wieder hinter Gitter bringen, und da Kosmas dies nicht verhindern kann, will er mit Nephon den Kerker teilen. Er wird schließlich abgesetzt. Der Historiker Kinnamos[43] urteilt über ihn: „Ein einfacher Mann, im übrigen aber mit sämtlichen guten Eigenschaften ausgestattet". Niketas Choniates[44] weiß noch einige interessante Einzelheiten beizusteuern: Kosmas sei ein überaus tugendhafter Patriarch gewesen. Besonders auffällig seine Mildtätigkeit gegenüber den Armen. Sie ging so weit, daß er sich einmal seines Obergewandes, seiner Tunika und seiner Kopfbedeckung aus Linnen entledigt habe, um sie Bedürftigen zu schenken. Seiner Umgebung habe er aber so zugesetzt, ein Gleiches zu tun, daß sie nun von sich aus ähnliche Gaben verteilten und sich geradezu zerrissen im Interesse des Wohlergehens ihrer Nächsten. Der Sebastokrator, der Bruder des Kaisers, verehrte ihn wie einen Heiligen.

Die Einzelzüge fügen sich allmählich zu einem Gesamtbild: die Orthodoxie gerät in Unruhe, nicht durch große spekulative Häresien, sondern infolge einer schleichenden Opposition gegen ihre Selbstdarstellung in Ritus und Hierarchie. Sie wehrt sich mit Bann und Kerker, mit Bücherverbrennungen und mit der Verurteilung als Paulikianismus, Bogomilismus und Messalianismus, am besten mit allen drei zusammen. Männer vom Gepräge des Patriarchen Kosmas spüren offenbar das soziale Anliegen, das mit zugrunde liegt, und sie tun, was ihnen richtig scheint, sie versuchen es mit Wohltätigkeit, ja es gelingt ihnen sogar, in ihrem Umkreis ähnliche Verhaltensweisen zu aktivieren. Die große Gesellschaft aber tut nicht mit. Für sie gerät die Umgebung des Kosmas sozusagen „außer sich". Choniates berichtet weiter, daß sich ein Klüngel von Bischöfen bildete, offenbar von jenen beschäftigungslosen und kaum auf anderes als ihre Pensionen erpichten Prälaten, die in der Hauptstadt herumsaßen, angeblich weil ihre Bistümer von den Ungläubigen bedrängt wurden. Dieser Klüngel bezichtigte Kosmas hochverräterischer Pläne in Zusammenarbeit mit dem Sebastokrator Isaak. Er stürzt, weil man ihn außerdem derselben Häresie wie Nephon bezichtet, also des Bogomilismus.[45] Die Sekte auf dem Patriarchenthron? Kaum. Aber man verschließt die Augen vor den wirklichen Anliegen der Sektierer und verurteilt der Einfachheit halber jene, welche die Augen offen halten, als gehörten sie ebenfalls zur Sekte.

Das 12. Jahrhundert bedeutet nicht das Ende; die Provokation der Orthodoxie geht weiter. Selbst im nikänischen Reich, zu einer Zeit also, da das Imperium auf Teile Kleinasiens beschränkt war, hatte z. B. der Patriarch Germanos II. immer wieder mit dem Bogomilismus zu tun, und er warnt insbesondere die Bevölkerung von Konstantinopel davor.[46] Es gäbe Leute, die zwar die Häresie abschwören, insgeheim aber weiter ihre Lehren verbreiteten.

Ein prekäres Kapitel bleiben die Beziehungen zwischen den Hesychasten und Palamiten einerseits und den Bogomilen-Messalianern andererseits. Vieles, was hier von beiden Seiten vorgebracht wird, steht im Dienste der großen Auseinandersetzung um die Lehre des Gregorios Palamas; was als historisch gesichert angesehen werden kann, ist nicht allzu viel. Es bleiben ungelöste Reste. Aber selbst wenn manches, was die Antipalamiten vorzubringen wissen, vielleicht einer scharfen Kritik nicht standhält: daß die Vorwürfe gerade so und nicht anders formuliert wurden, wirft ein Licht auf die Grundstimmungen, läßt Strömungen vermuten, die ohne weiteres unterstellt werden konnten, weil sie eben da waren und mächtig waren. Nikephoros Gregoras berichtet zunächst ganz allgemein davon, daß der Athos

von falschen Frommen infiziert worden sei, von Verächtern der heiligen
Ikonen und Irrlehrern in Bezug auf Christi Menschwerdung (Adoptianismus, Doketismus?).[47] Er kennt sogar die Namen der Anführer. Sie wurden
schließlich verurteilt und vertrieben. Einige fanden sich wieder zusammen in
Thessalonike und in Berrhoia. Auch Konstantinopel wurde von ihnen heim-
gesucht. Er bringt dann den jungen Gregorios Palamas in Verbindung mit
diesen Kreisen. Der Biograph dieses Mannes aber berichtet von seinem Helden, er habe, als er auf dem Athos Mönch werden wollte, auf der Reise
dorthin mit seinen Brüdern Station für einige Monate auf dem Berg Papi-
kion gemacht und sei in der Nähe auf eine Mönchsiedlung von „Markioni-
sten und Messalianern" gestoßen.[48] Er habe mit ihnen über das „Gebet",
über die Verehrung des Kreuzes usw. disputiert und mit seinen Bekehrungs-
bemühungen Erfolg gehabt. Der Biograph des Palamas schreibt lange nachdem nicht nur Gregoras sondern auch Barlaam von Kalabrien gegen Pala-
mams den Vorwurf des Messalianismus erhoben hatten. Vielleicht wollte er
seinen Helden gründlich von jedem Verdacht reinwaschen. Doch selbst ein
moderner Biograph des Palamas hält es für möglich, von persönlichen Kon-
takten zwischen Hesychasten und Bogomilen-Messalianern zu sprechen,
gründend auf gemeinsamen Zügen ihrer Auffassung vom geistlichen Leben.
Jedenfalls bringt auch Gregoras die Tatsache, daß Palamas den Athos wieder verließ, nicht mit der Furcht vor Überfällen der Türken – wie der Biograph – sondern mit der Verfolgung gegen Bogomilen auf dem Heiligen
Berg in Zusammenhang.[49] In Thessalonike soll Palamas in den Kreis von
Devoten eingetreten sein, den ein kaum dem Noviziat entsprungener Atho-
nite Isidoros, der spätere Patriarch, leitete. Nach palamitischen Quellen entwickelt dieser Isidor eine erfolgreiche Propaganda besonders bei vornehmen
Damen der Stadt. Nach den Antipalamiten handelt es sich um üble Konven-
tikel; man hätte Kontakt zu den Bogomilen aufgenommen, deren Vorhandensein in Thessalonike auch sonst gut bezeugt ist. Das Gesagte mag genügen, um Affinitäten und Möglichkeiten vor Augen zu stellen. Die große
Zahl der hin und her gehenden Vorwürfe und Debatten – nur einiges
konnte herausgegriffen werden – gibt doch zu denken. Aber die Orthodoxie
obsiegte immer wieder – freilich nicht ohne Schwierigkeiten und Verluste.
Der Sieg wurde errungen um den Preis der Hereinnahme besonders charakteristischer Züge, denen wir schon in der Frühzeit des Messalianismus begegnet sind. Mit der Dogmatisierung der palamitischen Lehre vom Unterschied zwischen Wesen und Energien in Gott übernahm die große Synode
von 1451 auch die Theorien vom Taborlicht, d. h. von der Möglichkeit der
Gottesschau mit körperlichem Auge und damit implicite die Aversion gegen
mönchisches Gemeinschaftsleben, gegen ein durch die Liturgie bestimmtes
mönchisches Tagewerk und gegen andere Kultformen. Doch nochmals sei
es betont: es geht hier nicht um Ketzergeschichte als solche, sondern um die
Ketzerei als extreme Grenze der Möglichkeiten, die in der byzantinischen

Glaubenswelt gegeben waren. Und immer wieder wird so manches als primär glaubenswidrig bezeichnet, was seinen Ursprung vielmehr in kaum etwas anderem hatte, als in sehr individueller, enthusiastischer Frömmigkeit oder auch in einer Abneigung gegen allzu viel von der Orthodoxie verordneten Ritualismus. Den Mönchen kommt dabei eine besondere Stellung zu, und auf sie muß noch weiter eingegangen werden, und zwar gerade unter dem Gesichtspunkt des Nonkonfirmismus.

Die Theorie, daß das byzantinische Mönchtum aus der Opposition gegen die Weltläufigkeit der konstantinischen Kirche entstanden sei, ist unschwer zu widerlegen. Trotzdem: daß zu den Gründen, in die Anachorese zu gehen, neben rein geistlichen Motiven, wohl auch neben der Abneigung gegen Fiskus und Militärdienst, auch die Unzufriedenheit mit der Verweltlichung der Kirche ihre Rolle spielte, kann nicht übersehen werden. Die Quellen lassen diese Beweggründe immer wieder deutlich durchscheinen. Die ausgesprochene Kritik an der Kirche und ihren Erscheinungsformen bleibt allerdings die Seltenheit. Der Nonkonformismus besteht zumeist in schweigender Abkehr. Die Tragödie dieses Mönchtums besteht darin, daß es sich in einem zweiten Schritt, der nicht lange auf sich warten ließ, von einer politisierenden Kirche auf unschöne Weise mißbrauchen ließ. So ist es nur folgerichtig, wenn diejenigen, die darin das Eindringen der Welt in die Wüste bedauerten, immer weiter auswichen, bis zur reinen Verweigerung. Dies findet seinen Niederschlag nicht nur in einer Mystik wie der des Euagrios Pontikos, die von Kirche und Gesellschaft so gut wie ganz abstrahiert, sondern auch in Geschichten von Mönchen, die immer weiter und weiter bis in die „innerste" Wüste sich zurückziehen, bis zur geographischen Utopie „jenseits des Berges Sinai". Dort treffen sie auf eine Oase, deutlicher gesagt auf das Paradies. Die Schilderungen weisen Unterschiede auf. Dieser Weg zum Paradies verlangt ein besonderes Charisma. Der Wüstenvater Paphnutios z. B. unternimmt eine solche Reise.[50] Vier Tage lang wandert er durch die Wüste, ausgerüstet mit etwas Wasser und Brot. Dann lange Tage ohne Speise und Trank, dann wieder wunderbar gespeist durch einen Engel. Endlich kommt er in eine paradiesische Gegend: Wasser, Palmen, frisches Grün und wilde Tiere, die friedlich beieinander liegen – und schließlich ein Mensch, in manchen Versionen ein Menschenpaar. Der Anblick ist zunächst erschreckend, es sind Wesen, völlig nackt, mit wildem Haarwuchs am ganzen Körper und Kopfhaaren, die bis an die Scham reichen. Paphnutios flieht zunächst auf einen Fels, weil er meint, es müsse sich um Räuber handeln. Dann aber faßt er doch Mut und steigt herab. Aber jetzt flieht das behaarte Wesen vor ihm. Paphnutios setzt ihm nach und wirft dabei seine eigene Kutte ab, so daß auch er nackt ist. Jetzt erst hält der Verfolgte an. „Ich habe auf dich gewartet", sagt er, „bis du die Materie dieser Welt abgeworfen hast". Er sei geflohen, weil er den Geruch eines bekleideten Menschen nicht mehr aushalten könne. Sechzig Jahre sei er in dieser Einsamkeit gewesen, und zum ersten

Male sehe er nun wieder einen Menschen. „Steht die Welt noch? Tritt der Nil noch über die Ufer"? Er habe Elias gesehen und Johannes den Täufer; die Engel hätten ihm die Eucharistie gebracht und eine Palme zwölfmal im Jahr ihre Früchte, um ihn zu ernähren. Die beiden Männer verbringen die Nacht, doch am anderen Morgen ist der Einsiedler – er heißt Onuphrios – tot. Es ist interessant festzustellen, daß auch die spätere byzantinische Hagiographie dieses Motiv immer wieder aufnimmt.[51] Vom Nil ist natürlich nicht mehr die Rede, aber die Frage „Steht die Welt noch" kehrt wieder. Diese späten Repliken der Legende arbeiten gewiß mit erfundenen Heiligen; was sie wollen ist, die große Verweigerung in totaler Apathie und Aversion gegen Welt und Mensch als Ideal hinstellen, eine Apathie, deren Kehrseite die Wiedergewinnung des verlorenen Paradieses ist, eines Paradieses, das irgendwo am Rande der Welt gelegen ist und doch schon außerhalb dieser Welt. Die Verwirklichung dieser Lebensform, die hier idealisiert wird, mag da oder dort vielleicht tatsächlich noch versucht worden sein, doch wahrscheinlicher handelt es sich um nostalgische Projektionen, die das konkrete Unbehagen mit dem Leben als solchen, auch mit dem klösterlichen und kirchlichen Leben an die Wand werfen.

In diesem Zusammenhang verdienen auch Eremiten eine Erwähnung, die man „Boskoi" nannte (βοσκός hier nicht Hirte, sondern Herdentier!). Sie wollten in ihren Lebensbedingungen über die der Tiere in der Wüste und auf der Weide gar nicht hinauskommen: Verneinung selbst der primitivsten gesellschaftlichen Konventionen. Sie verzichten auf jede Behausung, „grasen" wo sie irgend ein Grünzeug finden können und fliehen jede Gemeinschaft der Menschen. Im Gegensatz zu den Urmönchen in der „innersten" Wüste sind sie historisch zu gut bezeugt, als daß wir sie schlankweg ins Reich der Legende verweisen könnten.[52]

Die byzantinische Kirche ließ dies alles offenbar gewähren. Aber sie kannte Grenzen. Sie liebte es nicht, wenn solche Eremiten ihre Grenzposten in der Einsamkeit verließen und mit ihren Idealen in die Siedlungen und Städte kamen. Dann bedroht sie sie sogar mit kirchlichen Zensuren; der enthusiastische Eremit kann mit seinem Nonkonformismus der Kirche nur dann nicht gefährlich werden und ihr nur dann zur Ehre gereichen, wenn er bleibt, wo er hingehört, eben in der Wüste.[53]

Zu den Nonkonformisten möchte ich schließlich mit einiger Reserve auch die sogenannten „Saloi" zählen, die „Narren um Christi willen". Es handelt sich zunächst um eine Extremform asketischer Selbstentäußerung. Der Salos gibt für ein Leben lang oder doch für Jahre vor, verrückt zu sein. Das liefert ihn dem Spott und der Grausamkeit seiner Mitmenschen aus und er hat jede Gelegenheit sich in Geduld und Demut zu üben. Aber der Narr ist in dieser Welt ein zweideutiges Wesen. Denn ihm haftet auch eine gewisse Tabu-Wirkung an; er gehört in eine Welt, die den gefürchteten Dämonen verwandt ist. Man mag ihn verspotten und Schabernack mit ihm treiben,

aber Vorsicht ist immer wieder am Platz. Dies gibt dem Narren eine Freiheit, die über bloße „Narrenfreiheit" hinausgeht. Das älteste Leben eines
solchen Narren, das wir besitzen, wurde im 7. Jahrhundert von dem ky-
priotischen Bischof Leontios von Neapolis geschrieben.[54] Der Held gehört
dem 6. Jahrhundert an, Symeon von Edessa; er hat zunächst als einer der
Boskoi gelebt, dann aber geht er mit Narrheit missionierend in die Stadt
und treibt dort sein Wesen. Man hat vermutet, im Hintergrund könnte ein
syrisches Volksbuch stehen. Wie immer: Leontios nimmt seinen Helden völlig ernst, obwohl er mit seinen Streichen immer wieder „gegen die guten
Sitten" verstößt und selbst die Liturgie behindert, um vom Umgang mit
dem Klerus ganz zu schweigen. Ob nun historisch oder nicht, die Begeben-
heiten, wie sie der Bischof und Verfasser ungetadelt passieren läßt, lassen
alles vermissen, was man gemeinhin als Treue zur formellen ritualisierten
Orthodoxie unterstellt. Hat Leontios eine solche Kritik hingenommen oder
hat er, mit den moralischen Nutzanwendungen dieser drôleries, den Angriff
als solchen nicht wahrhaben wollen? Das Konzil in Trullo jedenfalls wollte,
sicherlich wohl überlegt, von solchen Formen der Askese nichts wissen, es
fürchtet korrupte Sitten und unterwirft den Salos dem Exorzismus![55] Trotzdem hat man etwa im 10. Jahrhundert versucht, nach dem Muster der Vita
des Symeon einen neuen vorbildlichen Salos zu kreieren, dem der Verfasser
den Namen Andreas gab.[56] Was er tut, ist weniger unbefangen drollig als
bei Symeon, aber die Nichtanpassung ist ebenso klar. Es scheint, als habe er
versucht, seine Mission vor allem in Kaschemmen und bei den Clochards
von Konstantinopel auszuüben, zu denen wahrscheinlich nie ein byzantinischer Priester oder gar Bischof den Weg fand. Und er verbindet mit seiner
Tätigkeit auch ein gut Stück Apokalyptik, um in dieser Form Kaiser- und
Herrschaftskritik an den Mann zu bringen. Vielleicht ist wirklich alles nur
Literatur, doch darüber verliert es die Kraft des Zeugnisses nicht. Ein Salos
war vermutlich auch jener Symeon Eulabes, der geistliche Vater Symeons
des Neuen Theologen. Für die Gemeinschaftsideale des Studiu-Klosters,
dem er angehörte, muß er eine Belastung dargestellt haben. Symeon der
Theologe wollte nach seinem Tod ihn als Heiligen verehrt wissen, aber die
offizielle Kirche sträubte sich geraume Zeit dagegen. Sonderbare Heilige
haben in Byzanz ja nie gefehlt und die Grenze des noch Möglichen war weit
hinausgeschoben. Manchmal ging es der Kirche dann doch zu weit. Patriarch Nikolaos Muzalon ließ im 12. Jahrhundert einmal eine von einem
„Bauern" geschriebene Legende der hl. Paraskeue vernichten![57]

Doch genug des Nonkonformismus. Mit einigen Worten sei aber noch
auf das Gros der byzantinischen Gläubigen eingegangen, die offenbar die
Mitte zwischen den Polen religiöser Einstellung einnahmen. Wie kamen
diese Menschen mit ihrem Klerus zurecht? Was die Frage des Verhältnisses
zu den Bischöfen angeht, so scheint mir die durch die ganze byzantinische
Geschichte hindurch immer mögliche Beobachtung von Bedeutung, daß das

Volk im Bischof das entscheidende soziale und politische Gegengewicht gegen kaiserliche Bürokraten, insbesondere in der Provinz, gesehen hat. Hier war eine Instanz gegeben, mit der sich offenbar leichter reden ließ als mit den staatlichen Behörden, und die, aus welchen Gründen auch immer, es sich nicht versagte, den Armen, den Zahlungsunfähigen usw., zu helfen. Dies bedeutete ein beachtliches Gegengewicht gegen die Gefahr der Entfremdung. Darüber haben natürlich weder die Bischöfe noch der übrige Klerus auf die Abgaben verzichtet, die ihnen die Gläubigen schuldeten. Manches Sprichwort ist hier aufschlußreich, das in Byzanz umging; so etwa „Auch ein schlechtes Bistum nährt seinen Bischof" oder „Ich sammle ein, indem ich herumgehe und das Evangelium predige" oder „Bringt einer den Papas ins Haus, so bringt dieser auch seinen Diakon mit". Vielleicht gehört auch jenes andere hierher: „Die Hagia Sophia wird versorgt mit Öl für einen Heller" usw. Ob das spirituelle Leben der Gemeinde von den Bischöfen starke Impulse bekam, läßt sich kaum ausmachen. Liest man die Predigten, die aus bischöflicher Feder stammen, gewinnt man den Eindruck, daß es prächtige Stücke Rhetorik waren, daß aber die Glaubens- und Sittenlehren, die gepredigt wurden, immer wieder sehr nach „Gemeinplatz" im modernen Verstand dieses Wortes aussahen. Einen zweiten Chrisostomus hat Byzanz nicht hervorgebracht. Immerhin ist einschränkend zu bemerken, daß diese Predigten vor der Veröffentlichung wahrscheinlich stark rednerisch frisiert wurden. Die große Sehnsucht vieler Metropoliten aus der Provinz, aus der „Verbannung" bei ungebildeten Menschen wieder in die Hauptstadt zurückkehren zu können, spricht kaum für ein allzu lebendiges Interesse an ihren Schäflein, erst recht natürlich nicht die Tatsache, daß Pronvinzbischöfe, denen unter irgend einem Vorwand die Reise in die Hauptstadt glückte, kaum wieder aus ihr fortzubekommen waren. Vielleicht kam es dem Volksleben und dem religiösen oder auch abergläubischen Volksbrauch zugute, daß sie sich wenig um ihre Metropole kümmerten.

Was den einfachen Klerus anlangt, so hat er sicher gewisse Leitbilder gehabt, die ihn von der großen Masse unterschieden, aber sie waren nicht die Folge einer berufsspezifischen Ausbildung – darauf ist an einer anderen Stelle schon hingewiesen. Es kann aber nicht die Rede sein, daß dieser Klerus damit aus der archaischen Familienstruktur herausgehoben gewesen wäre, denn er war verheiratet, hatte Kinder, Schwäger und Schwiegereltern d. h. er war in die Gemeinde eingebunden. Auch ökonomisch dürfte er sich schwerlich von den übrigen Dorfbewohnern unterschieden haben, war er doch nicht selten genau wie sie fronpflichtig. Die Identifikation des Gläubigen mit seinem Papas kann auf keine allzu großen Schwierigkeiten gestoßen sein, seine Tugenden und Untugenden waren ihre eigenen, ebenso sein Elend oder seine Prosperität. Natürlich ist er Gegenstand der Satire, vor allem, wenn der Bartwuchs nicht gediehen ist. Auch Vorliebe für Geld und

Besitz und vor allem für den Becher wird ihm gern zum Vorwurf gemacht. Sonst aber bleibt er weithin ungeschoren: er war einer der Ihrigen, er fordert ihnen wahrscheinlich nicht viel ab, und man nimmt bei ihm manches in Kauf, weil man selbst nicht viel von ihm verlangt, da er nicht viel bieten konnte. Es genügte, wenn er die Liturgie abhielt, die Taufe spendete, Hochzeiten einsegnete und beerdigte. Zur Beichte wandte man sich ohnedies lieber an einen Mönch. Die Liturgie aber im weitesten Sinne des Wortes hat wohl jene Höhepunkte im Ablauf des Jahres geliefert, auf die auch der einfachste Mensch nicht verzichten kann, auch wenn er im Alltag nur Armut und Plackerei kennt. Die byzantinische Liturgie, sofern sie eucharistische Liturgie ist, versteht sich nicht in erster Linie als „actio", wo alles zielbewußt und rasch auf den entscheidenden Höhepunkt ausgerichtet ist, sondern in hohem Maße – so jedenfalls ihre Erklärer – als symbolhafte Darstellung der Schöpfungs- und Erlösungsgeschichte und des Lebens Christi; sie hat Raum für einen hohen Grad dramatischer Stilisierung und Ausgestaltung, die dem alten griechischen Bedürfnis nach θεωρία, der teilnehmenden Schau am Vollzug der Mysterien, aufs beste entspricht. Diese dramatische Ausgestaltung vollzieht sich zudem in einem Rahmen, der alle Sinne anspricht und das Fascinosum des Mysteriums in Mosaik, Fresko und Ikone, in Kerzenlicht und Weihrauchduft einfaßt. Es erinnert an jenen Ausspruch der Pilgerin Egeria angesichts des Abendgottesdienstes in Jerusalem: „Et fit lumen infinitum". Die Ikonostasen steigen höher und höher, der Vorhang zum Allerheiligsten öffnet und schließt sich, der Gesang steigt an und ebbt ab: Alles läßt sich hören und sehen, ertasten und riechen, der ganze Mensch ist eingefangen. Die Texte in ihrer einfachen Eindringlichkeit wurden zwar im Laufe der Zeit dogmatisch angereichert, aber die Atmosphäre, in der sie aufgenommen wurden, war nicht intellektuell sondern emotional geladen. In den Kontakien des Romanos vereinigt sich die bestechende dogmatische Antithese, die der notionellen Nachprüfung nicht bedarf, mit der liebevollen malerischen Schilderung; im Osterhymnus des Joannes Damaskenos ist der Sieg über den Tod in letzter musikalisch-dichterischer Steigerung zum Ostergruß schlechthin geworden und die (pseudochrysostomische) Osterpredigt lehnt jede orthodoxe Starre und Strenge ab: sie öffnet Kirche und Paradies dem Gerechten wie dem Sünder, und letzterem sozusagen noch weiter als ersterem. Hier findet sich der schlichte orthodoxe Christ zurecht, ohne daß sein Verstand allzu sehr gefordert würde. Es wurde schon an anderer Stelle[58] darauf hingewiesen, daß die Kirche es lieber sah, wenn das Volk sich an das „Sichtbare" hielt, statt womöglich über Texte zu grübeln. Daher denn die ungeheure Rolle der Ikonen. Der weiterverästelte Wunderglaube, der sich mit den Bildern verknüpft, setzt bereits im 6./7. Jahrhundert ein. Von den Ikonen kann man alles erwarten, nicht nur Schutz für Stadt und Land, für Kaiser und Reich, sondern auch Hilfe in Krankheit und Not, Beistand gegen den Feind und Rache am Gegner. Je kleiner und intimer das Heiligtum, in dem sich die Wunderikone versteckt, desto besser. „Große Kirche – kleine Gnade" lautet ein byzantinisches Sprichwort. Der Glaube und Aberglaube beschränkt sich nicht auf den Kult der Ikonen, er greift viel weiter um sich, – einiges davon wurde schon angeführt. Der byzantinische Landklerus, aber sicher auch höhere Kleriker bis hin zu den Bischöfen haben diesen Aberglauben geteilt. Wie anders wäre es möglich, daß sich im Euchologion, d. h. im offiziellen Segnungs- und Ritualbuch der Kirche Praktiken und Ansichten dieser Art widerspiegeln, etwa in einem Segen gegen die βασκανία, den bösen Blick, Exorzismen κατὰ τῆς ἄβρας, gegen die Geister in der Luft, der Exorzismus des Tryphon usw. Hier fanden sich Volk und Hierarchie einträchtig zusammen. Je frostiger die Dogmatik wird, desto anziehender die Vielfalt an Riten und Gebräuchen. Man kann Formen des Aberglaubens kategorisieren und so säuberlich in eine Phänomenologie parareligiöser Verhaltensweisen einordnen. Man kann freilich auch den Versuch machen, Aberglauben zu deuten, ihm gewisse mildernde Umstände zuzuerkennen und ihn nicht von vorne herein als Parasiten echter Religiosität abzutun. Da wo sich ein Glaube, der von „théologie savante" nicht viel weiß, in der Situation der Verzweiflung oder des Hoffens wider alle Hoffnung herausgefordert sieht, ereignet sich für den Durchschnittsbyzantiner das Wunder. Und wenn dieses Wunder, um Ereignis zu werden, hier oder dort „theurgischer" Praktiken bedarf, so geschieht dies nicht von ungefähr; denn der Glaube, der dahinter steht, will sich offenbar nicht damit abfinden, daß der Schöpfergott die Dinge und Menschen einfach in die Welt gestellt hat; vielmehr haben Menschen und Stein, Pflanze und Tier darüber hinaus den Wert gottgeschaffener Symbole und in den Symbolen liegt Kraft. Der begnadete Mensch, der byzantinische Heilige, aber auch mancher, der nicht in diesem Geruch steht und von dem es kaum zu gewärtigen wäre, dem aber Gottes Unerforschlichkeit zugute kommt, weiß diese Kräfte zu aktualisieren – und es ist ein sakramentales Potential, das er aktualisiert. Daß dabei manche Praktik heidnisch anmutet oder heidnisch ist, tut wenig zur Sache; denn auch vor Jahrtausenden war die Welt Gottes Welt. Der Byzantiner steht dieser Welt gegenüber, die ihm, auch ohne die Situation der Hoffnung auf Wunderbares, Rätsel genug aufgibt, die auch so gar manche fremdartige, etwa heilkräftige Züge verrät. Von hier bis zum Eintritt des Wunders ist nur noch ein kleiner Schritt. Und je formalistisch-intellektueller sich die Theologie gebärdet, desto tröstlicher ist der Rückzug auf diese Welt der gottgewollten Rätsel und der damit verknüpfbaren Hoffnungen.

Trotz allem bleibt auch dem Gehör sein Anteil. In der Kirche wird auch der Analphabet bekannt mit Erzählungen aus der Bibel, mit den Predigten des Joannes Chrysostomos, der das Ohr des Volkes wohl viel besser erreichte als mancher zeitgenössischer Rhetor, vor allem aber mit den Heldentaten der Martyrer, der asketischen Akrobatik der Wüstenväter und den

7. Detail von einem Fußbodenmosaik des Kaiserpalastes in Konstantinopel

8. Bischöfe, Höflinge und Mönche auf einem Konzil (Detail)

Großtaten anderer Heiliger – Lebensbeschreibungen oft von erregender Phantastik, die Vorstellungskraft nährend und Zeichen setzend. Eine pittoreske Welt, deftig nicht selten, aufregend und an die Grenzen des Glaubhaften stoßend und deshalb nur um so glaubwürdiger!

Die Glaubenswelt der Byzantiner hat für jeden Platz. Daher denn ihre Dauerhaftigkeit. Die Strenge der Orthodoxie wird immer wieder in Frage gestellt oder doch umgangen. Sie kann sich trotzdem behaupten, weil sie nicht selten mit einer Handbewegung gestattet, was sie mit der anderen verbietet. Sie läßt den puren Nonkonformismus gelten, soweit er nicht expresse ihre eigenen Rechte in Frage zieht, ja sie rühmt sich seiner gelegentlich, als wäre er ihr legitimes Kind. Nicht alle lassen sich davon düpieren, aber in solchen Fällen ist dann die Orthodoxie nicht weniger zur Gewalttat geneigt als der westliche Inquisitor; von „johanneischer Liebeskirche" ist dann wenig mehr zu spüren, denn im allgemeinen verschließt sich die „offizielle" Orthodoxie, wohl etabliert in der großen Gesellschaft wie sie ist, sozialen und reformerischen Anliegen. Wenn sie trotzdem das Reich überdauerte, dann vielleicht nicht zuletzt deshalb, weil sie von den Massen des Volks weniger ernst genommen wurde, als es die allgemeine Annahme will. Sie bleibt immer ein gewisser Grenzwert, sie gehört dazu, aber es gibt noch andere Leitbilder, nach denen man sein Leben einrichtet, als die ihren. Die Orthodoxie hat sich im Laufe der Jahrhunderte selbst so sehr formalisiert, daß es dem in das System eingebundenen Orthodoxen nicht allzu schwer fällt, sie nun für seine eigenen Zwecke und auf seine eigene Weise zu formalisieren.

IX. Die Dimension Geschichte

Eine der Gefahren bei jeder Beschäftigung mit Byzanz besteht darin, in ihm einen Monolith zu sehen, einen massiven Komplex engstens verklammerter und verzahnter Einrichtungen, Traditionen und Vorstellungen, der ein Jahrtausend mehr oder weniger unverändert überdauert, man sieht nicht recht wie, und Geschichte nur insofern kennt, als es sich um äußere Einflüsse handelt, die an seiner Oberfläche kratzen und nagen, und ihn schließlich zersetzen. Die Geschichte als Geschichte der Menschen kennt keinen Monolith, am wenigsten einen solchen, der ein ganzes Jahrtausend aushält. Daß sich in einem Reich wie Byzanz, das sich bei seiner Selbstbehauptung durch die Jahrhunderte in stärkstem Maße, und dies nicht nur ideologisch, auf die ererbten Werte seiner Vergangenheit beruft, die Dimension Geschichte nicht immer so deutlich machen läßt wie in der Geschichte von Völkern, die unbefangener auf Gegenwart und Zukunft eingestellt sind, ist allerdings einzuräumen. Vielleicht ist deshalb in den vorausgegangenen Kapiteln diese Dimension nicht immer deutlich genug geworden. So möchte ich den Versuch machen, nochmals nachdrücklich auf sie hinzuweisen und zwar, indem ich nochmals auf die Literatur zurückkomme und sie in Relation setze zu anderen Komponenten, die das byzantinische Dasein bestimmen: einmal zum Auf und Ab von Extension und Kontraktion des geographischen und kulturellen Raumes, dann zu den Wandlungen des „Mythus" und schließlich zur Gesellschaft und ihrem Verhältnis zur Literatur.

Zunächst der Raum. Noch lebt in der Spätantike die Welt der Literaten von der Weite des Imperiums – und dies ziemlich wörtlich. Die literarisch Schaffenden kommen von allen Enden des Reiches: Afrikaner in Konstantinopel, Syrer in Rom, Kleinasiaten in Athen usw. Man muß nicht erst in der neuen Kapitale anerkannt sein, um überhaupt zu gelten. Sicher reisen nicht mehr alle Literaten so weit und häufig wie in den hohen Zeiten des römischen Reiches, etwa wie Lukian von Samosata im 2. nachchristlichen Jahrhundert. Ihn führt sein Weg aus der syrischen Heimat, wo es zunächst galt, Griechisch zu lernen, durch Kleinasien, Griechenland, Makedonien und Italien bis nach Gallien und „an den Okeanos"; dann wieder zurück nach Rom, nach Athen und schließlich nach Ägypten – und dies keine einmalige Sophisten-„Tournée", sondern ein Wanderleben, das sich über Jahrzehnte erstreckt. Aber auch vom 4. bis 6. Jahrhundert ist die Welt noch weit und die Ferne verlockend. Gregor von Nazianz verläßt seine kappadokische Heimat, besucht Palästina, studiert einige Zeit in Alexandreia, bis ihn für Jahre Athen vereinnahmt. Zurückgekehrt nach Kappadokien macht er Abstecher nach dem Pontos und wohnt für Jahre in Isaurien, bis ihn Konstantinopel ruft. Libanios durchreist wenigstens noch Griechenland, Thrakien und Bithynien, bis er sich endgültig in seiner Heimatstadt Antiocheia niederläßt. In diesem Antiocheia ist auch Ammianus Marcellinus geboren, Sohn griechischer Eltern. Er tritt in den römischen Heeresdienst ein und kommt damit nicht nur nach Mesopotamien und Persien, sondern auch nach Gallien. Schließlich bereist er Griechenland und Ägypten und läßt sich dann in Rom nieder, längst selbst Römer geworden. Prokop, der Historiker, geboren in Palästina, kommt als militärischer Rechtsrat nach Persien, Afrika und Italien, und seine Biographen unterstellen noch weitere Reisen. Diese Reisen bewegen sich trotz ihrer Weite alle innerhalb der Grenzen des Reiches, das sich ja immer noch zeitweise von Britannien und Gallien über Italien und den Balkan bis Kleinasien und Syrien erstreckt (wo es an das persische Großreich stößt), das noch Palästina umfaßt und Teile seines arabischen Hinterlandes, und darüber hinaus Ägypten und die nordafrikanische Küste, ja im 6. Jahrhundert sogar Teile Spaniens. Dieser Großraum bedingt nicht nur militärische Bewegungen, er stellt auch das Spielfeld für eine weitgefächerte, von missionarischen Interessen im weitesten Sinne des Wortes mitbestimmte Politik. Man denke nur an den Griff der Kaiser Justin und Justinian nach dem Yemen und nach Äthiopien, an die politische Mission im Kaukasus oder an die Frankenpolitik der zweiten Hälfte des 6. Jahrhunderts. Ebenso wichtig scheint mir, daß dieses Reich noch nicht einem Zentralismus verfallen ist, der das Leben in der Provinz ausdörrt. Rom am Tiber steht immer noch in ideologischer Konkurrenz zum neuen Rom am Bosporos. Daran ändern auch die Katastrophen der Jahre 410 und 455 nicht viel, weil der römische Senat, politisch weitgehend ausgeschaltet, sich um so nachhaltiger um die Pflege der alten Traditionen der Romanitas bemüht, und dies nicht ohne Erfolg. Selbst für das neue Konstantinopel ist diese Romanitas in actu noch viel stärker bestimmend als in späteren Jahrhunderten, wo sie zur Reminiszenz absinkt. Von eigenem Gewicht bleibt noch für drei Jahrhunderte trotz der Neugründung am Bosporos auch Alexandreia, dessen kulturelles und wissenschaftliches Leben immer noch einiges vom forscherlichen Impetus und der wissenschaftlichen Neugierde der hohen hellenistischen Zeit verrät, wovon man in Konstantinopel kaum etwas spürt. Selbst kirchenpolitisch scheut es die Auseinandersetzung mit Konstantinopel noch im 6. Jahrhundert nicht. Konstantinopel selbst lebt zunächst, um Hieronymus zu zitieren, von der Ausplünderung der Provinzstädte, und dies nicht nur was die Ausstattung mit Kunstwerken anlangt, sondern auch durch die nicht selten plumpen Versuche, anderen Zentren bedeutende Männer abzuwerben. Die Stadt blieb für viele geraume Zeit der Parvenu. Athen pflegte eine hochfahrende Selbstgenügsamkeit und sonnte sich halkyonisch im Abstand vom Geschehen des Alltags, war aber immer noch anziehend genug, um Scharen wißbegieriger junger Leute in den Mau-

ern festzuhalten. Selbst in den Grenzgebieten, wo sich z. B. Romanitas, Kel-
tentum und Germanentum zu einer ersten Symbiose trafen, entwickeln sich
Formen des Erlebnisses, die in die Kultur-Koine der Zeit eingebracht werden – Beispiel die Erfahrungen des jungen Caesar Julian in der Lutetia Pari-
siorum, die ihren Niederschlag noch in seinen literarischen Arbeiten als Kaiser verraten. Und wenn die Barbaren nichts anderes zu bringen hatten: die
jungen Modegecks der neuen Hauptstadt richten sich in Haartracht und
Kleidung nicht ungern nach ihrem Muster. Auch das Judentum muß hier
erwähnt werden. Die jüdische Provinz, für einige Zeit mit einem Patriarchen im Rang eines Praefectus Praetorio an der Spitze, ist trotz aller politischen Ohnmacht immer noch Zentrum einer ungeheuer weit verbreiteten
Diaspora, wo eine Lebenshaltung gepflegt wird, der sich beträchtliche Teile
der hellenischen Welt nicht entziehen konnten und schon gar nicht wollten.
Die Entwertung des Judentums mit ihren politischen Folgen setzt kaum vor
Joannes Chrysostomos und dem Codex Theodosianus ein.

Über den Pluralismus der geistigen Zentren hinaus lebt diese Zeit noch
ganz allgemein von der Stadt, der Polis, sozusagen von einer Vielzahl von
Patriotismen innerhalb der hellenistisch eingefärbten größeren Heimat. Hier
wurde ein Freiheitsgedanke gepflegt, der patrizisches Selbstbewußtsein mit
der Überzeugung verbindet, in einer griechischen Oikumene zu leben, die
identisch ist mit der Welt überhaupt, soweit Welt nennenswert ist. Dahinter
stand sicher eine beachtliche politische Illusion, aber sie konnte genährt
werden, so lange und seitdem die Wirtschaftskrise, die den Westen erschütterte, mit dem Osten glimpflich verfuhr, ein relativer Friede den Warenaus-
tausch mit dem Süden und Osten wenig behinderte und eine bescheidene
Prosperität garantiert war. Die großen antiochenischen Predigten des Joannes Chrysostomos sind so wenig von der Polis abzulösen wie die meisten
Schriften des Libanios oder die Epigramme des Palladas. Diese Polis hat
noch ihre eigenen Geschichtsschreiber, wie wir sie z. B. noch hinter der
Chronik des Malalas entdecken können. Dialektik der geschichtlichen Prozesse: daß das Polis-Denken noch so lebendig bleiben konnte, hängt gerade
mit der Herausforderung zusammen, welche der Reichsgedanke für die Polis bedeutet.

Bleibt vom Heidentum und vom Mythos zu sprechen. Der Mythos hat es
für sein Fortwirken nicht nötig, im naiven Sinne des Wortes geglaubt zu
werden. Das Numinose deckt sich in ihm in seiner ganzen Ausdehnung mit
seiner eigenen Epiphanie, und Epiphanie ist das ganze All. „Dies hat sich
nie zugetragen, aber es ist immer" – so bestimmt Sallustios, ein Neuplatoni-
ker des 4. Jahrhunderts, das Wesen des Mythos. Er ist überall präsent, wo
sich der Geist noch zurückführen läßt zu einer Verständnisinnigkeit mit der
ihn umgebenden Welt, die ihrerseits Repräsentanz des Göttlichen ist, nicht
insofern dieses als seine causa exemplaris betrachtet werden kann, sondern
Repräsentanz, die an Identität grenzt, wo zwischen dem Symbol im trächti-

gen Sinne des Wortes und seinem Gehalt nicht mehr unterschieden werden kann. Was immer man über den literarischen Wert der Dichtungen eines Nonnos oder eines Kolluthos zu sagen weiß, es dürfte schwer fallen, in ihnen nur Archaeologen des Mythos zu sehen. Philologisch-archäologisches ist sicher mit im Spiel, aber damit allein ist ihre Vereinnahmung durch den Stoff kaum zu erklären. Der Mythos ist nicht nur Bildungsgut, er lebt noch. Und wenn es Nonnos und Kolluthos nicht beweisen, dann die Kirchenväter der Zeit, die schließlich daran verzweifelten, die Götter ganz zu entzaubern und sich darauf beschränkten, sie in das Zwischenreich des Dämonischen zu verweisen. Vielleicht steht die Ausbildung des christlichen „Mysteriums" gerade auch im Zusammenhang mit der noch vorhandenen Lebendigkeit des Mythos. Mit Julian wird dieser lebendige Mythos sogar dem christlichen Bildungsbemühen politisch gefährlich. Die scharfe Reaktion auf das kaiserliche Bildungsedikt beweist, daß er ins Schwarze getroffen hat. Gregor von Nazianz bemüht sich zwar, die heidnischen Bildungsgüter völlig zu entmythologisieren, aber wenn ich es recht sehe, war Basileios, wenigstens in seinen Predigten, wenig davon überzeugt, daß dies möglich sei – und Basileios war der Realist. Doch selbst von dieser Provokation abgesehen: die Epigramme eines Agathias – seine Darstellung erotischer Mythen ist verloren gegangen –, sowie die des Paulos Silentiarios leben zum Teil noch immer, wenn nicht vom Mythos, so doch von einem antiken Lebensgefühl und wenigstens dem Wunsch nach einer Naivität, die, wenn nicht heidnisch, so doch a-christlich ist. Mit welchem Recht man behauptet, dies alles sei nur Spiel der Phantasie, das nur an die Peripherie der Seele rühre, ist mir uneinsichtlich. Die Kirche war längst noch nicht mächtig genug, um das Leben der Gesellschaft entscheidend zu prägen – und das Mönchtum erst recht nicht.

Im übrigen sei auf das verwiesen, was schon weiter oben vom Fortleben des Heidentums gesagt worden ist.

Dies alles vollzieht sich im Rahmen eines Staatswesens, das sich nach den katastrophalen Zuständen des 3. Jahrhunderts allmählich wieder verfestigt, und dies – was für die kulturellen Belange von großer Wichtigkeit ist – in Richtung weg von der finanziellen Inflationslage der vorausgegangenen Dezennien, weg aber auch von der fast totalen Bestimmtheit durch das Militärwesen in Richtung auf eine zivilere Res publica. Der militärische Charakter vieler Amtsträger verschwindet, die Gewalt in den Provinzen liegt jetzt nicht mehr nur in den Händen des militärischen Dux, er muß sie mit dem zivilen Gouverneur teilen. Die Reichsverwaltung wird bürokratischer als je und verlangt damit nach einer breiten und stabilen Sitzfläche in der Hauptstadt. Zwar ist die Entmilitarisierung Schwankungen ausgesetzt, aber für einige Zeit hält sie vor. Dieses Staatswesen ist trotzdem fähig, mit der größten Gefahr für eine gedeihliche Entwicklung, d. h. mit den Barbaren fertig zu werden. Mit großem diplomatischen Geschick gelingt es, die Gefährlichsten von ihnen doch vom Reichsboden zu verdrängen: eine Zone relativer Sicherheit für längere Zeit ist garantiert. Das besagt nicht, daß das Reich nicht Schauplatz schwierigster sozialer Verhältnisse gewesen wäre. Kolonat und Patroziniumsbewegung offenbaren die verzweifelte Lage der kleinen Bauern. Landflucht und damit Steuerflucht gehören zum Bild, und die Sklaverei ist noch allgegenwärtig. Freilich darf auch nicht vergessen werden, daß beispielsweise die Bindung der Handwerker an ihren Beruf sich doch im Laufe der Zeit mehr und mehr lockerte.

Was besagt dies alles für die Literatur? Gewiß zunächst, daß sie kaum Sache des „Volkes" gewesen sein kann, das an anderes zu denken hatte. Es ist die Literatur einer hochgebildeten Schicht. In der Substanz wird dies die ganze byzantinische Ära hindurch so bleiben, aber das Besondere an der frühbyzantinischen Epoche ist eben die Relation zwischen der Weite des Reiches im umfassenden Sinne des Wortes und dieser Literatur. Zunächst: sie ist nicht Sache einer am Rande der Gesellschaft angesiedelten Schicht von Berufsliteraten, sondern Sache von Männern des öffentlichen Lebens: Julian und Justinian, die Kaiser; Synesios, Landedelmann – „Pferden und Büchern gilt meine Liebe" – eine Art Defensor seiner Heimatstadt und später sogar ihr Bischof; Zosimos, comes und exadvocatus fisci, Priskos von Panion, Assessor des Magister officiorum, Lydos im Dienste der Präfektur, der Epigrammatiker Kyros von Panoplis Stadtpräfekt von Konstantinopel; Themistios, ebenfalls Stadtpräfekt. Ein halbes Dutzend Männer aus den hohen und höchsten Hofrängen, ein Dutzend Scholastikoi, drei Leiter der platonischen Akademie: alles Schriftsteller, die sich nicht auf Fachliteratur beschränkten, sondern mit ihren Epigrammen Aufnahme in die Anthologia fanden. Die Weltwendigkeit all dieser Autoren ist spürbar. Die Interessen des Historikers Prokop sind kaum einzuschränken, und wo immer es angeht, schöpft er nicht nur aus der Literatur, sondern aus Autopsie und eigener Erfahrung. Das gleiche gilt von Priskos von Panion und bis zu einem gewissen Grad auch von Agathias, insofern nämlich, als ihre Beobachtungen und Erlebnisse mit fremden und in fremden Welten und Lebenskreisen ihnen jenen Abstand vom engeren ursprünglichen Erfahrungsbereich vermitteln, der sie befähigt, im Vergleich mit dem Fremden das Eigene nicht mehr völlig voreingenommen, vielmehr sogar kritisch zu sehen. Immer auf das ganze byzantinische Jahrtausend bezogen läßt sich wohl überhaupt sagen, daß sich die Kritik noch nicht im Literatengezänk erschöpft, sondern von einem stärkeren Atem getragen ist. Beispiel: die herben Worte Gregors von Nazianz über den Episkopat und das Synodalwesen seiner Zeit, oder seine ironischen Bemerkungen über die Höflinge in Konstantinopel, die von Joannes Chrysostomos zur heftigen Invektive gesteigert werden. Auf der anderen Seite die grundsätzliche Kritik Julians am Christentum und die latenten Angriffe einer Historia Augusta oder eines Zosimos gegen die neue

Religion, die doch schon 400 Jahre alt ist. Sieht man von der eigentlichen Kritik ab und denkt man nur an die immer noch prägende Geistigkeit des aufgeklärten Heidentums dieser Zeit, so braucht nur der Name des Synesios zu fallen: Muster einer fruchtbaren Auseinandersetzung zwischen den markantesten Strömungen der Zeit, – einer Auseinandersetzung, die souverän, fast leidenschaftslos geführt wird, die sich da und dort der Entscheidung entzieht, vielleicht nicht aus Schwäche, sondern aus der berechtigten Furcht, mit der Entscheidung für das eine die positiven Werte des anderen aufgeben zu müssen, vielleicht auch aus der Einsicht, daß beides in vieler Hinsicht denselben denkerischen Ursprung hat.

Um zusammenzufassen: Der weite Raum des Imperiums mit seinem Reichtum an Anregungen verschiedenster Art, mit eigenständigen Zentren, die es mit Konstantinopel leicht aufnehmen können, der noch lebendige Mythos in durchaus nicht hoffnungsloser Auseinandersetzung mit der christlichen Lehre, die materielle Absicherung der literarisch tätigen Klasse, aber sicher auch die noch unmittelbare Bindung an die klassische Sprache und die klassische Literatur, die des Mediums der Philologie noch nicht in dem hohen Maße bedarf wie spätere Generationen, – dies alles fordert und fördert den Literaten. Er kann sich noch nicht selbstvergessen in sein Schneckenhaus zurückziehen, um dann und wann vorsichtig die Fühler auszustrecken. Er will es auch gar nicht. Noch ist die Welt zu groß und zu reich, als daß er sich genötigt sähe, sich in die Intimität der bloßen Wortpflege zurückzuziehen. Leider muß angemerkt werden, daß von dieser Literatur allzu viel verloren gegangen ist, was unser Bild bereichert hätte, so etwa die Beschreibung der Germanenkriege des Caesars Julian aus seiner eigenen Feder, die Byzantiaka des Malchos, die Staatslehre des Petros Patrikios. Die erhaltenen Fragmente können über den Verlust des Ganzen nicht hinweghelfen.

Die Mitte des 7. Jahrhunderts bringt den großen geographischen Schrumpfungsprozeß infolge der arabischen Expansion im Süden und Osten und infolge der Konsolidierung der slavischen und bulgarischen Eroberungen auf der Balkanhalbinsel bis vor die Tore der Hauptstadt und weit nach Griechenland hinein; nicht zu vergessen die Verluste an italienischen Territorien durch die Züge der Langobarden. Aus dem Reich wird ein bescheidener Staat, dem die wichtigsten Provinzen abhanden gekommen sind. Daß bedeutende Teile Italiens noch einige Zeit dazu gehören, besagt nicht allzu viel, denn der Erschöpfungszustand, in dem es sich befindet, hat die Förderung der Romanitas-Idee, insofern sie für Byzanz wichtig war, weit zurückgedrängt; von dem Selbstbewußtsein der alten Senatsfamilien ist nicht viel übrig geblieben. Kulturell am bedeutsamsten war wohl der Verlust Alexandreias, dessen Ideenreichtum und „Kunstfertigkeit" durch Konstantinopel noch lange nicht aufgewogen werden kann. Kaum weniger wichtig ist die Ausgliederung Syriens; denn hier hatten die Gebildeten eben begonnen,

sich mit jugendlichem Eifer der klassischen griechischen Tradition anzunehmen. Den Nutzen davon hatte nicht mehr Byzanz, sondern bald die arabischen Eroberer und ihre geistige Elite. Die Kräfte des Reiches waren durch
die Abwehr nach allen Seiten voll in Anspruch genommen und die materiellen Resourcen sind zum Teil versiegt. Die Versorgung Konstantinopels, bisher durch Ägypten gewährleistet, wird zum Problem, die Stadt selbst immer
wieder vom Feind in weiteren oder engeren Ringen vom eigenen Hinterland
abgesperrt. Um den Fernhandel einigermaßen aufrecht zu erhalten, mußten
erst die Handelswege verlagert werden; der Verlust an eigenen Minen war
durch die verbliebenen kaum auszugleichen. Das Reich war nicht nur kleiner, es war auch ärmer geworden. Das spürten vorab die verbliebenen
Städte, die immer wieder feindlichen Razzien ausgesetzt waren und nun aus
Poleis Kastra wurden, Zeichen einer Militarisierung, die allüberall feststellbar ist. Auf Generationen wird Byzanz ein militärisch bestimmtes Staatswesen, dessen Geschicke fast ausschließlich durch Erfolg oder Mißerfolg seiner
Armeen bestimmt wird. Die Remilitarisierung der Provinzverwaltung beginnt zwar schon unter Kaiser Justinian, aber jetzt wird sie energisch vorangetrieben. Die politischen Verhältnisse verlieren, insbesondere nach dem
Sturz der herakleianischen Dynastie, ihre Stabilität. Wo das 6. Jahrhundert
mit insgesamt sechs Kaisern auskam, von denen keiner durch Gewalt besei-
tigt wurde, verbraucht das Jahrhundert vom Tode des Herakleios (641) bis
zum Tode Leons III. (741) deren zwölf und wiederum zehn das nächste
Jahrhundert. Die Provinztruppen und ihre Kommandeure gerieren sich
volle zwanzig Jahre lang wie die Kaisermacher des 3. Jahrhunderts, und der
Historiker Nikephoros spricht schlankweg von einer Tyrannis des Militärs.
Zwar ist für die Reichsgewalt der Besitz der Hauptstadt immer noch entscheidend, aber tonangebend sind die großen Generale und Magnaten der
Provinz, die sich mit Gewalt und Tücke in den Besitz der Hauptstadt setzen.
   Es ist gewiß nicht übertrieben, in diesen Verhältnissen die Ursachen für
den parallel gehenden Schrumpfungsprozeß der Literatur zu sehen. Die
weite Fächerung der Anregungen ist verschwunden, der Pluralismus der geistigen Anstöße ebenso. So gehören das 7. Jahrhundert und die erste Hälfte
des achten Jahrhunderts zu den dünnsten Zeiten der byzantinischen Literatur: Der Geschichtsschreibung geht der große Atem aus. Gemessen an Prokop wirkt Theophylaktos Simokattes provinziell, und Georgios Pisides ist
kein Historiker sondern ein Panegyrist. Die Briefliteratur, besonders geeignet, ein weitgespanntes geistiges commercium widerzuspiegeln, versiegt; das
Epigramm, das stärkste Bindeglied zur alltäglichen Umwelt der Literaten,
ist fast verstummt. Das verengte Staatsgebiet verengt auch geistig, es bleibt
mit all seinen Lebensäußerungen zu stark auf sich selbst zurückgeworfen.
Erstaunlich, daß dieses doch heroische Zeitalter nationaler Selbstbehauptung sich kaum im Epos oder im epischen Lied äußert. Zwar finden sich im
späteren Digenis-Lied dürftige Erinnerungen an frühe Kämpfe, aber eine

Liedtradition kann höchstens vermutet, nicht bewiesen werden. Bei all dem ist allerdings in Rechnung zu setzen, daß unter Umständen auf Grund des Bruches in der Schriftgeschichte von Byzanz und der damit verbundenen Kopierung älterer Handschriften so manches unter den Tisch gefallen ist.

Man wird es erwarten, daß in einer solchen Welt auch der Mythos in jenem weiten Verstand, der charakterisiert worden ist, kaum noch Platz findet. Inzwischen hat die Kirche die Führung übernommen. Ihre Palladien schützen vor dem Feind und garantieren allein noch den Sieg; die Abhängigkeit des Staates vom kirchlichen Vermögen in puncto Reichsverteidigung tut ein übriges, und wenn „inter arma" die Musen zu schweigen haben, finden die Sittenrichter um so leichter Gehör. Die religiöse Literatur dominiert. Die Hagiographie, wenn auch längst en vogue, schafft neue Heldenbilder und Heldenvorstellungen, in denen Unbildung nicht selten als die Vorbedingung der christlichen Verwirklichung insinuiert wird, um von der Verächtlichmachung von Vorstellungen und Kulturgütern, die noch irgendwie an die klassische Vergangenheit erinnern, ganz zu schweigen. Und dann der große Bilderstreit: Gewiß ist die Behauptung gefährlich, aber vielleicht doch nicht so ganz abwegig, daß mit der Ikone ein Bildwerk mythischer Geladenheit auf das Podest erhoben wurde, das auf eigenartige Weise für viele und nicht nur einfache Leute die Funktion des alten Mythos übernahm.

Und doch reißt die Tradition nicht einfach ab. Paul Lemerle hat es so formuliert: „S'ils pensaient ou sentaient à leur façon, les iconoclastes n'étaient point pour autant de grossiers barbares. Et d'autre part, ce qu'il y avait de tradition „humaniste" du coté des iconodoules, non seulement ne fut point brisé, mais sortit renforcé de la lutte. Et c'est pourquoi dès que la crise s'apaise, des hommes sont prêts pour les nouvelles tâches." Vielleicht sollte man hinzufügen, daß die Zeit des Ikonoklasmus es war, in der auch die arabische Gefahr infolge der inneren Schwierigkeiten nach dem Zerfall der umajjadischen Dynastie, nachgelassen und das Reich da und dort eine Atempause gefunden hat. Mag das Bemühen, etwa um die aristotelische Philosophie, zunächst eher den Ikonodulen als den Ikonoklasten eigen gewesen sein, seit der Wende zum 9. Jahrhundert begannen die Unterschiede sich zu verwischen. Die Synode von 787 – um ein Detail zu nennen, – gab Veranlassung, sich wieder um die Schätze der Patriarchalbibliothek zu kümmern, auch wenn zunächst nur aus theologischem Anlaß; es scheint auch, daß die Erziehung, die man im Palast den künftigen hohen Beamten angedeihen ließ, eine gewisse Rolle spielte. Die Patriarchen Tarasios, Nikephoros und Joannes Grammatikos, vor allem aber der Mathematiker Leon bilden den Auftakt, Photios und Arethas die ersten Höhepunkte. Doch die Unterschiede zur frühbyzantinischen Literatur sind nicht zu übersehen. Die Historiographie begnügt sich zunächst mit der Chronistik, die „belles lettres" stehen weit im Hintergrund, die Beschäftigung mit der heidnischen An-

tike wird philologisch im engeren Sinne des Wortes, der Abstand zu diesen
Bildungsgütern ist größer geworden, auch sprachlich. Immerhin darf Folgendes nicht übersehen werden: die große Sammeltätigkeit im Kreis um
Kaiser Konstantin VII. Porphyrogennetos ist nicht rein konservierend; sie
bemüht sich um die ἀρετή der Werke, die man exzerpiert, d. h. sie will aus
ihnen jene Lebensweisheit und jene Verhaltensregeln schöpfen, die man für
den byzantinischen Alltag, auch den politischen Alltag nötig zu haben
glaubt. Mit anderen Worten: es ist doch noch der Versuch, mit der Antike
zu leben.

Doch wo ist die alte, vom Mythos bestimmte Welt geblieben? Sie ist,
wenn noch vorhanden, kaum zu fassen, es sei denn in manchen Vorwürfen,
die gegen jene erhoben werden, die angeblich in den Spuren des Hellenismus wandeln, was in dieser Zeit und bei dieser Gelegenheit nur mit heidnischer Gesinnung übersetzt werden kann. Sollte der alte Funke immer noch
gezündet haben? Sieht man näher zu – so weit dies überhaupt möglich ist
– so handelt es sich wohl eher um eine schüchterne Begeisterung für die
alten Autoren und gelegentlich auch um einen etwas indifferenzierten
Sprachgebrauch, d. h. um eine reichliche Verwendung „neuplatonischer"
Termini in Fragen theologischer Natur. Auf letztere Vermutung bringt uns
der Text der Χιλιόστιχος θεολογία des Leon Choirosphaktes, dem vielleicht gerade wegen dieses Werkes der Vorwurf des Hellenismus gemacht
wurde; der Vorwurf kam von Arethas von Kaisareia! Für ersteres, die
schüchterne Begeisterung, können die Epigramme der Zeit angeführt werden. Von den etwa 25 Epigrammen des 9. und 10. Jahrhunderts, die noch
in die Anthologia aufgenommen wurden, ist gewiß die Hälfte religiös-theo-
logischer Natur. Die Mehrzahl der übrigen feiert antike Autoren, freilich
philologisch-brav und ohne den Versuch, sich mit ihrer Lebenshaltung zu
identifizieren. Da und dort wird schon wieder das musische Dasein gepriesen und ein paar Mal begegnet sogar das erotische Epigramm, aber merkwürdig gebrochen in Gegenüberstellung zum asketischen Ideal – ein Verfahren, dem wir auch in der großen Epigrammsammlung des Joannes Geometres hin und wieder begegnen. Im übrigen scheint es, daß, wer des hellenistischen Denkens verdächtigt wurde, gut daran tat, sich in grimmigen Flüchen
gegen das Heidentum und seine Anhänger zu ergehen, um Schlimmeres zu
vermeiden. Auf der anderen Seite sei angemerkt, daß der Kreis um Konstantin VII. offenbar weitgehend unberührt von orthodox-theologischen und religiösen Interessen war und seine Sammlertätigkeit mehr oder weniger auf
Profanes beschränkte.

Kontinuität also läßt sich kaum leugnen, aber so ganz ungebrochen
scheint sie mir doch nicht gewesen zu sein; Verdünnung der Schicht der
Interessierten kann nicht die einzige Erklärung abgeben. Die Züge eines ta-
stenden Neubeginns mit all seinen Fehlleistungen und Verzeichnungen sind
nicht zu übersehen. Wie immer es sich mit Dichtung und Wahrheit in den

Berichten vom Leben des Mathematikers Leon verhalten mag, wie weit ausholend oder wie begrenzt die Handschriftenquête im zweiten Dezennium
des 9. Jahrhunderts gewesen sein mag und wie eifrig oder unbeholfen die
Sammler des Porphyrogennetos gearbeitet haben mögen: in der Summe verrät dies alles im Ausgangspunkt keinen gesicherten und bekannten Besitz,
vielmehr die Entdeckerfreude an Gütern, von denen man kaum noch viel
gewußt hat und mit denen der Umgang nicht leichtfiel. Der Atem, um es zu
wiederholen, scheint kurz gewesen zu sein. Wie wäre es sonst denkbar, daß
so zahlreiche Werke der älteren Literatur, die Photios noch gelesen hat und
die den Männern um Konstantin VII. noch bekannt waren, dann so rasch
und endgültig von der Bildfläche verschwinden? Äußere Umstände, die
Frage etwa des Verderbs alter Handschriften und ihrer Transposition auf
neues Schreibmaterial in einer neuen Schrift, geben keine genügende Erklärung ab; denn das Problem wird damit nur verschoben auf die Frage,
warum man nicht vollständiger kopiert hat. Was die „häretische" Literatur
anlangt, so dürfte sich die Verengung der Orthodoxie ausgewirkt haben, die
dem Pluralismus theologischer Ansätze immer feindlicher entgegentrat.
Man darf auch an den Kanon 9 der Synode von 787 erinnern, wonach alle
häretischen Schriften – nicht nur die der Ikonoklasten – an die Patriarchats-
bibliothek abzuführen waren, um dort verwahrt zu werden. Zwar ist von
einer Vernichtung zunächst nicht die Rede, aber übereifrigen Bücherverwal-
tern in dieser Bibliothek ist wohl zuzutrauen, daß sie über die Bestimmungen der Synode weit hinausgegangen sind. Der wichtigste Grund für die
übrigen Verluste dürfte nun doch wohl gewesen sein, daß sich der Byzantiner von damals mit dem Exzerpt, mit der Sammlung von Gnomen, mit dem
zweckgebundenen Florileg allzu leicht zufrieden gab und darüber dem Original kaum noch Bedeutung beimaß. Und dies ist es eben, was den kurzen
Atem verrät.

Eines, vergleicht man mit der frühbyzantinischen Literatur, ist geblieben:
ihre Beheimatung in der herrschenden Klasse, nicht nur insofern sich diese
mit der Literatur beschäftigte, sondern vor allem insofern sie diese auch
selbst schuf. Nikephoros und Photios signieren gewöhnlich als Patriarchen;
doch bedeutende Teile ihrer literarischen Leistungen haben sie als hohe kaiserliche Beamte – beide waren Chef der Kaiserkanzlei – geschaffen. Von der
mächtigen Einwirkung des hohen Kreises gebildeter Beamter und Literaten
in der unmittelbaren Umgebung des Kaisers Konstantin VII. war schon andeutungsweise die Rede. Zunächst sei neben dem Kaiser selbst – und nicht
für seinen Kreis vereinnehmbar – der Caesar Bardas genannt, aber auch
Kaiser Leon VI. Dann im 10. Jahrhundert Niketas Magistros – Magistros
war immer noch ein hohes Hofamt –, dann Theodoros Daphnopates, Stadtpräfekt von Konstantinopel, Genesios, der Magistros und Logothet Symeon
– um nur einige Namen zu nennen. Der Historiker Leon Diakonos beklei-

det kirchlich nicht eben einen hohen Rang, aber sein Werk verrät, daß auch er zum Kaiserhof die besten Beziehungen hatte. Und selbst beim Chronisten Theophanes darf man nicht vergessen, daß er vor seinem Klostereintritt dem Hofe angehörte und in der kaiserlichen Verwaltung stand. Mit diesen Männern war die gesellschaftliche Geltung der Literatur abgesichert und sie in das kulturell-politische Leben des Reiches voll integriert.

Neben diesen Männern, die engstens mit der Literaturgeschichte verbunden sind, ohne in ihr aufzugehen und die deshalb da und dort jene Annäherung an Souveränität verraten, die nur durch die teilweise Distanz gewährleistet wird, treten jetzt auch wieder die „Berufsliteraten". Es gab sie auch in der frühbyzantinischen Zeit, aber die hier zur Behandlung stehende Epoche prägt sie neu und eigenartig. Es sieht so aus, als liege der Grund für diese Eigenart gerade in der Unsicherheit dem neu entdeckten klassischen und nachklassischen Erbe gegenüber, – eine Unsicherheit, die durch den Mangel an zuverlässigen Wertmaßstäben bedingt war und damit notwendig zum literarischen Gezänke untereinander führen mußte, für das gerade die behandelte Epoche schon Beispiele von bemerkenswertem Grobianismus liefert. Diese Unsicherheit gerade ist es, die Außenstehenden gegenüber jenen engstirnigen Besitzerstolz schafft, jenes teilweise maßlose Pochen auf den Alleinbesitz von Bildung, das die nicht-byzantinische Welt, unbeholfen wie sie war, noch für einige Zeit schluckte. Gewiß gab es da und dort Bildungseinbrüche, die von außen kamen, etwa im Blick auf islamische Kunst und Kunstfertigkeit oder auf alte Astrologie, die man via arabischer Übersetzungen und Bearbeitungen kennenlernte, aber die Gesamthaltung der Byzantiner konnte dies nicht wesentlich beeinflussen. Die Korrespondenz zwischen der räumlichen Enge des Reiches, der damit verbundenen einseitigen Politik und dem literarischen Schaffen in seiner Besonderheit scheint kaum zu leugnen zu sein.

Mit der zweiten Hälfte des 10. Jahrhunderts setzt die reconquista, die sich längst abgezeichnet hat, mit allem Nachdruck ein. Der Schrumpfungsprozeß ist überwunden. Armenien und teilweise sogar Syrien fallen wieder ans Reich, Bulgarien kommt für lange Zeit fest in byzantinische Hand und Süditalien scheint nach der Vertreibung der arabischen Emire wieder gesicherter Besitz. Die Wiedereroberung Kretas schafft eine Barriere gegen das islamische Ägypten und Nordafrika. Kaiser Baileios II. schließlich macht der gefährlichen Fronde der kleinasiatischen Magnaten mit bedenkenloser Gewalt ein Ende. Die Kaiser ruhen sich aus und dies auf dem Lorbeer ihrer Vorgänger. Das 11. Jahrhundert ist über lange Strecken ein Zeitalter des Laissez faire und Laissez aller, als dessen Exponent Kaiser Konstantin IX. Monomachos bezeichnet werden kann. Dieses Laissez faire ist aber nicht nur Folge derart veranlagter Kaiser, sondern Folge einer Mentalität, die es zu solchen Kaisern kommen ließ. Das Staatsgebäude zeigt sich nach außen solide. Es fehlt zwar nicht an Revolutionen, aber sie sind eher dynastischer als politischer Natur, sieht man von dem Intermezzo des ersten Komnenen, Isaak, einmal ab. Die rüden Militärs des 10. Jahrhunderts, die Lakapenoi, die Phokaden und die Tzimiskes machen schmächtigeren Figuren Platz, deren Lebenskreis der kultivierte, witzige und leicht dekadente Hof der Zeit ist. Kongenial wird die geistige Lage der Zeit durch einen aus diesen Hofkreisen, den Philosophen, Historiker und Polyhistor Michael Psellos repräsentiert. Gerade bei ihm aber läßt sich zeigen, daß der neuerdings vergrößerte Lebensraum des Reiches nicht mehr die Qualitäten des 4. bis 6. Jahrhunderts besitzt. Weder im Reich selbst, und dies scheint mir besonders wichtig, noch an seinen Grenzen findet sich ein geistiges Zentrum, das wieder mit Konstantinopel konkurrieren und die Selbstsicherheit der Byzantiner fordern könnte. Geistig bleibt die byzantinische Welt trotz ihrer Erweiterung auf sich selbst zurückgeworfen, so wie sie sich in Konstantinopel verfestigt hat. Was dieses 11. Jahrhundert an Humanitas vermochte – wenn man darunter einmal nicht nur die Beschäftigung mit klassischen Studien versteht, sondern eher eine Haltung, – das hat Joannes Mauropus ausgeformt und zu Wort kommen lassen. Aber nicht nur steht er damit fast allein da, sein Humanismus besteht eher in dem schüchternen Versuch, einen hohen Kanon menschlicher Werte ins Gedächtnis zurückzurufen und selbst ganz persönlich zu verwirklichen, als in einer expansiven humanistischen Bewegung. Psellos ist anderen Kalibers. Die Antike freilich ist bei ihm wie bei seinem Nachfolger Joannes Italos lebendiger als in den vorausgegangenen Jahrhunderten. Doch das Wort Mythos drängt sich dabei nicht auf, eher die Bezeichnung Renaissance platonischer und neuplatonischer Ideen. Der Zusammenstoß mit der Kirche ließ auch so nicht auf sich warten, aber er artikuliert sich nicht mehr nur im allgemeinen Vorwurf des „Hellenismus", sondern geht ins philosophische Detail, er ist rationaler geworden. Im übrigen zeigt sich der Wandel der Zeiten vielleicht am besten bei einem Vergleich zwischen Psellos und dem Historiker Prokopios. Ein nennenswerter Unterschied, was die soziale Bedingtheit angeht, scheint mir nicht vorhanden. Daß Psellos von Geburt nicht zur herrschenden Schicht gehörte, scheint gesichert. Aber auch bei Prokopios glaube ich nicht, daß seine senatorische Herkunft beweisbar ist. Daß er sich mit den Ambitionen dieser Klasse identifiziert, ist kein Beweis, wie oft es auch wiederholt wird. So wenig wie er macht Psellos aus seinen Aspirationen ein Hehl. Er schafft den Aufstieg und vergißt lustvoll sein Gestern. Gebildet sind sie beide. Aber die Bildung des Prokopios ist um Grade „realistischer" als die des Psellos. Nicht daß ihm die Formalia fremd wären, aber sie bedürfen bei ihm keiner Betonung, wie bei Psellos, und entscheidend ist doch sein Interesse am „Konkreten" in der Geschichte, im Sinne größerer struktureller Zusammenhänge, ja an Forschung und Entdeckung. Und diese Bildung ist völlig natürlicher Besitz, der organisch ins Geschichtswerk eingebracht wird; sie befähigt ihn, historisch abzuwägen und dem Reich sowohl wie dem Reichsfeind gerecht zu werden. Das führt zu einem breiten Pinselstrich und damit – wenigstens zum größten Teil in den „Bella" – zu einer gesunden Abstraktion vom allzu belanglosen individualistischen Detail, das historisch doch nicht bestimmend sein kann. Dagegen ist Psellos Pointillist. Die Welt, in der er steht, mag inzwischen noch so groß und weit geworden sein, er ergreift diese Weite nicht und läßt sich von ihr nicht ergreifen. Reichsbewußtsein ist wenig vorhanden, wenigstens nicht in dem Sinn, daß die fernen Provinzen und Grenzen lebendigen Bestandteil seiner Historie bilden würden. Fast möchte man sagen: Reich und Hof fallen für ihn zusammen in eins. In dieser Enge allein fühlt er sich souverän. Ihm fiele es nicht ein, wie Kekaumenos, den Kaisern zuzurufen: „Ziehe hinaus in die Provinz und sieh dich um, was dort vorgeht!" Besser die Kaiser bleiben zuhause, denn Psellos braucht sie um sich. Die Kaiser sind für ihn in erster Linie die Bezugspersonen im Auf und Ab des höfischen Lebens und der höfischen Intrigen. Hier mit Salz und Ironie Distanz vorzutäuschen, gelingt ihm vorzüglich – besser als Prokop, weil er der bessere Psychologe ist. Seine klassische Bildung hebt sich stolz vom Mindermaß seiner Zeitgenossen ab und deshalb verwendet er sie so reichlich als Dekorationsmittel: sie fließt nicht organisch ins Geschichtswerk ein. Prokopios schreibt Geschichte, Psellos porträtiert geschichtliche Persönlichkeiten; vielleicht glückt ihm dies so gut – und daran kann nicht gezweifelt werden –, weil das Individuum sich mählich aus der antiken Typik löst. Am großen Wurf der Geschichte liegt ihm jedenfalls nicht. Er porträtiert im handlichen Format, ohne daß er das große Angebot an Neuem wirklich wahrnähme. Dies muß nicht unbedingt seine Schuld sein.

Doch Psellos steht als Historiker nicht allein. Neben ihm ist Michael Attaleiates zu nennen, dem trotz mancher Hofwürden etwas von einem selbstsicheren Grandseigneur eignet, der es nicht nötig hat, aus der Zeitgeschichte die Geschichte seiner eigenen „Größe" zu machen und der, wenn er sich sein Urteil bildet, nicht nach dem Hof schielt. Daneben ferner Joannes Skylitzes, dessen Überlegungen zu seinen Quellen und zur Aufgabe des Historikers nüchterner, zielsicherer und überzeugender sind als die des Psellos. Obwohl nicht Historiker, ist hier auch nochmals Kekaumenos zu nennen. Seine Ratschläge, vor allem wenn es um das Verhalten bei Hof und gegenüber dem Kaiser geht, verraten mehr als Psellos oder sonst ein Zeitgenosse die Konfrontation zwischen einem autarken höfischen Leben im Umkreis schwer berechenbarer Kaiser und der wohlsituierten übrigen Gesellschaft in Byzanz. Von einer wirklichen Integration der staatstragenden Schicht kann wohl nicht mehr die Rede sein. So gehört das 11. Jahrhundert zu den halkyonischen Tagen des Reiches, und die Glorie der Komnenenzeit ist keine geradlinige Fortsetzung dieser Epoche, so wie denn diese Glorie selbst mehr vom Schein als von der Wirklichkeit lebt.

Zunächst zeigt die politische Entwicklung, wie wenig abgesichert der neue Besitzstand des Reiches war. Gegen Ende der 2. Hälfte des 11. Jahrhunderts geht Süditalien dem Reich verloren. Die Normannen besetzen für geraume Zeit beträchtliche Teile des griechischen Festlandes; der größte Teil Kleinasiens bis an das der Hauptstadt vorgelagerte Bithynien geht an die Seldschuken verloren; auf dem Balkan im Norden Konstantinopels brechen die Petschenegen über den bulgarischen Raum nach Thrakien ein und gelangen bis ans Marmarameer. Im Winter 1090/91 stehen sie zu Land vor Konstantinopel, während der Emir von Smyrna von der See her mit einer Flotte die Hauptstadt bedroht, – eine Lage wie 626. Zwar gelang es dem neuen Kaiser Alexios I. Komnenos in schweren Kämpfen mit der unmittelbaren Gefahr fertig zu werden, aber der Preis war hoch. Süditalien war nicht wiederzugewinnen, ebenso wenig Armenien. Die Vertreibung der Seldschuken aus den besten Teilen Kleinasiens war nur möglich mit der Hilfe der Kreuzfahrer, die ihrerseits ihre eigenen Ziele verfolgten und von Kreuzzug zu Kreuzzug dem Reich gefährlicher wurden. Der Preis aber für den Sieg über die Normannen war die außerordentliche Privilegierung des venezianischen Handels, der bald die Privilegierung weiterer italienischer Seestädte folgte, was schließlich zur völligen Aushöhlung des byzantinischen Handels führte. Es sah aus, als wäre Byzanz wieder die große Schaubühne des Weltgeschehens. Aber es war nicht mehr der Dramaturg des Geschehens, und selbst die Regie glitt ihm immer wieder aus der Hand. Das alte Numen imperii, die immer noch merkliche Überlegenheit des Reiches auf dem Gebiet der materiellen Kultur und nicht zuletzt das unkoordinierte Vorgehen der Feinde brachten es mit sich, daß den Kaisern trotzdem noch ein beträchtlicher Spielraum verblieb und sie nutzen ihn redlich aus. Immer wieder begegnen wir, wie bei Manuel I. besonders deutlich wird, dem Versuch, weit hinter den Fronten zu koalieren und einen Interessenten am byzantinischen Reichtum gegen den anderen auszuspielen; der Papst soll gegen den Staufer mobilisiert werden, die Ungarn werden ins Spiel gebracht und selbst islamische Herrscher gegen die Kreuzfahrer in Bewegung gesetzt. Doch was da nach großer Reichspolitik aussieht und von den byzantinischen Hofpredigern als solche gepriesen wurde, ist nicht viel mehr als ein sich Wehren mit Händen und Füßen. Es ist eine Politik, welche die Kaiser immer wieder dazu führt, ja führen muß, gewisse Abstriche am Wesen der „politischen Orthodoxie" zu versuchen, um dem Gegner entgegenzukommen. Aber schon weigert sich die Kirche in nicht wenigen Fällen, durch flankierende Maßnahmen diese Politik zu erleichtern und abzusichern, weil sie die Interessen ihres eigenen Primats gefährdet sieht. Das System bekommt nicht unbeträchtliche Risse. Byzanz ist nicht mehr in sich geschlossen, wie ehedem. Es kann sich der Auseinandersetzung mit dem Fremden nicht mehr hochmütig und selbstgenügsam entziehen. Wenn auf der einen Seite die Orthodoxie, um sich selbst besorgt, dem Kaiser bei seiner Politik gegenüber dem Papsttum in den Rücken fällt, so steht sie doch selbst nicht mehr auf so sicheren Füßen wie ehedem. Häretische Bewegungen mit deutlichem sozialem Akzent stellen die Selbstgefälligkeit und die Repräsentationsfülle dieser Orthodoxie merkwürdig häufig und dauerhaft in Frage; und sie gewinnen offensichtlich eine breite Anhängerschaft, die sich nicht nur aus den unteren Klassen rekrutiert. Für Männer der Literatur, die sich ihren humanistischen Interessen unbeschwert von der Aufsicht der Kirche hingeben wollen, scheint damit ein größerer Freiraum zu entstehen. Kulturell entwickelt sich eine bemerkenswerte Doppelgesichtigkeit. Das ritterliche Gehabe der Kreuzfahrer macht Eindruck. Nicht nur daß Anna Komnene, überzeugte Byzantinerin wie nur irgendwer, von der ritterlichen Schönheit eines Todfeindes des Reiches, Bohemunds von Tarent, schwärmt, Turniere und Ritterspiele, modisches Ritter-Accessoir findet am Hof Eingang, Familienverbindungen zwischen byzantinischen Prinzen und Prinzessinnen mit normannischen Rittern werden geschlossen, „fränkische" Adelige machen in Byzanz Karriere. Auf der anderen Seite hindert dies Anna Komnene – um sie nochmals zu zitieren – nicht, Joannes Italos der Ketzerei zu bezichtigen – dies tat die Kirche auch –, ihn aber darüber hinaus als Sprößling einer normannischen Familie zu disqualifizieren. Und alles Staunen vor der Tüchtigkeit der italienischen Kaufleute konnte nicht verhindern, daß es zu schrecklichen Pogromen kam, denen auch die Kaiser ihre Hand liehen. Das Verhältnis der Partner zueinander wird immer gereizter und der 4. Kreuzzug mit der Katastrophe Konstantinopels zeichnet sich lange vorher schon ab. Byzanz ist verunsichert. Vielleicht kommt dies nirgendwo deutlicher zum Vorschein als im Geschichtswerk des Niketas Choniates. Die Verunsicherung der Kaiser spiegelt sich wider in der Unsicherheit des Historikers im Urteil über sie, besonders über Manuel I. und Andronikos I. Fast sieht es aus, als habe Choniates keine zuverlässigen Maßstäbe mehr. Natürlich hält er die alten Ansprüche des byzantinischen Staatsgedankens aufrecht, aber wenn Manuel I. diese Ansprüche zur Gänze vertritt, scheint ihm dies doch immer wieder unangebracht. Er bewundert die Venezianer und haßt sie zugleich. In der Ankunft Barbarossas auf byzantinischem Territorium erblickt er eine neue schwere Plage für das Reich, aber an den folgenschweren Reibereien mit dem Deutschen gibt er in erster Linie der mißtrauischen Politik des Kaisers Isaak II. die Schuld, während er die Bewunderung für Barbarossa nicht ganz verhehlen kann. Im Grunde bleibt auch Niketas im bescheidenen historischen Rahmen, mit dem sich schon Psellos begnügt hatte. Die Voraussetzungen für eine große umfassende Geschichtsschreibung sind gegeben, das Spiel der Weltpolitik auf byzantinischem Boden lädt dazu ein. Doch Niketas verweigert sich, obwohl er ohne Zweifel das Zeug dazu hätte. Seine Nachrichten über die Venezianer sind dürftig, gemessen an dem, was Prokopios über viel entlegenere Völker zu berichten weiß. Von einem wirklichen Interesse an der nationalen Bewegung in Bulgarien kaum eine Spur; und die südlichen Provinzen des Reiches verschwinden im Nebel dieser Gleichgültigkeit. Wie schon seine Vorgänger sieht auch Niketas nur widerwillig über die Hauptstadt hinaus. Vielleicht gibt es mildernde Umstände. Die Anregungen, die Prokop unvoreingenommen aufnehmen konnte, sozusagen aus der Position des Historikers eines „imperium semper victor", kommen jetzt nicht selten in der Form der politischen, wirtschaftlichen und ideologischen Provokation; die byzantinischen Grundwerte werden durch diese neue Welt ins Reich eindringender Feinde in Frage gestellt. „Der Barbar" steht jetzt nicht mehr nur an der Grenze, beeindruckt und gierig zugleich, sondern hat sich ins Reich eingeschlichen und hat wenig Lust, sich weiter beeindrucken zu lassen. Defensive, Rückbesinnung auf die alten Monopole und ihre Verteidigung bleibt die wichtigste Aufgabe – und sie verengt, wie immer, den Blick.

Unbeschwert, fast zu unbeschwert von dieser allgemeinen politischen Lage breitet sich dafür die übrige Literatur aus und erobert alle möglichen Felder. Satire, literarische Kleinkunst, Epistolographie, Beschäftigung mit der klassischen Literatur bei wesentlich verfeinertem philologischem Gespür gegenüber dem 10. und 11. Jahrhundert, und vor allem und immer wieder Rhetorik beherrschen das Bild. Daß gerade die Rede als Enkomion auf Kaiser, Prinzen und hohe Staatsmänner in dieser Zeit so heftig gepflegt wird, hat seinen Grund wohl nicht nur darin, daß sich eine solche Pflege mit Sicherheit auch finanziell auszahlte. Grund ist wohl auch, daß die Rede die beste Gelegenheit bot, das alte Reichsbewußtsein einzuhämmern und mit dem Glanz des Wortes über Niederlagen und Enttäuschungen hinwegzuhelfen. Darüber hinaus konnte gerade in der Rede das klassizistische Gesamtkunstwerk mit seinen sprachlichen und kompositorischen Feinheiten und seinen Möglichkeiten der politischen Insinuation besonders rein herausgestellt werden. Die Philologie selbst erreicht einen ihrer ersten Höhepunkte mit Männern wie Eustathios von Thessalonike. Hier ist, gemessen an früheren Zeiten, kaum noch Unsicherheit zu spüren, andererseits aber wenig mehr vom alten Mythos; die Verfahrensweisen sind rational geworden, d. h. der Formalisierungsprozeß kommt zu einem Abschluß, der die Beschwerden der Orthodoxie von einst gegenstandslos macht. In einem metaphorischen Sinn aber läßt sich der Mythos auch im 12. Jahrhundert noch entdecken. Die Dominanz der Orthodoxie wird z. B. in der Satire Timarion leicht ironisch in Frage gestellt, und doch entschieden genug, um noch spätere Orthodoxe in Harnisch zu bringen. Ein Haplucheir versucht sich in einem „Dramation", dessen sehr unorthodoxe beherrschende Hauptfigur die Tyche, die Göttin des Glücks, ist. Die Proklosrenaissance des 12. Jahrhunderts läßt nicht viel Gutes ahnen. Wichtiger als diese kleinen Streiflichter scheint mir der Aufbau einer zwar illusionistischen, aber ohne echte Sehnsucht nach einer verlorengegangenen Lebensstimmung nicht denkbaren Welt spätantiken Liebeslebens, eingebettet in eine mythische Welt und in das, was sich die Autoren des 12. Jahrhunderts etwa unter heidnischer Naivität vorstellen mochten, d. h. der klassizistische Liebesroman des 12. Jahrhunderts. Vielleicht wurde er wenig gelesen – was nach Zahl der Handschriften allerdings bezweifelt werden darf –, aber bei jenen, die ihn lesen konnten, schadete ein solches Unternehmen den Autoren kaum. Einer der Verfasser, Konstantinos Manasses, bringt es immerhin zu einem Bischofsstuhl, wie der Legende nach weiland Heliodor. Denkt man daran, daß heidnische „Frivolität" auch im Progymnasma eine Heimat fand – schon an anderer Stelle wurde auf die Pasiphae-Geschichte hingewiesen – so merkt man, daß diese Romane nicht isoliert betrachtet werden können. Mag man in ihnen noch so viel Gekünsteltes finden, daß sie rein um der philologischen Artistik willen verfaßt wurden, ist nur schwer zu glauben. Vielleicht ist es hors de propos, aber wenn in diesen Romanen ein neues – altes – Menschenbild andeutungsweise versucht wird, so kann man dies neben die Tatsache stellen, daß das hagiographische Menschenbild gerade in diesem 12. Jahrhundert kaum noch eine Pflege findet, die mit der Pflege im 9. und 10. Jahrhundert verglichen werden könnte.

Man hat darauf verwiesen, daß diese Literatur des 12. Jahrhundert aufs Ganze gesehen stärker als frühere Phasen der byzantinischen Schriftstellerei vom Geschmack am Konkreten bestimmt ist, daß sie die Beschreibung liebt, das pittoreske Detail, und daß der Autor weniger hinter sein Werk zurücktritt als früher; des weiteren, daß sich der Sinn für Anekdote und Humor mehr Raum schafft, aber auch der kritische Sinn. Daran ist sicher vieles richtig; richtig dann wohl auch, daß diese neuen Züge sich vielleicht gerade aus der allgemeinen Ungesichertheit der Zeit, aus der geschilderten Provokation gegenüber den byzantinischen Grundwerten usw. erklären. Vielleicht ist das Aufkommen einer Literatur in einem volkstümlichen Idiom dafür der beste Beleg. Der Betteldichter der Zeit artikuliert sich sprachlich gekonnt, indem er die Gelehrtensprache mit etwas wie Volkssprache kombiniert. Er ebnet damit nicht nur der Volkssprache den Weg in die Literatur, sondern offensichtlich kann er damit auch auf das Interesse höfischer Kreise rechnen. Der Anstoß weist in die Zukunft; aber er ist zugleich undenkbar ohne einen erweiterten Gesichtskreis der Literaten für das, was behandelnswert ist – ein Gesichtskreis, der nun das ganze konkrete Leben nicht mehr nur der eigenen literarischen Kaste, sondern auch des einfachen Volkes in sein Schaffen miteinbezieht.

Die Literatur betreibende Schicht war bis dato kaum je so breit angelegt wie in diesem 12. Jahrhundert. Die große Historiographie ist fast ganz in den Händen von Prinzen und Prinzessinnen und hohen Würdenträgern des Hofes und der Reichsverwaltung. Letztere kennen ein kritisches Verhalten, das einen Blick fürs Ganze verrät. Dies gilt noch mehr von Joannes Zonaras als von Niketas Choniates. Neben diesen Werken der pragmatischen Geschichtsschreibung steht aber auch ein neuer Typ, verkörpert durch die Chronik des Michael Glykas, der, ähnlich wie die Dichtung in der Volkssprache, den besonderen Blick für die Mentalität eines Byzantiners verrät, für den die Formalia der klassischen Bildung nicht mehr alles bedeuten, sondern nur einen Teil seiner Interessen. Kaiser, Prinzen und Prinzessinnen verstehen sich mehr als bisher als Mäzene der Literatur. Die „Didaskalen" der Hagia Sophia und ihresgleichen tummeln sich im Versuch einer spekulativen Neubetrachtung der Lehren der Orthodoxie – ohne viel Erfolg, weil die Theologie zu lange auf eine vertiefte philosophische Propädeutik verzichtet hat. Dichter wie Theodoros Prodromos nehmen alle möglichen menschlichen Schwächen aufs Korn – wiederum nicht mehr nur die Schwächen ihrer eigenen Kaste. Die Beschäftigung mit der Literatur ist immer noch, ja stärker als früher, Ausdruck der Gesamtverfassung der byzantinischen Gesellschaft. Nicht daß man über einem Abgrund tanzte, aber das Spiel mit den Musen bekommt angesichts der prekären politischen und wirtschaftlichen Lage des Reiches die Bedeutung eines Trotzdem – ob man es sich eingestand oder nicht, ja da oder dort wohl auch die einer Flucht ins Irreale.

Mit dem Verlust Konstantinopels und weiter Reichsteile an die „Lateiner" setzt der große Bruch ein, der letzte nicht mehr aufholbare Schrumpfungsprozeß. 1261 bedeutet keine wirkliche Erholung; die Eroberungen der Kaiser von Nikaia und des Kaisers Michael VIII. bleiben nicht nur zeitlich sehr beschränkt, sie überfordern a priori das Potential. Bald sind die einzig bestimmenden Faktoren der byzantinischen Politik die Feinde auf dem Reichsboden von einst, die Italiener, die Katalanen, die Anjous, die Türken. Es geht um das nackte Überleben. Daß dieser Kampf ums Dasein noch zwei Jahrhunderte währte, ist mehr der Uneinigkeit der Feinde als der Kraft der Byzantiner zu verdanken. Die byzantinische Währung verfällt vollständig; der Handel ist fast ausschließlich in fremder Hand und die Versorgung Konstantinopels hängt nicht selten vom Wohlwollen der Feinde ab. Noch dazu löst sich die alte Idee von der byzantinischen kaiserlichen Monokratie auf. Sicherlich nicht in der Theorie, aber de facto greift ein teilweise an die herrschenden Dynastien geknüpftes, teilweise aber auch weit über sie hinausgreifendes System von Apanagen um sich, das sich schon früher im sogenannten Pronoiasystem abgezeichnet hat, jetzt aber in der Form von quasisouveränen Sekundo- und Tertio-Genituren einen Höhepunkt erreicht. Die Beurteilung der Erscheinung bedarf aller Vorsicht. Man spricht leicht von zentrifugalen Tendenzen, wobei das Wort „Flucht" Auflösung und Zerfall andeutet. Doch erst jüngst wurde darauf hingewiesen, daß die relative Verselbständigung einzelner verbliebener Reichsteile für den Fortbestand des Ganzen wohl wichtiger war als die ständige Predigt der „zentripetalen", illusionären alten Reichsideologie. Jedenfalls entstanden in Ansätzen neue Zentren auch für die Literatur.

Diese Literatur selbst reagiert auf die politischen Verhältnisse empfindlich. Es sieht fast so aus, als hätte der Schock des Jahres 1204 die Freude

des 12. Jahrhunderts am literarischen Experiment völlig zum Erliegen gebracht. Die Literatur des nizänischen Reiches fällt zurück in den fast aus-
schließlichen Dienst am alten Bildungsmonopol klassizistischen Gepräges,
der offenbar als Dienst an der Restauration der alten Herrlichkeit zu verstehen ist, der man von 1204 bis 1261 nicht nur nachtrauerte, sondern die
man je eher um so besser wieder herzustellen bemüht war. Es galt, die
große Vergangenheit möglichst gegenwärtig zu erhalten. Das Jahr 1261 mit
der Wiedereroberung Konstantinopels schien eine erste Erfüllung des Traumes zu bringen. Aber der Schein trog. Der Besitz Konstantinopels verschärf-
te nur die prekäre Lage und brachte neue Aufgaben, zu deren Bewältigung
die Möglichkeiten fehlten. Sich zu isolieren, wozu Nikaia einige Gelegenheit
geboten hatte, war nicht mehr möglich. Dies galt für die allgemeine Lebenshaltung, für Politik und Wirtschaft und ebenso für die Literatur.

Die Literaten mußten sich einem Lernprozeß unterziehen. Dieser Prozeß
bewegte sich in verschiedenen Richtungen. Hier können nur Andeutungen
gemacht werden. Die Beschäftigung mit der klassischen Antike erreicht jetzt
bei manchen Vertretern der Philologie einen erstaunlichen Grad an Wissenschaftlichkeit. Da und dort nähert sie sich aber auch humanistischen Zielen,
wie sie bald vom Westen aufgenommen und weitergebildet werden, einem
neuen Verfahren, der ἀρετή, der eigentlichen Qualität der Antike auf die
Spur zu kommen. Weil man immer noch gewillt ist, aus dieser ἀρετή sehr
praktische Verhaltensmuster für den eigenen Alltag und vor allem für die
πράγματα, d. h. für öffentliches Leben und Politik zu gewinnen, setzt unversehens im Vergleich die Kritik ein. So ernst die Antike genommen wird,
so wird sie doch relativiert insofern, als sie nicht mehr en bloc für verbindlich angesehen werden kann. Bestes Beispiel bleibt Theodoros Metochites,
der Reichskanzler mit seinem gebrochenen Verhältnis zum politischen Geschäft. Aber gerade weil er relativiert, treten die Züge der Antike, an denen
er festhält, umso verbindlicher in den Vordergrund. Vor allem aber sieht
Metochites ein, daß mit dem auf die Antike fixierten Blick die Gefahr verbunden ist, daß mögliche humane Werte, die anderwärts vorhanden sind,
übersehen werden und damit ein verengtes Gesamtbild entsteht. Wie weit
Metochites dabei an den lateinischen Westen und seine Kultur und Literatur dachte, wissen wir nicht. Aber dieser Westen hatte sich inzwischen
nachdrücklich zu Wort gemeldet, nicht mehr nur mit Militär und Merkatur,
sondern auch auf dem Felde des Denkens, Philosophierens und Schreibens.
Er konnte auf die Dauer nicht mehr übersehen werden, weil er aggressiv
geworden war. Was immer der große Philologe Maximos Planudes mit seinen Übersetzungen Ciceros, Ovids, Augustins usw. bezweckt haben mag,
allein die Tatsache, daß ein so klassischer und spezifischer Vertreter des
byzantinischen Literaturbetriebs derartiges übernimmt, ist von hohem Signalwert. Demetrios Kydones schließlich und sein Bruder Prochoros sowie
einige weitere in ihrem Gefolge repräsentieren diesen Lernprozeß besonders

eindrucksvoll. Demetrios will eine geistige Renaissance, daran besteht kein Zweifel. Er weiß, daß dabei die lateinische Scholastik eine große Rolle spielen kann, nicht zuletzt deshalb, weil sie altes griechisches Gedankengut neu aufgelegt hat, um das sich die Griechen selbst seit Jahrhunderten zu wenig gekümmert haben. Aber er will darüber um jeden Preis ein Byzantiner bleiben. Die Tragik besteht darin, daß der zu erwartende Beitrag der Scholastik zu dieser geistigen Renaissance von den Gegnern des Kydones in erster Linie auf dem Gebiet der orthodoxen Theologie und nicht auf dem der Philosophie gesehen wurde. Kydones selbst hat m. E. zu wenig getan, um dieser Verengung der Standpunkte zu begegnen. Palamismus und Opposition gegen die lateinischen Dogmen wurden damit die eigentlichen Antipoden und die Schlacht war für Kydones verloren, weil es nun nicht mehr um Denkmethoden, sondern um Treue oder Untreue zu ererbten und liebgewordenen Klichees in einer hoffungslosen Zeit ging. Die Möglichkeiten, die trotzdem immer noch vorhanden waren, hat Georgios Scholarios kurz vor dem letzten Zusammenbruch noch einmal mustergültig dargestellt. Aber schließlich geriet auch er in den Sog dieser Alternative von Treue und Untreue und entschied sich für erstere. Aus der Kontroverse über neue Denkmodelle und Denkmethoden, aus dem „discours de la méthode" ist das fragwürdige Problem patriotischer Loyalität geworden, einer Loyalität um jeden Preis.

Ein Lernprozeß mit verschiedenem Ausgang vollzieht sich auch gegenüber dem Islam. Er ist zwar weiterhin das geistige Rüstzeug wilder Eroberer, die Byzanz bedrohen, aber man hat teilweise wenigstens erkannt – jedenfalls der spätere Kaiser Manuel II. und vielleicht auch schon Kaiser Joannes VI. Kantakuzenos – daß es sich bei dieser Lehre nicht nur um ein Sammelsurium leicht zu entlarvenden, religiös getarnten Aberglaubens handelt, wie die früheren byzantinischen Polemiker glaubhaft machen wollten, daß sich vielmehr eine vertiefte Auseinandersetzung als notwendig erwiesen habe. Und man versucht diese Auseinandersetzung. Ein ungeheurer Fortschritt gegenüber früheren Jahrhunderten, Zeichen aber auch für eine geistige apertura, die sich auch auf anderen Gebieten bemerkbar machte.

Die Beteiligung an den Kontroversen der Zeit – und diese Zeit ist essentiell kontrovers – ist ungeheuer. Es ist bemerkenswert, daß in dieser letzten Periode auf dem Gebiet der Theologie, die nun eben auch der Boden für alle Auseinandersetzungen in Philosophie und Weltanschauung bildete, der Anteil der Polemiker gegenüber den Vertretern aller übrigen Sparten des religiös-theologischen Schrifttums von Hagiographie bis zum kanonischen Recht von ca. 13 Prozent in der Komnenenzeit auf nicht weniger als 50 Prozent anwächst. Beteiligt sind alle Klassen: einfache Mönche und Patriarchen, Diakone und Bischöfe, Kaiser und Kanzler, Philologen und Historiker. Die Historiographie selbst bleibt in der Hand der Kreise um den Hof; und jetzt meldet sich auch ein Kaiser, Joannes VI. ausgiebig zu Wort. Die Philologie ist weniger Apanage armer Schulmeister, die früher das Gros ausmachten, sondern zum Teil sehr angesehener Mitglieder der Gesellschaft. Das heißt: immer noch und auch in dieser kritischsten Zeit bedeutet literarisches Schaffen ein volles sich Integrieren in die byzantinische Gesellschaft – wohl das bedeutendste Continuum das die byzantinische Geschichte überhaupt aufzuweisen hat.

Neben der hohen Literatur macht sich viel nachdrücklicher und viel selbstsicherer eine Literatur in einem volkstümlicheren Idiom bemerkbar, zunächst in besonders kongenialer Weise im abenteuerlichen Liebesroman, der sich nun schon nicht mehr scheut, da und dort reiche Anleihen bei westlichen Stoffen aufzunehmen, auch wenn es sich gelegentlich nur um Rückwanderer griechischen Erzählgutes handelt. Persiflagen, Fabeln, Satiren und Parodien schieben sich daneben und emanzipieren sich von den kastengebundenen Produkten früherer Zeit. Die Autoren bleiben meist anonym; was der klassische Byzantiner unter Bildung versteht, davon hatten sie wohl nur die Anfangsgründe, aber sie wagten den Wurf und trafen nicht selten ins Schwarze. Sie wagten sich aber auch an die alten Stoffe der griechischen Mythologie, wobei klar zu erkennen ist, daß sie höchstens noch ein paar Namen und ein paar wichtige Mythen kannten. Sie formten Geschichten daraus, die ganz dem Geschmack einfacher Leser angepaßt wurden und sie haben damit dem Geschichtsbewußtsein der Griechen doch nicht geschadet.

Zum „Mythos" selbst nur ein kurzer Hinweis. Hier steht der Philosoph Georgios Gemistos Plethon, der letzte der byzantinischen Philosophen, exponiert an extremer Stelle – aber er steht nicht allein. Er ist nicht nur von gewissen ethischen Vorstellungen des Islam so beeindruckt, daß er sie polemisch christlichen Wertvorstellungen entgegenstellt, er tritt auch aus jenem etwas diffusen Bereich heraus, jener ambivalenten Zone, in der sich ein Christ für mehr als nur die Formschönheiten der Antike begeisterte, schlechten Gewissens, aber doch ohne sein Christentum über Bord zu werfen. Plethon warf es über Bord; er gibt es auf im Interesse des Fortbestandes des Reichs, weil er allein in der Rückkehr zu einem philosophisch abgesicherten, von der Heimarmene, dem Schicksalsgedanken bestimmten Heidentum eine Garantie sieht. Und doch handelt es sich dabei nicht nur um rationale Überlegungen: Plethon will eine Religion begründen und er spekuliert nicht nur über die Hierarchie der rehabilitierten Gottheiten, sondern besingt sie in schwärmerischen Hymnen. Wenn die These gelten soll, daß eine solche Reaktion in einem, wie man annimmt, durch und durch orthodoxen Gemeinwesen nicht einfach Zufall sein kann, dann empfiehlt es sich, manchen der mythischen Züge, die ich vor seiner Zeit feststellen zu können glaubte, näher unter die Lupe zu nehmen.

Echte geschichtliche Abläufe oder Monolith? Ich glaube nicht, daß es noch einen Zweifel geben kann. Das besagt nicht, daß das Continuum fehlt. Auf eines von ihnen, die Integration der Literatur in die Gesellschaft wurde schon hingewiesen. Continuum ist auch der Reichsgedanke, freilich mit schwankender Bedeutung und schwankendem realem Hintergrund; kontinuierlich jedenfalls ist seine Propaganda. Continuum ist auch die Ausrichtung nach klassischen Bildungswerten, aber es verliert für nicht unbedeutende Teile der Gesellschaft seine Verbindlichkeit in der Spätzeit. Gerade der Kontrast der Continua zu den nicht zu leugnenden Veränderungen und Abläufen mag als lehrreich angesehen werden für das Verständnis des Gesamtphänomens Byzanz. Die Continua sind eher Wertmaßstäbe als Themata, sie sind Stil und soziale Attitüde, und diese Wertmaßstäbe sind es, die es verbieten, die Geschichte von Byzanz aufzulösen in die Geschichte der Völkerschaften, die auf seinem Boden siedeln.

Man kann bei diesem Streifzug durch das ganze Jahrtausend rügend vermissen, daß ich kaum von der Wirtschaft, von Aufschwung und Niedergang gesprochen habe, ebenso wenig von der wirtschaftlichen Situation der Männer der Literatur in Wechselwirkung mit den wirtschaftlichen Fluktuationen des Reiches. Dies hängt zu allererst damit zusammen, daß mich das, was ich bisher über byzantinische Wirtschaftsgeschichte gelesen habe, wenig überzeugt hat. Es leuchtet zwar ein, daß die großen politischen Schrumpfungsprozesse mit starken wirtschaftlichen Einbußen verknüpft waren und umgekehrt die Erschließung neuer Reichsgebiete auch die Erschließung neuer Märkte mit sich brachte. Aber was wissen wir wirklich von dieser Wirtschaft? Die lange Stabilität des konstantinischen Aureus, des späteren Gold-Nomisma, kann doch nicht ohne weiteres mit einer ebenso lange andauernden wirtschaftlichen Prosperität gleichgesetzt werden, weil die Frage offen steht, inwieweit die Bedeutung des Nomismas sich im Wert eines Symbols oder einer Rechnungseinheit erschöpfte und inwieweit es die Funktion einer modernen Währungseinheit ausübte. War das Nomisma im täglichen Zahlungsverkehr das gängige Mittel, oder diente es nur dem Staat, etwa bei Zahlung von Tributleistungen ans Ausland, bei Bestechungsgeldern und bei der Besoldung seiner höchsten Beamten? Daß der byzantinische Außenhandel eine bedeutende Rolle spielte, ist schön gesagt. Aber wer wagt es, annäherungsweise etwas über das Volumen dieses Handels zu sagen und über den Kreis derer, dem die Gewinne zugute kamen? Sicher sehen wir seit dem 12. Jahrhundert klarer, aber selbst dann bleibt für unseren Zusammenhang die Frage offen nach der Relation zwischen der privaten Prosperität des Schriftstellers und der Prosperität des Reiches. Die Frage ist äußerst komplex und die Kategorien moderner Verhältnisse auf die byzantinische Epoche zurückzuprojizieren, wird kaum zu haltbaren Erkenntnissen führen. Vielleicht ist es ein allgemein gültiges Gesetz, daß die Blütezeit einer Literatur gegenüber der politischen und wirtschaftlichen Blüte immer etwas nachhinkt. Es an Byzanz zu verifizieren, ist verlockend, aber auch dabei bleiben Unsicherheiten genug. Die Frage nach der literarischen Produktivität der Byzantiner ist in einer Weise mit der Frage nach der Vollständigkeit der handschriftlichen Überlieferung verknüpft, die für bestimmte Perioden den Zweifel offen läßt, ob wir auch nur die Mehrzahl der produzierten Werke kennen, die aber auch zweifeln läßt, ob nicht das Selektionsprinzip insbesondere eines der Hauptlieferanten der byzantinischen Codices, nämlich des byzantinischen Klosters, zu Verzeichnungen führt.

Der Erfolg einer literarischen Produktion läßt sich heute, etwas frivol gesprochen, an der Höhe der verkauften Buchauflage ablesen, damit also an einem Faktor, der für Byzanz völlig unbrauchbar ist. Hat ein byzantinischer Autor, dessen Manuskript man kopierte, dafür Honorar bezogen? Wenn ja, dann schweigen die Quellen darüber – jedenfalls meines Wissens. Ich habe den Eindruck, daß überhaupt mit nein zu antworten ist. Freilich lassen sich dafür die Belegstellen über Bücherpreise bzw. Bücher-Gestehungskosten nicht anführen. Sie nennen den Preis des Pergaments und den des Kopisten, aber kein „Autorenhonorar", was allerdings nichts besagt, weil es sich in den uns bekannten Fällen um Klassiker oder liturgische und ähnliche Texte handelt, für die natürlich kein solches Honorar in Frage kam. Der byzantinische Literat war wohl im Wesentlichen auf Auftraggeber und Mäzene angewiesen, wenn er nicht selbst über ein genügend großes Einkommen verfügte, das ihm den Verzicht auf ein Honorar leichter machte. Die Mäzene leisteten dann eine einmalige Zahlung für das abgelieferte Werk, das ihnen gewidmet war, und wenn sie besonders einflußreich waren, haben sie dem armen Autor vielleicht sogar irgend eine sinecure verschafft, die ihm ein bescheidenes Auskommen bot. Rechnet man versuchsweise (und absolut über den Daumen) die Zahl der möglichen Mäzene gegen die Zahl der uns bekannten ärmeren Literaten auf – wobei letztere Zahl ruhig verdreifacht werden kann – so ergibt sich wahrscheinlich, daß die Mäzene numerisch überwogen – dies auch deshalb, weil literarisches Ansehen, und sei es auch nur das Ansehen als Förderer der Literatur, in Byzanz wichtiger war als in anderen vergleichbaren Kulturen und Epochen. Wichtiger jedoch als die Mäzene scheint mir die feststellbare Tatsache zu sein, daß ganz offensichtlich die meisten derer, die sich literarisch betätigten, ohne von dieser Tätigkeit auskömmlich leben zu können, ihr Schreiben doch eher als Nebenberuf betrieben. Sie werden meist als Lehrer der Grammatik bezeichnet – dieser Stand hatte ja offenbar den unmittelbarsten Bezug zum philologischen Einschlag dieser Literatur – oder sie haben eine Stelle in der kirchlichen Verwaltung bekleidet oder in einem staatlichen Büro Unterkunft gefunden. Es mag ihnen nicht besonders gut gegangen sein, aber am Hungertuch brauchten sie wohl nicht zu nagen. Damit will ich das Vorhandensein eines literarischen Proletariats, der viel genannten byzantinischen Betteldichter, nicht einfach leugnen. Aber bei näherem Zusehen, d. h. wenn man Namen nennen will, wird man mit den Fingern einer Hand leicht auskommen.

Ausgewählte Texte

Konstantin der Große und die Anfänge
der politischen Orthodoxie

Brief des Kaisers an den alexandrinischen Bischof Alexandros
und seinen dogmatischen Gegner Areios.
Text bei Eusebios, Vita Constantini II, 64–72

Gott ist mein Zeuge, er, offenkundiger Helfer bei meinem Werk, der Erlöser des Alls, daß ich bei allem, was ich notgedrungen zu unternehmen hatte, zwei Ziele verfolgte. Zum einen wollte ich die religiöse Einstellung aller Völker zu einer einheitlichen Haltung verschmelzen, und zum zweiten den schwer angeschlagenen Körper unserer Ökumene wieder kräftigen und widerstandsfähig machen. Im Verlauf der Zeit wurde mir klar, daß es für die erste Aufgabe der Überlegung und des inneren Beschlusses bedurfte, während ich die zweite im militärischen Einsatz zu lösen suchte. Ich war überzeugt: würde es mir gelingen, die Diener Gottes auf meinen Wunsch und mein Gebet hin zur Einheit zu bringen, würden sich auch die politischen Angelegenheiten im Einklang mit der Religiosität zum Besseren wenden. Da aber nun ein unausstehlicher Irrsinn ganz Afrika ergriff – Schuld daran hatten jene, die in sträflichem Leichtsinn den öffentlichen Gottesdienst in verschiedene Denominationen aufspalteten –, war es mein Entschluß, mit dieser Krankheit fertig zu werden, und ich konnte mir kein besseres Heilmittel ausdenken, als nach Niederwerfung des Weltfeindes, der seine gesetzlose Willkür gegen eure heiligen Gemeinden richtete, einige von euch abzuordnen, um die Spaltung beseitigen zu helfen. Sozusagen aus dem Herzen des Ostens kommt ja die Kraft des Lichtes, das Gesetz des heiligen Dienstes, dank der Gnade Gottes; und dieses Licht hat die ganze Ökumene mit seinem heiligen Strahl erhellt. Ich mußte glauben, daß ihr die Führer der Völker zum Heil sein würdet. Nach dem großen Sieg und dem vollständigen Triumph über den Feind war dies mein erstes Vorhaben.

Aber, du herrliche, göttliche Vorsehung, wie schmerzt es mein Ohr und noch mehr mein Herz, hören zu müssen, daß bei euch, von denen ich Heilung für die übrigen erhoffte, die Spaltung noch tiefer geht als in Afrika und die Dringlichkeit der Abhilfe noch größer ist. Als ich mir Anlaß und Gegenstand der Spaltung durch den Kopf gehen ließ, da stellte es sich heraus, daß der Vorwand unwichtig und eines solchen Streites nicht würdig ist. Das bewog mich zu diesem Brief: Ich appelliere an euren ausgeprägten Sinn für Gemeinsamkeit und rufe die Vorsehung zum Beistand in dieser Sache an. Mich selbst aber mache ich erbötig, den Frieden schiedsrichterlich wieder herzustellen. Könnte es schon bei einer wichtigeren Streitsache mit Gottes Hilfe nicht allzu schwer sein, im Vertrauen auf die Einsicht der Beteiligten zu erreichen, daß sich jeder zum Besseren kehrt, wie sollte es mir in dieser Sache, wo es sich um einen geringfügigen und allzu billigen Anlaß handelt, nicht noch leichter fallen, die Angelegenheit wieder in Ordnung zu bringen?

Der Konflikt, so wird mir berichtet, ist folgendermaßen entstanden: Du, Alexander, hast die Presbyter befragt, was jeder von ihnen über eine bestimmte Stelle in der Heiligen Schrift denke, besser gesagt, über ein unwichtiges Detail einer Frage. Du aber, Areios, hast etwas, was man von allem Anfang an gar nicht denken sollte, oder wenn gedacht, verschweigen sollte, unüberlegt dagegengehalten. So entstand der Zwist, die Gemeinsamkeiten wurden geleugnet, das heilige Volk in Parteien zerrissen und vom gemeinsamen, einigen Leib getrennt. Jeder von euch soll dem anderen verzeihen und den wohlüberlegten Rat eures Mitdieners annehmen. Was denn? Es wäre doch besser gewesen, von allem Anfang an keine solchen Fragen zu stellen und dem Frager keine Antwort zu geben. Solche Fragen schreibt kein Gesetz dringend vor, nur müßige Streitsucht macht sie ausfindig. Und stellt man solche Fragen der philosophischen Übung wegen, dann soll man sich privat damit beschäftigen, und sie nicht in öffentliche Versammlungen tragen und bedenkenlos dem Volk zu Gehör bringen. Wer ist denn groß genug, daß er in der Lage wäre, das ganze Gewicht dieser erhabenen und außerordentlich schwierigen Dinge richtig zu erfassen und würdig darzustellen? Und selbst wenn sich einer fände, der dazu imstande wäre, wie viele im Volk würden es sein, die er damit überzeugen könnte?

So war denn die Frage unbedacht und die Antwort voreilig. Beide Teile sollten sich gegenseitig verzeihen. Es ging ja nicht um eine grundlegende Botschaft der Schrift in diesem Streit, es sollte auch keine neue Lehre über die Gottesverehrung eingeführt werden. Ihr seid ja doch ein und desselbem Sinns, so daß ein Friedensschluß nicht unmöglich ist. Wenn ihr aber euch schon über Geringfügigkeiten streiten müßt, so muß doch wohl jeder von der Überzeugung ausgehen, daß es sich weder ziemt noch erlaubt sein kann, das Volk Gottes, das zu lenken ihr bestimmt seid, mit in den Zwiespalt zu verstricken. Vielleicht darf ich mit einem Beispiel kurz nachhelfen: Ihr wißt doch, daß selbst die Philosophen, ein und derselben Schule verpflichtet, in dem einen oder anderen Punkt verschiedene Auffassungen vertreten. Aber wenn sie auch in der Einzelbeurteilung einer wissenschaftlichen Frage getrennte Wege gehen, im Grunddogma bleiben sie einer Meinung. Wenn dem so ist, um wieviel mehr gebührt es sich, daß ihr, die Diener des großen Gottes, die religiöse Einheit wahrt. Laßt uns doch gründlich darüber nachdenken und überlegen, ob es richtig ist, wenn wegen geringfügiger und nichtiger Fragen, die euch bewegen, Bruder gegen Bruder steht und durch euren kleinlichen und unnützen Streit die ehrwürdige Gemeinde schändlich auseinandergerissen wird. Das ist plebeisch und kindisch und ziemt sich nicht für verständige Männer, die Priester sind. Laßt uns aus freien Stücken dieser diabolischen Versuchung den Rücken kehren! Unser großer Gott, der Erlöser aller, hat über alle zusammen sein Licht ausgegossen.

Erlaubt es mir, seinem Diener, im Vertrauen auf seine Vorsehung, mein Bemühen zu krönen: Mit meiner Hilfe sollen Gottes Völker durch meine Mahnungen und Warnungen zu einer einheitlichen Gemeinschaft zusammenfinden. Ihr seid doch alle eines Glaubens und einig im Verständnis der Lehre, und die Botschaft der Heiligen Schrift setzt in all ihren Teilen die gleiche Geschlossenheit voraus. Das also, was bei euch einen unbedeutenden Streit auslöste, darf, da es sich um keine Grundwahrheit handelt, auch keine Spaltung und keinen Umsturz hervorrufen. Ich sage dies nicht, als wollte ich euch zwingen, in jedem Fall und in jeder Kleinigkeit – und darum handelt es sich hier – einer Meinung zu sein. Unsere ehrwürdige Gemeinschaft kann unverletzt bestehen bleiben, die Einheit kann unversehrt bewahrt bleiben, auch wenn es da oder dort verschiedene Anschauungen gibt. Nicht jeder von uns denkt immer so wie der andere, Naturell und Einstellung sind verschieden. Aber was Gottes Vorsehung angeht, habt ihr denselben Glauben, dasselbe Verständnis und ein und denselben Gottesbegriff. Was ihr aber im Detail unter einander erörtert, das soll jeder bei sich behalten, auch wenn eine Übereinkunft nicht erzielt werden kann.

Gebt mir ruhige Tage und Nächte ohne Sorge zurück, damit auch ich in die Lage komme, mich des reinen Lichts und eines friedlichen Lebens zu erfreuen. Damit ihr merkt, wie tief es mich getroffen habt: Nachdem ich bis Nikomedeia gekommen war, hatte ich die Absicht, sofort in den Osten weiterzureisen. Ich und meine Umgebung waren schon im Begriff, weiterzureisen, als mich die schlechte Nachricht zurückhielt, damit ich nicht gezwungen würde, mit eigenen Augen zu sehen, wo ich doch, als ich davon hörte, meinen Ohren nicht trauen wollte. Öffnet mir also durch erneute Eintracht den Weg nach Osten, den ihr mir durch eure Zwietracht versperrt habt. Ermöglicht es euch und allen Völkern zu sehen, wie ich mich wieder freue, und den gebührenden Dank für die volle Einmütigkeit und Freiheit dem Höchsten in gemeinsamem Lobpreis auszusprechen.

Eine byzantinische Staatstheorie

Brief des Manuel Moschopulos (14. Jh.).
Hrsg. v. L. Levi Studi Ital. di Filol. Class. 10 (1902) 64–68

Von allem Anfang an sahen sich die Menschen deshalb zum Zusammenwohnen gezwungen, weil sie allein auf sich gestellt nicht zurechtgekommen wären. Wie hätte einer Gärtner sein können und Weinbauer und erfahren in den übrigen Sparten der Landwirtschaft? Oder Schmid und Töpfer, Baumeister und Koch, Hirte, Bäcker, Hutmacher, Schuster und Schneider – was doch alles der Mensch braucht? So fand sich also eine ganze Anzahl von Leuten zusammen, damit jeder sein Können anbieten und vom Können der anderen seinen Nutzen haben könne.

Da es aber nur natürlich war, daß da, wo viele Meinungen aufeinander trafen, im Verkehr miteinander Streit und Kampf die Folge sein würden, entsprach es da nicht der Art vernunftbegabter Wesen, auch dafür Abhilfe zu schaffen? Und sie wurde geschaffen. Die Lösung bestand darin, daß man entweder einen einzigen, ausgezeichnet durch Verstand und Erfahrung, zum Richter und Herrscher über den Rest einsetzte, oder aber mehrere. Das eine ist die Monarchie, das andere die Aristokratie. Monarchie aber ist sehr viel besser als Aristokratie. Denn regieren mehrere, dann droht immer die Gefahr, daß einer sich gegen die anderen erhebt. Da also die Lage so ist, daß einer oder mehrere bei einer Auseinandersetzung gegen einen anderen oder einfach ausgetrickt unterliegen, oder daß die ersteren etwas anderes dieser Art gegen das Gemeinwesen oder den Herrscher des Gemeinwesens planen, so sucht man nach einer Sicherheit, um derartige Möglichkeiten zu erschweren. Was offen vor sich geht, sieht der Mensch und kann es verhindern. Das Unsichtbare aber und was im Herzen vorgeht, kennt Gott allein. So beschloß man zu diesem Ende, jeden aus der Gemeinschaft mit Gott zu konfrontieren und sich durch Eidesleistung seiner Ergebenheit gegenüber den anderen zu versichern. Es wurde festgelegt und es hat sich eingebürgert, daß jeder einen solchen Eid schwören muß, damit keiner der Gemeinschaft gegenüber oder dem Herrscher verdächtigt werden kann. Diesen Eid nenne ich den

Bürgereid. Wer ihn schwört, muß ihn ohne Entgelt auch einhalten. Es muß ihm aber auch gestattet sein, auszuwandern und irgendwo anders seinen Wohnsitz aufzuschlagen, vorausgesetzt, daß dem Vaterland daraus kein Schaden erwächst. Sollte seine neue Heimat Krieg gegen das ursprüngliche Vaterland führen, so hat er zwar ein Recht in der neuen Heimat in den Krieg zu ziehen, aber es sollte nicht erlaubt sein, daß er ein Geheimnis des ursprünglichen Vaterlandes verrät, etwa verborgene Wasserläufe oder sonst etwas, was er erfahren hat, als er noch dort wohnte.

Haben aber diejenigen, welche über die anderen herrschen, den Wunsch, Leute um sich zu sammeln, die sie bewachen und für sie eintreten und für ihre Städte und Dörfer, die sich ihren Feinden entgegensetzen, ihre Freunde lieben, besondere Gefahren im Krieg für sie auf sich nehmen, aber auch ohne Krieg, so haben sie kein Recht, jemand dazu zu zwingen. Sie müssen dafür ein Entgelt anbieten, wie es auch sonst jemand tut aus dem Gemeinwesen, der einen Weinberg besitzt und dafür einen Arbeiter in Sold nimmt. Wer aber dafür Entgelt nimmt, soll den Herrschern auch schwören, Feind ihrer Feinde und Freund ihrer Freunde zu sein. Und das ist es, was ich den Kaisereid nenne. Verlangt jemand einen solchen Eid ohne Entgelt, so tut er dies meines Erachtens zu Unrecht. Den anderen Eid aber muß jeder leisten, der in einer Gemeinschaft lebt unter einem Kaiser oder in einer, die nach Staatsform und Zusammenleben anders verwaltet wird.

Wendet aber jemand ein, es sei Gottes Gebot, nicht zu schwören, wie kann dann einer sündenfrei sein, der es trotzdem tut? Er soll hören, daß es auch ein Gotteswort gibt, das besagt: Haltet Frieden! Und: Wer kein Sünder ist, werfe den ersten Stein auf ihn. Und: Richtet nicht, damit ihr nicht gerichtet werdet.

Kaiser und Untertanen

Aus den Ratschlägen des Kekaumenos (siehe S. 329)

Gelegentlich wird die Behauptung aufgestellt, der Kaiser sei dem Gesetz nicht unterworfen, sondern selbst das Gesetz. Ich persönlich teile diese Meinung: Was immer er tut oder zum Gesetz macht, ist wohl getan, und wir halten uns daran. Sagt er aber: Trinke Gift! dann wirst du freilich nicht gehorchen; sagt er: Wirf dich ins Meer und durchschwimme es! dann darfst du auch dies nicht tun. Daraus magst du entnehmen, daß auch der Kaiser nur ein Mensch ist und dem göttlichen Gesetz untersteht.

Heiliger Herr! Gott hat dich auf den Kaiserthron erhoben und hat dich durch seine Gnade, wie man so sagt, zum Gott auf Erden gemacht, damit du tuest und lassest, was dir gut dünkt. So seien deine Taten und Handlungen voll Klugheit und Wahrheit, und die Gerechtigkeit wohne in deinem Herzen. Sieh also zu, daß du alle mit gleichem Auge betrachtest, ob sie dir nun nahe oder ferne stehen; behandle nicht die einen ohne Grund schlecht, während du die anderen wider alles Recht mit Wohltaten überhäufst; vielmehr soll allen gegenüber ausgleichende Gerechtigkeit herrschen. Wer sich verfehlt, soll nach dem Maße seiner Verfehlungen bestraft werden; zeigst du ihm aber Mitleid und sprichst du ihn frei, so ist dies göttlich und kaiserlich. Wer sich gegen dich nicht verfehlt, dem sollst du auch kein Übel zufügen, ihn vielmehr, wenn es dir richtig erscheint, fördern.

Hörst du von einem vornehmen Herren, er sinne Böses gegen deine Majestät, dann soll sich keine Hinterlist und nicht das Verlangen, ihn zu verderben, in dein Herz einschleichen. Stelle vielmehr genaue Nachforschungen an, zunächst im geheimen; dann aber, wenn du in Erfahrung gebracht hast, daß es sich wirklich so verhält, soll gegen ihn gerichtlich verhandelt werden, und zwar in aller Öffentlichkeit. Verurteilst du ihn ohne Verhandlung, so machst du dir von diesem Tag an ihn und viele andere um seinetwillen zum Feind.

Machst du einen Mimen oder sonst einen unehrlichen Menschen zum Protospathar, so werden die Soldaten, die für dich ihr Blut zu opfern bereit sind, einen solchen Rang nicht mehr achten können: ebenso wird es gehen, wenn du ihn zum Patrikios machst. Dein tüchtiger Notar oder Sekretär wird in Zukunft eine solche Ehrung für nichts achten. Ich habe allerlei dergleichen erlebt: Richter, die nur Gelächter verdienten und trotzdem lustig zu leben hatten, und verständige und tüchtige Leute, die von den Kaisern verachtet wurden; tüchtige Militärs, um die sich die Kaiser nicht kümmerten, und Lügenbolde und Aufschneider, die es sich gut gehen ließen. Ich seufzte in meinem Herzen und konnte dieses Unrecht nicht mitansehen.

Ausländer, die nicht dem Herrscherhaus ihres Landes entstammen, sollst du nicht zu hohen Würden befördern noch ihnen wichtige Kommandostellen geben. Du erniedrigst damit nur dich selbst, aber auch deine griechische Oberschicht. Machst du z. B. einen Engländer, der zu dir kommt, gleich zum Primikerios oder zum kommandierenden General, was bedeutet es dann noch für einen Griechen an Ehre, wenn du ihm ein hohes Kommando überträgst? Du machst dir nur alle zu Feinden. Und wenn man in der Heimat des Fremdlings davon hört, daß er diese Würde und dieses Amt erlangt hat, wird es ein allgemeines Gelächter geben, und sie werden sagen: Bei uns hat er gar nichts gegolten; da ist er in die Romania gegangen und hat es gleich so weit gebracht. Anscheinend gibt es in der Romania keine geeigneten Leute, weil unser Landsmann so hoch geklettert ist. Wären die Byzantiner tüchtige Leute, hätten sie diesen Mann nicht so hoch kommen lassen. Deine Majestät gebrauche nicht die Ausrede: Ich habe den Mann dergestalt befördert, damit es auch andere erfahren und kommen. Das ist kein guter Zweck. Wenn du es wünschst, dann bringe ich dir so viele Ausländer, wie du willst, die dir für ein Brot und ein Hemd dienen.

Laß es dir nicht einfallen, gegen deine Stadt und die Provinzen, die dir untertan sind, alle möglichen Schikanen zu ergreifen, auch nicht gegen die Armee; vielmehr sollst du allen Vater sein, dann werden sie dir aufrichtig dienen. Da hat doch ein dummer Kerl dem Kaiser Basileios, auf dessen Vernichtung er sann, den Rat gegeben: Mach dein Volk arm! Aber es würde dich dafür nur hassen, ja sich erheben und Revolution machen. Du hast es ja nicht mit Tieren zu tun, sondern mit vernunftbegabten Menschen, die durchaus imstande sind, sich klarzumachen, ob es ihnen gut oder schlecht geht.

Deinen Höflingen gib den Befehl, niemandem Unrecht zu tun, nicht schlechten Menschen und Feinden der Wahrheit zu helfen. Deine Verwandtschaft soll dich fürchten und nicht das Recht haben, Unrecht zu tun. Ich will dir, mein Herr, erzählen, wie es zur Katastrophe mit der Herrschaft des Paphlagoniers kam. Dieser verstorbene Kaiser hatte keine erlauchten Eltern, stammte vielmehr aus einer ganz bescheidenen Familie, besaß aber persönlich große Vorzüge. Manche Dummköpfe wissen zu rühmen, er sei aus edlem und großem Hause gewesen, in Wirklichkeit entstammte er einer völlig unbedeutenden Familie. Ich bin ja der Ansicht, daß alle Menschen Kinder eines Menschen, nämlich Adams sind, die Könige sowohl wie die großen Herren und die Bettler. Ich habe auch schon erlebt, daß ganz hochtrabende Leute zu Dieben, Wahrsagern und Zauberern geworden sind: solche sind für mich Leute von niedriger Herkunft.

Der verstorbene Kaiser also, Herr Michael (IV.), besaß, wie gesagt, große Vorzüge; er hatte aber viele leibliche Verwandte, die arm waren und für die der Wohlfahrtsminister sorgte. Dieser aber war der Bruder des Kaisers und zugleich der Verwalter des Palastes. Er wollte seine Verwandten bereichern und gab ihnen die Erlaubnis, sich bei anderen ihre Beute zu holen. Der Kaiser wußte nichts davon. So haben sie die Kuriere auf Dienstreisen und die Männer des Kaisers in den Gasthäusern oder auf einsamen Wegen, wo sie sie antreffen konnten, zu Pferd oder auf Mauleseln, heruntergerissen und ausgeraubt, um sich dann aus dem Staub zu machen. Damit zog sich dieser vorzügliche und berühmte Mann den Haß zu, eben wegen der Ungerechtigkeit seiner Verwandtschaft. Alle verschworen sich, seine Familie auszutilgen. Dies geschah auch bald danach. Der Kaiser selbst starb im Frieden und erbaulich in bußfertiger Gesinnung. Dann wurde sein Neffe Kaiser. Gegen diesen erhob sich die ganze Stadt und alle Fremden, die sich in der Stadt befanden. Zum Vorwand gegen ihn nahm man, daß er seine Tante, die Kaiserin, verbannt habe. So wurden der Kaiser und seine ganze Familie an einem Tag ausgerottet. Statt seiner wurde Monomachos Kaiser, der das Reich der Römer zugrunde gerichtet hat und verrotten ließ. Deine Majestät muß sich vor solchen Dingen in Acht nehmen. Ich habe es erlebt, wie der ehemalige Kaiser Michael bei Sonnenaufgang ein mächtiger Kaiser war, um die dritte Stunde aber nur noch ein unglücklicher, seines Amtes enthobener Geblendeter. Rühme dich nicht, mein Herr, des Glanzes der Majestät und vertraue noch weniger auf deine Macht und rede dir nicht ein: Wer kann mich von der Höhe meines Glanzes herabstoßen. Ein kleiner Ruck der Zeit, sagt Gregorios der Theologe, und zahlreiche Dinge sind anders.

Halte dir einen Mann, der das Recht hat, dich tagtäglich ob deiner unangebrachten Reden und Handlungen zu tadeln. Sage nicht: Ich bin selbst klug genug und weiß alles. Du weißt zwar viel, noch mehr aber weißt du nicht!

Ich weiß, mächtigster Kaiser, daß die Natur des Menschen nach Ruhe verlangt. Es ist aber zu einem recht nichtigen, ja schädlichen Grundsatz geworden, daß der Kaiser seine Länder, im Osten meine ich und im Westen, nicht mehr besucht, sondern wie in einem Gefängnis in Konstantinopel sitzen bleibt. Würde dich jemand in einer Stadt einsperren, dann wärest du unglücklich und erbost. Daß du dir dies aber selbst antust – was soll ich dazu noch sagen? Ziehe hinaus in die Länder, die dir untertan sind, und in die Themen, und schau dir das Unrecht an, das die Unbemittelten erleiden müssen, und was deine von dir gesandten Steuereinnehmer anstellen und wie den Armen Unrecht geschieht, und bringe wieder Ordnung hinein. Ich weiß, daß dein Hofstaat aus Faulheit dir abrät: es sei nicht gut, und du würdest die Länder und Themata durch eine Reise mit Truppen und kaiserlichen Garden nur ins Ungemach stürzen. Sie werden wohl auch sagen: Wenn du Konstantinopel verläßt, wird sich ein anderer an deiner Stelle zum Kaiser aufwerfen. Ich habe mir dies durch den Kopf gehen lassen und kann darüber nur lachen. Dein Vertreter, den du im Palast zurückläßt und der über die dortigen Griechen und Barbaren, deine Untertanen, regiert, wird, wenn er tüchtig und energisch ist, mit Eifer wachen und seine Pflicht erfüllen. Was soll ich noch weiter sagen? Die Imperatoren und Kaiser der Römer haben immer so gedacht, wie ich es dir hier sage, und zwar nicht nur diejenigen, die in Rom regierten, sondern auch die in Byzanz; so z. B. Konstantin der Große und sein Sohn

Konstans, Julian, Jovian und Theodosios. Bald weilten sie im Westen, bald im Osten, jedenfalls nur kurze Zeit in Konstantinopel. Damals hatten aber auch alle Länder Frieden, sowohl ganz Europa und Libyen und der schönste Teil Asiens bis zur Euphratesia und Adiabene. Armenien und Syrien, Phönizien, Palästina und Ägypten, ja selbst das große und vielgepriesene Babylon waren den Römern untertan. Seitdem aber die große Trägheit über die Menschen gekommen ist, oder besser sich wie eine ansteckende Krankheit ausgebreitet hat, seitdem ist dem römischen Reich nichts Gutes mehr widerfahren.

Orthodoxie und Toleranz

Aus dem Geschichtswerk des Niketas Choniates 213 ff. (van Dieten)
Deutsch von F. Grabler, Die Krone der Komnenen, Graz 1958, S. 263–268

Folgendes tat Kaiser Manuel I. in seinen letzten Lebensjahren: Der Katechismus enthält neben anderem eine Verdammung des Gottes Muhammeds, weil es von diesem heißt: „Er hat nicht gezeugt und ist nicht gezeugt" und daß er „in starrer Einheit verharrt". Manuel setzte es sich in den Sinn, diese Verdammungsformel in allen Bekenntnissen für die Katechumenen zu tilgen und begann beim Formular der Sophienkirche. Seine Begründung klang recht überzeugend. Er sagte nämlich, es sei ein Ärgernis für die zu unserem Glauben übertretenden Muhammedaner, daß Gott überhaupt verdammt werde. Manuel berief also den hochehrwürdigen Theodosios, damals Patriarch, und die Erzbischöfe, die in der Hauptstadt weilten. Ihnen teilte er nach einer umständlichen Einleitungsrede seine Absicht mit, mußte aber erleben, daß alle ablehnten und seinem Vorschlag nicht geneigt waren. Es könne nichts Gutes dabei herauskommen, lehrten sie; Manuels Vorschlag lenke von der richtigen Gottesvorstellung ab, dieses angebliche Ärgernis sei Gott wohlgefällig, die Verdammnis treffe ja überhaupt nicht den Gott, der Himmel und Erde erschaffen, sondern jenen ungezeugten, unzeugenden, unbeweglichen Gott, den der teuflische Schwätzer Muhammed erfunden habe. Die Christen glaubten ja an einen Gottvater, die verwerflichen und albernen Behauptungen Muhammeds jedoch verböten einen solchen Glauben überhaupt. Übrigens könne man sich unter dem „Unbeweglich-einen" ohnehin nichts Klares vorstellen.

Doch mochten sie sich die Seele aus dem Leib reden, Manuel blieb fest. Er verfertigte, als ob sie von ihm selbst verfaßt wäre, mit Hilfe einiger wortgewandter, immer schlau ihren Vorteil nutzender Höflinge eine Schrift, in welcher er die Unsinnslehre – Glaubenslehre möchte ich sie denn doch nicht nennen – Muhammeds in Schutz nahm und heftig gegen die früheren Kaiser und Geistlichen loszog, weil sie seiner Meinung nach uneinsichtig und unüberlegt es gewagt hatten, den wahrhaftigen Gott mit einem Verdammungsurteil zu belegen. Diese Schrift ließ er im Palast des Patriarchen öffentlich verlesen. Seine Ausführungen klangen so überzeugend, daß er seine Zuhörer beinahe gewonnen hätte; und es wäre wohl jener von Muhammed erkorene, unbewglich-eine Gott, wer er auch immer sein mag, als wahrer Gott anerkannt worden, wäre nicht der Patriarch mit aller Entschiedenheit eingeschritten. Er hatte den Worten die eine gefährliche neue Lehrmeinung einführen wollten, keinerlei Aufmerksamkeit geschenkt und redete den übrigen zu, vor diesem Gift auf der Hut zu sein.

Der Kaiser sah darin eine ungeheuerliche Beleidigung seiner Person. Er überschüttete den Patriarchen mit Schmähungen und nannte ihn und die Bischöfe die „Torheit der Welt". Aber er warf nochmals einen Köder aus. Er kürzte seine ausführliche, rhetorisch herausgeputzte Schrift und brachte sie in anderer Form neu heraus. Er befand sich damals in dem Palast bei Damalis, der Skutari genannt wird, und zwar wegen der guten Luft und der Ruhe, denn er war schon ein kranker Mann. Auf seinen Befehl kamen sämtliche Bischöfe und Gelehrten zu Schiff dorthin. Aber sie waren kaum an Land, als schon Theodoros Matzukes, einer von den Schreibern, die beim Kaiser viel vermochten, auf sie zutrat und vor dem Patriarchen und den Bischöfen eine Rede zu halten begann. Die Krankheit des Kaisers, so führte er aus, verbiete im Augenblick den Zutritt zu ihm; sie müßten aber dem hier – und dabei zeigte er ihnen die Blätter in seiner Hand – ihre Aufmerksamkeit schenken. Er werde es vorlesen. Das eine Blatt enthielt eine Erklärung des vorliegenden Lehrsatzes, um deren Unterzeichnung durch die versammelten Bischöfe sich der Kaiser sehr bemühte, das andere enthielt einen fiktiven Disput des Kaisers mit dem Patriarchen Theodosios und den Bischöfen. Die Ausführungen des Kaisers waren heftig und geschmacklos. Er drohte, eine größere Synode einzuberufen und schwor, die vorliegende Frage mit dem Papst in Rom zu besprechen. Die Zuhörer waren weit davon entfernt, sich einschüchtern zu lassen. Der Erzbischof von Thessalonike, der gelehrte und wortgewaltige Eustathios geriet über das Gehörte so in Eifer, daß er ausrief: Ich müßte ja ein zertrampeltes Gehirn in meinen Fersen tragen, wenn ich diesen Knabenschänder, dieses alte Kamel, diesen Verführer zu jeder Abscheulichkeit für einen wahrhaftigen Gott hielte. Alle waren starr über diese Worte. Theodoros Matzukes stand einen Augenblick mit zusammengepreßten Lippen sprachlos da, dann machte er kehrt und lief zum Kaiser. Manuel gellten die Worte des Eustathios, die ihm berichtet wurden in den Ohren. Er begann sich auf umständliche Erklärungen zu verlegen und behandelte die Angelegenheit mit ungewöhnlicher Langmut. Bald erschien auch der Patriarch vor Manuel und sprach beschwichtigende Worte. Er bewirkte, daß der Kaiser von seinem Zorn ließ und dem Eustathios seinen Ausruf verzieh. Eustathios durfte seine Meinung rechtfertigen und Manuel sagte schließlich zu ihm: Als weiser Mann solltest du keine so häßlichen Ausdrücke in den Mund nehmen und nicht keck so Deplaziertes aussprechen!

Dann wurde die Schrift des Kaisers über die in Frage stehende Lehrmeinung verlesen. Alle billigten sie als gottesfürchtig und die Sache richtig darstellend, und versicherten, sie würden sie mit Freuden unterzeichnen. Die Versammlung löste sich auf und die Teilnehmer gingen stolz nachhause des Glaubens, sie hätten mit ihrem Widerstand den Kaiser besiegt; dieser aber freute sich, weil er jene unter seinen Willen gebeugt und durch eine kurze Formel erreicht hatte, was ihm mit dem umfangreichen ersten Werk nicht gelungen war.

Am folgenden Tag holten Boten des Kaisers die Bischöfe zu einer Versammlung. Sie kamen im Haus des Patriarchen zusammen, um gemäß der Übereinkunft des Vortags das Schriftstück des Kaisers zu unterschreiben. Aber es waren nicht mehr dieselben Bischöfe. Und alle weigerten sich, weil in der vorgelegten Schrift noch Ausdrücke stünden, die tadelnswert seien, und sie wollten, daß diese gestrichen und durch unanstößige ersetzt würden. Der Kaiser war wieder erbittert und warf ihnen vor, sie seien so unstet und wankelmütig, als hätten sie überhaupt keinen Verstand. Erst nach längerer Zeit und mit Widerstreben kamen sie nochmals zusammen, damit das Verdammungsurteil über den Gott Muhammeds aus den Katechismen getilgt und dafür ein Verdammungsurteil über Muhammed und seine gesamte Lehre und die seiner Schüler eingefügt werde.

Großvater und Enkelkind

Rede des Michael Psellos auf seinen kleinen Enkelsohn,
hrsg. v. E. Kurtz und F. Drexl,
Michaelis Pselli Scripta Minora I, Milano 1936, S. 77–81

Vielleicht werde ich dich nicht mehr sehen, mein lieber Kleiner, Kind meiner Seele, weder in deinen Bubenjahren – möchte es mir Gott vergönnen wenigstens so lange zu leben! – noch wenn du zum Manne heranreifst; denn mein Leben ist am auslaufen und die Zeit naht, die den Faden des Schicksals abschneiden wird. So nehme ich denn die Rede auf dich schon jetzt vorweg und vergelte deinen angeborenen Charme mit einigem Charme der Worte. Ich müßte ja gedankenlos und ganz ohne Vernunft sein, würde ich in einem Augenblick, wo dein Fühlen und Denken noch ganz einfach ist und nur für mich etwas Vollkommenes darstellt, wo du meine Stimme hörst und meine Liebe spürst, wo du mir um den Hals fällst und dich in meine Arme wirfst und es hinnimmst, daß ich dich mit meinen Küssen bedecke – ich müßte gedankenlos sein, käme ich nicht mit einer Gegengabe, der ich doch neben anderem gerade was die Rede betrifft, reich begabt bin.

Deshalb biete ich dir diese Rede als Enkomion, damit du später einmal, wenn du in der Lage bist, dir ein Bild davon machen kannst, was dein Großvater in deinem Leben bedeutete und wie es um seine Rednergabe bestellt war.

Mein Lob will nicht von weither schwindelhafte Argumente heranziehen, will nichts erfinden, um dich herauszustreichen, es soll vielmehr deine Art, dein inneres und äußeres Gehabe darstellen, ein Gehabe, wie ich es noch bei keinem Kleinkind festgestellt habe. Ich verstehe mich so gut wie jeder darauf, durch die Sinne, wie durch Fensteröffnungen in die Seele zu blicken, besser gesagt: sie an deinen Augenbrauen und in deinen Augen zu entdecken. Da ich gerade von Brauen und Augen spreche: deine Augen sind wirklich seit dem ersten Augenblick deines Daseins etwas Liebliches, weder rastlos immer umherschweifend, noch langsam und träge, was Zeichen eines schwachen Charakters wäre. Bald sind sie unbewegt, wie in Gedanken versunken, bald wieder fröhlich bewegt, wenn ein Lächeln sich ankündigt. Ich habe diese Anzeichen nicht nur einfach festgestellt – dazu brauche ich keinen delphischen Dreifuß und keinen bachantischen Rausch! – sondern ich sehe es voraus, einfach weil ich das Vergnügen in deinen Augen entdecke, weiß ich, daß du gleich lachen wirst. Und tatsächlich: du bewegst deine Lippen, dein Gesicht rötet sich, und schon ist das Lachen da. Und während deine Augen die Gedanken spiegeln, bleiben die Brauen nicht müßig, sondern verraten ebenfalls etwas von den Vorgängen in dir.

Zum Weinen wenig aufgelegt, brichst du nicht in lautes Heulen und hektische Bewegungen aus, wenn es keine Milch gibt und die Amme dir nicht den gewohnten Trank bietet; es hat vielmehr den Anschein, als wolltest du dich mit ihr auseinandersetzen und sie des Unrechts und Übermutes zeihen, wenn sie dir ein strenges Gesicht zeigt. Und nur um den Zuschauer oder wer in der Sache entscheiden soll, auf deine Seite zu ziehen, läßt du ein paar Tränchen kullern und Mund und Augen suchen das Urteil der Richter für dich zu gewinnen. Aber du bist zur Versöhnung geneigt, und wenn die Amme, die dich gekränkt hat, wieder ihre Brust entblößt, dann lenkst du schnell ein und hast ein sanftes Auge für deine Tyrannin. Und dann an der Brust trinkst du nicht wie ein Verdurstender ohne satt zu werden, sondern nur mäßig, und schenkst der Amme zum Dank ein freundliches Auge und ein Lächeln. Dies alles ist für deinen Großvater nicht überraschend: es kündigte sich bereits bei deiner Mutter an, und es ist nicht verwunderlich, wenn etwas von der Natur derer, die dich geboren hat, auf dich übergegangen ist.

Auch sonst benimmst du dich nicht wie ein unvernünftiges Wickelkind, sondern beständiger, als es deinem Alter zukommt. Noch keine vier Monate alt verstehst du es bereits, dir die Eigenheiten deiner Umgebung einzuprägen. Du erkennst jeden und jede, du weißt es, wenn einer kein Interesse an dir nimmt und du weißt es, wenn er sich um dich sorgt, und dementsprechend verteilst du Zuneigung und Abneigung. Nur bei mir machst du von diesem Verhalten eine Ausnahme: du schenkst mir deine Zuneigung, auch wenn ich dich allzu fest an mich drücke und dich allzu männlich in meine Arme nehme. Und wenn ich dir auf die rechte Hand klopfe, so reichst du mir auch die linke, wie um das Wort des Herrn zu erfüllen: du weißt wohl, daß der Schlag aus Liebe erfolgt, daß ich nicht schlage um zu schlagen, sondern nur um wieder in den Genuß deines natürlichen Charmes zu kommen. Und sehe ich dich verwirrt und verlegen, so räume ich sofort dein „Kindergeschäft" weg, hebe dich hoch und schwenke dich in der Luft, und du bist wieder bester Laune.

Windeln kannst du überhaupt nicht leiden, und wenn dich die Amme aus dem Badewasser nimmt und dich wickeln will, die Arme ausgestreckt an den Seiten des Körpers und die Beine geschlossen, dann verziehst du sofort dein Gesicht und nichts kann dich ablenken. An dieser Gefangenschaft hast du nicht das geringste Vergnügen. Wenn aber die Windeln wieder weggenommen werden, dann weißt du gar nicht mehr wohin vor Vergnügen, dein Blick wird heiterer, dein Lächeln süßer, deine Händchen gehen hin und her und die Beine strampeln heftig in der Luft. Früh schon entwickeltest du, entsprechend deiner Herkunft, Geschmack an schönen Dingen der Welt. Wenn deine Mutter dir eine schöne Mütze aufsetzt oder ein besonders schönes Kleidchen anzieht, dann drehst du dich stolz nach allen Seiten.

Dein Vergnügen am Bad ist nicht nur das eines kleinen Kindes, da ist schon Überlegung dabei! Nicht daß es meine Aufgabe wäre, dich zu baden, aber um dir beim Baden Freude zu machen und mich selbst an deiner Gesundheit und deinem Vergnügen zu erfreuen, komme ich oft dazu und werde dabei wieder zum Kind. Ich beuge mich über die Wanne, und du hast dein Vergnügen daran, oder das Wasser ist ein wenig zu heiß: kurz, du schlingst deine Ärmchen um mich, hältst mich fest und babbelst vor dich hin.

Dein Körper – möge er nie vom bösen Blick getroffen werden – ist wunderschön, die Glieder wohlproportioniert, ein wahres Geschenk der Natur, das Haar gelockt und blond, der Kopf von vollendeter Form, der Hals schlank und frei und alles übrige in Harmonie, um nicht noch mehr Einzelheiten anzuführen.

Möchte doch dein ganzes Leben glücklich sein! Dafür freilich kann ich nicht mehr einstehen, doch die Anfänge haben sich gut angelassen. Kaiser und Kaiserin stritten sich darum, dich aus der Taufe zu heben. Und natürlich siegte das weibliche Geschlecht. Du wurdest in den Palast gebracht, die Kaiserin nahm dich in die Arme, und herzte dich und als sie fertig war, legte sie dich, als wärest du ihr zu schwer, auf das weiche kaiserliche Bett. Dann gab sie dich deiner Mutter zurück und schenkte ihr gleichzeitig den Schmuck, den sie gerade trug, – eine kaiserliche Ehrung, geringer als sie deinem männlichen Geschlecht entsprochen hätte, aber größer als es deinem Alter gebührte. Das also ist das Enkomion, das dein Großvater für dich abgefaßt hat. Es ist unvollendet – aber auch du bist noch nicht vollendet, du, beseelte Perle, Schmuck meines Herzens. Wenn du einmal zum Gebrauch der Vernunft gekommen bist, wenn du weißt, wer dein Großvater war und wie es in deinen ersten Jahren zugegangen ist, dann bilde dich am Vorbild, übe dich in Besonnenheit, ehre deine Eltern, achte deine Erzieher und Lehrer und widme dich vor allem geistiger Beschäftigung; damit habe ja auch ich deine Mutter und deine Familie zu Ehren gebracht. Möge dir alles zuteil werden, was du gern hättest, vor allem aber Bildung und ein verständiger Sinn. Nur damit findet die Seele zu ihrer eigentlichen Schönheit und zum Begreifen tieferer Geheimnisse.

Dies habe ich für dich geschrieben, während ich dich in den Armen hielt und mit unersättlichen Küssen bedeckte.

Pasiphae und der Stier

„Progymnasma" des Klerikers Nikephoros Basilakes (12. Jh.).
Der Mythos besagt: Pasiphae, Tochter des Sonnengottes,
verband sich mittels einer von Daidalos verfertigten hölzernen Kuh,
mit dem von Poseidon gesandten kretischen Stier.
Hrsg. v. A. Pignani, Rivista die Studi Bizantini e Neoellenici 8/9 (1971/72) 306ff.

Was muß ich sehen, ihr Götter, wie gewaltig ist es, was mir widerfährt! Meine Augen blendet die prächtige Gestalt eines Rindes, ein Stier auf dem Sprung, aphrodisisch, aller Liebe wert, wie Plutos, könnte man sagen, ganz in Liebe lächelnd wie Aphrodite und mit dem blendenden Auge des Eros. Aus seinen Augen träufelt die Sehnsucht nach Liebe, er gebärdet sich nicht wie ein Wilder, er blickt mich nicht finster von unten her an, sondern wie ein Junge, der den Grazien und Aphrodite geweiht ist. Zauber strahlt von seinem Gesicht und Lieblichkeit aus seinem Auge. Er versteht sich auf Schönheit, und da er selbst schön ist, kennt er sie gut. Nur ein wenig den Nacken krümmend stolziert er hochgemut einher, streicht durch das Gebüsch in tänzerischer Bewegung und wie im Takt. So muß Zeus den ersten Stier geschaffen haben, als Prometheus den ersten Menschen schuf; vielmehr muß Zeus selbst sich in einem solchen Stier verwandelt haben, als er daranging, Europa zu entführen. Ein göttlicher Glanz liegt über diesem Stier. Wenn ich das Sonnenlicht auf seinem Gesicht liegen sehe, muß ich glauben, daß er einer der Stiere des Sonnengottes ist und ich bin voll des Staunens. Der Sternenglanz in seinem Auge läßt mich glauben, daß er zum Sternbild des Stieres am Himmel gehört. Ich sehe sein Gehörn, einen vollendeten Halbkreis, das genaue Abbild des halben Mondes und meine Ahnung geht dahin, daß er vom Wagen der Mondgöttin kommt. Vielleicht hat er allein von den übrigen Zugtieren das Joch abgeworfen und streicht nun hier auf Erden bei uns herum und trägt seine Schönheit zur Schau und zeigt seine Kraft, so daß jetzt das Viergespann der Göttin hinkt und sie später aufgeht und mit Verzögerung untergeht. Endymion also und das Spiel mit der Mondgöttin? Ein anderes Argument, ein Mythos aus Unwissenheit geboren! Ein Gott unter den Rindern ist dieser Stier, Apis nennen ihn, glaube ich,

die Ägypter und verehren ihn. Und jetzt ist er zu uns gekommen, um die Unfrucht-
barkeit jener und die unsrige zu beweisen.

So komm denn zu mir, schönster aller Stiere, komm und umwirb die Liebende,
liebe auch ein menschliches Wesen! Ich will den Liebesschrei des Tieres ausstoßen,
und du, erwidere den Schrei. Wenn ich weine, tröste mich mit einem zärtlichen
Sprung. Wenn ich umarmt sein will, dann senke sanft deinen Kopf: es soll mir Zeichen eines Kusses sein. Ich will dir alle Kornfelder zur Verfügung stellen, du kannst
ungehindert umherspringen und dich in voller Freiheit dem Genuß hingeben. Ich
schenke dir alle Herden und du sollst Herr aller Stiere auf der Insel sein, wenn du
dich nur mit mir unter das Joch des Liebesgottes spannen läßt.

Ich schäme mich dieser Liebe nicht, als sei sie unnatürlich. Auch Europa liebte
einen Stier und ein anderes Mädchen einen Hengst; und wie in meinem Falle war es
unnatürlich für beide, auch wenn sich hinter dem einen Zeus und hinter dem Hengst
Poseidon verbarg. An der Lagerstätte legten beide ihre Maske ab, und da erkannten
die Mädchen Zeus und Poseidon. Auch jetzt spielt ein Gott im Stier das Spiel der
Liebe, aber das Brautgemach wird die Maskerade beenden und den Liebhaber kennt-
lich machen.

Doch was rede ich hier zusammen? In welchen Netzen verfange ich mich? Kein
Stier wird sich mit einer Frau verbinden, auch wenn ihn Eros dazu zwingen wollte; er
wird sich gegen das Joch wehren, er wird sich aufmachen und fliehen. Ich klage Eros
an! Wie konnte er auf dieses bukolische Spiel kommen! Und ich wende mich gegen
Aphrodite: sie will mich mit einem Rind zusammenspannen, das in ein anderes Joch
gehört. Ich schmähe die Grazien, daß sie über ein unvernünftiges Tier so viel Anmut
ausgegossen haben, und ich tadle den Verstand, daß er kein Mittel ausfindig machen
kann, um auch einen Stier zu besänftigen. Was rühme ich mich meiner Schönheit und
kleide mich in Purpur, wo doch ein Stier keine Ehrfurcht vor dem Purpur kennt und
kein Verständnis aufbringt für die Schönheit einer Frau? Was bedeutet es, goldenen
Schmuck zu tragen, wenn der Stier die „goldene Aphrodite" nicht kennt? Da beneide
ich die Kuh. Sie kennt keine künstliche Schönheitspflege, aber sie beglückt ihren Liebhaber; sie freut sich, wenn er um sie tänzelt, und sie ziert sich, wenn er sich nähert.
Wäre ich doch eine Kuh, unter demselben Joch mit dem Stier und mit ihm auf einer
Weide. So aber stehe ich zwischen Liebe und Natur; jene zwingt mich, mit dem Stier
eins zu werden, diese läßt es nicht zu. Jene drängt mich in ein seltsames Verlangen
und tyrannisiert mich, diese zieht mich weg und entreißt mir mit Gewalt, was Eros
mir geben möchte. Die Natur will nicht, und Eros will nicht, daß die Natur obsiegt.

Wer wird mich als Kuh maskieren, damit ich dem Stier in dieser Gestalt entgegenkommen kann? Oder wie kann ich mich in eine Kuh verwandeln? Hera könnte mir
diese Gnade erweisen, so wie jenes Daidalos fertigbringen könnte. Sie hat die Tochter
des Inachos in eine Kuh verwandelt, er aber so manches in Erz getrieben, womit das
Auge sich täuschen ließ.

Also, liebste Göttin, gewähre mir jetzt, was du einst, eifersüchtig auf Ino, getan
hast, habe Mitleid mit meiner Leidenschaft! Dann werden dich die Menschen verehren als Wahrerin und Schützerin der Ehe, auch unter den Rindern. Wenn aber –
doch du, Daidalos, komm her; wenn je, dann zeige jetzt die Vielfalt deiner Kunst, be-
währe dich auch gegenüber dem Stier als Meister in der Arbeit mit Erz, kämpfe auf
seiten Aphrodites, hilf dem Liebesgott und forme eine Kuh; mache sie so ähnlich
wie möglich, dann wirst du mit deinem Blendwerk rasch zu Wirkung kommen.

Du wirst den Stier jagen, den ich nicht einzufangen vermag, den begehrenswerten, der die Liebe nicht kennt. Was dann geschieht, das sei meine Sorge und die des Eros!

Am Vogelherd

Jagdbeschreibung des Konstantinos Manasses (12. Jh.),
hrsg. v. L. Sternbach, Lwow 1902

Es gab eine zeitlang in Konstantinopel nur wenig heiße Bäder und das Land diesseits der Propontis war in diesem Punkt im Nachteil gegenüber dem anderen Ufer. Aber die Gegend dort bietet Annehmlichkeiten und lohnt einen Erholungsaufenthalt: es gibt eine Gartenlandschaft mit weitausladenden Bäumen und Überfluß an klaren Quellen; das Meer brandet leise und spielerisch an den Strand und lächelt mit zahmem Wellenschlag dem Festland zu – eine Augenweide, ein Fest der Sinne. So fuhr denn auch ich hinüber; das Jucken meiner Haut machte es geboten. Es war gleich nach der Ernte. Eben stieg ich vom Schiff das Ufer hinauf und kam zum Vorplatz des Bades, da begegnete mir einer meiner liebsten Freunde. Wir begrüßten uns in gewohnter Herzlichkeit und er sagte zu mir: Erfrische dich also im Bad; ich will dir inzwischen eine Unterkunft bereiten und dich bei mir beherbergen und atzen. Wenn du willst, kannst du länger bleiben und dann bekommst du ein hübsches Schauspiel zu sehen. Bleibe doch einige Tage, wenn du nichts anderes vorhast, und genieße mit Bedacht einen solchen Urlaub. Dann ging er und ließ mich einige Zeit allein. Später kam er wieder, als ich gerade in die Badetücher eingeschlagen mich ausruhte. Mit aller Gewalt beredete er mich, sein Gast zu sein, und setzte es schließlich auch durch. Zunächst ließen wir uns an Ort und Stelle nieder, denn es war schon spät geworden und auch die Badekur verlangte es so. Als aber eben die Nacht sich zu lichten begann und es dämmerte, da gab es ums Zelt einen gewaltigen Lärm; eifrige gegenseitige Zurufe: man weckte sich und ermunterte sich zum Tagewerk. Da war eine ganze Anzahl von Knaben und jungen Burschen und ein hochbetagter Alter mit ungezählten Olympiaden von Vogeljagden auf dem Buckel, geübt in diesem Sport, der Trainer der jungen Leute für diesen Sport.

Eilig zog man sich an und machte sich fertig, der greise Aufseher ließ nur wenig Zeit, und mit beflügeltem Schritt gings an den Vogelherd. Auch ich wollte mitkommen, um zu sehen, was dabei herauskam. Ich stieg also mit hoch und wurde Augenzeuge: es war tatsächlich sehr hübsch und machte mir viel Spaß. Die Sache ging folgendermaßen vor sich: (Nebenbei: warum soll ich im Schreiben das Schauspiel nicht ein zweites Mal genießen?) Es war da ein kleiner Platz, ziemlich abseits vom Zelt, in dem wir übernachtet hatten, nicht allseits den Winden ausgesetzt und nicht zu hoch gelegen, aber auch nicht in einer Senke, sondern gerade etwas höher als die Felder, windgeschützt und nur von lauen Lüften erfrischt. Wohlriechende, bunte Pflanzen wuchsen dort und wenn die Füße der Vogelsteller sie streiften, dann stieg ein Duft in die Nase, wohlriechender als der von Gewürzkräutern und süßer als der der Indica, so balsamisch war er. Den Boden bedeckte reicher grüner Graswuchs. Es war eine Labsal für Augen und Hand, und gern hätte man sich weich und angenehm darin betten und ausruhen können. Hierher kamen sie, alle Hände voll: Jeder trug irgend ein anderes Jagdgerät und bald waren sie eifrig am Werk. Sie steckten entlaubte Zweige in den Boden, die der Anführer vorher geschält hatte; um sie wurden Lorbeerzweige gesteckt, so daß sie von fremdem Laub umrankt waren und grünten. Man ordnete sie reihenweise an und das Ganze sah aus wie ein Küchengärtlein. Die einen staken gerade im Boden, mit dichtem Lorbeer umhüllt, die anderen waren rund gebogen, aber ebenfalls mit Lorbeer getarnt. Sie hatten auch mit Vogelleim bestrichene dünne Ruten mitgebracht, die sie versteckt an den Lorbeerstäben festmachten, ein äußerst sinnreich angeordnetes Spiel! Das Ganze befehligte der grauhaarige Alte wie ein Feldherr, in vielen Schlachten erprobt. Die Knaben brachten in geflochtenen Körben zahme Vögel herbei, Ziegenmelker waren es, Finken und Stieglitze und andere, größer als die Finken und mit lauterer Stimme – ich weiß allerdings nicht, wie sie heißen; sie brachten auch noch einen anderen sehr schönen Vogel mit, prächtig und mit melodischer Stimme; rund um den Kopf war er purpurrot, die Flügel bunt, das ganze Gefieder prächtig mit Purpur verbrämt und wie mit Sternen besät, ein goldener Vogel. Der Alte nannte diesen Vogel mit dem roten Kopf Augenstern; er rühmte die klingende Stimme des Tieres, nannte seinen Besitzer glücklicher als Kroisos und Antiochos. Diese zahmen Singvögel jagten sie nun auf Anordnung des Alten weit auseinander. Sie selbst lagerten sich an Ort und Stelle, schauten gierig in die Luft und betrachteten die Wolken. Als alle Fallen gestellt waren und die zahmen Vögel in der Luft umherschwirrten und das künstliche Dickicht, das ich beschrieben habe, umflogen, da machte sich in der Luft ein leises Schwirren bemerkbar, wie wenn Nebel fiele: eine ganze Schar kleiner Vögel kam in Sicht. Der Alte hatte dieses Geräusch als erster gehört und befahl den Jungen zu schweigen. Immer mehr wurden es, sie kamen herab wie ein Blätter- und Blütenwirbel, mehr noch als Mücken in der Luft sind und Gräser auf der Wiese. Alles war von diesem Schwirren erfüllt, und die jungen Leute beglückwünschten sich laut zu diesem Fang. Da wurde der Alte zornig, und nicht viel hätte gefehlt und er hätte die Unglücklichen verprügelt. Denn die zahmen Vögel wurden durch die lauten Rufe versprengt. Die heranfliegenden aber ließen sich auf den Leimruten nieder, aber nur ein Teil wurde gefangen, den anderen gelang es, zu entweichen, weil der Leim naß geworden war und seine Klebkraft eingebüßt hatte. Jetzt wurde der alte Kämpe wütend, warf wilde Blicke umher, schalt über die Unachtsamkeit, schlug sich wieder und wieder auf die Schenkel und preßte die Hände ineinander; er jammerte, als hätte ihn ein Gott weiß wie großes Unglück betroffen, verwünschte die Knaben, stieß die grausigsten Flüche aus, nahm Erde und Sonne zu Zeugen und rief alle Schutzgeister der Jagd an. Doch man sammelte die Gefangenen und prüfte die Beute. Die Weibchen wurden alle getötet und in eine Grube geworfen. Die Männchen sortierten sie: die einen bekamen Pardon und wurden in Käfige gesteckt, den anderen rupften sie die Federn aus, brieten sie über dem Feuer – auch ein solches war vorhanden – und verzehrten sie samt den Knöchlein. Der Lehrer aber, der Anführer der Schar war nicht zu trösten, er blieb unmutig und mürrisch und stöhnte herzzerreißend. So kann nicht einmal der Prophet Jona über seine verdorrte Kürbisstaude geklagt haben. Man richtete also nochmals Leimruten her und stellte den Vögeln ihre Fallen. Da kam aus dem Ungefähr ein riesiger Schwarm und aus war es mit dem Gejammer, denn der ganze Schwarm ging in die Falle, nicht einmal ein Bote blieb übrig, um die Kunde davon weiterzutragen. Jetzt sah ich zum ersten Mal, wie sich auch das Gesicht des Alten entwölkte und er gut gelaunt lächelte. Dabei aber tat er ganz würdig und groß. Schließlich aber war seine Großsprecherei kaum noch zu ertragen.

Die Beute wurde eingesammelt, und es war ein possierlicher Anblick: den einen hatte es am Kopf erwischt, dem anderen klebten die Flügel zusammen, bei anderen waren Bauch und Füße voll Leim. Alle hatten sie Schnabel und Kehle aufgerissen, atmeten nur noch schwer und wie aus dem letzten Loch. Feierlich ließ sich da der Alte vernehmen und gab Orakel die Fülle zum besten. Dabei zog er die Leimruten von den Vögeln herunter und reinigte sie mit den Lippen und Fingern; der Leim blieb ihm am Kinn hängen und haftete fest an den Barthaaren. Aber er tat, als ob ihn dies alles nichts anginge, achtete nicht darauf und faselte weiter ohne Ende.

Jetzt aber kam etwas ganz Vergnügliches: Ein Vogel mit großen Flügeln machte Jagd auf einen Stieglitz, er stürzte sich auf ihn, der Stieglitz aber flog unter ihm weg. Jener wollte ihn um jeden Fall greifen, dieser aber fand immer wieder einen Durchschlupf, wandte sich bald hierhin, bald dorthin. Jetzt ging der große Vogel aufs Gras nieder und jagte den Stieglitz mit allen erdenklichen Finten. Wie er so würdelos umherhuschte und sich von seiner Leidenschaft hinreißen ließ, getrieben von seiner unmäßigen Freßgier, da blieb er unversehens an den Leimruten haften. Jetzt war er aus der tätigen in die leidende Rolle geworfen; er bekam seine Beute nicht, und es war jetzt leicht, ihn zu fangen, der Wolkensegler wurde zur Beute von Knabenhänden. Und wie es dabei zuging! Ein Rufen und Schreien erhob sich und gewaltiger Lärm erfüllte die Luft; man hätte meinen können, eine Festung oder ein Mauerring sei gefallen, ein solcher Lärm war es und ein solches Gelächter stieg zum Himmel. Da hub ein edler Wettlauf an und jeder wollte den anderen überholen. Auch der Alte, der Zeremonienmeister dieses Theaters, wollte mit den Jungen mithalten: er lief und lief und dachte nicht an seine grauen Haare – hier vergaß er sich einmal! Das Vergnügen riß ihn mit und begeisterte ihn, und er konnte nicht mehr an sich halten. Aber nichts bleibt ungerächt. Justitia rächte sich an ihm. Wie er so unbedacht darauflos lief, stolperte er über einen Korb und fiel aufs Gesicht. Der Hut flog ihm in weitem Bogen wie eine Diskusscheibe vom Kopf und er landete in einem Tümpel. Seine Hände waren zerkratzt, der Mund voll Schmutz und Kot und wie mit Brei verstopft. Aber dies focht ihn nicht an; er stand auf und lief weiter. Da ging mir das erstemal auf, wie doch der Mut das Alter besiegt und die Hingabe an Hitze ersetzt, was den Jahren davon abgeht. Obwohl ihm dieses Mißgeschick passiert war und er sich alle Zähne hätte ausbrechen können, ließ er sich nicht unterkriegen. Er überholte alle jungen Leute und stieß als erster auf den Vogelmörder Habicht, wurde der erste Herold des gelungenen Fanges und dachte dabei nicht einmal mehr im Traum an seinen Hut, an den zerschundenen Mund und die zerschundenen Handflächen. Fast wäre ich vor Lachen umgekommen, wie ich ihn so sah, ohne Hut, leuchtend im Glanz seiner Glatze. Er kam mir vor wie einer jener thyrsusschwingenden alten Begleiter des Dionysos, von denen die Sage geht.

Nach einiger Zeit wurde auch der Anflug von Finken gesichtet und ich bekam eine neue Jagdart zu sehen. Es wurde ein dünner Faden gespannt, mit dem einen Ende an den lorbeerumkleideten Stäben befestigt, während das andere Ende ein Knabe in seiner Hand hielt. Wie nun die Finken, gleichsam in Myriaden, heranflogen, brachte der Bursche die Schnur leicht zum Schwingen und gemahnte damit den armen Fink ans Fliegen. Der Fink also schlug gegen seinen Willen mit den Flügeln und versuchte sich in die Lüfte zu erheben und zog damit nur noch seine Artgenossen in die Gefangenschaft. Wie ein Blütenregen ging das jetzt hernieder: die Grube wurde voll und die geflochtenen Käfige reichten nicht aus, um die Gefangenen aufzunehmen.

Unterdessen bereitete mein Gastgeber das Mahl und improvisierte einen Tisch. Alles aß und labte zugleich die Augen, denn immer noch fielen zahlreiche Vögel herab. Nur der Alte blieb ohne Speise und Trank und erquickte sich ausschließlich an den Vögeln und wie sie auf den Leim gingen.

Mir aber schien diese ganze Jagd ein hübsches Vergnügen zu sein, eine Erholung, die nicht sehr ermüdete, und ich bemerkte dies meinem Gastgeber gegenüber. Da sagte dieser: Das ist also mein Freundschaftstrunk, den ich dir zutrinke, lieblich und erquicklich. Willst du deinerseits auch mir zutrinken, dann bring zu Papier, was du gesehen hast. Dies soll dann deine Gegengabe sein und es soll den Nachtisch zu dieser Jagd bilden. Ja, so soll es sein, antwortete ich, ich will dir meinerseits zutrinken, indem ich mich ans Schreiben mache und dieses schöne Erlebnis literarisch gestalte, sobald ich dazu in der Lage bin.

So machte ich mich ans Werk, um dem Freund einen Gefallen zu erweisen und um auch mir selbst die Erinnerung an dieses Schauspiel lebendig zu erhalten.

Athens versunkene Herrlichkeit

Elegie des Bischofs Michael Choniates (12./13. Jh.).
deutsch von Gustav Soyter

Die Liebe zu Athen, dem einst gefeierten,
schrieb diese Verse, noch den Schatten huldigend
und linde Kühlung spendend meiner Sehnsucht Glut;
denn nirgendmehr ist sie zu schaun, ach nirgend mehr,
die viel besungne Stadt, so wie sie einstmals war.
Gar lange Zeit, unmeßbar unsren Sinnen fast,
hält sie verborgen tief in der Vergessenheit.
Drum muß ich bitter leiden, dem Verliebten gleich,
der nicht das wahre Antlitz der Geliebten sehn,
der sie nicht leibhaft gegenwärtig schauen darf,
und nur ihr Bild betrachtend, wie im Zwiegespräch
sich tröstet und den Brand der heißen Liebe dämpft.
So bin ich unglückselig wie Ixion einst:
Ich lieb Athen, wie jener Hera einst geliebt,
der ahnungslos ein Trugbild einst umschlang.
Was leid ich, weh! was sage ich, was schreib ich nur?
Athen bewohn ich, sehe nirgends doch Athen,
nur wüsten Staub und keine echte Seligkeit.
Wohin sind deine Heiligtümer, ärmste Stadt?
Vergangen alles und zum Märchen aufgelöst:
Gericht und Richter, Rednerbühne, Volksbeschluß,
Gesetze, Volksversammlung, rednerischer Bann,
die Sitzungen des Rats, der Feste heller Glanz,
die Führerschaft im Krieg zu Lande wie zur See,
die überreiche Muse, der Gedanken Kraft!
Vergangen ohne Spur ist aller Ruhm Athens,
kein Zeichen blieb, kein noch so dunkles ist zu sehn.

Drum mag man mir verzeihn, mir, dem das Glück versagt,
die vielbesungne Stadt Athenas selbst zu schaun,
wenn meine Feder hier ein Bild von ihr entwarf.

Lebensweisheiten

Aus Kekaumenos, „Strategikon", ed. B. Wassiliewsky et V. Jernstedt, Petropoli 1896
und G. G. Litavrin, Sovety i rasskazy Kekavmena, Moskau 1972.
Deutsche Übers. v. H.-G. Beck, Vademecum des byzantinischen Aristokraten,
2. Aufl. Graz 1964. Kekaumenos gehört in das 11. Jahrhundert

Ich möchte, daß du alle Menschen liebst, aber keinem deine Geheimnisse verrätst;
nur so bist du in Sicherheit. Sobald du aber jemand deine Geheimnisse verrätst, wirst
du sein Sklave; er wird dir sehr schaden und dich zum besten halten, und du wirst es
nicht wagen, ihm zu widersprechen. Warum aber sollst du aus freien Stücken deine
Unabhängigkeit verspielen? Du wirst vielleicht sagen: Er ist ein Ehrenmann und wird
mein Geheimnis nicht verraten. Du bedenkst dabei nicht, daß du ja selbst auch dein
Geheimnis verraten hast, indem du es einem anderen ins Ohr flüsterst. Was durch
das Ohr eingeht, wird durch die Zunge offenbar. Sage also niemand dein Geheimnis;
heißt es doch beim Propheten: Hüte dich vor deinem Bettgenossen!

Deine Söhne und Töchter sollen dich ehren; du aber behandle sie mit Hochachtung
und verachte sie nicht, auch wenn sie noch so klein sind. Wie sie es von dir lernen, so
werden sie selbst handeln. Achte dich aber auch selbst. Wer sich selbst nicht achtet,
wird auch einen anderen nicht achten. Sei nicht tollkühn! Wer Mut ohne Vernunft
zeigt, den wird hernach nur die Reue plagen. Ehre jung und alt, und du wirst von
ihnen und ihrem Schöpfer geehrt werden. Wenn du in die Kirche kommst, dann
schau dich nicht neugierig nach fremden Frauen um, sondern blicke demütig auf den
Altar.

Lies viel, und du wirst viel lernen. Verstehst du das Gelesene nicht, dann verliere
den Mut nicht. Wenn du nämlich das Buch öfter liest, dann wird Gott dir die Erkenntnis geben, und du wirst es verstehen. Wenn du etwas nicht weißt, dann frage
Leute, die es wissen, und sei nicht stolz. Gerade deswegen, weil sie nichts fragen und
nichts lernen wollen, fehlt es den Menschen an Wissen. Wenn einer spricht, dann laß
ihn ausreden. Ist sein Wissen in Ordnung, dann wird es dir Nutzen bringen; ist es
wertlos, wird es dir ebenfalls von Vorteil sein, weil du deine Kritik daran üben
kannst. Erforsche die Heilige Schrift, wie es der Herr befohlen hat, aber suche nicht
neugierig in ihr herum. Schlafe nicht und verweile nicht in einem Haus, wo du weißt,
daß eine Schlange ist, ob groß oder klein.

Achte auf jene, die dir hinterlistig ein Darlehen abjagen wollen. Viele haben auf
diese Weise ihr Auskommen verloren. Laß dir sagen, wie es kommt. Zuerst verlangt
dein künftiger Schuldner kein Darlehen von dir, vielmehr schickt er dir allerhand
Eßbares, etwa einen Hasen, oder Rebhühner oder Fische, vielleicht auch andere Sachen, z. B. aromatische Stoffe. Das macht er zwei-, dreimal und er lädt dich auch ein-
oder zweimal zu sich ein. Dabei zeigt er dir dann gelegentlich eine größere Summe
Goldmünzen, die er sich bei einem anderen geliehen hat, und sagt: Diese Summe
habe ich für dieses oder jenes Unternehmen zurückgelegt; sie wollen aber diese Prägung nicht, sondern die oder jene – (er nennt diejenige, von der er vermutet, daß du

sie hast). Ich weiß, sagt er, du hast sie. Und wenn du mich gern hast, dann gib sie mir, sonst entgeht mir das Geschäft, es handelt sich um eine sehr gewinnbringende Sache. Morgen oder am Ende der Woche bekommst du die Summe zurück und noch dazu eine hohe Provision. Vielleicht sagt er statt dessen auch: So und so viel Geld habe ich zur Hand, aber nun habe ich den Schlüssel zur Geldkassette verloren. Oder: Gestern ist ein Freund von mir gekommen und ich habe ihm so und soviele Taler geliehen. Jetzt brauche ich sie. Gib sie mir, bei mir besteht keine Gefahr, daß du dein Geld verlierst. Mit diesen Worten macht er dich weich und lullt dich ein, und dann ist er bereit, ein Darlehen von dir anzunehmen. Dazu erinnerst du dich, was er dir für Leckerbissen geschickt hat und der kostspieligen Schmausereien an seinem Tisch. Er aber, das Geld in der Hand, glaubt einen schönen Gewinn mit deinem Geld gemacht zu haben, und sagt sich: Gepriesen die Hasen und was ich ihm sonst noch geschickt habe, und gepriesen die Tafelfreuden, die mir so viel Geld eingebracht haben. Bald darauf wird er dir dann aus dem Wege gehen; du wirst ihn zwar an die Rückgabe mahnen, er aber wird dich mit netten Worten abspeisen. Dann wird er dazu übergehen, sich vor dir unsichtbar zu machen. Kommst du schon früh morgens an seine Tür, so gibt er dir gar nicht Bescheid und du ziehst beschämt von dannen. Dringst du aber unangemeldet bei ihm ein und willst ihn sprechen, dann findet er sicher einen Vorwand. Er hat Anlaß auf irgend jemand zornig zu sein oder er hat einen Trauerfall. Oder er sagt: Schämst du dich nicht, mir wegen der paar minderwertigen Taler Vorstellungen zu machen? Glaube mir, hätte ich gewußt, daß du so bist, dann hätte ich sie von dir gar nicht angenommen. Und er wird dich leer ausgehen lassen. Ein andermal wird er sich vernehmen lassen: Glaube mir: die Eßwaren, die ich dir geschickt habe, und die Einladungen, die ich dir gegeben habe, und die Wohlgerüche, die ich dir seinerzeit geschickt habe und die du abgebrannt hast, all das war sein Geld wert! Ich brauche mich vor dir nicht zu schämen. Auch das zieht er dann vom Kapital ab. Wenn du dann nur noch die Hälfte zurückhaben willst, wirst du auch sie nicht bekommen. Er wird dich schmähen und mit allen Mitteln verleumden. Doch was mache ich viele Worte? Er wird dein größter Feind werden und Wut gegen dich schnauben. So viel zu den Schuldnern, die es mit List versuchen. Andere versuchen es mit Bruderschaft und Gevatternschaft, bieten Schwiegersöhne und Schwiegertöchter an und versprechen das Blaue vom Himmel; mit aller List wollen sie dich um dein Eigentum bringen. Nimm dich in acht!

Die Türen deines Hauses sollen nach Osten gerichtet sein, damit frische Luft hereinkommt. Dein Viehbestand soll gut genährt sein, du weißt ja nicht, was noch kommt. Halte dir keine faulen Knechte. Suche häufig Umgang mit Mönchen; auch wenn es sich um ganz ungebildete Leute handelt, verachte sie nicht. Die seligen Apostel waren ja auch einfältigen Geistes und haben doch die Welt erleuchtet. Die Freien in deinem Dienst beschenke, wenn du dazu in der Lage bist. Wollen sie trotz deiner Wohltaten deinen Dienst verlassen, so halte sie nicht zurück. Dies wäre nicht recht.

Trachte danach, viel Wein anzubauen, aber trinke wenig. Der Trunkenbold kommt einmal im Monat oder im Jahr von Sinnen und sein ganzes Leben wird Finsternis. Töte nicht und erkläre dich mit keinem Mordplan einverstanden, auch wenn der Betreffende dich töten wollte. Jeder, der das Schwert zieht, so steht geschrieben, wird durch das Schwert umkommen. Suche keine Orakel von Wahrsagern. Die Ereignisse kommen, auch wenn du sie vorher nicht weißt. Handelt es sich um etwas Schlimmes, was hilft es dir dann, wenn du schon auf Vorschuß getrauert hast? Ziehe keinen Unschuldigen vor Gericht, weder in Straf- noch in Geldsachen. Doch was sage ich: einen Unschuldigen? Tue es auch mit keinem Schuldigen, nimm ihn vielmehr in deinen Schutz, es sei denn es geht gegen den Kaiser oder eine Vielzahl von anderen. Trage kein Amulett außer einem Kreuz oder einem Heiligenbild oder einer Reliquie eines Heiligen. Achte nicht auf Träume und schenke ihnen überhaupt keinen Glauben, wenn es sich auch um eine heilige Sache handelt. Handelst du so, dann bist du in Sicherheit. Schon viele sind deswegen zugrunde gegangen.

Leiste für niemand Bürgschaft. Viele, die Bürgschaft geleistet haben, sind hereingefallen. Auch wenn es sich um deinen besten Freund handelt, übernimm trotzdem keine Bürgschaft. Wenn du hast, so gib ihm, was er braucht, und du wirst die Freundschaft festigen. Leistest du aber Bürgschaft, so kostet es dich nicht nur die Summe, für welche du gebürgt hast, sondern den Freund obendrein. Noch dazu wird man dich einen Dummkopf schelten.

Eine ansehnliche Dienerschaft ist etwas Schönes; besser und wichtiger ist ein verständiger Mann, auch ohne Reichtum. Ein Weiser hat zwar gesagt: Das Lösegeld des Mannes ist sein Reichtum. Das ist gut gesagt. Ich allerdings möchte sagen: Verfolgt wegen ihres Reichtums haben viele auch schon ihr Leben eingebüßt. Ich tadle den Reichtum nicht, aber Besonnenheit ziehe ich vor.

Eine schamlose Tochter verfehlt sich nicht nur gegen sich selbst, sondern auch gegen ihre Eltern sowie gegen ihr Geschlecht. Schließe deine Töchter wie Verurteilte ein und laß niemand zu ihnen, damit du nicht wie von einer Viper gebissen wirst. Was dein Haus betrifft, so sorge zunächst für das Nötigste und dann erst für das Überflüssige. Kaufst du zuerst das Überflüssige, so wirst du es am Ende wieder verkaufen müssen, weil es dir am Notwendigen gebricht. Zum Notwendigen gehört, was für unseren Unterhalt nötig ist, zum Überflüssigen kostbare Gefäße, weiche Decken, vergoldete Betten usw. Solang du arm bist, unternimm keinen Bau, der dich nur in Schulden stürzt und nicht zu Ende gebracht werden kann, so daß du den ganzen Plan wieder aufgeben mußt. Pflanze lieber Weinberge und bearbeite den Boden, der dir seine Früchte schenkt und dich, ohne daß du Kummer hast, ernährt. Erst wenn du an allem Überfluß hast, dann baue. Geld erbaut Häuser, und über ihm steht Gott. Ein Gewerbe, das viel Geld einbringt, aber die Möglichkeit des Falles und der Gefahr in sich birgt, übe nicht aus, auch wenn du dich noch so gut darauf verstehst: dazu gehört zum Beispiel Falschmünzerei, Münzverschlechterung, Urkundenfälschung, Siegelfälschung usw.

Bete zu Gott, damit du nicht in die Hände eines Arztes fällst, auch wenn er noch so gescheit ist. Das Unrichtige verschreibt er dir auf jeden Fall. Ist deine Krankheit geringfügig, dann wird er sie vergrößern und behaupten, du brauchst teure Medikamente. Aber ich werde dich heilen, sagt er. Gibst du ihm Geld, so wird er behaupten, es reiche nicht für den Kauf der Medikamente; dann bekommt er nochmals Geld. Und weil er sich bei dir gesund machen möchte, wird er dir Speisen anraten, die dir bei deiner Krankheit nicht bekommen, und er wird damit die Krankheit erst richtig zum Ausbruch bringen. Dann wird er dich weiter kurieren und deine Schmerzen verlängern. Wenn du also nicht in die Hände der Ärzte fallen willst, dann iß dich mittags satt und sei enthaltsam beim Abendessen, dann beschwert nichts deinen Magen. Und wenn du wirklich krank bist, dann lege eine Fastenkur ein und du wirst auch ohne Arzt wieder gesund. Lege dir nie ein Pflaster auf den Leib; tust du es doch, dann hilft es vielleicht zwei oder drei Tage oder eine Woche und dann ist es wertlos. Trinke auch keine Medizin oder sonst einen Absud. Ich kenne viele, die an solchen Tränken gestorben sind; man kann sie für Selbstmörder halten. Wenn du aber etwas trinken willst, was deinem Magen hilft, dann trinke Absinth. Hast du es an der Leber, so trinke Rhabarber und sonst nichts. Laß dir einmal im Jahr zu Ader, im Februar, Mai oder September, dann ruhe dich aus und damit solls genug sein.

Deine Söhne und Töchter sollst du maßregeln, aber nicht mit dem Stock, sondern mit deinem Wort. Laß sie von keinem anderen maßregeln! Wer sein Weib zu Grabe tragen mußte, der hat die Hälfte und noch mehr seines Lebens damit verloren. Bleibt der Mann enthaltsam, so wird er groß vor Gott und den Menschen dastehen, wenn er seine Kinder richtig erzieht. Trifft ihn aber der Stachel der Unenthaltsamkeit, so wird er unter Tränen sein Haus betreten oder verlassen, angeblich aus Gram über seine Selige, und damit auch die Vernachlässigung des Hauswesens und die mangelnde Pflege der Kinder entschuldigen. In Wirklichkeit hält er sich bei Weibern auf, die sich aufs Trösten verstehen, bei den Kupplerinnen; er würdigt sie der Einladung zu Tisch und ehrt die Ehrlosen, der Elende! Er gibt ihnen, was sie brauchen und schickt mit großen Versprechungen zu ihnen für den Fall, daß sie ihm ein nettes Weib verschaffen. Diese nun verpflichten sich, die allerbeste Frau beizubringen, sind aber schon vorher von einer dafür bezahlt worden. Zu der gehen sie dann und sagen: Wir haben einen gefunden, wie du ihn dir nur wünschen kannst; genieße nun, was er besitzt. Dann kehren sie zu dem Unglücklichen zurück und rühmen sie ihm. Haben sie ihm genug in den Ohren gelegen, ihr und ihm Tag für Tag zu Gefallen gesprochen und sich von beiden Seiten bezahlen lassen, dann bekommen sie ihn schließlich so weit. Dann hat er sie also, und um die Kinder kümmert sich niemand mehr.

Byzanz und die Provokation durch die Scholastik

Aus der Apologie des Demetrios Kydones (14. Jh.), deutsch von H.-G. Beck.
Ostkirchliche Studien 1 (1952) 208–225. 264–282

Die Zahl derer, die mit Gesuchen zum Kaiser wollten, Einheimische wie Ausländer, war beträchtlich, und sie alle hatten sich kraft kaiserlicher Anordnung zunächst an mich zu wenden. Es gab unter den Bittstellern auch viele aus dem Westen, Gesandte sowohl wie Kaufleute und die sattsam bekannten Söldner, aber auch zahlreiche sogenannte Adelige waren darunter, reisende „Wandelsterne" von der Sorte jener, die alles gesehen haben müssen, was es auf der Welt Sehenswertes gibt, unter ihnen gelegentlich auch Herren großer Länder und Völker, die es angeblich vorziehen, studienhalber incognito kreuz und quer zu reisen. Ich hatte vom Kaiser den Auftrag, mich um ihre Bedürfnisse zu kümmern, damit ja nicht der Eindruck entstehe, als verachte man solche Fremdlinge. Ohne Dolmetscher konnte ich mich schwer mit ihnen verständigen, und so gab es manche Verdrießlichkeiten, weil entweder keiner zur Verfügung stand oder er die Sprache nicht genügend beherrschte oder die Feinheiten des Gesagten nicht erfaßte. So war ich genötigt, meiner Unzufriedenheit über die Dolmetscher Ausdruck zu geben. Ich fand nur ein Mittel, um diesem Ärger ein Ende zu machen, nämlich Latein zu lernen. Mit diesem Vorsatz machte ich mich auf die Suche nach einem Lehrer und kaufte mir Bücher, wie sich eben auch sonst ein Junge anstellt, der sich an ein Studium macht.

(Kydones findet einen Dominikaner, der ihn unterrichtet)

Durch den Palast ging die Schauermär: Da ist einer verrückt geworden und wagt sich an Unmögliches. Ich sei zu alt dazu, sagten die einen, nicht mehr fähig Neues aufzunehmen wie ein Kind; auch der Kaiser werde es nicht gestatten, daß ich meine Arbeitskraft in den Dienst einer anderen Sache stelle als die staatliche, für die ich beamtet worden sei. Ich aber hielt an meinem Entschluß fest. Schon nach kurzem konnte ich fehlerfrei lesen und verstand auch den Inhalt, außer bei ganz wenigen Ausdrücken, die auch bei den Dichtern und Rednern nur selten vorkommen

(Kydones liest und übersetzt die Summa contra Gentiles von Thomas von Aquin)

Ich hatte vom Lotos gegessen und konnte nicht mehr zurück. Ich sog mich voll mit der Sprache Latiums, und wo irgend jemand ein in lateinischer Sprache abgefaßtes Schriftwerk besaß, brachte er es mir bereitwillig, nicht nur meine Landsleute, sondern sogar Lateiner. Für letztere wurde mein Haus zum täglich überfüllten Stelldichein, besonders für die Ordensgenossen des Thomas (sc. die Dominikaner), und da wieder besonders für jene, die wie er Magistri der Theologie waren. Mit der Sprache brachte ich auch den Inhalt meinen Lesern zur Kenntnis. Diese Tätigkeit fand bei den einen Lob und dankbare Anerkennung, andere aber hielten es für angebracht, mich zu kritisieren, und sie erklärten, meine Arbeit verfolge geradewegs das Ziel, die Griechen herabzusetzen „Die Werke der Lateiner den unsrigen entgegensetzen und die jungen Leute und wer sonst sein Wissen bereichern will, auf sie hinweisen, ja darüber hinaus in langen Gesprächen das Neue auch noch anpreisen, verrät einen, der das Althergebrachte um jeden Preis in Verruf bringen will. Von da ist es nur noch ein Schritt zur Behauptung, alles Unsrige sei schal und verächtlich und man müsse sich ans Fremde halten, wenn man wissenschaftlich ernst genommen werden wolle." Diese Schmähungen ertönten nicht nur in privaten Kreisen, sondern machten auch öffentlich die Runde. Man wußte ein langes und breites darüber, daß ich damit hinterhältig gegen die Staatsreligion ankämpfe und eine Revolution vorbereite.

So ging die Rede, und vielleicht ging sie nicht einmal ganz am Kern vorbei, nur daß sie von Absicht sprachen, wo ich nicht einmal daran dachte. Aber wie die Dinge einmal lagen, mußte es wohl notwendig so kommen. Denn bisher hatten meine Landsleute an der alten Unterscheidung festgehalten und die gesamte Menschheit in zwei Gruppen geteilt, in Griechen und Barbaren, und dabei ihre törichte und unvernünftige Ansicht festgehalten, daß letztere nicht viel besser seien als Esel und Rinder. Zu diesen zählten sie auch die Lateiner, denen sie nichts Menschenwürdiges zutrauten. Für sich selbst beanspruchten sie Platon und seine Schüler und die ganze griechische Weisheit, den Lateinern aber überließen sie das Waffenhandwerk und einige zweifelhafte Handelsgeschäfte und Schankbetriebe. Die lange Trennung hatte eine tiefe Entfremdung zwischen beiden Völkern hervorgerufen.

(Die theologischen Kontroversen bleiben nicht aus, und Kydones erkundigt sich, was man eigentlich gegen die lateinischen Lehren einzuwenden habe)

Da brachte der eine dies, der andere jenes vor. Der eine sprach mit Begeisterung von den Befestigungsmauern Konstantinopels, die bedeutend besser seien als die Roms, schwärmte von Zahl und Schönheit der byzantinischen Kirchen, erklärte den Hafen der Stadt für den sichersten der ganzen Welt, und zählte die Schiffe auf, die ihn von allen Teilen der Welt her anliefen. Auch von der Lage der Stadt war die

Rede: auf dem schönsten Punkt der Erde erhebe sie sich und bilde gleichsam das
Auge der Welt. Kurz: er verbreitete sich lang und eingehend über die Vorzüge der
Stadt, ihr gegenüber stehe Alt-Rom in allem zurück und verdiene keine Beachtung, ja
nicht einmal den Namen Rom, denn es sei verfallen und altersschwach. Neu-Rom
(Konstantinopel) aber sei die Lehrerin in der Theologie, bestätigt durch den in ihr
residierenden Kaiser und die vier Patriarchen, denen zu widersprechen offener Aufruhr gegen Gott und die Wahrheit bedeute. „Wer bist du denn, daß du zänkisch
wieder ins Kampffeld zerrst, worüber man jetzt schon so lange Jahre geschwiegen
hat, daß du die lange Zeit nicht scheust, die es vergessen ließ, wenn manches bei uns
nicht das Siegel der Wahrheit tragen sollte"? „Freunde, erwiederte ich ihnen, es ist
nicht mehr als recht, daß euch Stadt und Ahnen dankbar sind für eure Reden. Der
eigentliche Zweck unserer Unterhaltung aber ist um nichts gefördert, denn daraus
folgt keine Widerlegung dessen, was die Lateiner behaupten . . .
   Bei uns kümmert sich der Patriarch herzlich wenig um seine Herde. Seine ganze
Sorge geht darauf, wie er es anstellen soll, dem Kaiser zu gefallen; er weiß ja, daß er
es dessen Entschluß verdankt, die Kirche führen zu dürfen, und daß er, wenn der
Kaiser zürnt, sofort stürzt. So sieht er sich gezwungen, sich vor dem Kaiser wie ein
Sklave zu benehmen, wenn er seine Scheinherrschaft auch nur einige Zeit genießen
will. Und was soll man von den unglückseligen auswärtigen Verhältnissen sagen?.
Unsere Herren sind die Ungläubigen; sie stecken alle Ehren und Einkünfte in ihre
Tasche. Wir aber sind die verschwindende Minderheit und nicht einmal nebenbei
rechnet man noch mit uns. Unser Leben gehört nicht mehr uns, sondern ausschließlich unseren Tyrannen. Wie durch einen Abzugskanal geht tagtäglich immer wieder
ein Stück an die Gottlosen über. Was ist es also noch Großartiges mit unserem Reich,
wenn diejenigen, über welche wir zum Schein noch herrschen, statt unser in Wirklichkeit den anderen dienen? Und wenn gar noch jemand zu uns hält, ist er gewiß ein
armer Schlucker, hilflos und dumm dazu, gerade gut genug, Ziegen zu weiden. Unsere Stadt aber ist die Metropole des Unglücks und Leids, statt Metropole untertäniger
Städte zu sein. Müssen sich nicht unsere Kaiser vor den Barbaren wie Sklaven benehmen, und sind sie nicht gezwungen, ihr Leben nach deren Willkür einzurichten? Uns
bleibt nur die Klage, und der Wunsch, es möchte unseren Feinden, denen wir dieses
Mißgeschick verdanken, nicht besser ergehen.
   Wir behaupten, unsere (theologische) Position entspreche umso mehr der Wahrheit, je mehr die Jahre, die darüber verstrichen sind, sie bestätigt haben. Aber, bei
Gott, ist denn bei den Italienern die Sonne nicht eben so oft auf und untergegangen?
Man soll nicht meinen, unsere Vorfahren hätten alles gewußt; so manches haben sie
eben nicht gewußt . . .
   Sie konnten mich teilweise gar nicht anhören; es war, als bäumten sie sich wütend
auf wie unter Peitschenhieben. Teilweise schmähten sie hemmungslos über die Lateiner und schrien, auch ich müßte öffentlich vom Römischen Staat bestraft werden, da
ich die allgemeine Überzeugung aus den Angeln zu heben trachte, die doch so lange
Jahre unerschüttert stand. Und wieder ging es los mit der Größe der Stadt und ihres
Kaisertums, mit ihrer Priesterschaft und den vier Patriarchen. Es war das alte Lied,
und sie bewiesen damit, daß alles, was ich vorher dagegen eingewandt hatte, in den
Wind gesprochen war. Die Gemäßigteren lobten zwar, was ich vorbrachte, und gaben zu, daß es auch ihnen einleuchte, aber ich glaube, sie schämten sich nur, eine
evidente Wahrheit zu leugnen; der Ärger darüber stand ihnen im Gesicht geschrieben.

Sie behaupteten, es geben noch andere Argumente und noch andere Männer . . . Immer wieder ließen sie in ihren Reden durchklingen: Die Lateiner sind Sophisten, sie greifen uns mit Sophismen an, und wenn man ihre Sophismen auflöst, bleibt nichts als Blasphemie und Lächerlichkeit. Wir aber halten uns an die Torheit der evangelischen Botschaft und an die Fischer (die Apostel).

(Kydones konferiert mit dem Theologen Neilos Kabasilas)
Schließlich gab er mir den Rat, mich nicht weiter mit Dummköpfen in Dispute einzulassen und die herkömmliche Auffassung durch Schweigen zu ehren. Er prophezeite mir als Lohn für dieses ruhige Verhalten vorzügliche Ehren seitens der Mitbürger und die Freiheit von all den Befürchtungen und Unannehmlichkeiten, die mit solchen Disputen verbunden sind. „Du siehst ja selbst, daß es eine unsichere Sache ist, gegen Kaiser, Patriarch und Volk zu streiten".

Mein Vaterland ist stolz und erträgt es nicht, wenn einer seiner Bürger seinen Ansichten zu widersprechen wagt. Es verlangt nicht nur, daß man dafür die Waffen einsetzt, sondern auch Wahrheit und Seelenheil. Und da ich sein Bürger bin, will es mich zwingen, gleicher Meinung mit ihm zu sein, ohne daß es imstande wäre, zuerst einmal die Richtigkeit dieser Ansichten zu beweisen, und ohne daß es mich in Ruhe schweigen und alles Gott anvertrauen ließe. Lasse ich mich nicht herbei, mit meinem Lob auch noch die Frösche zu übertönen, dann bin ich ein Verräter.

Der „heilige Narr"

Aus dem Leben des Symeon Salos von Leontios von Neapolis (7I. Jh.)
Deutsch in Auswahl bei H. Lietzmann, Byzantinische Legenden, Jena 1911

Eines schönen Tages sagte sein späterer Biograph Johannes zum Narren Symeon: Wollen wir nicht baden, Narr? Jawohl, erwiederte er, komm nur, komm! Sprachs und zog sogleich alle Kleider aus und band sie sich wie einen Turban auf den Kopf. Zieh dich doch an, sagte Johannes, wenn du so nackt herumläufst, komme ich nicht mit. Symeon aber sagte: Geh mir doch mit deinem schlechten Geschmack! Ausziehen muß ich mich ja doch einmal. So ließ er ihn stehen und ging voraus. Es gab aber nebeneinander zwei Bäder, eines für Frauen und eines für Männer. Der Narr ging am Männerbad vorbei und eilte absichtlich zum Frauenbad. Wieder rief ihm Johannes nach: Wohin denn, Narr? Warte doch, das ist das Frauenbad! Da wandte sich der Mann Gottes um und sagte: Rede keinen Unsinn; das Bad dort ist naß und warm und das Bad hier ist naß und warm. Weiteres gibt es weder hier noch dort! Und straks begab er sich mitten unter die Frauen. Die machten sich freilich über ihn her, verprügelten ihn und jagten ihn hinaus.

Einmal saß der Narr mit Brüdern zusammen und wärmte sich am Ofen einer Glasschmelze. Der Glasschmelzer aber war ein Jude. Da sagte er zu den Leuten scherzend: Wenn ihr wollt, verschaffe ich euch einen Spaß. Schaut, ich mache das Kreuzzeichen über diesen Becher da, den unser Meister fabriziert hat, und er geht in Stücke. Als er der Reihe nach wenigstens sieben Stück zerbrochen hatte, da fingen die Armen zu lachen an und riefen ihm zu: Wie stellst du das nur an? Der Jude aber schlug mit dem glühenden Schürhaken nach ihm und jagte ihn hinaus. Im Gehen noch rief ihm Symeon zu: Bei Gott, du Bastard, so lange du nicht das Kreuz auf deine Stirn zeichnest, zerbrechen dir auch noch alle übrigen. Es gingen noch dreizehn Becher der Reihe nach in Stücke, bis es der Jude über sich brachte, das Kreuzzeichen auf die Stirn zu machen. Da zerbrach nichts mehr. Jetzt ging er hin und ließ sich taufen.

Am nächsten Tag war Sonntag. Da nahm er Nüsse und ging in die Kirche, und als der Gottesdienst begann, warf er mit Nüssen und blies die Kerzen aus. Und als sie kamen und ihn hinausjagten, da kletterte er auf die Kanzel und warf von dort mit Nüssen nach den Frauen, die auf den Emporen waren. Mit großer Mühe schafften sie ihn hinaus: dabei warf er die Tische der Kuchenbäcker vor der Kirche um, so daß auch sie ihn fast zu Tode prügelten. Als er sich so zerschunden sah, sprach er zu sich: Armer Symeon, wahrlich, in dieser Leute Händen wirst du nicht eine Stunde leben.

Einst diente er als Aufwärter in einer Kneipe und bekam dafür sein Essen; der Wirt aber war hartherzig und gab ihm häufig nicht einmal sein Essen, obwohl er viel durch ihn verdiente, denn die Bürger sagten zueinander, als ob er ein Wunderding wäre: Kommt, laßt uns ein Glas trinken, wo der Narr ist! Eines Tages nun kroch eine Schlange herein, trank aus einer der Weinflaschen, spie ihr Gift hinein und kroch davon. Symeon war nicht drinnen, sondern tanzte draußen mit den Leuten. Als er hineinkam, erblickte er auf der Flasche unsichtbar das Wort Tod geschrieben. Sofort merkte er, was geschehen war, nahm einen Knüppel und schlug die volle Flasche entzwei. Der Wirt aber riß ihm den Knüppel aus der Hand, gab ihm damit so viel, daß ihm die Sinne schwanden und jagte ihn davon. Am nächsten Morgen kam der Abbas Symeon und versteckte sich hinter der Tür. Und siehe da, die Schlange kam wiederum zum trinken, und als der Wirt sie sah, griff er nach dem selben Knüppel, um sie tot zu schlagen, traf aber daneben und schlug alle Flaschen und Gläser entzwei. Da sprang der Narr hervor und rief: Wie nun, du Narr? Du siehst jetzt, ich bin nicht allein ungeschickt. Da merkte der Wirt, aus welchem Grunde er die Flasche zerschlagen hatte, erbaute sich und hielt ihn als Heiligen.

Aber der fromme Mann wollte seine Erbauung zunichte machen, damit er ihn nicht etwa rühme. Als eines Abends die Frau allein schlief und der Wirt Wein ausschenkte, da stieg der Abbas Symeon zu ihr hinauf und tat so, als wolle er sich ausziehen. Sie schrie laut und als ihr Mann kam, sagte sie: Wirf den dreimal verfluchten Kerl hinaus! Er hat mich vergewaltigen wollen. Da prügelte ihn der mit seinen Fäusten durch und warf ihn aus dem Laden auf das Eis, denn es war kalter Winter und Glatteis. Seit der Zeit hielt ihn der Wirt nicht nur für verrückt, sondern wenn er einen andern sagen hörte, der Abbas stelle sich nur so, dann sagte er sofort: Nein, der ist reinweg besessen, der Mensch täuscht mich nicht, denn er hat meine Frau vergewaltigen wollen, und das Fleisch schlingt er hinunter wie einer, der keinen Gott hat. Denn der Gerechte aß oft Fleisch, wenn er die ganze Woche nicht einmal Brot gegessen hatte, und sein Fasten bemerkte niemand, das Fleisch aber verschlang er vor allen, um sie zu täuschen.

Die Wüste lebt

Aus Joannes Moschos (6./7. Jh.) „Geistliche Wiese",
deutsch bei H. Lietzmann, Byzantinische Legenden, Jena 1911

Als der heilige Hagiodulos Abt im Kloster des seligen Gerasimos war, starb plötzlich einer der dortigen Brüder, und der Alte wußte nichts davon. Als nun der diensttuende

Bruder mit dem Schall des Holzes alle Brüder zusammenrief, um dem Toten das Geleit zu geben, da kam der Greis und sah den Leichnam des Bruders in der Kirche liegen. Da wurde er betrübt, weil er ihn nicht hatte küssen können, ehe er aus dem Leben schied. Und er trat an das Lager und sprach zu dem Toten: Steh auf, Bruder, und gib mir einen Kuß! Da stand der Tote auf und küßte den Alten. Da sprach der Greis: Und nun schlaf weiter, bis Gottes Sohn kommt und dich auferweckt!

Einst war ein Bruder im Kloster von Chuziba, der hatte das Opfergebet der heiligen Messe auswendig gelernt. Als er eines Tages ausgeschickt wurde, um Brote für die Messe zu holen, da sang er auf dem Heimweg an Stelle eines Psalmes das Opfergebet vor sich hin. Die Diakone legten nun die Brote auf den Teller und stellten ihn auf den Altar, und der Abbas Johannes, der damals Presbyter war und später Bischof von Caesarea in Palästina wurde, las die Messe. Als er aber zu den Worten gekommen war: Sende, Herr, deinen Heiligen Geist auf uns und diese heiligen Gaben! da sah er nicht, wie er es sonst gewohnt war, das Herabkommen des Heiligen Geistes. Da wurde er traurig und meinte, er habe etwa eine Sünde begangen, und deshalb sei der Heilige Geist fern geblieben. Weinend ging er in die Sakristei und warf sich auf sein Antlitz nieder. Da erschien ihm der Engel des Herrn und sprach: Jener Bruder hat auf dem Wege, als er die Brote brachte, bereits das heilige Gebet gesprochen, und seitdem sind sie geheiligt und bereits vollendet. Daher gab der Alte den Befehl, es solle keiner das heilige Opfergebet auswendig lernen, der nicht geweiht sei, noch es zu beliebiger Zeit sprechen, sondern nur an geweihtem Orte.

Wohl eine Meile vom heiligen Jordanfluß liegt ein Kloster, das von dem heiligen Abt Gerasimos seinen Namen hat. Dorthin kam ich einst, und da vernahm ich von den Vätern, die dort hausen, folgende Geschichte: Eines Tages wandelte der Abbas Gerasimos an den Ufern des heiligen Jordan, da begegnete ihm ein Löwe; der brüllte laut vor Schmerz an seinem Fuße, denn er hatte sich einen Rohrsplitter eingetreten, und davon war der Fuß geschwollen und voll Eiter. Da nun der Löwe den Alten sah, ging er zu ihm und zeigte winselnd den bösen Fuß mit dem Splitter und bat ihn um Hilfe. Als der Alte ihn in dieser Not sah, hockte er nieder, ergriff den Fuß, schnitt ihn auf, drückte den Splitter samt dem Eiter aus, wusch die Wunde rein und verband den Fuß mit Linnen; dann ließ er den Löwen laufen. Der aber verließ den Alten nicht mehr, sondern folgte ihm wie ein treuer Schüler, wohin er immer ging, so daß der Alte sich höchstlich wunderte ob dieser Dankbarkeit des Tieres. Er behielt ihn von nun an bei sich und fütterte ihn mit Brot und gequellten Bohnen.

Das Kloster aber hatte einen Esel zum Wasserholen für die Mönche, denn sie trinken das Wasser des heiligen Jordan, und der ist vom Kloster eine Meile entfernt. An dessen Ufer schickten nun die Mönche alle Tage den Esel unter der Obhut des Löwen auf die Weide. Doch einmal hatte sich der Esel beim Weiden ein gut Stück von seinem Löwen entfernt. Da zogen Kameltreiber aus Arabien vorbei; die fanden den Esel, nahmen ihn und führten ihn mit sich nachhause. Der Löwe aber kam ohne den Esel zurück ins Kloster zum Abbas Gerasimos, ganz traurig und gesenkten Hauptes. Da meinte der Abbas, er habe den Esel gefressen, und sagte zu ihm: Wo ist der Esel? Er aber stand da, ganz wie ein Mensch, sagte nichts und sah auf den Boden. Sagte der Alte: Du hast ihn gefressen! Nun – Gott sei gepriesen! – die Arbeit, die der Esel tat, sollst von nun an du tun! Und fortan mußte der Löwe auf des Alten Geheiß den Lastsattel mit vier Fässern schleppen und Wasser holen.

Eines Tages kam ein Soldat zum Alten, um sein Gebet zu verrichten; der sah den Löwen Wasser tragen und als er hörte, warum, da dauerte ihn das Tier. Er zog drei Goldstücke aus der Tasche und gab sie den Mönchen, damit sie einen Esel zum Wassertragen kauften und den Löwen freiließen. Und das geschah. Als nun einige Zeit verstrichen war, da zog jener Kameltreiber, der den Esel mitgenommen hatte, wieder nach Jerusalem, um Getreide zu verkaufen, und hatte den Esel bei sich. Aber beim Übergang über den Jordan begegnete er dem Löwen, und wie er ihn sah, ließ er seine Kamele in Stich und ergriff die Flucht. Doch der Löwe erkannte seinen Esel, lief hin und faßte, wie er es gewohnt war, mit den Zähnen das Halfterband, und nahm ihn samt den drei Kamelen mit. Da sah der Alte, daß er ihm Unrecht getan. Und der Löwe ward von nun an Jordanes genannt und blieb beim Alten im Kloster fünf Jahre lang und war allewege unzertrennlich von ihm.

Als aber der Abbas Gerasimos zum Herrn dahinging und von den Vätern begraben wurde, da war durch Gottes Fügung der Löwe nicht im Kloster. Und als er bald danach heimkam, suchte er den Alten. Der Abbas Sabbatios, ein Schüler des Alten, erblickte den Löwen und sagte zu ihm: Jordanes, unser Alter hat uns als Waisen zurückgelassen und ist zum Herrn dahingegangen. Aber komm nur und nimm dein Futter! Doch der Löwe wollte nicht fressen und ließ seine Augen hierhin und dorthin gehen, ob er seinen Alten nicht sähe, und brüllte laut, da er ihn nicht fand. Der Abt Sabbatios aber und die anderen Väter streichelten ihm den Rücken und sagten: Der Alte ist zum Herrn gegangen und hat uns verlassen. Aber sie stillten sein Brüllen und Heulen nicht. Wenn sie meinten, ihn durch Zureden zu trösten, brüllte er nur um so lauter und mehrte unaufhörlich seine Klage mit Stimme, Mienen und Augen, weil er den Alten nicht sah. Da sagte der Abbas Sabbatios: Komm mit mir, wenn du uns nicht glaubst! Und er führte ihn dorthin, wo sie ihn begraben hatten, das war eine halbe Meile von der Kirche. Und Abbas Sabbatios trat auf das Grab und sagte zum Löwen: Sieh, hier liegt unser Alter! und beugte sein Knie. Als ihn so der Löwe knien sah, da stieß auch er sein Haupt hart auf die Erde, und alsbald starb er auf dem Grabe des Alten.

Der Abbas Daniel der Ägypter stieg einmal nach Terenuthis herauf, um die Arbeit seiner Hände zu verkaufen. Da trat ein junger Mann zu ihm heran und bat ihn: Um Gottes willen, Ehrwürdiger, komm in mein Haus und tu ein Gebet über meine Frau, denn sie ist unfruchtbar. Und da der Mann nicht abließ, so ging er mit ihm in sein Haus und tat ein Gebet für sein Weib. Durch Gottes Willen wurde sie nun schwanger. Aber einige Leute, die keine Gottesfurcht kannten, huben an den Alten zu verleumden und sagten: Der junge Mann ist tatsächlich unfruchtbar, die Frau hat das Kind vom Abbas. Das kam dem Alten zu Ohren und er ließ dem Manne des Weibes sagen: Wenn dein Weib gebiert, teile mir es mit. Und als das Kind geboren war, bestellte der junge Mann: Durch Gottes Hilfe und deine Gebete, Vater, hat sie geboren. Da kam der Abbas zu ihm und sagte: Nun richte ein Mahl und lade deine Verwandten und Freunde ein. Und bei Tisch nahm der Alte das Kind in seine Hände und fragte es vor allen: Wer ist dein Vater? Da sagte der Knabe: Der da! und zeigte mit dem Finger auf den jungen Mann. Das Kind aber war zweiundzwanzig Tage alt. Und alle priesen Gott, der die Wahrheit schirmt bei solchen, die ihn von ganzem Herzen suchen.

Ein großer Asket wohnte einst vor der Stadt Antinoë und hauste an die siebenzig Jahre in seiner Zelle. Er hatte zehn Schüler, von denen einer nicht auf seine Seele achtete. Oft warnte ihn der Alte und sagte zu ihm: Bruder, denk an deine Seele! Du wirst sterben und zur Hölle fahren! Der Bruder aber hörte nicht auf seine Worte, und es begab sich, daß er nach einiger Zeit starb. Der Alte härmte sich aber gar sehr um ihn, weil er so bösen Sinnes und unbußfertig aus der Welt gegangen. Und er hub an und betete: Herr Jesu Christ, unser wahrer Gott, offenbare mir, wie es um dieses Bruders Seele steht! Da wurde er entrückt und schaute einen Feuerstrom und eine große Schar in diesem Feuer, und mittendrin den Bruder, bis zum Halse eingetaucht. Da sprach der Alte zu ihm: Habe ich dich nicht auf diese Strafe hingewiesen und dich ermahnt, für deine Seele zu sorgen, Kind? Da antwortete der Bruder dem Alten: Ich danke Gott, Vater, daß wenigstens mein Kopf von Qual befreit ist; deinem Gebete verdanke ich es, daß ich auf eines Bischofs Kopf stehen darf.

Mönche jeder Art

Aus Presbyter Kozma, Gegen die Bogomilen.
Franz. v. H.-Ch. Puech und A. Vaillant, Paris 1945

Es gibt auch andere Mönche: sie wollen nach ihrem eigenen Gutdünken leben, sie verlassen ihre Klöster ohne triftigen Grund und errichten neue aus eigener Anmaßung, wo sie ihr ganz persönliches Betragen zur Klosterregel erheben. Damit wollen sie sich in der Welt einen Namen machen und es gelingt ihnen auch. Materiell werden sie reich, aber ihre Seelen verarmen. Sie nehmen ihre alten Liebhabereien wieder auf und kehren zurück „wie die Schweine zu ihrem Auswurf", wie geschrieben steht. Sie prahlen mit ihren schönen Gewändern und sind stolz auf ihre berittene Begleitung. Wem, der Vernunft hat, kommen nicht die Tränen, wenn er sie so handeln sieht? Weit entfernt, über ihr Verhalten Reue zu empfinden, sind sie uns böse, daß wir sie schriftlich kritisieren, obwohl wir uns diese Kritik nicht aus den Fingern saugen. Wer kann schon aufzählen, was sie den Schwächeren alles antun? Und wenn sie die Gesetze und Regeln des mönchischen Lebens lesen, dann richten sie sich alle möglichen Vorwände und Ausreden zurecht, die gegen diese Regeln sind. Sie machen sich anheischig, ihre eigene Rechtsordnung an die Stelle der Gerechtigkeit Gottes zu setzen. Wehe über sie; wie der Prophet sagt: Wehe jenen, die weise sind in ihren eigenen Augen und klug nach ihrer eigenen Meinung!

Als sie noch Priester in der Welt waren, war ihr Leben angefüllt mit Schlechtigkeit. Aber sie sagten: Wenn wir einmal Mönche sind, werden wir diese Fehler bereuen. Aber nachdem sie dann dieses glorreiche „Gewand der Engel" angezogen haben, bleiben sie bei ihren alten Gewohnheiten und verhalten sich wie eh und je. Für sie gilt das Wort der Schrift: Es wäre besser gewesen, sie hätten die Wahrheit nicht erkannt, statt daß sie sie erkannt haben und sich vom heiligen Gebot, das für sie überliefert wurde, entfernen. Sie sind schuld daran, daß man selbst gute Mönche verachtet, welche die Regeln befolgen. Man kann die Festlichkeiten und die Vergnügungen, die sie feiern, gar nicht aufzählen. Ihr Tisch strotzt von allen möglichen Gerichten, ganz wie bei den Reichen, die in der Welt leben. Die Unordnung dominiert, unpassende Gespräche in Menge, während die Liebe zum Nächsten bei ihnen nichts gilt. Kaum haben sie mit ihren Streitgesprächen aufgehört, geht es ans Trinken; sie versöhnen sich im Wein und nicht in Gott.

Es gibt dann noch andere, die sich als Reklusen ausgeben, aber nur um nach eigenem Belieben leben zu können. Da sitzen sie, wohlgenährt wie Schweine, und sie verbleiben in ihrer Klause, um sich mit den Speisen beschenken zu lassen, die man ihnen bringt. Das ist der Grund, warum sie dem regulären Leben im Kloster entflohen sind. Sie wollen keine Mühen auf sich nehmen, sich keinem Abt unterwerfen und konnten keinen Tag in Frieden mit den anderen Mönchen leben. Da es ihnen um die Ehre auf dieser Welt geht, unterrichten sie Frauen und werfen sich für sie zum Gesetz auf. Sie binden und lösen in der Beicht, diese Toren, die es doch bitter nötig hätten, von anderen gelöst zu werden. Was aber Gott am meisten verabscheut, was ihm das Verhaßteste ist, das ist der Stolz, von dem sie beherrscht werden: sie halten sich für große Heilige und glauben, daß die übrige Menschheit unter ihnen steht, nur sie gefielen Gott. Von ihren Zellen aus leiten sie die Häuser der anderen, sie regeln Kauf und Verkauf, den Erwerb von Land und Eigentum. Aber sie verfügen noch über andere Torheiten: nach überall schicken sie Unterweisungen und Briefe, damit sie bekannt werden bis über die Landesgrenzen hinaus.

Was ich da schreibe, zielt auf schlechte Mönche, welche sich nicht an die Regeln halten, in allen Städten herumschweifen und die Lehre des Apostels Paulus vergessen. In unwürdiger Weise verbringen sie ihre Tage in Trägheit und essen das Brot anderer.

Aber ich kenne auch andere Väter, welche die Bezeichnung Mönch wirklich verdienen. Ihr Aussehen allein schon verrät, daß sie Engel Gottes sind, und was sie sagen, heiligt die Seelen. Sie leben sozusagen in himmlischen Höhen, ähnlich den Engeln, und verherrlichen Gott ohne Unterlaß. Ihre Sorge dreht sich nicht darum, wie sie Güter anhäufen können, sie paradieren nicht in glänzenden Gewändern, vielmehr kochen sie sozusagen im Feuer der Gehenna, als sähen sie den Herrn schon vom Himmel zum Gericht kommen. Wer kennt ihre Tränen, wer ihre freiwilligen Martern? Andere von ihnen irren in den Bergen und in den Höhlen der Erde herum, fern von allen Gütern der Erde, andere wohnen zu zweien oder dreien zusammen – eine einzige Seele und Christus mitten unter ihnen. Ist einer genötigt in die Stadt zu gehen oder auf den Markt, so verrichtet er seine Geschäfte bedeckten Gesichts und gesenkten Blicks – nicht daß sie vor den Frauen einen Horror hätten, wie die Häretiker, sondern weil sie sich in ihrer großen Demut nicht für würdig halten, den Menschen ins Auge zu schauen. Passiert es, daß sie einer doch erkennt, so fliehen sie Ehrungen vonseiten der Menschen wie das Feuer.

Spitalordnung

Aus dem „Typikon" des Kaisers Joannes II. Komnenos für das dem Pantokratorkloster in Konstantinopel angegliederte Krankenhaus. Text bei A. Dmitrievskij, Τυπικά Kiev 1895, S. 556–702

Meine kaiserliche Majestät hat auch die Gründung eines Spitals beschlossen, das 50 bettlägerige Kranke aufnehmen kann. Ich bestimme also: Es sollen 50 bequeme Krankenbetten vorhanden sein; zehn von diesen 50 Betten seien für Kranke mit offenen Wunden oder Brüchen, weitere acht für solche mit Augenkrankheiten oder Unterleibsleiden oder sonstigen besonders schweren Krankheiten, zwölf Betten seien für kranke Frauen, der Rest für die gewöhnlichen Kranken. Sind die Abteilungen für Wund- und Augenkranke und sonstige besonders schmerzhafte Leiden nicht voll besetzt, so soll der freie Platz mit anderen Kranken gewöhnlicher Art belegt werden. Jedes Bett soll eine Matratze, eine Decke und ein Kopfkissen haben, dazu im Winter zwei Überdecken.

Die fünfzig Betten gliedern sich in fünf Abteilungen. In jeder Abteilung soll auch ein Ersatzbett stehen, worein man im Notfall einen Kranken in einem akuten Fall legen kann, wenn alle übrigen Betten schon belegt sind, so daß für ihn kein Platz mehr wäre. Außer diesen Ersatzbetten sollen noch weitere sechs Betten zur Verfügung stehen mit einer Öffnung in der Matratze für diejenigen Kranken, die sich überhaupt nicht bewegen können, sei es, weil ihre Krankheit so schmerzhaft ist, oder weil sie ganz von Kräften gekommen sind oder sich wundgelegen haben. Für die ärmeren Kranken und für solche, welche von besonders schrecklichen Leiden befallen sind, sollen ständig an die 15 bis 20 Hemden und Wäschestücke vorhanden sein, womit sie beim Eintritt ins Spital bekleidet werden, damit ihre eigenen Hemden gewaschen und aufbewahrt werden können, wenn sie nach ihrer Genesung das Spital wieder verlassen. Jährlich muß an Bett- und Leibwäsche alles, was nicht mehr tauglich ist, ausgeschieden werden, müssen die Kissen aufgetrennt und die Füllungen erneuert werden; die zerrissenen Stoffe werden ersetzt. Dann werden sie wieder zugenäht, so daß es die Kranken wirklich bequem haben. Die ausgeschiedene alte Bett- und Leibwäsche bleibt, soweit sie für die Kranken noch irgendwie verwendbar ist, in der Obhut des Spitalverwalters, der Rest wird an die Armen verteilt.

Nachdem also die 50 Betten zu fünf Abteilungen gehören, sollen bei jeder Abteilung zwei Ärzte Dienst tun, dazu drei Hauptpfleger, zwei Hilfspfleger und zwei Diener. Vom Pflegepersonal sollen jede Nacht vier Pfleger und eine Pflegerin bei den Kranken bleiben, d. h. für jede Abteilung eine Person. Sie bilden die Nachtwache.

In der Frauenabteilung sollen zwei Ärzte und außerdem eine Ärztin Dienst tun, ferner vier Hauptpflegerinnen und zwei Hilfspflegerinnen sowie zwei Mägde. Von den Ärzten der verschiedenen Abteilungen heißen die ersten beiden Protomeniten.

Außer den Abteilungsärzten sollen auch noch zwei Primikerioi (Verwaltungsbeamte), ein Lehrer der Medizin, zwei Rechnungsführer und für das Ambulatorium weitere vier Ärzte – zwei Internisten und zwei Chirurgen – dasein. Die zwei Chirurgen sollen auch in der Frauenabteilung Dienst tun, wenn dort ein chirurgischer Fall auftritt. Den vier Ärzten für das Ambulatorium stehen vier Hauptpfleger und weitere vier Hilfspfleger zur Verfügung, von denen zwei abwechslungsweise je einen Monat auch im Kloster Dienst machen müssen. Die ganze Ärzteschaft zerfällt in zwei Gruppen: die eine Hälfte hat den einen Monat Dienst, die andere den nächsten. Ebenso ist es bei den zwei Primikerioi.

Die Ärzte machen im Spital regelmäßig jeden Tag Visite. Von Anfang Mai bis zum Kreuzfest (14. September) machen sie auch am Abend Visite. Nach dem üblichen Psalmengebet untersuchen sie die Kranken mit aller Sorgfalt, ergründen das Leiden eines jeden eingehend und genau und verschreiben jedem die zuträglichen Medikamente und geben die zweckdienlichen Anordnungen. Sie müssen allen die größte Sorgfalt angedeihen lassen, da sie darüber einst vor dem Allmächtigen Rechenschaft abzulegen haben.

Auch von den Primikerioi besucht jeder für sich abwechslungsweise einen Monat lang alle Tage die Betten und frägt jeden einzelnen Kranken, wie er gepflegt wird, ob er vom Personal mit gebührender Sorgfalt und Beflissenheit bedient wird. Er bemüht sich zu verbessern, was falsch gemacht wurde, tadelt mit allem Nachdruck die Nachlässigen und stellt Mißstände ab. Er hat auch auf die Nahrung der Kranken zu achten und auf die sonstigen täglichen Leistungen, die ihnen zustehen. Er muß auf alles ein wachsames Auge haben und jeden umsorgen und pflegen. Deshalb soll der Primikerios auch zu keiner Abteilung gehören, vielmehr soll seine Aufgabe ausschließlich in der Beaufsichtigung des gesamten Betriebes bestehen.

Byzantinische Sprichwörter

Ist der Wolf alt geworden, gibt er Gesetze.

Lüge rund, damit es wenigstens rollt!

Wenn der Kaiser dich verfolgt, dann flieh; wenn Gott, dann setz dich!

Stadt und Gesetz – Dorf und Brauch.

Der eine machts ehrlich, der andere schriftlich.

Wer in den Himmel spuckt, spuckt in seinen eigenen Bart.

Ich ging aus der Mette und geriet in ein Hochamt.

Den Pechvogel beißt auch ein Schaf.

In der Zeit der Not nennen wir auch die Hexe Mutter.

Das Kamel sprach zu seiner Mutter: „Ich will tanzen". Die antwortete: „Kind, auch dein Gang ist schön."

Worte eines Redners – Taten eines Gockels.

Eine Traube, die eine andere sieht, wird reif.

Die Welt stürzte zusammen – mein Weib drehte sich Locken.

Wenn du Eile hast, dann setz dich!

Mach dir den Hund zum Gevatter, aber behalte den Stock in der Hand!

Der Narr setzt sich erst dann, wenn er sich müde gestanden hat.

Dem Dieb ist jeder etwas schuldig.

Tapfer bist du nicht, Mann; so rolle wenigstens die Augen!

Wenn du dumm bist, so laß es doch niemand merken!

Viel Volk, aber wenig Menschen.

„Mensch, dein Haus brennt!" – „Macht nichts, ich habe den Schlüssel."

Anmerkungen und bibliographische Hinweise

Erstes Kapitel: Das hellenistische Erbe

Bibliographische Hinweise

C. *Schneider,* Kulturgeschichte des Hellenismus 2 Bde. München 1967–1969 (trotz der herben Kritik, die das Werk gefunden hat, ungeheuer reich an Material und sehr lesenswert);

F. E. *Peters,* The harvest of hellenism, New York 1970;

R. *Pfeiffer,* Historiy of classical scholarship to the end of the hellenistic age, Oxford 1968;

E. *Peterson,* Der Monotheismus als politisches Problem, Leipzig 1935, abgedruckt in: ders. Theologische Traktate, München 1951;

F. *Dvornik,* Early christian and byzantine political philosophy, Washington 1966;

H. *Jonas,* Gnosis und spätantiker Geist, Göttingen 1964;

H. *Chadwick,* The early church, London 1967;

ders. Early christian thought and the classical tradition, Oxford 1956;

G. W. *Bowersock,* Greek sophists in the Roman empire, 1969;

The conflict between paganism and christianity in the 4th century, ed. A. *Momigliano,* Oxford 1963;

G. *Dagron,* L'empire romain d'Orient au IVe siècle et les traditions politiques de l'hellénisme. Le témoignage de Thémistios, Travaux et Mémoires 3 (1968) 1–242 (von bes. Wichtigkeit für unser Thema; der zweite Teil meiner Ausführungen beruht wesentlich auf Dagron).

Zweites Kapitel: Staat und Verfassung

Anmerkungen

[1] F. Lassalle, Gesammelte Reden und Schriften II, 1919 S. 25 ff.

[2] Römisches Staatsrecht III, 2; 2. Aufl. Leipzig 1888, S. 1132–1133

[3] Zonaras XVIII, 29 : III, 766 (Bonn)

[4] Theophanes 129 (de Boor)

[5] Nikephoros Patr. 28 (de Boor)

[6] Theophanes 502

[7] Zonaras XVI, 20 : III, 478

[8] A. Mai, Scriptorum veterum nova collectio II, Roma 1827, S. 590 ff.

[9] L. Levi, Cinque lettere inedite di Emmanuele Moscopulo, Studi Ital. di Filol. Class, 10 (1902) 64–68

[10] Rhalles-Potles, Σύνταγμα τῶν θείων κανόνων III, 97; vgl. Pachymeres II, 197–198 (Bonn)

[11] Digesten I, 3, 31

[12] Institutiones II, 17, 8

[13] Codex Justin. I, 14, 4

[14] K. Sathas, Μεσαιωνικὴ Βιβλιοθήκη VI, Venedig-Paris 1877, S. ος'–οη'

[15] P. Noailles-A. Dain, Les novelles de Léon VI le Sage, Paris 1844, S. 185 und 271; vgl. auch S. 73–75

[16] Jus graeco-romanum edd. J. et P. Zepos, II. Athen 1921, S. 240–241

[17] Codex Justin. XI, 52, 1, 1

[18] Codex Theodosianus V, 17, 1

[19] A. a. O., V, 19, 1

[20] A. a. O., XI, 1, 14

[21] L. Harmand, Le discours sur les patronages de Libanius, Paris 1955

[22] Belege bei A. Bakalopulos, Συμβολὴ στὴν ἱστορία τῆς Θεσσαλονίκης ἐπὶ Βενετοκρατορίας. Τόμος Κ.᾽Αρμενοπούλου, Thessalonike 1952, S. 127–149

[23] A. a. O.

[24] Akropolites 80 (Heisenberg)

[25] Z. B. Niketas Choniates 599 (van Dieten)

[26] Michael Choniates I. 180–186 (Lampros)

[27] Nikeph. Bryennios 188 (Gautier); Anna Komnene I, 2, 4 : I, 13 (Leib)

[28] De caerimoniis 427 (Bonn)

[29] Theophanes 120.122.124

[30] A. a. O. 160.161.168

[31] A. a. O. 234

[32] A. a. O. 297

[33] A. a. O. 341

[34] Theophanes continuatus 72 (Bonn)

[35] A. a. O. 13:

[36] A. a. O. 25

[37] Nikolaos Mystikos, Brief 28 (Jenkins-Westerink S. 194–196)

[38] Theophanes cont. 447

[39] Leon Diakonos 33.34 (Bonn)

[40] De caerimoniis 426–429

[41] Malalas 406 (Bonn)

[42] Chronicon Paschale 623 (Bonn)

[43] A. a. O. 712

[44] Nikephoros Patr. 27

[45] Mansi, Conciliorum coll. ampl. XI, 737–738

[46] Nikephoros Patr. 57

[47] Vita Stephani jun. Patr. gr. 100, 1023; 1100; 1131

[48] Niketas Choniates 478–479 (van Dieten)

[49] Pachymeres II, 59f. 245.246 (Bonn)

[50] Kantakuzenos III, 34–39; Gregoras II, 846–854 (Bonn)

[51] Dukas XIV, 1; S. 81–83 (Grecu)

[52] A. a. O. XXXIX, 3; S. 351

[53] Nikephoros Patr. 39–42

[54] De caerimoniis 427

[55] Belege schon in früherem Zusammenhang zitiert

[56] Georgios Monachos II, 371 (de Boor)
[57] Chronicon Bruxellense (Cumont) S. 30
[58] Nikephoros Patr. 52
[59] Mansi XII, 192
[60] Psellos, Chronographie II, 83 (Renauld)
[61] Mansi XII, 192
[62] Leon Diakonos 31
[63] Skylitzes 498 (Thurn); Bryennios 245 ff. (Gautier): Attaleiates 256 (Bonn)
[64] Niketas Choniates 48–50
[65] A. a. O. 455
[66] A. a. O. 572
[67] Pachymeres I, 66 (Bonn); Akropolites 158 (Heisenberg)
[68] Ammianus Marcellinus XXVII, 6, 8
[69] Theophanes 449
[70] Gregoras I, 53
[71] Kantakuzenos III, 268
[72] Niketas Choniates 143 (van Dieten)
[73] Themistios, or. XVI
[74] Anonymus Valesius 64
[75] Eine Sammlung davon siehe H. Hunger, Prooimion, Wien 1964
[76] Chronographie I, 129 (Renauld)
[77] Niketas Choniates z. B. S. 209–210

Bibliographische Hinweise

Zur Verfassungstheorie vgl. man etwa *K. Hesse,* Die normative Kraft der Verfassung Tübingen 1959;

H. Krüger, Verfassungsvoraussetzungen und Verfassungserwartungen, Festschrift U. Scheuner, Berlin 1973;

ders., Verfassung, Handwörterbuch der Sozialwissenschaften 29. Lfg. Tübingen 1960;

G. Jellinek, Allgemeine Staatslehre, Neudruck 1966;

R. Smend, Verfassung und Verfassungsrecht, 1928.

Manches von dem im Vorausgehenden Gesagten habe ich näher ausgeführt in folgenden Arbeiten: Byzantinisches Gefolgschaftswesen, München 1965; Senat und Volk von Konstantinopel, München 1966; Res publica romana, München 1970; Theorie und Praxis im Aufbau der byzantinischen Zentralverwaltung, München 1974. Alle Arbeiten sind in den Sitzungsberichten der Bayerischen Akademie der Wissenschaften erschienen. Einen ersten Versuch zu einer byzantinischen Verfassungsgeschichte machte *J. Bury,* The constitution of the later Roman empire, Cambridge 1910. Eine neuere zusammenfassende Darstellung kann ich kaum nennen. Der Grund dafür ist, daß die wenigen Autoren, die ex professo von der byzantinischen Verfassung sprechen, nach einigen allgemeinen Bemerkungen auf Hof, Verwaltung und Reichsorganisation ausweichen, wenn sie nicht einfach Verfassung und Kaiserideologie gleichsetzen. Für die römischen Anfänge möchte ich ausdrücklich auf *W. Kunkel,* Römische Rechtsgeschichte, 7. Aufl. Köln 1973 verweisen, sowie auf den Artikel Princeps von *L. Wik-*

kert in der Realencycl. f. d. class. Altertumswissenschaft XXII, 2 (1954). Zum byzantinischen Senat brachte eine statistische Darstellung *Ai. Christophilopulu,* ʽΗ σύγκλητος εἰς τὸ βυζαντινὸν κϱάτος, Athen 1949; zu den Demen zuletzt *A. Cameron,* Circus factions, Oxford 1976
Zur Patronatsbewegung *L. Harmand,* Le patronat sur les collectivités publiques des origines au bas-empire, Paris 1957; *ders.,* Libanius: Discours sur les patronages, Paris 1955
Eine umfängliche Darstellung des Konzepts vom byzantinischen Kaiser bei *H. Hunger,* Reich der neuen Mitte, Graz 1965.
Zur Verwaltung: *N. Oikonomidès,* Les listes de préséance byzantines, Paris 1972; Eine Sammlung z. T. verkürzter Arbeiten zum Gesamtthema: Das byzantinische Herrscherbild. Hrsg. v. *H. Hunger,* Darmstadt 1975 (mit Bibliographie, wo sich auch die wichtigste Literatur zur Kaiserideologie verzeichnet findet)

Drittes Kapitel: Politische Orthodoxie

Anmerkungen

[1] Lactantius, De mortibus persecutorum cap. 34
[2] Lactantius a. a. O. 48; Eusebios, Kirchengeschichte X, 5, 1–14
[3] Eusebios, Vita Constantini II, 66
[4] Eusebios a. a. O. 66–72
[5] Tertullian, Ad Scapulam 2, 7 (V. Bulhart)
[6] Vgl. des Brief des Eusebios von Kaisareia bei Opitz, Urkunden zur Geschichte des arianischen Streites, Berlin 1934, S. 42–47
[7] Stellensammlung bei J. M. Sansterre, Byzantion 42 (1972) 131–195.532–593
[8] Contra Celsum II, 30 : I, 158 (Kötschau)
[9] Eusebios, Demonstratio evang. VII, 2.22/23 : S. 332 (Heikel)
[10] Theophanes I, 352 (de Boor)
[11] F. Miklosich-J. Müller. Acta et diplomata graeca medii aevi II, Wien 1862, S. 191
[12] Vgl. V. Laurent, Les droits de l'empereur en matière ecclésiastique, Revue des Etudes Byz. 13 (1955) 5–20
[13] Nikephoros Patriarches 49 (de Boor)
[14] Leo Magnus Epist. 165
[15] Epist. 162; 165
[16] H. v. Campenhausen, Urkunden zur Entstehungsgeschichte des Donatismus, Berlin 1950, S. 53–56
[17] Cod. Theodosianus IX, 16, 9
[18] Cod. Theodos. XVI, 1, 2; vgl. cod. Just. I, 1, 1, 1
[19] Cod. Theod. XVI, 1, 2; vgl. cod. Just. I, 1, 2
[20] Vgl. darüber ausführlicher S. 260 ff.

Bibliographische Hinweise

A. Michel, Die Kaisermacht in der Ostkirche. Ostkirchliche Studien 2 (1953)
– 4 (1955);

P. *Stockmeier,* Leo I. des Großen Beurteilung der kaiserlichen Religionspolitik, München 1959;

K. M. *Girardet,* Kaisergericht und Bischofsgericht, Bonn 1975;

H. *Dörries,* Wort und Stunde I, Göttingen 1966, S. 1–117;

W. *Enßlin,* Gottkaiser und Kaiser von Gottes Gnaden, München 1943;

J.-M. *Sansterre,* Eusèbe de Césarée et la naissance de la théorie „césaropapiste". Byzantion 42 (1972) 131–195 und 532–593.

Viertes Kapitel: Literatur

Anmerkungen

[1] Theodori Metochitae Miscellanea. Hrsg. v. Ch. G. Müller, Lipsiae 1821

[2] R. Guilland, Les poésies inédites de Théodore Métochite, Byzantion 3 (1926) 272

[3] Hrsg. v. A. Vogt, Byzantion 6 (1931) 49–74 mit franz. Übers.

[4] Patr. gr. 155, 112

[5] Dramation des Haplucheir, hsrg. v. M. Treu, Gymnasialprogramm Waldenbrunn 1874

[6] Der byzantinische Katz-Mäuse-Krieg. Hrsg. v. H. Hunger, Wien 1968 (mit deutscher Übers.)

[7] Kanon 51

[8] Patr. gr. 60, 755–760

[9] Patr. gr. 37, 617–620

[10] Michaelis Pselli Scripta minora. Hrsg. v. E. Kurtz-F. Drexl, I, Milano 1936, 77–81. Franz. Übers. v. A. Leroy-Molinghen, Byzantion 39 (1969) 307–317

[11] Hrsg. v. K. Horna, Jahresbericht des K. K. Sophiengymnasiums in Wien, 1901/1902

[12] Sancti Romani Melodi Cantica genuina, Hrsg. v. P. Maas u. C. Trypanis, Oxford 1963, S. 1–9

[13] A. a. O. 131–141

[14] Patr. gr. 37, 755–757

[15] J. A. Cramer, Anectota ... Paris. IV, Oxford 1841, S. 316

[16] A. a. O. 348

[16a] J. F. Boissonade, Anecdota graeca V, Paris 1833, S. 373 f.

[17] Version v. Grottaferrata IV, 432–435

[18] Version des Escorial 1709–1710

[19] D. Petropulos, Ἑλληνικὰ δημοτικὰ τραγούδια I, Athen 1958, S. 151

[20] Miscellanea nr. 58, S. 339–356

[21] Miscellanea nr. 1, S. 13–18

[22] Miscellanea nr. 4, S. 35–41

[23] Miscellanea nr. 80 und 81, S. 524–537

[24] Hrsg. v. B. Rehm und F. Paschke, Berlin 1953–58

[25] Acta Pauli et Theclae, hrsg. v. Lipsius-Bonnet, Acta Apostolorum apocrypha I, 1891, S. 235–272

[26] Patr. gr. 87, 3697–3726

[27] A. a. O. 3379–3676

[28] Anthologia Graeca, hrsg. v. H. Beckby, Buch XI, nr. 292

[29] A. a. O. XI, 283

[30] A. a. O. IX, 400

[31] A. a. O. IX, 181

[32] A. a. O. XVI, 194

[33] A. a. O. IX, 489. Während ich in den vorausgegangenen Stellen der Übersetzung Beckbys folgte, interpungiere ich hier anders und komme damit zu einem anderen Sinn

[34] Synesii Opuscula ed. N. Nerzaghi, Rom 1944, S. 143–189

[35] A. a. O. S. 233–278 und K. Treu, Berlin 1959 mit deutscher Übers.

[36] Terzaghi a. a. O. 63–131

[37] Vgl. z. B. Evagre le Pontique, Traité pratique, hrsg. v. A. und C. Guillaumont, Paris 1971

[38] Patr. gr. 87, 2851–3112. Deutsche Auswahl bei H. Lietzmann, Byzantinische Legenden, Jena 1911, S. 82–99

[39] P. Matranga, Anecdota graeca II, Rom 1850, S. 624 ff.

[40] Hrsg. v. B. Hase im Appendix zu Leon Diakonos, Bonn 1828, S. 324–342

[41] E. Kurtz, Die Gedichte des Christophoros Mitylenaios, Leipzig 1903, nr. 18

[42] A. a. O. nr. 114

[43] I. Sajdak, Eos 23 (1930–31) 531 f.

[44] P. de Lagarde, Joannis Euchaitorum metropolitae quae . . . supersunt, Göttingen 1882, S. 50

[45] A. a. O. 27

[46] A. a. O. 24

[47] A. a. O. 149

[48] Scripta minora I, S. 65–68

[49] A. a. O. 69–76

[50] A. a. O. II (1941) 10–11

[51] K. Sathas, Μεσαιωνικὴ Βιβλιοθήκη V, Paris-Venedig 1876, S. 177

[52] A. a. O. 532–543

[53] P. Gautier, Michel Italikos, Lettres et discours, Paris 1972, S. 219–221

[54] A. a. O. 226–227

[55] D. C. Hesseling-H. Pernot, Poèmes prodromiques, Amsterdam 1910, S. 72–83

[56] Hrsg. v. R. Hercher, Scriptores erotici graeci II, Leipzig 1859

[57] Siehe oben Anm. 6

[58] Hrsg. v. A. Ellissen, Analekten der mittel- und neugriechischen Literatur IV, Leipzig 1860, S. 41–92. Neue Ausg. mit ital. Übers. v. R. Romano, Napoli 1974

[59] Z. B. die geographischen Schriften, hrsg. v. G. Spohn, Leipzig 1818 und eine physikalische, Patr. gr. 142, 1021–1320

[60] Miscellanea nr. 93, S. 591–598

[61] Hrsg. v. G. Mercati, Notizie di Procoro Cidone e Demetrio Cidone . . . ed altri appunti, Vatikan 1931, S. 359 ff. Deutsch von H.-G. Beck, Ostkirchliche Studien 1 (1952) 208–225. 264–282

[62] An erster Stelle ist das Gedicht Patr. gr. 37, 1029–1166 zu nennen. Neue Ausg. mit deutscher Übers. v. C. Jungck, Heidelberg 1974

[63] Patr. gr. 37, 376

[64] A. a. O. 1333

65 Libanius' Autobiography, ed. A. F. Norman, Oxford 1965 mit engl. Übers.
66 Acta et diplomata medii aevi edd. F. Miklosich et J. Müller VI, 1890, 61–90
67 J. Troickij, Michaelis Palaeologi de vita sua opusculum, Petersburg 1885, franz. Übers. bei C. Chapman, Michel Paléologue, Paris 1926, S. 176–177
68 Patr. gr. 142, 19–30
69 A. Heisenberg, Nicephori Blemmydae curriculum vitae, Leipzig 1896
70 Siehe oben Anm. 61
71 Oeuvres complètes II, 2, ed. C. Lacombrade, Paris 1964, S. 32–71
72 A. a. O. 156–199
73 Mazaris' Journey to Hades, Buffalo 1975, mit engl. Übers.
74 Siehe oben Anm. 40
75 G. G. Litavrin, Sovety i rasskazy Kekavmena, Moskau 1972. Deutsch von H.-G. Beck, Vademecum des byzantinischen Aristokraten, 2. Aufl. Graz 1964
76 Hrsg. v. Ch. Lacombrade, Paris 1951, mit franz. Übers.
77 R. Loenertz, Démétrius Cydonès, Correspondance I, Vatikan 1956, nr. 7, 114 usw.
78 Hrsg. v. I. Ševčenko, Zbornik radova Vizant. Instit. 6 (1960) 187–228
79 I. Ševčenko, Nicolas Cabasilas' „Anti-Zealot" Discourse, Dumbarton Oaks Papers 11 (1957) 81–171
80 Scripta minora I, S. 220–231
81 Bibliographische Nachweise bei H.-G. Beck, Geschichte der byzantinischen Volksliteratur, München 1971, S. 171–180
82 Die älteste Version bei W. Wagner, Carmina graeca medii aevi, Leipzig 1874, S. 304 ff.
83 Patr. gr. 37, 153
84 Sokrates, Hist. eccl. V, 22, Patr. gr. 67, 637
85 Bibliothek cod. 73
86 Hrsg. v. R. Hercher, Hermes 3 (1869) 382 ff.
87 Byz. Zeitschr. 64 (1971) 322–325 (H. Gärtner)
88 Theodor. Priscianus II, 11, 34
89 V. Jernstedt, Michaelis Andreopuli liber Syntipae, Petersburg 1912
90 Vgl. u. a. B. E. Perry, Aesopica I, Urbana 1952
91 Hrsg. v. E. Martini, Rendiconti del R. Istituto Lombardo II, 29, 1896, S. 460
92 Hrsg. v. E. Miller, Notices et extraits XIX, 2, Paris 1858, 1–138
93 Patr. gr. 135, 729–909, deutsch von L. F. Tafel, Betrachtungen über den Mönchsstand, Berlin 1847
94 Hesseling-Pernot (vgl. Anm. 55) S. 48–71
95 K. Sathas, Μεσαιωνικὴ Βιβλιοθήκη V, 177–181
96 Hrsg. v. A. Pignani, Rivista di Studi Bizantini e neoellenici 8–9 (1971/72) 295–315 mit ital. Übers.
97 H. Rabe, Prolegomenon Sylloge, Leipzig 1931, S. 17 und 51
98 A. a. O. 19
99 A. a. O. 3
100 Patr. gr. 35, 536 ff.
101 P. de Lagarde (vgl. Anm. 44) S. 115
102 Einiges dazu à propos Gregor von Nazianz in meiner Abhandlung: Rede als Kunstwerk und Bekenntnis, München 1977

Bibliographische Hinweise

K. Krumbacher, Geschichte der byzantinischen Literatur. 2. Aufl. unter Mitwirkung von *A. Ehrhard* und *H. Gelzer,* München 1897. Was immer methodisch und sachlich an diesem Buch veraltet sein mag, ohne es ein paarmal durchgelesen zu haben, sollte man bei byzantinischer Literatur nicht mitsprechen! Gerecht wäre es allerdings, auch wenn es noch so oft nicht geschieht, für die Seiten 37–218 *Ehrhard* und nicht *Krumbacher* zu zitieren. – Von einer Neubearbeitung Krumbachers liegt bisher vor: *H.-G. Beck,* Geschichte der byzantinischen Volksliteratur, München 1971. Die gelehrte Literatur, bearbeitet von *H. Hunger,* wird in Bälde erscheinen. Für die Historiker bietet zunächst einen vorzüglichen Ersatz *G. Moravcsik,* Byzantinoturcica I. Berlin 1957. Vgl. ferner *C. Mango,* Byzantine literature as a distorting mirror, Oxford 1975;

P. Lemerle, Le premier humanisme byzantin. Paris 1971

H.-G. Beck, Das literarische Schaffen der Byzantiner, Wien 1974;

H. Hunger, On the imitation (Mimesis) of antiquity in Byzantine literature, Dumbarton Oaks Papers 23/24 (1969/70) 17–38;

ders., Die byzantinische Literatur der Palaiologenzeit. Versuch einer Neubewertung, Anzeiger der phil.-hist. Kl. der Österreichischen Akad. d. Wiss. 1968, nr. 105;

H. Gärtner, Charikleia in Byzanz, Antike und Abendland 15 (1969) 47–69;

A. P. Každan, Kniga i pisatel' v Vizantii, Moskau 1973;

Vizantijskaja literatura, Moskau 1974 (mit Beiträgen von *L. A. Frejberg, T. V. Popova, T. M. Sokolova, F. A. Petrovskij, Ja. N. Ljubarskij*);

H.-G. Beck, Die griechische volkstümliche Literatur des 14. Jahrhunderts. Eine Standortsbestimmung, Actes du XIVe Congr. Intern. Et. Byz. Bukarest 1974, S. 125–138;

ders., Antike Beredsamkeit und byzantinische Kallilogia, Antike und Abendland 15 (1969) 91–101;

H. Hunger, Aspekte der griechischen Rhetorik von Gorgias bis zum Untergang von Byzanz, Österr. Akad. Wiss. Phil.-Hist. Kl. Sitzungsber. 277, 3, Wien 1972;

G. L. Kustas, Studies in Byzantine rhetoric, Thessalonike 1973.

Fünftes Kapitel: Theologie

Anmerkungen

[1] Einiges dazu – wenn auch nicht systematisiert und mit der früheren Bildertheologie verglichen – bei A. A. Glavinas, Ἡ ἐπὶ Ἀλεξίου Κομνηνοῦ (1081–1118) περὶ ἱερῶν σκευῶν, κειμηλίων καὶ ἁγίων εἰκόνων ἔρις Thessalonike 1972

[2] Patr. gr. 126, 229

[3] Patr. gr. 102, 593–617

[4] Neue Ausgabe von P. Gautier, L'édit d'Alexis Ier Comnène sur la réforme du clergé. Revue Ét. Byzant. 31 (1973) 165–201

[5] Ausg. v. L. G. Westerink, Michael Psellos, De omnifaria doctrina, Nijmegen 1948

[6] Synod. Carthag. can. 18

[7] Der Text findet sich im Vat. gr. 1257

[8] Ein Fragment ediert Patr. gr. 120, 1292–1296. Ein weiteres Stück bei S. Caruso, Echi della polemica bizantina antilatina dell' XI – XI sec. nel De oeconomia Dei di Nilo Doxopatres. Atti Congr. Intern. di Studi sulla Sicilia Normanna, Palermo 1973, S. 3–32. Text z. B. im Vatic. g. 696

[9] Publiziert nur in der lateinischen Übersetzung des Torres in Patr. gr. 152, 741–992. Eine Analyse des griechischen Originals von B. L. Dentakes, Athen 1959 und in der Zeitschrift Θεολογία 29 (1958) bis 32 (1961) in Fortsetzungen

[10] Dialectica, Vorwort S. 53 (Kotter)

[11] Einen Begriff von der Expansion der Florilegien auf dem Felde der Theologie kann vermitteln M. Richard, Florilèges grecs. Diction. de Spiritualité V, 475–512

[12] Scholarios, Oeuvres I, 427–39 (Petit-Siderides-Jugic)

[13] Siehe Anm. 45 S. 348

[14] Oeuvres IV, S. 328

[15] De imaginibus I, 22 (S. 111, Kotter)

[16] Patr. gr. 100, 381

[17] E. Trapp, Manuel II. Palaiologos, Dialoge mit einem „Perser", Wien 1966, S. 242–250

[18] Patr. gr. 77, 189

[19] Mansi, Conc. XII, 1121

[20] Patr. gr. 26, 533. 580. 600–601

[21] Patr. gr. 75, 585; 7, 1402

[22] Expositio fidei I, 8 (S. 30–31, Kotter)

[23] Brief 32 des D. Kydones (Loenertz)

[24] Contra Latinos, bes. S. 30–33 (Heisenberg)

[25] Die Meinungen sind aufgeführt im Semeioma des Kaisers Manuel I. Patr. gr. 133, 774–782

[26] Z. B. Patr. gr. 150, 1225 ff.

[27] G. Podskalsky, Theologie und Philosophie in Byzanz, München 1977, S. 140

[28] A. a. O. S. 135

[29] Hrsg. v. G. Mercati, Notizie di Procoro e Demetrio Cidone, Manuele Caleca e Teodoro Meliteniota ed altri appunti ... Vaticano 1931, S. 359–437

[30] Podskalsky, a. a. O. S. 158 ff.

[31] In Eccles. 7, Patr. gr. 44, 720: ... τὸ τοῦ ἐκζητῆσαι κέρδος αὐτὸ τὸ ζητῆσαί ἐστιν ... οὗ ἡ εὕρεσίς ἐστιν αὐτὸ τὸ ἀεὶ ζητεῖν

[32] Vita moysis Patr. gr. 44, 404: τὸ γὰρ ὄντως ὂν ἡ ἀληθής ἐστι ζωή

[33] Die neuere Evagriosforschung ist zusammengefaßt bei A. Guillaumont, Les „Kaphalaia gnostika" d'Evagre le Pontique et l'histoire de l'origénisme chez les Grecs et les Syriens, Paris 1962

[34] Capita practica 3, 1 und 3, 3 (ed. Guillaumont):

[35] R. Riedinger, Salzb. Jahrb. der Philos. 5–6 (1961–62) 135–156

[36] Zu diesem System vgl. D. Amand, L'ascèse monastique de saint Basile, Maredsous 1948

[37] Patr. gr. 91, 1168/9

[38] Cap. gnostica I, 97: Patr. gr. 90, 1121–1124

[39] Aus dem cod. Vat. Reg. gr. 25 zitiert von I. Hausherr, Un grand mystique byzantin: Vie de Syméon de Nouveau Théologien, Rom 1928, S. LXXIV

[40] Vgl. z. B. Hymnus LII, Bd. III, S. 198 ff. (Koder)

[41] Patr. gr. 120, 474
[42] Patr. gr. 150, 1924
[43] A. a. O. 1343
[44] Zu diesen Anleitungen vgl. I. Hausherr, La méthode d'oraison hesychaste, Rom 1927
[44a] H. Bremond, Histoire littéraire du sentiment reliqieux en France VI. Paris 1976, S. 15
[45] Explication de la divine liturgie, ed. S. Salaville, 2. Aufl. Paris 1967, S. 250
[46] Hrsg. v. S. Eustratiades, Athen-Alexandria 1906–1912
[47] Vgl. oben Anm. 17, S. 351
[48] Siehe S. 223 ff.
[49] Siehe S. 262 ff.

Bibliographische Hinweise

Die nötigen literarhistorischen Angaben finden sich für die Frühzeit in jeder Patrologie, z. B. *B. Altaner-A. Stuiber,* Patrologie, 7. Aufl. Freiburg 1966 und bei *H.-G. Beck,* Kirche und Theologie im byzantinischen Reich, München 1959. Vgl. ferner *A. Grillmeier,* Christ in christian tradition, London 1965;
J. Meyendorff, Byzantine theology, New York 1974;
J. Gouillard, Le synodikon de l'orthodoxie, Travaux et Mémoires 2 (1967) 1–316;
I. Hausherr, Les grands courants de la spiritualité orientale, Orientalia christ. periodica 1 (1935) 114–138;
V. Lossky, The mystical theology of the eastern church, London 1957;
G. Podskalsky, Theologie und Philosophie in Byzanz, München 1977.

Sechstes Kapitel: Mönchtum

Anmerkungen

[1] Acta Conciliorum oecumenicorum, ed. E. Schwartz, III, 1, Berlin 1940, S. 33–38
[2] Vgl. die Kanones 3, 4, 7, 8, 16
[3] Vor allem Novelle 133 des Jahres 539
[4] Z. B. Kanon 40–43
[5] In seipsum vers. 292 ff. Patr. gr. 37, 1049–51; Jungck S. 68
[6] Reformschrift I. c. 15 L. Lampros, Παλαιολόγεια καὶ Πελοποννησιακά III, Athen S. 257–259
[7] Hrsg. v. L. G. Westerink, Arethae scripta minora II, Leipzig 1972, S. 175–177
[8] Patr. gr. 135, 735–909
[9] Nathanael-Neilos Bertos, Vindobonensis hist. gr. 59. Hrsg. v. H. Aposkiti-Stammler, München 1974, S. 119 ff.
[10] Hrsg. v. K. Treu, Berlin 1959
[11] Hrsg. v. M. Treu, Byz. Zeitschr. 8 (1899) 34 f.
[12] Patr. gr. 95, 283–304

Bibliographische Hinweise

A. J. *Festugière,* Les moines d'Orient, I–IV, Paris 1959–1965;
D. J. *Chitty,* The desert a city, Oxford 1966;
D. *Amand,* L'ascèse monastique de saint Basile. Essai historique, Maredsous 1948;
K. *Holl,* Enthusiasmus und Bußgewalt, eine Studie zu Symeon dem neuen Theologen, Leipzig 1898;
Ph. *Meyer,* Die Haupturkunden für die Geschichte der Athosklöster, Leipzig 1894;
E. *Amand de Mendieta,* La presqu'île des caloyers: le Mont-Athos, Bruges 1955

Siebtes Kapitel: Bemerkungen zur Gesellschaft

Anmerkungen

1 Texte bei P. Matranga, Anecdota graeca II, Rom 1850, S. 624ff.
2 Orientierung bei V. Grumel, Les regestes des actes du patriarcat de Constantinople III, 1947, nrr. 1039–1044. 1077. 1110.1115
3 W. Kaegi, The byzantine armies and iconoclasm, Byzantinoslavica 27 (1966) 48–70
4 Niketas Choniates 213ff. (van Dieten)
5 W. Eberhard, Gedanken zur Schichtungstheorie, München 1970
6 Psellos, Chronographie II, 83 (Renauld)
7 Siehe oben S. 24ff.
8 Themistii orationes, ed. W. Dindorf, Leipzig 1830, S. 21ff.
9 Oeuvres de Julien, ed. G. Rochefort II, 1, S. 3–30
10 In Frage kommt in erster Linie seine Rede über das Kaisertum, ed. Ch. Lacombrade, Paris 1951 mit franz. Übersetzung und sein Schlüsselroman Οἱ Αἰγύπτιοι, ed. N. Terzaghi, Synesii Cyrenensis opuscula, Rom 1944, S. 63–131
11 Hrsg. v. C. Giannelli, Miscellanea G. Mercati III, 1946, 157–208
12 Chronicon Ravenn. 9, 44; Marcellinus Comes ad annum 473
13 Psellos, Chronographie I, 58
14 Akropolites 124 (Heisenberg)
15 Joannes Antiochenus fragm. 100; Euagrios, Hist. Eccl. III, 34
16 Theophanes continuatus 46
17 A. P. Každan, Socialnyi sostav gospodstvyjuščevo klassa Vizantii XI–XII vv. Moskau 1974
18 Konstantinopel – Zur Sozialgeschichte einer frühmittelalterlichen Hauptstadt, Byz. Zeitschr. 58 (1965) 11–45
19 Novelle 43
20 Codex Just. I, 53
21 Belege bei G. Weiss, Oströmische Beamte im Spiegel der Schriften des Michael Psellos, München 1973, S. 141–144
22 Kantakuzenos, Hist. III, 34–39; Gregoras, Hist. II, 846.849.854

Achtes Kapitel: Der Glaube der Byzantiner

Anmerkungen

[1] Augustinus, Enarratio in psalmos, Ps. 124, 5
[2] Theophanes 352
[3] Dazu S. Mazzarino, Das Ende der antiken Welt, München 1961, S. 168 ff.
[4] La chronique de Michel le Syrien, ed. J. B. Chabot, II, 207.270–272
[5] Damaskios, Leben des Philosophen Isidoros, ed. R. Asmus, Leipzig 1911, S. 65–66.104–106
[6] Malalas 449 (Bonn); Prokopios Anecdota XI, 31–32; Michel le Syrien, a. a. O. 271
[7] K. Sathas, Μεσαιωνικὴ Βιβλιοθήκη, VI, Venedig-Paris, Einleitung
[8] Derartige Sammlungen finden sich z. B. in Patr. gr. 28, 556–708 unter dem Namen des Athanasios, in Patr. gr. 89, 311–824 unter dem des Anastasios Sinaites usw.
[9] Patr. gr. 132, 473
[10] Zitiert bei P. P. Joannou, Démonologie populaire-démonologie critique, Wiesbaden 1971, S. 41
[11] Version von Grottaferrata Gesang V, vv. 236. 247–248. 251–253
[12] Texte bei G. Ficker, Die Phundagiagiten, Leipzig 1908
[13] Patr. gr. 122, 820–876
[14] Theophanes 488 (de Boor)
[15] Vita Euthymii, ed. de Boor S. 69
[16] Niketas Choniates 143–144 (van Dieten). Es ist aus Choniates nicht klar ersichtlich, ob genau diese Vermögen dem Axuch vorgeworfen wurden, oder ob Choniates mit diesen Angaben nur schildern will, was nach ihm zur Zauberei gehört
[17] Nikephoros Patriarchen 52–53 (de Boor)
[18] Catalogus codicum astrologicorum graecorum II, S. 181 ff. (F. Cumont)
[19] A. a. O. I, 234–238
[20] Theophanes continuatus 191 (Bonn)
[21] Hrsg. v. E. Miller, Notices et extraits XXIII, 2, Paris 1872, S. 38 f.
[22] Niketas Choniates 221 (van Dieten)
[23] Hermippos oder über die Astrologie. ed. W. Kroll – P. Viereck, Leipzig 1895
[24] Hrsg. v. P. L. M. Leone, Byzantion 39 (1969) 251–283
[25] Miscellanea, hrsg. v. C. G. Müller-Th. Kiessling, Leipzig 1821, nr. 63, S. 387
[26] A. a. O. nr. 66, S. 405–412
[27] Les sources grecques pour l'histoire des Pauliciens. Hrsg. v. Ch. Astruc u. a., Travaux et Mémoires 4 (1970) S. 53
[28] Vgl. auch S. 185 die Stellungnahme des Patriarchen Nikephoros. – Kosmas Presbyter in seinem Traktat gegen die Bogomilen schreibt an die Adresse der Orthodoxen von Leuten, welche die Hl. Schrift zurückhalten: „Warum versperrst du den Weg des Heils vor den Augen der Menschen, indem du deinen Brüdern die göttlichen Worte vorenthältst? Sind sie nicht geschrieben, damit auch sie in ihnen ihr Heil finden, und nicht damit sie der Schimmel verdirbt und die Würmer sie auffressen? Wenn du aus der Lektüre gewisser Bücher den Schluß ziehst, man müsse vor den Brüdern das Wort Gottes verstecken, dann allerdings verdienen es *diese* Bücher zu verschimmeln und von den Würmern gefressen zu werden, ja sogar verbrannt zu werden, weil sie den Widerspruch zum Herrn und seinen Heiligen lehren. Nein,

mein Freund, verstecke die Worte Gottes nicht vor jenen, die sie lesen und abschreiben wollen." Le traîté contre les Bogomiles de Cosmas le Prêtre, trad. par H.-Ch. Puech et A. Vaillant, Paris 1945, S. 121

²⁹ Theophanes 488
³⁰ Siehe Anm. 28
³¹ Kirchengesch. 229–230 (Parmentier-Scheidweiler). Compendium haeret. fab. IV, 11: Patr. gr. 83, 429–432
³² Es handelt sich um Theodoret (vgl. obige Anm.), um Timotheos von Konstantinopel und um Joannes Damaskenos
³³ H. Dörries-E. Klostermann-M. Kroeger, Die 50 geistlichen Homilien des Makarios, Berlin 1964, Einleitung
³⁴ Anna Komnene, Alexias XV, 8, 3–10: III, 219–228 (Leib)
³⁵ Siehe S. 350, Anm. 1
³⁶ Scripta minora I, S. 232–328
³⁷ Anna Komnene VI, 4, 1–3: II, 48–50
³⁸ A. a. O. X, 1 : II, 186–189. Abschwörungsformel hrsg. v. J. Gouillard, Travaux et Mémoires 2 (1967) 301–303
³⁹ Anna Komnene X, 5 : II, 189
⁴⁰ Rhalles-Potles, Σύνταγμα τῶν θείων ... κανόνων, V, 76–82
⁴¹ A. a. O. 85–87
⁴² A. a. O. 88–91
⁴³ Kinnamos 64 (Bonn)
⁴⁴ Niketas Choniates 79–80 (van Dieten)
⁴⁵ A. a. O. 80–81
⁴⁶ Text bei Ficker (siehe oben Anm. 12) S. 115–125
⁴⁷ Gregoras, Hist. XIV, 7 : II, 718–20 (Bonn)
⁴⁸ Philotheos Patriarch, Enkomion auf Palamas, Patr. gr. 151, 562–565
⁴⁹ Zitiert nach cod. gr. Genev. 35 bei J. Meyendorff, Introduction à l'étude de Grégoire Palamas, Paris 1959, S. 56
⁵⁰ Das Material bei R. Reitzenstein, Historia monachorum und Historia Lausiaca, Göttingen 1926, S. 171–184
⁵¹ Z. B. die syrische Vita des Martyrianos, Acta Sanctorum Nov. XV, 462 oder die Vita Stephani Sabaitae, a. a. O. Juli III, 505
⁵² Das Material bei L. Rydén in seiner Ausgabe der Vita des Symeon Salos von Leontios, Stockholm 1963, S. 18 ff.
⁵³ Synode in Trullo Kanon 42
⁵⁴ Ausgabe siehe Anm. 52
⁵⁵ Trull. Kanon 60
⁵⁶ Patr. gr. 111, 621–888
⁵⁷ Rhalles-Potles, Σύνταγμα II, 453
⁵⁸ Siehe S. 185

Bibliographische Hinweise

J. *Gouillard,* L'hérésie dans l'empire byzantin des origines au XIIe siècle, Travaux et mémoires 1 (1965) 299–324;

P. *Lemerle*, L'histoire des Pauliciens d'Asie Mineure d'après les sources grecques, Travaux et Mémoires 5 (1973) 1–144;
Le traité contre les Bogomiles de Cosmas le Prêtre. Trad. et étude par *H.-Ch. Puech* et *A. Vaillant*, Paris 1945;
D. *Obolensky*, The Bogomils, Cambridge 1948;
E. *Dörr*, Diadochus von Photike und die Messalianer, Freiburg 1938;
H. *Dörries*, Symeon von Mesopotamien, Berlin 1941;
Ph. *Kukules*, Βυζαντινῶν βίος καὶ πολιτισμός, bes. III, Athen 1949;
P. P. *Joannou*, Démonologie populaire-démonologie critique au XIe siècle, Wiesbaden 1971;
H.-G. *Beck*, Theodoros Metochites: Die Krise des byzantinischen Weltbildes im 14. Jahrhundert, München 1952

Abbildungsverzeichnis

Namenverzeichnis

(B. = Bischof, K. = Kaiser, Ptr. = Patriarch)

Joannes, Gefährte des Symeon Salos –
335

Job, alttestamentlicher Dulder – 128.
263

Jonas, alttestamentlicher Prophet –
326

Jordan – 337. 338

Joseph, Bräutigam Marias – 114. 116

Joseph v. Methone s. Plusiadenos

Jovianos, byz. K. 363–364; – 61. 319

Irenaeus s. Eirenaios

Irene s. Eirene

Isaak I. Komnenos, byz. K. 1057–
1059; – 64. 65. 74. 247. 250. 301

Isaak II. Angelos, byz. K. 1185–1195;
1203–1204, – 66. 304

Isaak Komnenos, Sebastokrator, Bruder des K. Alexios I. – 279

Isaak, Komnenos, Sebastokrator, Bruder des Kaisers Manuel I. – 65. 281

Isaurien – kleinasiatische Provinz –
249. 250. 291

Isidoros, Ptr. v. Konstantinopel 1347–
1350; – 282

Isokrates, Rhetor in Athen, † 338 v.
Chr. – 17. 18. 158

Israel – 162

Italien – 15. 28. 75. 76. 107. 291. 295.
300. 303. 334

Juan de la Cruz (Johannes vom
Kreuz), Karmeliter-Mystiker, †1591;
– 109

Juden – 268. 292. 335. 336

Julianos der Apostat (Parabates), byz.
K. 361–363; – 24. 26. 27. 61. 100.
137. 140. 155. 244. 293. 294. 295.
319

Julius Nepos s. Nepos

Justinianos I. byz. K. 527–565; – 13.
28. 30. 31. 44. 45. 50. 53. 57. 76.
97. 101. 102. 143. 171. 182. 215.
254. 258. 261. 291. 294. 296

Justinianos II. byz. K. 685–695 und
705–711; – 59. 63. 275

Justinos I. byz. K. 518–527; – 61.
291

Justinos II. byz. K. 565–578; – 101

Ixion, mythischer König der Lapithen
– 328

Kabasilas, Neilos, B. v. Thessalonike,
theologischer Schriftsteller † ca.
1363; – 203. 335

Kabasilas, Nikolaos, Neffe des Neilos
K., Verfasser eines Liturgiekommentars und des berühmten „Bene
in Christo", sowie sozialkritischer
Schriften. † zwischen 1363 und
1391; – 141. 203. 205. 206

Kamateros Andronikos, kaiserl. Beamter des 12. Jh., Verfasser eines „Arsenals" gegen die Irrlehren der Lateiner und Armenier – 174

Kantakuzenen, Kaiserdynastie des
14. Jh. – 203. 247. 248

Kappadokien, kleinasiatische Provinz
– 290

Kappadokische Väter s. Basileios, Gregor von Nazianz und Gregor von
Nyssa

Karbeas, Führer der Paulinianer,
† wohl 863; – 275

Karien, kleinasiatische Provinz – 261

Karthago – 54

Katalanen. Die katalanische Kompanie
unter Roger de Flor kam 1303 nach
Byzanz, kämpfte zuerst für, dann
gegen K. Andronikos II. und übernahm 1311 die Herrschaft über
Thessalien und Athen – 307

Katrarios, Joannes, astrologischer
Schriftsteller des 14. Jh. – 271

Kaukasus – 77. 261. 291

Kavaphis, Konstantinos, neugriechischer Dichter in Alexandreia,
1863–1933; – 16

Kekaumenos, Verfasser von fälschlich
„Strategikon" genannten Belehrungen seiner Söhne für alle Lebenslagen der herrschenden Klasse in Byzanz, 11. Jh. – 85. 138–140. 302.
316. 329

Kelsos von Alexandreia, Philosoph,
Verfasser des „Alethes Logos"

Polovicer genannt, Turkstamm, für Byzanz vor allem im 11./12. Jh. gefährlich – 279

Kydones, Demetrios, Staatsmann, übersetzte Thomas von Aquin und andere lat. Philosophen und Theologen, † 1397/98; – 82. 132. 136. 140. 189–191. 248. 308. 309. 332

Kydones, Prochoros, Bruder des Demetrios K. Athosmönch, Gegner des Gregorios Palamas, Thomas-Übersetzer, † 1368 oder 1369; – 191. 308

Kyparissiotes, Joannes, Anti-Palamit, Verfasser von philosophisch-theologischen Prosahymnen, einem Aufriß der „negativen Theologie" und antipalamitischen Schriften, † nach 1376; – 174

Kypros, griechische Insel – 112

Kyrillos, B. v. Alexandreia, Verfechter der Lehre von der einen Natur des fleischgewordenen Logos, Sieger auf dem Konzil von 431 gegen Nestorios, auf der Synode von 541 „ausgeklammert", † 444; – 129. 168. 175. 179–182. 187-189. 235

Kyros und Joannes hll. Wundertäter in ihrer Kirche in Abukir (Menuthis) bei Alexandreia, dort den Kult der Isis Medica verdrängend – 122

Kyros von Panopolis in Aegypten, Stadtpräfekt von Konstantinopel, später Bischof von Kotyaion, Epigrammatiker, † nach 457; – 294

Lakapenoi, Kaiserfamilie des 10. Jh. (920–944) – 209. 301

Langobarden – 295

Laodikeia in Phrygien, im 4. Jahrh. Tagungsort einer Synode – 269

Laon, französische Stadt mit bedeutender theologischer Schule im 12. Jh. (Anselm von Laon) – 170

Lassalle, Ferdinand, sozialistischer Politiker, 1825–1864; – 33

Laskariden, byz. Kaiserdynastie, an

der Macht von 1205 bis 1259; – 54. 58. 66. 67

Latein – 15. 31. 212

Lateiner – 106. 108. 173. 191. 192. 203. 245–247. 307–309. 333–335

Latmos (Latros), Mönchsber bei Milet in Kleinasien – 135. 213

Leibniz, Gottfried Wilhelm, Philosoph, 1646–1716; – 262

Lekapenoi s. Lakapenoi

Leo I. Papst 440–461; – 99

Leon III. der Syrer (der „Isaurier), byz. K. 717–741; – 57. 63. 64. 68. 184. 236. 296

Leon IV. byz. K. 775–780; – 69

Leon V. byz. K. 813–820; – 42. 54

Leon VI. der Weise, byz. K. 886–912; – 45. 46. 51. 81. 299

Leon Diakonos, Historiker des 10. Jh. – 298

Leon „der Mathematiker", Philosoph, Bischof von Thessalonike, † ca. 870; – 270. 297. 299

Leontios, byz. K. 695–698; – 59. 63

Leontios, B. von Neapolis auf Kypros, Prediger und Hagiograph, † um 650; – 285. 335

Libanios, Rhetor in Antiocheia, † 393; – 24–28. 48. 126. 134. 243. 246. 291. 292

Libyen – 319

Lichtenberg, Georg Christoph, Physiker und Aphoristiker, 1742–1799; – 160

Licinius, röm. Kaiser 308–324; – 90

Lionardo von Chios, Dominikaner, † 1459; – 58

Lope de Vega, Felix, spanischer Dichter, 1562–1635; – 109

Ludwig I. König von Bayern 1825–1848; – 241

Lukas, Evangelist – 120

Lukianos von Samosata, Sophist und Satiriker, † nach 180 n. Chr. – 128. 290

Lydien, kleinasiatische Provinz – 261

Lydos, Joannes Laurentios, antiquari-

scher Schriftsteller und kaiserl. Beamter, † um 560; – 294

Mailand – 62. 90
Makarios der Aegypter, auch der Gro-
ße genannt, Wüstenvater, † um 390.
Die sog. Makarios-Homilien sind
messalianischen Ursprungs – 278
Makedonen, altgriech. Stamm – 37
Makedonien – 256. 290
Makedonische Dynastie, an der Macht
von 867–1056; – 67. 139. 250
Makrembolites, Alexios, moralisieren-
der Schriftsteller des 14. Jh. – 141
Malalas, Joannes, vielleicht identisch
mit dem Patriarchen Joannes III.
von Konstantinopel, Verfasser einer
Weltchronik, die vermutlich bis 574
reichte; die erhaltene griechische
Fassung ist verkürzt, 6. Jh. – 261.
292
Malchos, Verfasser von historischen
„Byzantiaka", nur fragmentarisch
erhalten, 5./6. Jh. – 295
Manasses, Konstantinos, Verfasser einer Weltchronik und eines Liebesro-
manes, später Bischof von Naupak-
tos, † 1187; – 306. 325
Mani, Missionar, „Siegel der Propheten und Paraklet", vermutlich als
Martyrer seines Glaubens gestorben
274 oder 277. Nach ihm sind die
Manichaeer benannt – 258
Mann, Thomas, Schriftsteller, 1875–
1955; – III. 112
Manuel I. Komnenos, byz. K. 1143–
1180; – 65. 74. 84. 102. 173. 189.
238. 269. 270. 303. 304. 319. 320
Manuel II. Palaiologos, byz. K. 1391–
1425; – 58. 137. 138. 187. 205.
309
Maria, Gottesmutter („Theotokos") –
113. 114. 116. 129. 149. 179. 180.
204. 276. 279
Maria Aegyptiaca, heilige Büßerin –
122
Marie de l'Incarnation, französische

Nonne und Mystikerin, † in Kanada
1672; – 220
Marius, römischer Feldherr und Dictator, † 86 v. Chr. – 271
Markianos, byz. K. 450–457; – 99
Markioniten, benannt nach Markion,
der das Alte Testament zugunsten
eines von allem „Judaismus" gereinigten Neuen Testament preisgab,
† nach 160 in Rom – 282
Marmarameer (Propontis) – 303. 315.
325
Martin, Claude, französischer Benediktiner der Mauriner-Kongrega-
tion, † 1684; – 220
Martina, byz. Kaiserin, zweite Frau des
K. Herakleios, † nach 641; – 42. 54.
57. 63
Matthaios Kantakuzenos, Sohn und
Mitkaiser des K. Joannes VI. Kantakuzenos, Mitkaiser 1353–1354,
„Despotes" auf der Peloponnes
1380–1382; – 69
Matzukes, Theodoros, kaiserl. Beamter unter Manuel I. – 320
Maurikios, byz. K. 582–602; – 62
Mauriner (Mauristen), franz. Benedik-
tinerkongregation, berühmt durch
ihre gelehrten, besonders patristischen Studien, gegründet 1618; –
220
Mauropus, Joannes, Philologe und
Dichter, zuletzt Bischof von Euchai-
ta in Kleinasien, † nach 1053; –
129. 155. 175. 204. 301
Maximos der Bekenner (Homologetes), Kanzleichef von K. Herakleios,
dann Mönch, Bekämpfer der Monotheleten, Mystiker, † 662; – 173.
174. 183. 188. 194. 199–201. 203.
221. 226
Mazaris, Verf. einer satirischen „Fahrt
in die Unterwelt" unter Kaiser Manuel II. Palaiologos – 137. 151
Mehmed II. der Eroberer (Fatih), os-
man. Sultan, eroberte Konstantinopel im Jahre 1453, † 1481; – 54

ist jedoch hellenistisch – 145. 150
Synesios von Kyrene, B. v. Ptolemais,
Humanist aus der Schule Hypatias,
† ca. 412; – 127. 140. 219. 244.
294. 295
Syrer, Syrien – 15. 101. 182. 212. 213.
259. 290. 291. 295. 300. 319

Tabor, Berg der Verklärung Christi;
Taborlicht ist die Bezeichnung für
die Lichtvisionen der Hesychasten
auf dem Athos, die darin die Gottheit selbst zu sehen meinten – 176.
200. 201. 202
Tarasios, Ptr. v. Konstantinopel 784–
806; – 82. 103. 186–188. 297
Terenuthis, Stadt in Aegypten – 338
Teresa von Avila, spanische Nonne
und Mystikerin, 1515–1582; – 109
Tertullianus von Karthago, lat. Kir-
chenschriftsteller, † nach 220; – 93
Thalassios, Abt, Freund des Bekenners
Maximos, Mystiker, 7. Jh. – 221
Thekla, Begleiterin des Apostels Paulus, frühchristliche Romanfigur –
120. 121
Themistios, Philosoph und Rhetor, Senator und Stadtpräfekt von Konstantinopel, † 388; – 24–28. 125.
243. 244. 246. 294
Theoderich der Große, Gotenkönig,
Vertreter des Kaisers in Italien,
† 526; – 76
Theodora, byz. Kaiserin, Gattin des K.
Theophilos, Regentin von 842 bis
856 für Michael III. – 54
Theodoretos, B. von Kyros in Syrien,
Gegner Kyrills von Alexandreia, abgesetzt 449, rehabilitiert 451, Teile
seines Werkes verurteilt 553 (eines
der „Drei Kapitel") – 129. 175.
180. 182. 277
Theodoros II. Laskaris, byz. K.
1254–1258; – 66. 69. 240. 249
Theodoros, B. v. Mopsueste in Syrien,
Lehrer des Nestorios, kirchlich verurteilt 553, † 428; – 180. 181

Theodoros Paphlagon, Schriftsteller
des 10. Jh. – 234
Theodoros Studites, Abt des Studiu-
Klosters, dem er eine Regel gab, Bekämpfer der Ikonoklasten, † 826; –
184. 186. 211. 215
Theodosios I. byz. K. 379–395; – 24.
30. 61. 75. 100. 102. 319
Theodosios II. byz. K. 408–450; –
29
Theodosios III. byz. K. 715–717;
– 63
Theodosios, Ptr. v. Konstantinopel
1179–1183; – 319. 320
Theodosios, palästinensischer Mönchs-
vater, Gründer eines Koinobions bei
Bethlehem, † 529; – 214
Theophanes der Bekenner (Homologe-
tes), Mönch, Verfasser einer Chro-
nik, † 818; – 139. 208. 275. 299
Theophanes von Cerami s. Philippos
da Cerami
Theophilos, byz. K. 829–842; – 131
Theophilos von Edessa, Astrolog in
Bagdad, 8. Jh. – 270
Theophylaktos, B. von Ohrid (Achri-
da) in Bulgarien, Theologe und Exe-
get, † ca. 1108; – 169
Theophylaktos Simokattes aus Aegyp-
ten, Historiker, 1. H. des 7. Jh. –
31. 296
Thessalonike – 51. 140. 213. 248.
255. 256. 270. 282. 305
Thomas von Aquin, der „Fürst der
Scholastik", 1225–1274; – 190.
191. 333
Thrakien – 134. 248. 249. 256. 261.
267.279. 291. 303
Thukydides, griechischer Historiker,
† ca. 400 v. Chr. – 13
Tiberios I. Konstantinos, byz. K.
278–282; – 101
Tiberios II. byz. K. 698–705; – 63
Tocco, italienische Familie, Herrscher
in Westgriechenland im 15. Jh. –
151
Trapezunt am Schwarzen Meer,

Termini technici

(soweit sie nicht im Text ausführlich genug erläutert sind)

Adoptianismus: Besonders im frühen Christentum verbreitete Lehre, daß Jesus von Nazareth von Gott an Sohnes Statt angenommen wurde; damit sollte ein „Transzendenz-Verlust" der monarchisch verstandenen Gottheit durch eine Menschwerdung Gottes vermieden werden.

Akklamation: Meist rhythmisierte Zurufe des Beifalls oder von Glückwünschen; in der Spätantike weit verbreitet in der Liturgie, bei Kirchenversammlungen, im höfischen Zeremoniell und insbesondere bei der Kaiserwahl, wo sie als konstitutiv angesehen wird.

Anachorese: Das „Ausweichen", etwa vor dem Militärdienst oder dem Steuerdruck; im christlichen Sprachgebrauch vor allem das Ausweichen vor der „Welt" in Stadtferne oder in die Wüste seitens des Eremiten (Anachoreten).

Anathem: Kirchliche Verurteilung (Ausschluß) von Personen und Lehren.

Anatolikon: Verwaltungsbezirk (Thema, s. dort), ursprünglich den größten Teil Innerkleinasiens umfassend.

Ancyranum: Selbstdarstellung der Taten und Absichten des Kaisers Augustus; in Stein gehauen 1555 in Ankara (Ankyra) entdeckt.

Anthologia: Im spezifischen Sinne eine Sammlung griechischer Epigramme aller Zeiten, die verschiedentlich neu redigiert wurde. Die berühmteste Redaktion ist die sogenannte Anthologia Palatina, so benannt nach einer Handschrift der kur-pfälzischen Bibliothek in Heidelberg.

Apatheia: Freiheit von Leidenschaften, Gelassenheit; Zustand, der nach der klassischen Mystik Erfolg der „Praxis" ist, d. h. der von asketischen Übungen bestimmten Grundstufe des mystischen Aufstieges.

Apopthegmata: Aussprüche, insbesondere die Sprüche der Mönchsväter in der Wüste, denen man nicht nur besondere Weisheit sondern auch charismatische „Geladenheit" zuschrieb.

Arenga: Die einleitenden Sätze einer Urkunde, bei Kaiserurkunden nicht selten im Dienste kaiserlicher Selbstdarstellung. Griechisch: Prooimion.

Attizismus: Sprachliches und stilistisches Verhalten der Spätantike, das in der als klassisch empfundenen Sprache Attikas (Atthis) und ihrer Schriftsteller (Thukydides, Platon, Isokrates usw.) sein Ideal sah.

Aureus: Nach dem Zusammenbruch der kaiserzeitlichen Währung von Konstantin dem Großen geschaffene Goldmünze, auch Solidus, später Nomisma genannt, mit einem Feingoldgehalt von 4,48 gr. Eine der stabilsten Währungen der Weltgeschichte.

Autokrator: Neben „Basileus" die spezifische Bezeichnung für den regierenden byzantinischen Hauptkaiser; Nebenkaiser erhielten diesen Titel erst in spätbyzantinischer Zeit. Autokrator ist ursprünglich das griechische Pendant von Imperator = Feldherr; in dieser Bedeutung findet es sich im Mittelbyzantinischen noch in der Verbindung Autokrator Strategos, die einen kommandierenden General mit besonderen Vollmachten bedeutet.

Barnabas-Brief: Frühchristliche Lehrschrift (um 200), dem Nachweis der Überlegenheit des Christentums über das Judentum gewidmet.

Batrachomyomachia: „Frosch-Mäuse-Krieg". Eine Parodie im Stil des Heldenepos, lange Homer selbst zugeschrieben. Wohl aus dem 5. Jh. v. Chr.

Brumalia: Feiertage zur Wintersonnwende mit ausgelassenen Belustigungen.

Castra: Das Feldlager des Kaisers und seines Hofstaates, vor der Stabilisierung des Hofes in Konstantinopel einem ständigen Ortswechsel unterworfen.

Chagan: Herrschertitel bei den Turkvölkern, z. B. den Avaren und Chazaren.

Chartophylax: Ursprünglich Archivar des Patriarchats, später einer der Großen Diakone der Hagia Sophia, Rechtsberater und „Generalvikar" des Patriarchen.

Chartularios: Beamter, der mit Papieren und Urkunden zu tun hat. Er kann alle möglichen Funktionen ausüben, z. B. die eines Kanzleichefs verschiedener staatlicher Ressorts.

Codex Theodosianus: Von Kaiser Theodosios II. veranstaltete systematische Sammlung von Kaisergesetzen usw.

Comes: Der „comes Augusti" war Rechtsberater des römischen Kaisers auf Reisen. In der frühbyzantinischen Zeit sind die comites Vertraute des Kaisers für verschiedene Sonderaufgaben, aber auch Ressortchefs, bes. in der Finanzverwaltung. Der Comes Orientis ist der höchste Reichsbeamte in Syrien und Palästina.

Defensor: In die konstantinische Epoche zurück reicht die Bestellung eines Defensor civitatis, oder plebis, eines Verteidigers (Advocatus) der Stadt gegenüber Übergriffen der Behörden.

Diadochen: Die Nachfolger Alexanders des Großen, die sich als Regenten in die einzelnen Bestandteile seines Reiches teilten.

Didaché: „Die Lehre", auch Apostellehre genannt, ist eine frühchristliche, auf eine jüdische Grundschrift zurückgehende religiöse und teilweise auch liturgische Unterweisung, wahrscheinlich aus dem 2. Jahrhundert.

Digesten: Auch Pandekten genannt; Teil der von Justinian I. angeordneten Kodifikation des römischen Rechtes, der das klassische „Juristenrecht" zur Darstellung bringt.

Diglossie: Zweisprachigkeit, bei der eine einfachere Sprachform innerhalb ein- und derselben Gesamtsprache für den allgemeineren Gebrauch bereitsteht, während eine durchgebildete Schrift- oder Hochsprache als Literatur- und Bildungssprache Verwendung findet.

Diözese: Von „Dioikesis" = Verwaltung. Seit Kaiser Diokletian Terminus für einen staatlichen Großbezirk, der eine ganze Anzahl von Provinzen unter einem „Vikar" zusammenfaßt; es gab deren vier: Oriens, Illyricum, Italia, Gallia. Die kirchliche Diözese heißt im byzantinischen Sprachgebrauch Eparchia.

Doketismus: In der alten Christenheit nicht seltene Lehre, daß der Sohn Gottes nur einen Scheinleib angenommen und nur scheinbar gelitten habe.

Domus Augusta: Der kaiserliche Haushalt.

Drei Kapitel: Drei Themen, die auf der Synode von 553 kirchlich verurteilt wurden: a) Der Theologe Theodoros von Mopuestia (als Häretiker), b) die Schriften des Theodoretos von Kyros gegen Kyrill von Alexandreia, c) ein Brief des

Bischofs Ibas von Edessa; alles unter der Signatur: Kampf gegen den Nestorianismus.

Dux: Bei getrennter ziviler und militärischer Provinzverwaltung der Kommandeur des militärischen Bereichs. Später eine der möglichen Bezeichnungen für
einen Themen-Kommandeur.

Epanagoge: Gesetzbuch, entworfen unter Kaiser Basileios I. Bei der Bearbeitung
hatte Patriarch Photios die Hand im Spiel.

Eparchos: s. Praefectus

Eschatologie: Die theologische Lehre von den „letzten Dingen", d. h. Tod, Welt-
ende und Gericht.

Exarchos: Vieldeutiger Titel, z. B. Vize-Kaiser (in Italien und Afrika); Kirchlich
z. B. Vertreter des Patriarchen oder Sprecher einer Gruppe von Klöstern.

Fiscus Caesaris: Die Privatschatulle der frühen römischen Kaiser.

Fides ex auditu: Wort des Apostels Paulus aus dem Römerbrief: „Also kommt der
Glaube aus dem Hören, das Hören aber durch das Wort Christi".

Filioque: Von den Byzantinern für illegitim und nicht selten für häretisch erklärter
Zusatz des Westens zum Glaubensbekenntnis über den Ausgang des Heiligen
Geistes in der Trinität vom Vater und vom Sohne: Qui ex patre filioque
procedit.

Flottenthema: Maritimer Verwaltungsbereich der mittelbyzantinischen Zeit.

Foederati: Verbündete des römischen Reiches, vor allem germanische Verbände,
die geschlossen in den römischen Dienst traten, aber unter Anerkennung der
römischen Souveränität ein gewisses Eigenleben führten.

Gnosis, Gnostiker: Von Gnosis = Erkenntnis. Im Sprachgebrauch der Häresiologen eine Richtung, die in einem sublimierten Wissen das Heil sah und die
Argumentation zugunsten inspirierter Schau ablehnte. Das System basiert nicht
selten auf dualistischen kosmogonischen Vorstellungen.

Groß-Diakone: Die fünf, später sechs ranghöchsten Diakone der Kirche von
Konstantinopel, der Ökonom, der Sakellarios, der Skeuophylax, der Chartophylax und der Sakelliu, später auch der Protekdikos.

Gyrovagen: Von Benedikt von Nursia in seiner Regel abgelehnter Mönchstyp, der
keine stabilitas loci (siehe dort) anerkannte. Weit verbreitet im byzantinischen
Mönchtum.

Hellene: Der Grieche. Beginnend im 4. Jahrhundert wird daraus die Bezeichnung
für den Heiden schlechthin. Eine Reaktion dagegen macht sich erst im spätbyzantinischen Reich mit einigem Nachdruck bemerkbar. Für den Griechen stand
die Bezeichnung „Romaios" = Römer, Bürger des römischen Reiches zur
Verfügung.

Hesychasten: Von „hesychia", die Ruhe. Allgemeine Bezeichnung für Mönche
vor allem mit eremitischer Lebensweise, dann für den mönchischen Mystiker
überhaupt und schließlich im besonderen für eine Gruppe von Mönchen, vor
allem auf dem Athos, die sich einer besonderen Technik der inneren Sammlung
hingaben, als deren Folge sie das göttliche Licht, das Christus bei der Verklärung auf dem Berge Tabor umflossen hatte, zu schauen begehrten.

Historia Augusta: Römische Kaisergeschichte der Jahre 117–284, wohl im
4. Jahrhundert und teilweise im Dienste der Propaganda gegen das verchrist-
lichte Reich entstanden.

Homiliar: Sammlung von nach dem Kirchenjahr geordneten Predigten.

Homousie: Von „homousios" = gleichen Wesens; die theologische Lehre, daß der Sohn Gottes, der „Logos", gleichen Wesens sei mit dem Vater. Feierlich definiert auf der Synode von Nikaia 325.

Hypostase: Zunächst die konkrete, individuelle Wirklichkeit, im lateinischen substantia; in mühsamer Unterscheidung von physis = natura dann der Begriff für „Person". In Konkurrenz dazu trat der Ausdruck „Prosopon", der aber ähnlich wie zunächst das lateinische persona wegen seiner semantischen Herkunft (Maske) zu Mißverständnissen Anlaß gab.

Ikonodulen: Bilderdiener, Verfechter der Legitimität der religiösen Verehrung der Bilder in der orthodoxen Kirche, und zwar nicht nur der „Ikonen" im modernen Sinne des Wortes.

Ikonoklasten: Bilderstürmer. Gegner der Ikonodulen. Der Bilderstreit vollzog sich in zwei Phasen, von etwa 725 bis 787 (2. Konzil von Nikaia mit Definition der Legitimität des Bilderkultes) und von 815 bis 843 („Wiederherstellung der Orthodoxie").

Institutiones: Führer durch das Rechtswerk des Kaisers Justinian I., eine Art Lehrbuch des römischen Rechts.

Isochristen: Lehre origenistischer Mönche, wonach im Gefolge der großen „Wiederherstellung" der ursprünglichen Ordnung (Apokatastasis) alle vernünftigen Wesen in eine Stellung einrückten, welche der Stellung Christi Gott gegenüber entspreche.

Jugatio-capitatio: Diokletianisches Besteuerungssystem, das den steuerzahlenden Einzelnen zunächst als landwirtschaftlich einsetzbare Arbeitskraft erfaßt.

Kalenden: Neujahrsfeiern (1. März) mit karnevalistischen Zügen.

Koine: Aus der Expansion der griechischen Sprache infolge der Eroberungszüge Alexanders des Großen resultierende „Gemeinsprache" der hellenistischen Zeit. Das bedeutendste Literaturdenkmal ist das Neue Testament.

Koinobion: Coenobium, das Gemeinschaftskloster mit Abt an der Spitze, im Gegensatz zu den Eremitensiedlungen. Urtyp das Kloster des Pachomios in Ägypten (4. Jh.).

Konstitution: Constitutio principis, d. h. vom Kaiser erlassene Vorschriften, denen man spätestens seit dem 2. Jahrhundert die Kraft von Gesetzen (legis vigor) zuschrieb.

Konsulat: Noch in der byzantinischen Zeit hohes Ehrenamt, das zur Bestimmung der Zeitrechnung diente. 541 wurde das Konsulat im engeren Sinne des Wortes abgeschafft. Es blieb für längere Zeit der bloße Titel consul = Hypatos.

Kosmokrator: Herrscher über das Weltall.

Kral: Von Karolus (Magnus); Königstitel bei den Serben.

Kurie (Curia): Der Rat der spätantiken Stadt. Die Mitglieder (decuriones) waren am stärksten vom wirtschaftlichen Niedergang der Stadt betroffen, da sie für das Steueraufkommen der Stadt persönlich haftbar gemacht wurden.

Laura: Mönchssiedlung aus der lockeren Aneinanderreihung kleiner Häuschen bestehend; die Bewohner trafen sich zumeist nur einmal in der Woche zur Liturgie. Gelegentlich bezeichnet aber Laura das Kloster überhaupt, z. B. auf dem Athos die „Große Laura", die in Wirklichkeit ein Koinobion war.

Logos: Das „Wort Gottes", die zweite Person in der christlichen Trinität.

Logothetes: Rechnungsführer; zunächst nachgeordnete Beamte in verschiedenen staatlichen Büros, die aber nach einiger Zeit zu Ressortchefs aufsteigen. So wurde der Logothetes tu dromu, ursprünglich Zahlmeister der Reichspost, für einige Zeit fast etwas wie ein Außenminister des Reiches.

Magister militum: „Heermeister", General der römischen Armee.

Magister officiorum: Hoher kaiserlicher Minister der Frühzeit des byzantinischen Reiches, Chef der Zentralverwaltung ohne die Finanzen.

Mandator: Im 6. Jh. kaiserlicher „Sprecher" z. B. gegenüber den Zirkusparteien im Hippodrom.

Monenergeten: Vertreter der theologischen Lehre von einer einzigen Wirkkraft (Energie) in Christus, eine Lehre, die bald ergänzt wurde durch den Monotheletismus, die Lehre von einem einzigen Willensvermögen (Thelema). 7. Jahrhundert.

Monologion (Monologia): Kurze ständig wiederholte Gebetsformel als „Aufhänger" der mystischen Konzentration. Die berühmteste, allerdings nicht die einzige Formel war: Herr Jesus Christus, Sohn Gottes, erbarme dich meiner!

Monophysiten: Vertreter der theologischen Lehre, daß im konkreten Gottmenschen nach der Inkarnation nur von einer und zwar einer göttlichen Natur gesprochen werden könne. Verurteilt in Chalkedon 451.

Monotheleten: siehe Monenergeten.

Neuplatonismus: Zu Anfang des 3. Jh. nach Chr. entstandene philosophische Richtung, welche den platonischen Idealismus mit religiös-metaphysischen Sehnsüchten orientalischer Herkunft verbindet; stand in einem ambivalenten Verhältnis zum Christentum.

Nicaeno-Constantinopolitanum: Glaubensbekenntnis, das eine Erweiterung des Bekenntnisses der Synode von Nikaia (325) darstellt und vom Konzil von Chalkedon als verbindliche Glaubensdefinition anerkannt wurde.

Nika-Aufstand: Vom Hippodrom ausgehende schwere Revolte gegen die Regierung des Kaisers Justinian I. Im Jahre 532; niedergeschlagen von General Belisarios.

Nikänisches Reich: Byzantinisches Restreich nach der Eroberung Konstantinopels durch die Kreuzfahrer im Jahre 1204. Beendet mit der Wiedereroberung der Hauptstadt im Jahre 1261.

Nomisma: siehe Aureus

Nomos Georgikos: Sammlung von gesetzlichen und gewohnheitsrechtlichen Regeln über Besitz und Wirtschaft auf dem Dorf, ca. 7. Jh.

Oikumene: Der Erdkreis, Orbis terrarum, Idealraum des byzantinischen Reiches. Ökumenisch ist auszeichnendes Prädikat: „Reichs-..."

Orbis: siehe Oikumene

Organon: Bezeichnung für die logischen Schriften des Aristoteles.

Oriens: Als Verwaltungsbezirk des Praefectus praetorio umfaßt der O. den gesamten asiatisch-afrikanischen Teil des Reiches, aber auch Thrakien. Als „Diözese" unter einem vicarius, später einem comes umfaßt er in der Hauptsache Syrien.

Panes publici: Staatsbrot, verbilligte Brotlieferung an die Bürger der Großstädte, z. B. Konstantinopel.

Panhellenismus: Die Gesamtheit des Griechentums, – ein gelegentlich politisches, meist jedoch sprachlich-kulturelles Ideal.

Pantokrator: Der göttliche Herrscher über das All.

Papás: Der einfache Kleriker der orthodoxen Kirche (russ. Pope), im Gegensatz zu Pápas, der Amtsbezeichnung des Bischofs von Rom (Papst) und des Patriarchen von Alexandreia.

Paroikoi: Paröken, etwa mit Hintersassen wiederzugeben.

Parusia: Ankunft, Gegenwart. Die sog. erste Parusie bedeutet die Menschwerdung Gottes, des Logos, die zweite die Wiederkunft zum letzten Gericht.

Patriarchat: Kirchlicher Großbezirk, etwa den politischen Diözesen entsprechend. Die ältesten Patriarchate waren Alexandreia und Antiocheia; Konstantinopel kam etwa zwischen 381 und 451 dazu; etwa um dieselbe Zeit schaffte es schließlich zur Not auch Jerusalem. Rom galt in der Ostkirche als „Patriarchat des Westens".

Patrikios: Von Konstantin dem Großen geschaffener, ursprünglich sehr hoher Hofrang.

Pax Augusta: Zustand der Befriedung des Erdkreises durch Kaiser Augustus.

Physiologos: Spätantike Sammlungen über fabulose und typisch-allegorische Eigenschaften von Tieren, Pflanzen und Metallen.

Pneumatikos: „Geistmensch", in dem das Pneuma den Sieg über die Psyche errungen hat.

Polis: Die griechische Stadt als mehr oder weniger autarkes Gemeinwesen außerhalb eines größeren staatlichen Verbandes.

Pontifex Maximus: Römischer Priestertitel für den Aufseher über das gesamte staatliche Sakralwesen. Von Kaiser Gratian abgelegt im Jahre 382, nachdem ihn zuvor mehrere christliche Kaiser noch getragen hatten. Im Laufe des 5. Jahrhunderts ging der Titel auf den römischen Papst über.

Praxis: siehe Apatheia

Praefectus praetorio: Ursprünglich Präfekt des kaiserlichen Garderegiments; seit Konstantin dem Großen der höchste Zivilbeamte des Reiches. Griechisch Eparchos.

Praefectus urbi: Stadtpräfekt von Rom; seit der Mitte des 4. Jahrhunderts erhielt auch Konstantinopel einen p. u. Griechisch Eparchos.

Primikerios: In den verschiedensten Verwaltungsressorts Chef einer bestimmten Gruppe von Beamten, etwa der Chartulare oder Notare usw.

Prooimion: siehe Arenga.

Prosopon: siehe Hypostasis.

Protospatharios: Der erste der Schwertträger (Spathare), einer höfischen Rangklasse.

Res publica: Bezeichnung für die römische Gesellschaft und den römischen Staat. Griechisch „Politeia".

Salus publica: Die öffentliche Wohlfahrt im Sinne von Sicherheit und Wohlbefinden, eine Begriffspersonifikation, der noch Augustus einen Altar errichtete.

Scholastikos: Berufsbezeichnung mit Vorzug, aber nicht ausschließlich, für den Juristen. Auch anderen geistigen Berufen kommt sie zu.

Sebastokrator: Von Kaiser Alexios I. geschaffener höchster Hofrang.

Semper victor: Immer siegreich. Triumphalakklamation für den Kaiser.

Solidus: siehe Aureus.

Soteriologie: Die theologische Lehre von der Erlösung.

Stabilitas loci: „Beständigkeit des Ortes", vorgeschrieben von der Regula s. Benedicti für seine Mönche. Auch Justinian I. und verschiedene byzantinische Klosterregeln kennen die Sache, ohne in der Praxis gegen die Gyrovagen (siehe dort) Erfolg gehabt zu haben.

Subordinatianismus: Theologische Spekulationen über das Verhältnis des Sohnes zum Vater in der Trinität, die den biblischen Aussagen, die eine Unterordnung des Sohnes insinuieren, gerecht werden wollen.

Tetrarchie: „Viererherrschaft", von Diokletian eingeführtes Vier-Kaiser-System bestehend aus zwei Hauptkaisern (Augusti) und zwei Nebenkaisern (Caesares).

Thema: Verwaltungsbezirk mit einem militärischen Kommandeur an der Spitze, charakteristisch vor allem für die frühmittelbyzantinische Zeit.

Theodizee: „Rechtfertigung Gottes", von Leibniz geprägter Begriff der Erklärung des Übels in einer von einem guten Gott geschaffenen Welt.

Theokratie: Herrschaft Gottes. Staatsform, in der angeblich Gott mehr oder weniger unmittelbar regiert, sei es durch einen gottähnlichen Herrscher, sei es durch seine Priesterschaft.

Tomos Hagioreitikos: Tomos ist zumeist Bezeichnung für das Abschlußdekret einer kirchlichen Synode. T. h. (= des Heiligen Berges Athos – Hagion Oros) ist ein dogmatisches Manifest der hesychastischen Athosmönche, ca. 1339/40.

Toparches: Lokaler Herrscher an den äußersten Rändern der byzantinischen Souveränität.

Tricennat: Dreißigjähriges Regierungsjubiläum.

Tutelar-Kaiser: Kaiser, die für einen minderjährigen legitimen Kaiser das Reichsregiment führten und nicht selten auf ihr Mündel vergaßen.

Tu vincas: Du mögest siegen! Akklamation für den Kaiser.

Zeloten: Im 14. Jahrhundert eine kämpferische patriotische Partei in Thessalonike, welche die Herrschaft des privilegierten Adels ablehnte.

Zeremonienbuch: Von Kaiser Konstantin VII. zusammengestelltes Handbuch des byzantinischen Hofzeremoniells.

Zwei-Naturen-Lehre: Die orthodoxe Lehre von zwei unvermischten Naturen, einer göttlichen und einer menschlichen, in der Person Christi. Die Gegner sind die Monophysiten (siehe dort).

Zwölf-Apostel-Lehre: Auch einfach Didaskalia (im Gegensatz zur Didaché) genannt. Allgemeine kirchliche Unterweisungen aus dem Anfang des 3. Jahrhunderts, den zwölf Aposteln zugeschrieben.

Handbuch der Altertumswissenschschaft
XII. Abteilung
(Byzantinisches Handbuch)

Georg Ostrogorsky
Geschichte des byzantinischen Staates
1940. 3., durchgearbeitete Auflage. 1963. XXXI, 514 Seiten mit 2 Karten im
Text und 6 Karten auf Beiblättern. (XII, 1, 2)

Hans-Georg Beck
Kirche und theologische Literatur im byzantinischen Reich
1959. 2., unveränderte Auflage. 1977. XVI, 835 Seiten. (XII, 2, 1)

Hans-Georg Beck
Geschichte der byzantinischen Volksliteratur
1971. XXII, 233 Seiten. (XII, 2, 3)

Franz Dölger und Johannes Karayannopulos
Byzantinische Urkundenlehre
Erster Abschnitt: Die Kaiserurkunden. 1968. XXXIII, 203 Seiten mit 85
Abbildungen auf 42 Tafeln. (XII, 3, 1, 1)

Erich Schilbach
Byzantinische Metrologie
1970. XXIX, 291 Seiten mit 3 Textabbildungen. (XII, 4)

Herbert Hunger
Die hochsprachliche
profane Literatur der Byzantiner
Erster Band: *Philosophie – Rhetorik – Epistolographie – Geschichtsschrei-
bung – Geographie. XXVI, 542 Seiten.*
Zweiter Band: *Philologie – Profandichtung – Musik – Mathematik und
Astronomie – Naturwissenschaften – Medizin – Kriegswissenschaft –
Rechtsliteratur. Etwa 600 Seiten. Mit Beiträgen zur byzantinischen Musik
von Christian Hannick und zur byzantinischen Rechtsliteratur von Peter P.
Pieler (XII, 5)*

Verlag C. H. Beck München

Hermann Fränkel
Dichtung und Philosophie des frühen Griechentums

Eine Geschichte der griechischen Epik, Lyrik und Prosa bis zur Mitte des fünften Jahrhunderts. Nachdruck 1976 der 3., durchgesehenen Auflage von 1969. XIV, 637 Seiten. (Beck'sche Sonderausgaben)

Fränkels Geschichte der griechischen Literatur von Homer bis Pindar, souverän und lesbar geschrieben, macht dem modernen Leser das geistige und soziale Leben der frühgriechischen Epoche im Spiegel ihrer Literatur unmittelbar anschaulich. Der Autor versteht die Originaltexte, die er weitgehend in deutscher Übersetzung vorlegt, als Dokumente ihrer Zeit: er untersucht sie nicht nur auf Inhalt, Gedankenwelt und Kunstform, sondern auch auf die Funktion hin, die ihnen im damaligen Leben zukam.

Hermann Fränkel
Noten zu den Argonautika des Apollonios

1968. IX, 665 Seiten Leinen

Hermann Fränkel
Wege und Formen frühgriechischen Denkens

Literarische und philosophiegeschichtliche Studien. Herausgegeben von Franz Tietze. 3., durchgesehene Auflage. 1968. XXIII, 376 Seiten. Leinen

Klaus Oehler
Antike Philosophie und Byzantinisches Mittelalter

Aufsätze zur Geschichte des griechischen Denkens. 1969. 343 Seiten mit 10 Abbildungen auf 3 Tafeln

„Diese Sammlung bedeutsamer Aufsätze zu verschiedenen Themen aus der Geschichte des griechischen Denkens darf wärmstens empfohlen werden. Der Band enthält eine Reihe schon früher erschienener Beiträge vor allem zu aktuellen Problemen der Platon- und Aristotelesforschung bzw. zur platonisch-aristotelischen Tradition im Altertum. Hinzu kommt eine Arbeit über den Begriff des consensus omnium, eine längere Rezension über Thomas von Aquin als Interpreten des Aristoteles, einige Arbeiten zu byzantinischen Philosophen sowie eine zur Aristoteles-Tradition in Byzanz." *Gymnasium*

Verlag C. H. Beck München